KU-398-726

ALTIN
KİTAPLAR

KİTABIN ORİJİNAL ADI
PREDATOR

YAYIN HAKLARI
@ ORION MINTAKA (UK) LTD, 2016
BİRİNCİ BASIM, HARPERCOLLINS 2016,
1 LONDON BRIDGE STREET
LONDON SE1 9GF
ONK AJANS LTD. ŞTİ.
ALTIN KİTAPLAR YAYINEVİ
VE TİCARET AŞ

KAPAK TASARIMI
GÜLHAN TAŞLI

BASKI
1. BASIM/EYLÜL 2021/İSTANBUL
LARUS YAYINEVİ VE TİCARET AŞ
Bağlar Mah. 62. Sok. Yıldızlar Plaza No: 10/A
34212 Bağcılar, İstanbul
Tel: 0.212.446 38 88 Sertifika No: 49657

ISBN 978 - 975 - 21 - 2647 - 3

ALTIN KİTAPLAR YAYINEVİ
Gülbahar Mah. Altan Erbulak Sok.
Maya Han Apt. No: 14 Kat: 3 Şişli / İstanbul
Yayınevi Sertifika No: 44011

Tel: 0.212.446 38 88 pbx
Faks: 0.212.446 38 90

http://www.altinkitaplar.com.tr
info@altinkitaplar.com.tr

WILBUR SMITH
VE TOM CAIN

YIRTICI

TÜRKÇESİ
DOĞANAY BANU PİNTER

Yazarın Yayınevimizden Çıkan Kitapları

BENCİL (Courtney Dizisi)
FIRTINA (Courtney Dizisi)
BİR SERÇE DÜŞTÜ (Courtney Dizisi)
ALEV KIYILARI (Courtney Dizisi)
HÜKMEDENLER (Courtney Dizisi)
GAZAP (Courtney Dizisi)
ŞİMDİ ÖLMEK ZAMANI (Courtney Dizisi)
TUZAK (Courtney Dizisi)
YIRTICI KUŞ (Courtney Dizisi)
MUSON YAĞMURLARI (Courtney Dizisi)
MAVİ UFUKLAR (Courtney Dizisi)
GÜNEŞİN ZAFERİ (Courtney Dizisi)
AVCININ KADERİ (Courtney Dizisi)
ALTIN ASLAN (Courtney Dizisi)

LEOPAR KARANLIKTA AVLANIR (Ballantyne Dizisi)
MELEKLERİN GAZABI (Ballantyne Dizisi)
ŞAHİN (Ballantyne Dizisi)

TEHDİT ALTINDA (Hector Cross Dizisi)
KISIRDÖNGÜ (Hector Cross Dizisi)

NEHİR TANRISI (Mısır Dizisi)
YEDİNCİ PAPİRÜS (Mısır Dizisi)
BÜYÜCÜLER KRALI (Mısır Dizisi)
11. YAZIT (Mısır Dizisi)

LANETLİLER KÖRFEZİ
MACERACILAR
ŞEYTAN ÇIĞLIĞI
BİR AVUÇ KUM
DENİZ KADAR AÇ
VAHŞİ ADALET
FİLLERİN ŞARKISI
GÖKLERİ SÜSLEYEN KARTAL

Bu kitabı, günümü aydınlatan güneşim ve gecelerimi
güzelleştiren ayım Niso'ya ithaf ediyorum.
Bana bahşettiğin sayısız mutluluk için teşekkür ederim,
sevgili kızım.

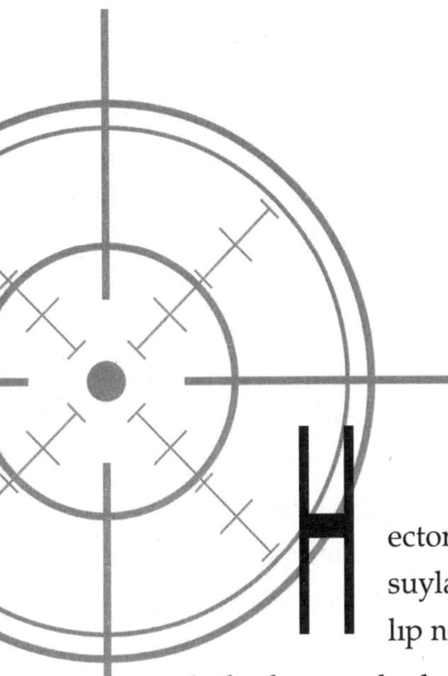

Hector Cross, uykusundan dehşet duygusuyla uyandı ve bir süre yattığı yerde kalıp nerede olduğunu anlamaya çalıştı.

Ardından neyle karşılaşacağını bilmeden, gönülsüzce gözlerini açtı ve yatak odasının açık kapısına baktığında onun verandadan kendisine doğru geldiğini gördü. Ay ışığının değişip duran gümüş renkli desenleri ıslak merdivenlerde parlıyordu. Hayvan, pençelerini yumuşak hareketlerle beton zemine sürterek ona doğru ilerliyordu. Ağır ağır attığı her adımda kuyruğu bir o yana bir bu yana savruluyordu. Soğuk sırıtışıyla ortaya çıkan sarı dişleri altdudağının üzerindeydi. Hector'un boğazı düğümlendi, göğsü sıkıştı, bir panik dalgası bedenini kapladı. Timsah başını açık kapıdan sokup orada durdu. Bakışları ona odaklandı. Gözleri bir aslanınkiler gibi sarıydı ve siyah gözbebekleri birer çizgi halindeydi. Hector ancak o zaman hayvanın ne kadar kocaman olduğunu fark etti. Kapıyı tamamen kaplıyordu ve yatakta yatan Hector'dan çok daha iriydi, ona kaçma şansı bırakmamıştı. Hector hızla şaşkınlığını üzerinden atıp yatağın kenarına doğru döndü. Dokuz milimetrelik Heckler&Koch tabancasını koyduğu komodinin çekmecesini açtı ve içini yokladı. Tabancasını ararken tırnakları ahşabın üzerinde çılgınca gezindi ama tabanca orada değildi. Çekmece boştu. Hector savunmasızdı.

Yeniden devasa sürüngene doğru döndü, bacaklarını altına aldı, sırtını yatak başlığına dayayarak oturdu. Ellerini, yüzünün önünde birleştirip savunmaya geçti. "Hey! Git buradan!" diye bağırdı ama hayvan bir korku belirtisi göstermedi. Onun yerine çenesini kocaman açarak sivri, sarı dişlerini gösterdi, her biri Hector'un parmakları kadar uzun ve kalındı. Dişlerinin araları, mideye indirdiği avından kalma, çürümüş et parçalarıyla doluydu. Nefesinin kokusu odayı boğucu, pis bir havayla doldurdu. Hector köşeye sıkışmıştı. Kaçış yolu yoktu. Kaderi kaçınılmazdı.

O sırada timsahın kafası şekil değiştirdi ve sürüngenin görüntüsünden daha da korkutucu olan dev bir insan formuna dönüştü. Yaralıydı ve çürümeye yüz tutmuştu. Kör gözleri süt beyazıydı. Hector onu hemen tanıdı. Bu, karısını öldüren adamın kafasıydı.

"Bannock!" diye tısladı Hector, can düşmanının görüntüsü karşısında gerileyerek. "Carl Bannock! Olamaz! Bu sen olamazsın! Sen öldün. Seni öldürdüm ve pis cesedini timsahlara yedirdim. Beni rahat bırak ve ait olduğun cehenneme geri dön." Çıldırmış gibi, abuk subuk şeyler geveliyor, ancak kendisine hâkim olamıyordu.

O sırada sahipsiz bir çift elin odanın karanlığından çıkarak omuzlarını yakalayıp sarstığını hissetti.

"Hector, hayatım! Uyan! Lütfen uyan."

Tatlı kadın sesine direnmeye çalışarak ellerinden kurtuldu ama eller ısrarcıydı. Sonra gitgide artan bir rahatlamayla ağına düştüğü kâbusun pençesinden kurtulmaya başladı. Ve sonunda tamamen uyandı.

"Sen misin, Jo? Sen olduğunu söyle." Hector karanlığın içinde ümitsizce onu aradı.

"Evet sevgilim, benim. Sakin ol. Hepsi geçti. Ben buradayım."

"Işıklar," dedi Hector aniden. "Işıkları aç."

Kadın, Hector'un kollarından sıyrılıp elektrik düğmesine doğru uzandı. Odanın içi aydınlandı, Hector odayı tanıdı, nerede olduklarını ve sebebini hatırladı.

Soğuk bir sonbahar gecesinde, İskoçya'daki Tay Nehri'nin kıyısında bir ortaçağ şatosunda kalıyorlardı.

Hector kendi tarafındaki komodinin üzerinde duran saati eline alıp baktı. Elleri hâlâ titriyordu. "Tanrım, neredeyse sabah olmuş!" Jo Stanley'yi kendine doğru çekip çıplak göğsüne bastırdı. Bir süre sonra soluğu yavaşlayarak düzene girdi. Eğitimli bir savaşçı refleksiyle kâbusun rahatsız edici etkisinden kurtulmuştu, kadına dönüp fısıldadı. "Yaygara çıkardığım için gerçekten özür dilerim aşkım. Neyse, olan oldu. İkimiz de uyandık, bari fırsatı değerlendirelim."

"Sen iflah olmazsın Hector Cross, yorulmak nedir bilmez misin hiç?" dedi kadın ciddi bir sesle ama adamın ellerine karşı direnmek için çaba sarf etmedi, aksine ona sarılarak dudaklarıyla onunkileri arayıp buldu.

"Bilirsin, ben büyük laflar etmeyi pek bilmem," dedi Hector, sonra yeniden sessiz kaldılar. Fakat bir an sonra kadın geri çekilmeden önce mırıldandı.

"Beni korkuttun hayatım."

Hector, onu susturmak ister gibi daha sertçe öpünce kadın ona karşı koymadı. Önceki sevişmelerinden dolayı hâlâ ıslaktı ve partneri kadar büyük bir arzu duydu. Boynuna doladığı kollarını ayırmadan sırtüstü yatıp Hector'u kendine çekti. Ardından bacaklarını açtı ve kalçasını ona doğru itti. Hector'un içine doğru kaydığını hissederken nefesini tuttu.

Birleşmeleri, fazla uzun süremeyecek kadar hararetliydi. Birlikte ve hızla zevkin doruğuna tırmandılar, sonra bütünleşmiş halde o doruktan boşluğa doğru düştüler. Tutkunun onları sürüklediği uzak diyarlardan yavaş yavaş geri döndüler ve konuşmadan soluklarının normale dönmesini beklediler. Kadın, onun nihayet kollarında uyuyakaldığını düşünürken Hector yumuşak bir sesle, adeta fısıldar gibi konuştu: "Bir şey söylemedim, değil mi?"

Kadının yalanı hazırdı. "Tutarlı bir şey söylemedin. Sadece anlaşılmaz ve tuhaf birkaç kelime." Onun rahatladığını hissetti ve oyununa devam etti. "Rüyanda ne görüyordun bu arada?"

"Korkunçtu," diye karşılık verdi. Gizliden alaycı bir ses tonuyla. "Yirmi kiloluk bir somon balığının ağzından kancayı çıkardığımı gördüm."

Aralarında dile getirilmeyen, karşılıklı bir anlaşma vardı. Aşklarının birbiri için yanan kırılgan ışığını koruyabilmenin tek yoluydu bu. Jo Stanley, karısını öldüren iki adamın peşine düşen Hector'un yanında olmuştu. Bu iki adamı nihayet Orta Afrika ormanlarının derinliklerinde inşa ettikleri Arap şatosunda ele geçirmeyi başardıklarında Jo, Hector'un onları yargılanmak ve cezalandırılmak üzere Amerikan yetkililerine teslim edeceğini ummuştu.

Jo avukattı ve hukukun üstünlüğüne tam manasıyla inanıyordu. Öte yandan Hector kendi kurallarını yazan biriydi. Hataların bedelinin korkunç zalimliklerle ödendiği bir dünyada büyümüştü: göze göz, dişe diş, kana kan.

Hector, karısının iki katilinden birini hukuktan yardım almadan infaz etmişti. Adamın adı Carl Bannock'tu. Hector onu Arap şatosunda tutsak etmiş, sonra da adamın şatosunun mahzenlerinde beslediği timsahlara yedirmişti. Dev sürüngenler, Bannock'un bedenini parçalara ayırıp mideye indirmişti. Şans eseri Jo, Carl Bannock'un yakalanmasına ve infazına tanıklık etmemişti. Böylece sonrasında olayı görmezden gelebilmişti.

Ne var ki Hector ikinci katili yakaladığında onunla birlikteydi. İkinci katil Johnny Congo takma ismini kullanan bir caniydi. Halihazırda Teksas mahkemesi tarafından ölüm cezasına çarptırılmış ama kaçmıştı. Jo, Hector Cross'un ikinci kez kendi elleriyle intikam almasını önlemek için öfke içinde olaya müdahale etmişti. Nihayetinde Hector, Congo'yu Teksas eyaleti emniyet teşkilatına teslim etmezse ilişkilerini bitirmekle tehdit etmişti.

Hector onun bu isteğine gönülsüzce boyun eğmişti. Birkaç ay geçtikten sonra Teksas mahkemesi sonunda Johnny Congo'nun ölüm cezasını onaylamış ve gözaltından kaçtıktan sonra işlediği diğer cinayetler için de onu suçlu bulmuştu. İnfaz tarihi 15 Kasım olarak belirlenmişti, yani sadece iki hafta sonra.

"Tanrım Johnny, yüzüne ne oldu böyle?"

Weiss, Mendoza and Burnett Şirketi'nin –ya da onlardan daha az başarılı rakiplerinin onlara verdiği isimle: "Yahudi, Meksikalı Göçmen ve Beyaz Amerikalı"– Houston Hukuk Bürosu büyük ortağı Shelby Weiss, Teksas, Batı Livingston'daki, Allen B. Polunsky Birimi'nin Ölüm Hücresi adıyla da bilinen 12 numaralı binasında, küçük bir bölmede oturuyordu. Soluk limon yeşili duvarlar arasındaki Weiss, sol elinde tuttuğu eski model bir telefon ahizesine konuşuyordu. Önünde, sarı bir not defteri ve bir dizi ucu sivriltilmiş kurşunkalem duruyordu. Weiss'in önündeki camın öteki tarafında, aynı boyutlarda ama beyaza boyanmış bölmede müvekkili Johnny Congo ayakta duruyordu.

Congo, Huntsville'deki Teksas Eyalet Hapishanesi'nin bilinen adıyla Walls Birimi'nden kaçışından birkaç yıl sonra Abu Zara Körfez Devleti'nde yeniden tutuklanmış, kısa bir süre önce de Amerika Birleşik Devletleri'ne iade edilmişti. Afrika'ya kaçışından sonraki zamanının büyük bölümünü, önceden hapishanedeki sevgilisi sonra ise iş ortağı ve hayat arkadaşı olan Carl

Bannock'la birlikte, Tanganyika Gölü kıyılarında küçük bir ülke olan Kazundu'da kendi krallığını inşa etmekle geçirmişti. Weiss'le bağlantısı da Bannock'tan geliyordu. Weiss'in şirketi, müteveffa manevi babası Henry Bannock tarafından kurulan aile ortaklığında Bannock'u temsil ediyordu. İşler tamamen meşruydu ve Carl Bannock ile Shelby Weiss için de oldukça kazançlıydı. Weiss, Mendoza and Burnett Şirketi, büyük elektrik ürünleri ordusu içinde önemli bir element olarak bilinen ve altından daha değerli bir metal olan "tantal"dan saflaştırılarak elde edilen koltan maddesinin ihracatçısı rolünde de Bannock'u temsil ediyordu. Doğu Kongo'dan gelen ve bu yüzden kirli elmastan farksız olan koltan, yasadışı bir mineral olarak değerlendirilebileceğinden, Carl Bannock'un işlerinin bu tarafı ahlaki anlamda tartışmalıydı. Fakat yine de paranın satın alabileceği en iyi temsilciye sahipti. Şayet Shelby Weiss, Bannock'un uyuşturucu kullanmaktan seks ticaretine kadar bazı nahoş, hatta yasadışı aktivitelere birlikte girdiği kaçak bir suçluyla yaşadığından kuşkulansaydı, kanuna aykırı herhangi bir uygulamayla ilgili kanıt bulamazdı. Ayrıca, Kazundu'nun Amerika Birleşik Devletleri'yle suçluların iadesine dair bir anlaşması yoktu, bu nedenle de durum tartışmaya açıktı.

Ama sonra Johnny Congo, Ortadoğu'da ortaya çıkmış, Henry Bannock'un dul eşi Hazel'la evli olan Hector Cross adındaki eski İngiliz Özel Kuvvetleri görevlisi tarafından yakalanmıştı. Weiss bunun üzerine Cross'un Carl Bannock'un kayınbiraderi olduğunu anladı, ancak bu ailede pek de sevgi yokmuş gibi görünüyordu. Hazel öldürülmüştü. Cross, Carl Bannock'u suçlamış ve intikamını almak üzere yola çıkmıştı. Şimdi Bannock ortalıkta yoktu.

Ancak Hector Cross, Johnny Congo'yu yakalamış ve onu Amerika Birleşik Devletleri'yle suçlunun iadesi anlaşması olan Abu Zara'daki Amerikan Kolluk Kuvvetleri'ne teslim etmişti. Böylece Congo, Ölüm Hücresi'ne dönmüştü, şimdi de karşısında duruyordu ve pek iyi görünmüyordu. Anlaşılan fena halde dayak yemişti.

Johnny Congo, kibrit kutusuna girmiş bir top mermisi gibi, durduğu bölmede sıkışmıştı. İki metre boyunda, cüsseli bir adamdı. Üzerinde hapishane üniforması vardı, kısa kollu, pamuklu, beyaz, polo tişörtünü yine beyaz olan esnemiş bir pijamayı andıran pantolonunun içine sokmuştu. Sırtında büyük, siyah harflerle idam mahkûmu anlamına gelen "İM" yazısı vardı. Üniforma bol gelecek şekilde tasarlanmıştı ama Johnny Congo'yu iyice sarıyordu. Göğsünü, omuzlarını ve kaslı kollarını içeride tutabilmek için iyice gerilmişti, bu da ona Yunan mitolojisindeki yarı insan yarı boğa Minotor görüntüsü veriyordu. Yıllar süren konfor ve refah, Congo'yu şişmanlatmıştı ama göbeğini, etrafı itip kakarak kendisine yol açacak bir silah gibi taşıyordu. El bilekleri kelepçelenmiş, ayak bilekleriyse zincirlenmişti. Ne var ki avukatının dikkatini çeken şey, yayvan ve basık burnundaki kaba görünüşlü kemik çıkıntısı, darbe aldığı belli olan ağzının etrafındaki şişkinlik ve kabarmış deri ile Batı Afrikalılara has koyu teninin aşırı olgun eriklere benzeyen kırmızı-mor tonuydu.

"Sanırım, kapıya çarptım ya da bir kaza falan geçirdim," diye mırıldandı Congo ahizeye.

"Görevliler mi yaptı bunu sana?" diye sordu Weiss, sesinin endişeli çıkması için çaba göstermişti ama tonundaki heyecanı fazla gizleyememişti. "Eğer onlar yaptıysa bunu mahkemede kullanabilirim. Yani, raporu okudum ve Abu Zara'da seni nezarete aldıklarında zaten zincirli olduğun açıkça belirtiliyor. Demem o ki, onlara bir tehdit oluşturmadıysan ve kendini savunamadıysan sana fiziksel şiddet uygulamak gibi bir yasal hakları yok. Fazla sayılmaz ama yine de bir şey. Alabileceğimiz her türlü desteğe ihtiyacımız var. İnfaz 15 Kasım olarak belirlendi. Yani üç haftadan kısa bir süre sonra."

Congo kocaman, tıraşlı başını iki yana salladı. "Polis yapmadı. Şu beyaz pislik, Hector Cross yaptı. Ona bir şey söyledim. Sanırım, itirazı olduğunu belli etmek istedi."

"Ona ne dedin?"

Congo uzaktan gelen bir gök gürültüsü kadar tehditkâr, kısa ve gürleyen bir sesle, omuzlarını titreterek kahkaha attı. "Öldürme emri verenin ben olduğumu söyledim ve ekledim, 'kahpe karının ölüm emrini yani'."

"Ah dostum..." Weiss sağ elinin tersiyle alnını sildi, sonra ahizeyi tekrar kulağına götürdü. "Seni başka duyan oldu mu?"

"Ah, evet, herkes duydu. Bağırarak söyledim."

"Kahretsin, Johnny, işleri kendin için hiç kolaylaştırmıyorsun."

Congo bir adım ilerleyip eğildi ve dirseklerini önündeki rafa koydu. Camın ardından öyle öfke dolu bir ifadeyle baktı ki Weiss irkilerek geri çekildi. "Bunun için sebeplerim var, dostum, haklı sebeplerim," diye hırladı. "O pislik Cross, kahrolası hayatım boyunca benim için önemli olan tek insanı alıp timsahlara yedirdi. Onu canlı canlı yediler. Duydun mu beni? O pullu dangalaklar Carl'ı diri diri yedi! Ama Cross budalanın teki. İki hata yaptı."

"Pekâlâ, ne tür hatalar?"

"İlki, beni de timsahlara yem etmemiş olması. Beni bu şekilde öldürseydi hiçbir şeyden haberim olmazdı. Ben baygındım, dostum, bir çeşit sakinleştirici verilmişti bana, hiçbir şey hissetmezdim."

Weiss kalemi bırakmadan avuç içini cama doğru çevirerek sağ elini havaya kaldırdı. "Hey! Bekle bir dakika! Arkadaşını yedikleri sırada baygınsan o timsahları nereden biliyorsun?"

"Cross'un adamları uçakta bu konuyla ilgili gevezelik ederlerken duydum, hayvanlar Carl'ı katır kutur yerken onun merhamet dileyerek haykırdığını anlatıp gülüşüyorlardı. Şanslılardı da ben bir sandalyeye bağlıydım ve bir bagaj ağıyla sarılmıştım. O an hareket edebilseydim kafalarını koparıp kıçlarına sokardım."

"Ama elinde Carl'ın öldüğüne dair bir kanıt yok, değil mi? Yani, bir ceset falan görmedin mi?"

"Nasıl görebilirim ki?" diye bağırdı Congo, sesi öfkeden yükselmişti. "Kendimden geçmiştim. Carl timsahların midesindeydi! Bana neden böyle aptalca bir soru soruyorsun?"

"Bannock Fonu için," dedi Weiss alçak sesle. "Carl Bannock'un öldüğüne dair bir kanıt olmadığı sürece ve Hector Cross da bir kanıt sunmayacağına göre –çünkü bu onu bir katil yapar– vakıf fonu, Carl'a şirketteki kâr payını ödemeye devam edecek. Ve Carl'ın banka hesaplarına erişimi olan birileri o paradan fayda sağlayabilir. Bu yüzden kayıtlara geçmesi için tekrar sormama izin ver: Carl Bannock'un öldüğüne dair kişisel olarak ve doğrudan bir kanıtın var mı?"

"Hayır, efendim," dedi Johnny iyice vurgulayarak. "Sadece insanların konuştuklarını duydum, ben bir şey görmedim, çünkü o sırada baygındım. Bir de aklıma gelmişken, uçaktayken de ilaçlardan dolayı hâlâ biraz sersemlemiş haldeydim. Duyduklarımı hayal etmiş olabilirim, belki de rüya gördüm ya da ona benzer bir şey."

"Hemfikirim. Sakinleştirici ilaçlar sarhoşluğa benzer etkiler gösterebilir kesinlikle. Bahsettiğin gibi bir konuşmayı aslında duymamış olman kuvvetle muhtemel. Şimdi, Cross'un iki hata yaptığını söylemiştin. İkincisi neydi?"

"Beni uçaktan atmaması. Uçağın merdivenini açıp oradan düşmemi seyretmeliydi..." Johnny Congo düşen bir ağırlığı taklit eden bir ses çıkardı. "...Ta aşağı kadar, yedi bin kilometre ve sonra... Baaam!" Bir elini yumruk yapıp diğer elinin ayasına bir çekiç darbesi gibi indirdi.

"Senden müthiş bir krater olurdu," diye yorum yaptı Weiss soğuk bir tavırla.

"Evet, olurdu." Congo kocaman kel başını sallayarak güldü. "Orada oturan Cross olsa ve ona bakan da ben olsam insandan yapılma bir frizbi gibi fırlatırdım onu aşağı. İki kere düşünmezdim. O da yapmak istedi bunu. Dır dır eden o salak cadı olmasaydı yapardı da."

Weiss başını eğip defterine baktı, kaşlarını çatarak bir önceki sayfada yazdıklarına göz gezdirdi. "Pardon ama kadının öldüğünü söylediğini sanıyordum."

"Karısını öldürttüğümü söyledim, bu konuda utanmana gerek yok. Ama bu farklı bir cadıydı, karısı öldükten sonra görüşmeye başladığı biri. O da senin gibi bir avukat. Neyse, Cross ona Jo diyor. O cadı, söylenip duruyor, sürekli Carl'ı öldürmemesi gerektiğini tekrarlıyordu. Amerikan yasalarını çiğnediğini söyledi... Evet, 'Hem de benim okuyup iş olarak seçtiğim yasalar, hayatım,' aynen böyle dedi. Yani, eğer Cross, Carl'a yaptığı gibi, beni de temizlerse cadının bal kutusunun tadına bir daha bakamayacaktı." Congo omuz silkti. "Cross'un kadının kendisini böyle paylamasına neden izin verdiğini bilmiyorum. Ben olsam kadının bana böyle davranmasına, doğru ve yanlışla ilgili bana nutuk çekmesine izin vermezdim. Ona, 'Senin bal kutun bana ait, sürtük,' derdim. Aynı hatayı bir daha yapmaması için ona bir ders verirdim, ne demek istediğimi anlıyor musun?"

"Durumu kavradım, evet," dedi Weiss. "Peki, sen anlıyor musun? Ben yine de açıklayayım. Sen Walls Birimi'nden kaçtığında..."

Congo başını salladı. "Çok zaman oldu."

"Evet, ama kanunlar bunu önemsemiyor, çünkü kaçtığın sırada infaz tarihine iki hafta kalmıştı. Birkaç farklı cinayetle suçlanıyordun, tutuklanma sürecinde senin talimatınla gerçekleşenlerden bahsetmiyorum bile. Her türlü temyiz yolunu tıkadın. Seni bir sedyeye bağlayıp koluna iğne sokacak ve ölümünü izleyeceklerdi. Senin sorunun işte bu, Johnny. Şimdi olacak şey de bu. Sen bir kaçaksın. Çamaşır sepetine saklanarak bir kamyonun arkasına bindiğin ve ana kapıdan dışarı, karayoluna çıktığın gün başladığın noktaya geri döndün."

Weiss, bu şekilde Congo'yu durumunun ciddiyetiyle ilgili etkilemeye çalıştıysa da bunda pek başarılı olamamıştı. İri adamın yüzünde zoraki bir tebessüm belirdi. "Dostum, hoş bir operasyon değil miydi ama?" dedi.

Weiss sakin ifadesini korudu. "Ben bir hukuk adamıyım, Johnny, bariz bir suç eylemi için seni tebrik edemem. Ama evet, objektif olmam gerekirse kaçış planlaması da, uygulaması da yüksek standartlarda etkinliklerdi."

"Aynen. Peki, şimdi sen benim için ne kadar etkin olacaksın?"

Shelby Weiss'in ayağında El Paso'daki Tres Outlaws'tan alınmış, beş bin dolarlık, el yapımı bir çift Black Cabaret Deluxe bot vardı. Takım elbisesi, Londra, Savile Row, Numara 1'deki Gieves and Hawkes'dendi. Gömlekleri özel olarak Roma'da dikiliyordu. Elini ceketinin yakasında gezdirdi ve sakin bir sesle konuştu: "İşimde kötü olsam böyle giyinebilir miydim sence? Nasıl bir girişimde bulunacağımı söyleyeyim sana: İmkânsıza yelteneceğim. Bana borçlu olunan tüm iyiliklerin geri ödemesini isteyeceğim, elimdeki her türlü bağlantıyı kullanacağım, en zeki çalışanlarıma, akıllarına gelebilecek her türlü davayı didik didik etmelerini söyleyeceğim ve temyiz için muhtemel bir dayanak bulabilir miyim diye bakacağım. En son ana kadar canımı dişime takarak çalışacağım. Ama müşterilerime karşı tam anlamıyla dürüst olmak isterim, bu nedenle de şunu söylemek zorundayım: Fazla umudum yok."

"Hımmm," diye homurdandı Congo. "Pekâlâ, frekansımız aynı..." Dikleşti, iç geçirdi ve zincirlerini kaldırarak ensesini kaşıdı. Sonra sert adam ve haydut tavrını bir kenara bırakıp Weiss'den ziyade kendi kendine konuşurmuş gibi sakin bir sesle devam etti. "Hayatım boyunca insanlar hep bana baktılar ve ben ne düşündüklerini biliyordum: *Kocaman, budala bir siyahi.* Bana goril dedikleri olurdu... Bazen bunun bir iltifat olduğunu düşünürlerdi. Lisedeyken Nacogdoches Golden Dragons'ta sol orta oyuncusuyken Koç Freeney'nin dediği gibi: 'Bugün kudurmuş bir goril gibi oynadın Congo.' Öteki takımın savunmasındaki pislikleri mahvetmemi kastederdi, böylece yakışıklı oyun kurucu, havalı atışlarını yapıp tüm ponpon kızları tahrik etmeyi başarırdı. Ben de, 'Teşekkür ederim, Koç,' derdim, daha doğrusu, 'Massa,' derdim."

Şimdi Congo'nun heyecanı yeniden artmaya başlamıştı. "Ama içten içe bir budala olmadığımı biliyordum. İçten içe onlardan daha iyi olduğumu biliyordum. Ve şimdi de nerede olduğumu gayet iyi biliyorum. O yüzden, senden yapmanı istediğim bir şey var. Eskiden tanıdığım D'Shonn Brown denen biriyle temasa geçmeni istiyorum."

Weiss şaşırmış görünüyordu. "Ne? Şu bildiğimiz D'Shonn Brown mı?"

"Ne demek istiyorsun? Benim bu isimde tanıdığım tek bir kişi var."

"O D'Shonn Brown dediğin bir tür dâhi. Proje çocuk, henüz otuz yaşında bile değil ama şimdiden ilk milyarına ulaşmak üzere. Acayip yakışıklı. Muhteşem bir hikâyesi var, bütün güzel kadınlar onun yatak odasının önünde kuyruğa giriyor. Yani arkadaşın bayağı iyi."

"Eh, doğrusu, onu görmeyeli epey oldu, o yüzden son durumunu pek bilmiyorum ama o benim kim olduğumu gayet iyi bilir. Beni Huntsville'e infaza götürecekleri tarihi söyle ona, sonra da onu gerçekten görmek istediğimi ilet. Beni o sedyeye koyup koluma iğneyi batırmalarından önce belki beni ziyarete falan gelir. Ben ve kardeşi Aleutian çok yakındık. Loot, Londra'da öldürüldü, onu da Cross öldürdü. Ortak ve şahsi bir meselemiz var artık: sevdiklerimizi öldüren katil. D'Shonn'a sevgilerimi sunmak, yakınlığımızı göstermek için elini sıkmak ya da belki onu sıkıca kucaklamak istiyorum."

"Bunun mümkün olmadığını biliyorsun," dedi Weiss. "Teksas eyaleti idam mahkûmlarının hiç kimseyle herhangi bir şekilde fiziksel temasa geçmesine artık izin vermiyor. Yapabileceği en iyi şey, sen gittiğinde cesedine iyi dileklerini sunmak olur."

"Eh, yine de söyle sen. Bunu istediğimi bilsin. Neyse, sana bir banka hesabının vekâletini verebilir miyim, adli harcamalar ve ona benzer şeyler için?"

"Evet, bu mümkün."

"Tamam o halde özel bir bankada, Cenevre'deki Wertmuller-Maier'da hesabım var. Sana hesap numarasını ve ihtiyacın olan şifreleri vereceğim. Öncelikle, birine oradaki kiralık kasamı boşalttırmanı ve acele postayla sana göndermelerini sağlamanı istiyorum. Kasa açılmalı, içindekiler de bir kutuya konup kurcalanmasın diye balmumu ya da ona benzer bir şeyle mühürlenmeli. Sonra hesabımdan üç milyon dolar çek. İki milyon senin için, borca istinaden bir ön ödeme gibi. Diğer bir milyon da D'Shonn için. Kutuyu da ona ver, onu açabilir. Bunların şahsi ve değerli şeyler olduğunu söyle, benim için anlamı olan ıvır zıvırlar; onların tabutumda, benimle birlikte gömülmesini istiyorum. Tabutumdan bahsediyorum, çünkü D'Shonn'un cenazemi ve ardından yapılacak anma törenini düzenlemesini istiyorum, insanların asla unutmayacağı bir kutlama olmalı. Eski zamanlarda, hepimizin mahallenin çocukları olduğumuz dönemdeki insanların bir araya gelmesini istediğimi söyle, gelip beni uğurlasınlar, iyi dileklerini sunsunlar. Bunun için ona minnettar kalacağımı söyle. Bunu yapabilir misin?"

"Bir milyon dolar sadece bir cenaze ve bir anma töreni için mi?" diye sordu Weiss.

"Aynen öyle, cenaze arabaları ve limuzinlerden bir geçit alayı istiyorum, katedralde ya da ona benzer bir yerde bir servis ve yeryüzünde geçirdiğim zamanı kutlayacak birinci sınıf bir parti: havyar ve kaburga eti, barda da Cristal ve Grey Goose, buna benzer iyi şeyler. Dinle, bir milyon hiçbir şey değil. Facebook'u kuran şu bilgisayar kurdunun düğününe on milyon harcadığını okudum. Düşündüm de, Shelby, bence D'Shonn'un payını iki milyon yap. Ona söyle iyice abartsın."

"Madem öyle istiyorsun, elbette, bunu yapabilirim."

"Evet, istediğim bu ve bunun ölen bir adamın son arzusu olduğunu ısrarla söyle. Bu ciddi bir şey, öyle değil mi?"

"Evet, öyle."

"Eh işte, bunu anladığından emin ol."

"Elbette."

"Tamam, işte hesaba girmen için ihtiyacın olan bilgiler." Congo ezberden bir hesap numarası, isim ve ardından da rasgele oldukları belli olan bazı sayı ve harfler sıraladı. Shelby Weiss bunları titizlikle defterine not ettikten sonra başını kaldırdı.

"Tamam, hepsini yazdım. Bana söylemek istediğin başka bir şey var mı?" diye sordu.

"Başka bir şey yok." Johnny başını sağa sola salladı. "Sana söylediğim her şeyi yaptıktan sonra geri gel sadece."

Aleutian Brown bir çete üyesiydi. Kendilerini Allah'ın Savaşçıları olarak tanıtmaktan hoşlanan ama Kur'an şöyle dursun, bir çizgi romanı bile okumaktan aciz Melekler grubuyla birlikte çalışıyordu. Fakat Aleutian'ın küçük kardeşi D'Shonn çok farklıydı. Aleutian gibi güçlükler içinde yetişmişti, dünyaya en az onun kadar öfkeliydi ve birey olarak da bir o kadar kötüydü. Farklı olarak, bunu çok daha iyi gizleyebiliyordu. Kardeşinin ve takıldığı arkadaşlarının başına gelenlerden ders çıkaracak kadar da akıllıydı. Çoğu, cezaevinde veya toprağın altındaydılar.

Bu nedenle D'Shonn çok çalıştı, beladan uzak durdu ve akademik bursla Baylor'a girmeyi başardı. Mezun olurken bu kez tam bursla Stanford Hukuk Fakültesi'ne kapağı attı ve orada ceza hukukuyla özel olarak ilgilendi. Mezun olduktan sonra Kaliforniya eyaleti avukatlık sınavını kolaylıkla geçen D'Shonn Brown, savunma avukatı veya bölge savcılığında savcı olarak gösterişli bir kariyer rotası çizmek için biçilmiş kaftandı. Fakat onun hukuk okuma amacı, kanunları çiğneyebilmek için donanım sahibi olmaktı. Yirmi birinci yüzyılın mafya babası olmayı hayal ediyordu. Böylelikle kendini kamuya, hayırseverlik aktivitelerine büyük bir ilgisi olan, iş çevrelerinin yükselen yıldızı olarak tanıttı. "Ben sadece aldığımı vermek istiyorum," diyordu kendisine hayranlık dolu sözler söyleyen muhabirlere. Ancak gizliden gizliye, uyuşturucu tacirliği, haraç alma, insan ticareti ve fuhuşla alakasını sürdürmüştü.

D'Shonn, Johnny Congo'nun mesajının gizli bir alt metni olduğunu hemen anladı. Shelby Weiss'in de bunu görebildiğinden emindi fakat yemin etmiş olan her iki adamın da, konuşmalarının bir mahkûmun süslü bir cenaze töreni arzusu dışında bir şeyle ilgili olduğunu inkâr edebilmeleri için bu oyunun oynanması gerekiyordu. Ne var ki, Johnny'nin ölmeden evvel D'Shonn'u görüp onu kucaklamak istediğini vurgulayış şeklini ve geçit töreninde görmek istediği araçlardan bahsedişini duyduktan sonra olanları kavramak için okulu birincilikle bitirmeye gerek yoktu. Johnny Congo, D'Shonn'dan bir cenaze ve anma töreni düzenlemesini istediğinin sanılmasını arzu ediyorsa, eh, bunu elbette yapacaktı. Johnny Congo'nun Cenevre'deki hesabından kendisine tahsis edilmiş tam iki milyon dolara erişimi olduğunu öğrendiğinde Johnny'nin aklındaki gibi bir cenaze töreninin memleketi Nacogdoches'ta yapılamayacağına karar verdi. Böylece Houston'ın en prestijli mezarlıklarında bir araştırma yaptıktan sonra çimenleri Augusta'nın otlakları kadar kusursuz olan ve hafif dalgalı suları güneşte parıl parıl parlayan Sunset Oaks'ta, göl kenarında bir alan ayarladı. Kaliteli mermerden bir mezar taşı sipariş edildi. Daha sonra şehrin en prestijli ve pahalı birkaç çiçekçisi, ikram servisi firmaları ve bir dizi beş yıldızlı otel de dahil bazı parti mekânları, son derece savurgan talimatlarla bilgilendirilerek teklif vermek için davet edildi.

Tüm bu çalışmalara destekleyici e-postalar ve telefon görüşmeleri eşlik etti. Anlaşmalar yapıldığında kontratlar, gerekli yerlere ulaştıktan sonra teslim alındığına dair şüphe kalmaması için, kuryeler tarafından elden dağıtıldı. Depozitolar ödendi ve olması gerektiği şekilde beyan edildi. İki yüzden fazla davetiye gönderildi. Johnny Congo'nun arzusunun yerine getirilmesi için hakiki niyetin bir kanıtını görmek isteyen herkese kaldırabileceğinden de fazlası sunulacaktı.

Fakat tüm bunlar olurken D'Shonn bir yandan da, idarecilerinden biri olduğu Houston Golf Kulübü'nde golf oynayıp öğle yemeğinde Uchi'de suşi ve ördek ya da akşam yemeğinde Chama Gaúcha'da Brezilya usulü fileminyon yerken Jonnny Congo'yla bağlantılı çok başka konularda özel ve kayıt dışı konuşmalar yapıyordu. Yazılı bir kayıt bırakmadan, müteveffa başkanların kalın tomarlarını cenazelerle tek ilgisi ceset tedarik etmek olan kişilere ileten aracılara yüksek miktarlarda nakit aktarıyordu. Bu kişilere daha sonra faaliyetlerini, yüzde otuzu Cayman Adaları'nda kayıtlı DSB Yatırım Fonu'na ait olan House of Rashad Şirketi ve kulüp sahibi Rashad Trevain aracılığıyla koordine etmeleri söylenmişti. D'Shonn Brown'ın, Rashad'ın işlerinde aktif bir rol almadığı düşünülüyordu. Yeni bir ortaklığın açılışında fotoğraflandığında muhabirlere şunları söyleyecekti: "Rashad'la ilkokul birinci sınıftaki sıska günlerimizden beri arkadaşız. Lüks eğlence sektörüyle ilgili yeni bir yaklaşım fikriyle bana geldiğinde bu fikre seve seve yatırım yaptım. Bir dosta yardımcı olmak daima güzeldir, öyle değil mi? Anlaşılan arkadaşım işinde benim kadar başarılı. Çalışmaları çok iyi gidiyor, müşterilerine iyi vakit garantisi veriyor ve ben de yatırdığım paranın karşılığında iyi bir kazanç sağlıyorum. Herkes halinden memnun."

D'Shonn ya da Rashad'ı kızdıranlar hariç elbette. Onlar hallerinden hiç de memnun değildi.

"Motorlar boşta. Demirler vira!" Atlantik Okyanusu'nda, Angola'nın kuzey kıyısının yüz altmış kilometre açığında, Kaptan Cy Stamford, FPSO *Bannock A*'yı bin iki yüz metre suda dinlendirdi. Bu gemi Bannock Petrol filosundaki diğer gemilerin içinde en az yaratıcı ve akılda kalır ismi olandı ve görüntüsü de isminden daha iyi değildi. Muazzam büyüklükteki dev bir tanker Amerika Kupası'ndaki bir yarış yatının zarafetine sahip olamazdı, ama müthiş boyutları ve endamında inkâr edilemeyecek bir ihtişam, dünyanın en büyük okyanuslarında ilerleyişinin heybetli bir yanı vardı. *Bannock A* kesinlikle dev tanker kategorisinde yer almak üzere inşa edilmişti. Gövdesi, yan yana üç stadyum boyutunda profesyonel futbol sahasını almaya yetecek kadar uzun ve genişti.

Tankları yaklaşık üç yüz bin ton ağırlığında yüz milyon galon petrol alabiliyordu. Fakat ancak tutu giymiş bir gergedan kadar zarifti.

Stamford, yola çıkış emrini aldığı gün Norfolk, Virginia'daki karısını Skype üzerinden aramış, "Bunu ne kadar zamandır yapıyorum ben, Mary?" diye sormuştu.

"İkimizin de hesaplamaya kalkışmayacağımız kadar uzun zamandır hayatım," diye karşılık vermişti karısı.

"Aynen öyle. Ve bu zaman boyunca bu gemi kadar çirkin ve hantal bir şeyle denize açıldığımı sanmıyorum. Annesi bile sevemez bu şeyi."

Amerikan Donanması ve Ticaret Filosu'nda kırk yıldan fazla zaman geçiren tecrübeli kaptan doğruyu söylüyordu. İki parçaya ayrılmış küt pruvaları ve kutu gibi gövdesiyle *Bannock A,* dev bir mavna ve aşırı büyük bir konteyner arasındaki bir haça benziyordu. Bu da yetmezmiş gibi güverteleri, baştan başa, çelik borulardan ibaret cüsseli bir üst yapı ile tanklar, sütunlar, kazanlar, vinçler ve parçalama üniteleriyle kaplıydı. Kıç tarafından yükselen ve bir bacayı andıran, otuz metre uzunluğunda, kırmızı-beyaz boyalı destekleyici kirişlerden bir ağ ile çevrelenmişti. Fakat yine de Bannock Petrol Yönetim Kurulu'nun, Güney Kore, Ulsan'da Hyundai tersanelerinde inşa edilmiş bu yüzen dev ucubeyi almak için bir milyar dolardan fazla bir harcamaya onay vermesinin ve daha sonra da yaklaşık yirmi bin kilometrelik ilk uzun seferinde onu komuta etmesi için en deneyimli kaptanını tayin etmesinin bir sebebi vardı. *FPSO Bannock A,* Kore Boğazı ve Sarı Deniz'den sonra Güney Çin Denizi'ni aşıp; Singapur'u geçerek Malakka Boğazı'ndan Hint Okyanusu'na; Ümit Burnu'na ve ardından Atlantik'in etrafından dolanarak yukarı, Afrika'nın batı kıyısına doğru uzanan yavaş ve külfetli yolunda ilerlerken Houston'daki yatırımcılar geri ödeme zamanı için gün sayıyordu. *FPSO, "Floating Production Storage Offloading*(*)*"* kelimelerinin kısaltmasıydı ve bir tür simyayı tasvir ediyordu. *Bannock A* çok

(*) (İng.) Yüzer İmalat, Depolama ve Tahliye. (ç.n.)

yakında, şu anda demir attığı yerin yaklaşık beş kilometre kuzeyinde yer alan sondaj donanımının ürettiği petrolü yüklemeye başlayacaktı. Bannock Petrol'ün iki yıl önce keşfettiği Magna Grande petrol sahası ilk kez faaliyete geçiyordu. Günde seksen bin varil, boru hattıyla rafineriye taşınacak, böylece *Bannock A*'daki yoğun ve siyah ham petrol, motor yağından gazoline kadar talep gören maddelere damıtılacaktı. Sonra da ürünler, Bannock Petrol'ün onları son istikametlerine götürecek tankerlerinde depolanacaktı. Magna Grande petrol sahasının tahmini toplam üretimi iki yüz milyon varilden fazlaydı. Dünya petrokimyasallara olan ilgisini aniden kaybetmezse Bannock Petrol yirmi milyar dolardan fazla bir geri dönüş bekleyebilirdi.

Yani *Bannock A*, maliyetinin çok üstünde kazanacaktı. Ve işe koyulması an meselesiydi.

Hector Cross, Thermos marka cep şişesinin üzerindeki deri kapağın klipsini kaldırdı ve içindeki paslanmaz çelik kupayı çıkardı; tıpasını çevirip açtı, dumanı tüten, sıcak Bullshot'ı kupaya boşaltıp içti. Ardından zevkle iç geçirdi. Yağmur uzakta kalmıştı, bu da İskoçya'da daima bir lütuf olarak algılanırdı, hatta az da olsa yüzünü gösteren parlak güneş ışığı, bulutların arasından sızarak nehir kıyısı boyunca kümelenmiş ağaçları aydınlatıyor, bazısı hâlâ yazın yeşil rengini koruyan, bazısı da çoktan sonbaharın sarı, turuncu ve kırmızı renklerine bürünmüş yapraklardan görkemli bir mozaik oluşturuyordu.

Güzel bir sabah olmuştu. Cross sadece, yazın sonunda ve sonbahar başında, Tay Nehri'nin daha alt seviyelerinde toplanan, kayda değer olsa da hiçbir şekilde muhteşem sayılmayacak, altı kiloluk birkaç Atlantik somonu yakalayabilmişti. Fakat bunun pek bir önemi yoktu: Açık havadaydı, suyun üzerindeydi, muhteşem Perthshire manzarasıyla çevrelenmişti ve şu anda, somonların yerleştiği yerleri bulmaktan ve balığın olta sineğini ısırabileceğini tahmin ettiği belli noktalara gönderdiği Spey oltasının tekrarlayan ritminden başka aklını kurcalayan bir şey olamazdı.

Bütün sabah, içinde, gecenin kara şeytanlarını kovan, katıksız bir yaşam sevinci hissetmişti ama şimdi şato aşçısının kendisi için hazırladığı sandviçinden bir ısırık alırken zihninin kâbusuna doğru sürüklendiğini fark ediyordu.

Onu şaşırtan şey hissettiği korkuydu: insanın kolunu, bacağını uyuşturan, boğazını sıkıştıran, kıpırdayamayacak ve soluk alamayacak hale getiren bir dehşet duygusu. Böyle bir şeyi hayatında sadece bir kez yaşamıştı: On altı yaşında bir gençken, daha genç ve daha güçlü bir erkek aslan tarafından sürüden kovulan yaşlı bir aslanı kovalayarak erkekliklerini kanıtlamaya gönderilen genç Maasai çocuklarının av partisine katılmıştı. Cross üzerinde, siyah keçi derisinden bir pelerin hariç çıplaktı, silah olarak ham deri bir zırh ve kısa bir mızraktan başka bir şeyi yoktu, dikilmiş yelesi Afrika güneşinde altın renginde parlayan kocaman hayvanla yüz yüze geldiğinde grubun ortasında durmuştu. Belki pozisyonundan, belki de soluk benzi her iki tarafındaki siyah bedenlerden daha dikkat çekici olduğundan, aslanın üzerine atıldığı kişi Cross olmuştu. Cross duyduğu şiddetli korkuya neredeyse yenik düşecekken geri çekilmeyip durumunu korumuş ve kükreyen aslanın son sıçrayışını mızrağının keskin ucuyla karşılamıştı.

İlk silahını daha küçük bir çocukken eline almış ve o zamandan beri de avlanıyor olmasına rağmen bu aslan, Cross'un ilk öldürdüğü gerçek avdı. Ölümcül yara almış aslanın ağzından bedenine bulaşan kanın kokusunu hâlâ alabiliyor, ölümle yüz yüze gelip üstesinden gelmenin hazzını hâlâ dün gibi hatırlıyordu. O an, onu daima hayalini kurduğu savaşçı yapmıştı ve önce SAS'ta görevliyken, sonra ise Cross Bow Güvenlik'in patronuyken tutkularının peşine düşmüştü.

Eylemlerinin sorgulandığı zamanlar olmuştu. Yol kenarında tuzaklı bir bombayı patlatarak Cross'un yarım düzine askerini öldüren üç Iraklı direnişçiyi vurduğunda, askeri kariyeri aniden durma noktasına gelmişti. Hayatta kalan adamlarına bombacıları takip ettirerek yakalatmış ve onları teslim olmaya zorlamıştı. Üçlü, ellerini havaya kaldırarak saklandıkları yerden çıkarken içlerinden biri elini gömleğinin içine doğru götürmüştü. Direnişçinin orada ne sakladığıyla ilgili Cross'un hiçbir fikri yoktu: Bir bıçak, bir silah ya da hepsini bir anda havaya uçurabilecek bir intihar yeleği olabilirdi. Karar vermek için sadece saniyenin onda biri kadar zamanı vardı. İlk düşüncesi adamlarının güvenliğiydi, bu nedenle de Heckler&Koch MP5 makineli tüfeğini ateşledi ve üç Iraklıyı birden öldürdü. Adamların hâlâ sıcak olan cesetlerini incelediğinde üçünün de silahsız olduğunu fark etti.

Olayın ardından gerçekleşen askeri mahkeme, Cross'un kendisinin ve adamlarının müdafaası amacıyla hareket ettiğini kabul etti. Suçlu bulunmadı. Fakat bu, hoş bir deneyim değildi ve her ne kadar gazetecilerin, politikacıların ve sabah kahvelerinde tam ya da yarım yağlı süt kullanmaktan daha zorlu bir karar vermek zorunda kalmamış aktivistlerin alay ve iftiralarına aldırış etmemeyi becerse de, birliğinin itibarının kendi tutumu nedeniyle sıkıntı çekmesi düşüncesine katlanmamıştı.

Böylece Cross şerefiyle tahliyesini talep etmiş ve talebi kabul görmüştü. O andan itibaren kavga devam etmişti ama artık majestelerinin hizmetinde değildi. Bannock Petrol için özel olarak çalışan Cross, şirketin tesislerini Ortadoğu'daki terörist saldırılara karşı savunmuştu. Şirketin kurucusu Henry Bannock'un dul eşi Hazel Bannock'la da orada tanışmıştı. Hazel işi devralmış ve tam bir azim ve irade gücüyle onu daha da büyüterek hiç olmadığı kadar kârlı hale getirmişti. O ve Cross aynı şekilde bildiğini okuyup kafasının dikine giden, aynı şekilde gururlu, aynı şekilde egoist insanlardı. Her ikisi de diğerine taviz vermiyordu ama ilişkilerini başlatan hırçın rekabet, belki de gücünün de kaynağıydı. İkisi de birbirlerini test etmişti; bu ortak saygıdan, hatta ortak şehvetten derin ve tutkulu bir aşk doğmuştu.

Hazel Bannock'la evlilik, Cross'u daha önce yaşadığı hayata hiç benzemeyen, milyonların yüzer yüzer hesaplandığı ve telefon defterindeki numaraların başkanlara, kraliyet mensuplarına ve milyarderlere ait olduğu bir dünyayla tanıştırmıştı. Fakat hiçbir güç ya da para miktarı insan hayatının temel prensiplerini değiştiremezdi: Her hastalığa karşı bağışıklık kazanmıyordunuz, kurşunlara ya da bombalara karşı daha az savunmasız olmuyordunuz ve kalbiniz hâlâ kayıplarla paramparça oluyordu. Ve para yeni arkadaşlar satın alabildiği gibi yanında yeni düşmanlar da getiriyordu.

Hazel da Cross gibi bir Afrikalıydı ve Cross gibi o da orman kanunlarını anlıyor ve kabul ediyordu. Cross, Hazel'ın kızı Cayla ve annesi Grace'i öldüren Adam Tippoo Tip'i yakaladığında Hazel onun canını kendi elleriyle almıştı. "Bu benim Tanrı'ya, anneme ve kızıma karşı görevimdir," demişti gözyaşlarını kurularken, sonra tabancasını Adam'ın ensesine doğru kaldırmış, eli dahi titremeden beynine bir kurşun sıkmıştı.

Ne var ki ölüm, ölümü getirmişti. Hazel da ölmüştü. Cross, onun öldürülmesinden mesul iki kişiden birini, Carl Bannock'u öldürmüştü. Diğeri, Johnny Congo ise bir Amrikan hapishanesinde infaz edilmeyi bekliyordu. Diğerleri gibi o da ölecekti ama Jo Stanley'nin tercih ettiği şekilde: yani mahkeme emriyle, bir infaz odasında, öldürücü bir iğneyle. Belki bu, tüm ölümlere bir son verirdi. Cross hayatında ilk defa, bir ceset torbasına atılıp götürülmeden evvel savaş alanını terk etme zamanının geldiği ihtimalini değerlendiriyordu. Şimdi hayatı farklıydı. Annesini yeni kaybetmiş bir kızı vardı. Babasını da kaybetmesine izin veremezdi. Ve Jo vardı. Jo, onun hayatına huzur ve daha iyi, daha mutlu bir yaşam ümidi getirmişti.

"Eskisi gibi genç değilsin Heck," dedi Cross kendi kendine, öğle yemeğini yemek üzere oturduğu katlanan bez sandalyeden dizleri çatırdayarak kalkarken. Vücut kasları her zamanki kadar güçlü olsa da eskiden olduğundan daha fazla ağrıyordu sanki. Belki de iki sağ kolu Dave Imbiss ve Paddy O'Quinn'in Cross Bow'un aktif faaliyetlerini devralmalarına izin vermesinin zamanı gelmişti. İşi gerektiği gibi yapacaklarından hiç şüphesi yoktu. Paddy'nin muhteşem güzellikte ve bir o kadar da tehlikeli olan sarışın, Rus eşi Nastiya'nın da. Hector oltasını kaldırıp öğleden sonraki balık avı için Tay'ın sularına yeniden daldırmaya hazırlandı. Fakat devam edeceği sırada aklına bir şey geldi: Jo'ya duymayı beklediği haberi vermeyi, yuva kurmaya hazır olduğunu düşündü. Johnny Congo öldüğünde düşmanlarının sonu gelecekti. Belki sonunda sakin ve huzurlu bir hayatın keyfini sürmek için kendine izin verebilirdi.

Belki olur, diye düşündü oltasını nehre atmaya hazırlanırken, belki somon balığı da yemi almaya hazırdı.

D'Shonn Brown, Houston sosyetesinin genç üyelerinden biri olarak, statüsüne uygun şekilde, şehrin Ulusal Futbol Ligi'nin evi Houston Teksaslı Reliant Stadyumu'nda lüks bir locaya sahipti. Kurumsal güvenlik danışmanı, eyaletin saygın emniyet teşkilatı Teksas Rangers eski üsteğmeni Clint Harding'i Teksaslıların bölgesel rakibi Indianapolis Colts'la olan karşılaşmalarını izlemeye davet etmişti. Harding'in karısı Maggie ve üç çocukları ile D'Shonn'un, gayrimenkul mirasçısı, çekici sarışın kız arkadaşı Kimberley Mattson da onlara eşlik ediyordu. Kimberley gül çelengi şeklindeki yeni dövmesini göstermek için bilekleri kıvrılmış, Brunello Cucinelli marka, beş cepli, son derece pahalı kot pantolonu içinde, çılgın ama seksi görünüyordu. Grup, Rashad Trevain, karısı Shonelle ve dokuz yaşındaki oğulları Ahmad'la tamamlanıyordu. Toplamda on saygın ve zengin Houstonlı; genç ve yaşlı, erkek ve kadın, siyah ve beyaz, hepsi bir futbol maçında neşeyle sosyalleşiyordu. Sıcak ve soğuk gurme yemeklerin bulunduğu büfeden onlara hizmet eden bir de özel garsonları vardı. Buz kovalarında Budweiser şişeleri, beyaz şarap ve çocuklar için meşrubatlar hazır bulunuyordu. Bir grup televizyon ekranı o pazar günü oynanan her canlı maçı yayınlıyordu. Parlak, kırmızı botlar, mikroskobik boyutlarda mavi bir şort ve göbeği açık, dekolteli, dar bir tişört giymiş bir ponpon kız, tüm lüks localara uğruyordu. Sonuçta, yirmi birinci yüzyıl Amerikası'nı bundan daha iyi resmedecek ne olabilirdi?

İkinci çeyreğin ortalarında Teksaslılar sayı yaptı. Stadyum kalabalığın gürlemesiyle sallanırken D'Shonn eğilip Kimberley'nin saçını hafifçe kulağının arkasına ittikten sonra onu öptü. Kız gülümserken ona, "Affedersin bebeğim. Benim biraz iş konuşmam gerekiyor ve bir süre maçta pek bir hareket olmayacak," dedi.

"Bilmem gereken bir şey var mı?" diye sordu Kimberley, onun da güçlü girişimci içgüdüleri vardı.

"Yoo, Rashad'ın işyerlerinden birinde bir sorunu var. Bar personelinin kendisini dolandırdığını düşünüyor. Ara sıra birkaç bedava içkiyi görmezden gelebilir ama şampanya verilmesini istemiyor."

D'Shonn yerinden kalktı, locanın arka tarafına doğru ilerledi, Harding ve Rashad onu orada bekliyordu. "Şu araklama meselesiyle ilgili bir çözümün var mı?" diye sordu.

"Evet," dedi Harding. "Benim çocuklardan birini gizlice oraya yerleştireceğim, bir garson gibi çalıştıracağım. Bir şey olduğunda kimin ne yaptığını öğrenecek."

"İşi çözdüğüne memnun oldum. Şimdi Johnny Congo'ya ne olacağını söyle bana. Komik bir durum. İdam cezası için yasal açıdan uzmanlık tezi yazabilirim sana ama bazı uygulamalarla ilgili çok daha az şey biliyorum. Örneğin, Johnny gibi mahkûmlar, Polunsky'den İnfaz Odası'na nasıl götürülüyor?"

"Çok büyük bir özenle," dedi Harding, soğuk bir şekilde. D'Shonn, Brown'la çalışmaya başlamadan önce ince, uzun, bronz bir adamdı, kaya gibi sert ve lanet olası iyi bir polis olan ve bununla da gurur duyan biriydi. Yerine getirmesi için alındığı güvenlik işi gerçekti, ama zaman geçtikçe D'Shonn Brown'ın parlak ve kurumsal görünüşünün altında yatan kirli gerçeklerin daha fazla farkına varmaya başlamıştı. Gerçek bir suça tanıklık etmemişti fakat suçun kokusunu alabiliyordu. Ne var ki onun sorunu yeni keşfettiği durumla alakalıydı: O ve daha da önemlisi ailesi, Rangers'tan ayrıldığından beri kazandığı ekstra paranın tadını çıkarıyorlardı. Devletin verdiği maaşla geçinemezdi artık. O nedenle de Harding yasadışı bir şey yapmadığını veya bu tip bir faaliyetin gerçekleşmesine bile isteye vesile olmadığını düşünerek, tıpkı Shelby Weiss'in yaptığı gibi vicdanını rahatlatıyordu. Mesela şu anda eski polis sezgileri ona, Brown ve Rashad'ın yasadışı bir işin içinde olduğunu söylüyordu ama bariz bir şey söylenmedikçe ve sağladığı bilgiler kamuya açık olduğu sürece, gerçek bir suçun planlandığı veya uygulandığıyla ilgili bir bilgisi olmadığını dürüstçe söyleyebilirdi.

Buna dayanarak sözlerine devam etti. "Polunsky, Livingston Gölü'nün yaklaşık bir buçuk kilometre doğusunda ve etrafında da çimen ve birkaç ağaç haricinde bir şey yok. O yerden çıkan biri, ki bu imkânsız bir hayal, saklanacak bir yer bulamaz. Walls Birimi ise farklı. Neredeyse Huntsville'in tam ortasında yer alıyor."

"İkisinin arasında ne var?" diye sordu D'Shonn.

"Eh, sanırım, iki birim arası kuş uçuşu yaklaşık altmış beş kilometre. Ve göl de ikisinin tam arasında, yani, üç basit yoldan gidilebilir: gölün güneyinden ya da kuzeyinden dolanarak veya Trinity Köprüsü'nün üzerinden geçerek. Suçlu Nakil Bürosu'nun bu operasyonlar için standart bir protokolü vardır. Tutuklu üç araçlık bir konvoyda seyahat eder; önde ve arkada eyalet polisi ekip araçları vardır, tutuklu ise ortadaki araçtadır. Polunsky'den tam hareket saatini bilen yegâne kişiler hapishane gardiyanları, polis ve transferde hazır bulunacak olan suçlu nakil personelidir ve seçilecek rota da açıklanmaz."

"Ama üçünden biri olacaktır, öyle değil mi? Kuzey, güney ya da orta?" diyerek araya girdi Rashad Trevain.

"Aynen öyle efendim, bunlar temel rotalar. Fakat farklı yollar da var. Yani, başlangıç olarak Polunsky Birimi'nden iki çıkış var. Sonra gölün batı kıyısı boyunca, Cold Spring'ten Point Blank'e devam eden bir yol var, güney ve orta rotasına doğru bağlantılar da bulunuyor, yani birinden diğerine geçilebilir."

"Çoklu bir denklem," dedi D'Shonn.

"Evet, zaten olay da bu, birilerinin rotayı önceden tahmin etmesini olanaksız hale getirmek. Ayrıca, hepsi silahlı görevliler taşıyan üç araç olunca yüksek ateş gücü de oluyor. Bakın Bay Brown, bunun sizin için iyi mi yoksa kötü bir haber mi olduğunu bilmiyorum ama arkadaşınız Johnny Congo randevusuna sağ salim varacaktır."

"Kesinlikle öyle gibi," dedi D'Shonn.

Stadyumdan bir gürültü yükseldi ve J. J. Harding'in, "Top kaybı!" diye bağırdığı duyuldu.

"Maça dönmemizin zamanı geldi," diye ekledi D'Shonn fakat yerlerine geri dönerlerken Rashad'ın omzuna dokundu. "Konuşmalıyız."

Modern teknoloji istenmeyen sonuçlarla doludur. Google Earth'ün iğne gibi keskin uydu görüntüsü, Wi-Fi bağlantısı olan herkese, global süper-güçlere özgü bir istihbarat toplama kabiliyeti verir. Aynı şekilde, Snapchat mesajı açan herkes, anında imhasına doğru on saniyelik geri sayımı başlatmış olur. Ve bu süre bittiği anda, tam anlamıyla takip edilemez hale gelir. *Bu, selfie* alışverişi ve ailelerinin haberi olmadan seks sohbetleri yapmak isteyen gençlerin çok işine yarar; aynı şekilde, bir suç faaliyeti planlayan ve iletişimiyle ilgili iz bırakmak istemeyen birinin de.

D'Shonn Brown'ın bağlantıları vardı. Bunlardan biri de sıradan bir el tabancasından askeri mühimmata kadar her şeyi tedarik edebilmesiyle övünen uzman bir silah satıcısıydı. O ve D'Shonn, Snapchat'te mesajlaştılar. Problem tanımlandı. Bir dizi muhtemel çözüm önerildi ve sonunda bütün olay birkaç kelimeye sığdırıldı: Krakatoa, Atchissons, FIM-92.

Bu görüşme devam ederken, bir avuç dolusu son model SUV araç, alışveriş merkezlerinin otoparklarından, şehrin caddelerinden ve şehir dışındaki lüks semtlerden çalınıyordu. Hepsi lüks, ithal modellerdi ve hız yapmak için üretilmişlerdi: beş bin, süperşarj motorlu birkaç Range Rover Sport, bir Porsche Cayenne, bir Audi Q7 ve bir de sıfırdan altmış kilometreye dört saniyede çıkan bir Mercedes ML63 AMG. Çalındıktan birkaç saat sonra, tüm takip cihazları çıkarılmış ve yeniden boyanıp yeni plaka numaraları verilmek üzere farklı imalathanelere götürülmüşlerdi. Bu sırada polis memurları araç sahiplerine, değerli araçlarını bulmak için ellerinden geleni yapacaklarını ama ihtimallerin düşük olduğunu açıklıyorlardı.

"Bunu söylemek hoşuma gitmiyor ama bu tür modeller yeniden satılmak üzere çalınıyor," denmişti kızgın bir petrol firması yöneticisinin karısına. "Muhtemelen Porsche marka aracınız sınırı geçmiş, Reynosa ya da Monterrey'de birilerine hayatını yaşatıyordur."

Bu arada Rashad Trevain, bir adamına internette birkaç saat geçirip kilometresi dört yüz binden az olan, 2005'ten önce yapılmış, seksen bin dolardan ucuz, dört dingilli, damperli kamyonlar bulması için Louisiana eyaletinden Alabama, Montgomery'ye kadar her kamyon bayisini taramasını istemişti. Öğle saatine dek birkaç Kenworth T800 ve verilen özelliklere uyan ekstra uzun römorklu bir de 2008 Peterbilt 357 bulmuşlardı. Kamyonlar sadece nakit çalışan, yeraltı dünyasına mensup, evrak işleriyle uğraşmayan ve müşterilerinin isimleriyle yüzlerini hemen unutan bir bayiden tam istenilen fiyatlarla satın alınmış; sonra batıya, Teksas, Arthur Limanı'ndaki bir gemi tamir atölyesine getirilmişti. Orada, o ana dek aldıkları en muhteşem bakıma girmişlerdi. Tamirciler kamyonlara daha büyük karbüratörler, yeni silindir başlıkları, pistonlar yerleştirmiş, yeni lastikler takmıştı. Kamyonların her bir parçası kontrol edilip temizlenmiş ya da değiştirilmişti ve bu kullanılmış makinelerin turfanda piliçler kadar hızlı hareket etmesini sağlayacak ne gerekiyorsa yapılmıştı. Johnny Congo'nun İnfaz Odası'na gideceği gün geldiğinde kamyonlar Galveston'a yönlendirilmişti. Kenworth kamyonların her biri kırk ton ve Peterbilt ise elli ton molozla –parçalanmış beton, tuğla, yol döşemesi ve büyük taşlarla– yüklenmişti. Artık kilitlenmiş ve yola çıkmaya hazırlardı. Son bir dokunuşla, zaman ayarlı fünyeleriyle beş galonluk plastik benzin kapları her aracın sürücü koltuğunun arkasına sıkıştırılmıştı.

Cross öğleden sonrasının son balık avı turuna başlayalı yarım saat olmuştu ki Rivermaster yeleğinin üst cebindeki iPhone'u çalmaya başlayarak huzurlu dünyasını altüst etti, oysaki bu sesten önce burada sessizliği bozan tek şey Tay'ın sularının şırıltısı ve ağaçlardaki rüzgârın hışırtısıydı.

"Lanet olsun!" diye homurdandı Cross. Bu, Bannock Petrol'ün Houston'daki merkez ofisten gelen aramalar için seçtiği zil sesiydi. Hector Cross, Hazel Bannock'la evlendiğinden beri, Hazel'ın ilk kocasının soyadını taşıyan firmanın da yöneticisiydi. Çok önemli olmadığı sürece rahatsız edilmemesi talimatını verecek kadar güçlüydü, ama bu güçle birlikte, ihtiyaç halinde her an ve her yerde hazır bulunma sorumluluğunu da üstlenmiş oluyordu. Telefonu çıkarıp ekrana baktı ve "Bigelow" kelimesini gördü.

"Selam John," dedi. "Senin için ne yapabilirim?"

John Bigelow ABD eski senato üyesiydi ve Hazel'ın ölümünden sonra Bannock Petrol'ün başkanlığı ve CEO'luğu görevini üstlenmişti. "Umarım, kötü bir zamanda aramamışımdır, Heck," dedi doğuştan politikacı nezaketiyle.

"Beni İskoçya'da somon avlamaya çalışırken yakaladın."

"Balık tutan bir adamı rahatsız etmekten nefret ederim, o nedenle kısa keseceğim. Az önce dışişleri bakanlığından fazlasıyla itibar ettiğim bir görevliden bir telefon aldım..."

Hatta bir dizi cızırtı duyuldu.

Cross sonraki birkaç kelimeyi kaçırdı ve sonra Bigelow'un sesi yeniden duyuldu. "...Bobby Franklin'i aramış. Anlaşılan Washington, Batı Afrika'yı ve Afrika kıyılarındaki petrol tesislerini hedef alan muhtemel terör eylemleri hakkında bolca istihbarat alıyormuş."

"Nijerya'da yarattıkları sorunlardan haberim var," diye karşılık verdi Cross, aklı tekrar işe yoğunlaşınca Atlantik somonunu unutuvermişti. "Kıyıya yakın tesislerde çok fazla tehlike yaşandı; birkaç sene önce korsanlar, bazı sondaj platformlarına hizmet veren *C-Retriever* adında bir ikmal gemisine saldırdılar... hatırladığım kadarıyla birkaç kişiyi de rehin aldılar. Fakat hiç kimse, bizim Magna Grande'de yapacağımız gibi açıklara gitmedi. Dışişleri bakanlığındaki arkadaşın bunun değişeceğini mi söylüyor?"

"Tam olarak değil. Daha ziyade, bizi uyarmak ve ihtimallere hazırlıklı olduğumuzdan emin olmak istemiş. Dinle, Heck, hepimiz senin son birkaç ay içinde pek çok şey yaşadığını biliyoruz, ama Franklin'le konuşabilirsen ve güvenlik anlamında nasıl karşılık vermemiz gerektiğini öğrenirsen minnettar olurum."

"Balık tutmayı bitirecek kadar zamanım var mı?"

Bigelow güldü. "Evet, bunun için seni rahat bırakabilirim! Birkaç gün içinde olsa yeterli. Bir şey daha var... Şu soysuz Congo'yu ABD Kolluk Kuvvetleri'ne teslim ettiğini duyduk ve eski bir meclis üyesi olarak konuşmam gerekirse, bunun için sana ne kadar saygı duyduğumu bilmeni isterim. İntikamını kendi ellerinle alsaydın korkunç kaybımızın sorumlusunun o olduğunu bilen kimse seni suçlayamazdı. Hazel'ı ne kadar çok sevip saydığımızı bilirsin, sen doğru olanı yaptın ve sana söz veriyorum, biz Teksas'takiler de doğru olanı yapacağız. Buna emin olabilirsin."

"Teşekkürler John, minnettarım," dedi Cross. "Sekreterin bana irtibat bilgilerini göndersin, Londra'ya gider gitmez bir Skype görüşmesi ayarlarım. Şimdi sakıncası yoksa on kiloluk iyi bir somon gördüm ve ortadan kaybolmadan evvel onu yemlemek istiyorum."

Cross oltasını, durduğu yerden akıntı yönüne doğru savurdu; ardından oltayı yukarı ve geriye doğru çekti, avını baştan çıkarıp umutlandırmak üzere mükemmel şekilde konumladığı noktaya doğru tek bir Spey tekniği uyguladı. Fakat tam anlamıyla balığa yoğunlaşmış olsa da bilinçaltında Bigelow'un verdiği görev için sabırsızlanıyordu. İş hayatının ritmine dönmek için mükemmel bir fırsat gibi görünüyordu bu. Askeri uzmanlığını, önemli bir işi planlama, temin etme, eğitme ve uygulama becerilerini tam anlamıyla kullanabilirdi. Fakat iş zorlu olmasına karşın, özünde tedbir amaçlı olacaktı. Soğuk Savaş yıllarını neyse ki asla gerçekleşmeyen bir Üçüncü Dünya Savaşı için eğitilerek geçiren tüm askerler, denizciler ve havacılar gibi o da teoride çok gerçek olabilen ama pratikte pek de olası olmadığı kesin bir terör tehdidi için hazırlanacaktı. Gerçekten daha az kanlı bir hayat sürmeye başlayacaksa, ama sıkıntıdan da ölmek istemiyorsa, başlangıç için oldukça iyi bir yol gibi görünüyordu.

15 Kasım sabah saat sekiz buçukta, Houston'daki tüm sabah haberlerinde, kötü şöhretli katil ve firari Johnny Congo'nun yaklaşmakta olan infazıyla ilgili haberler başı çekiyordu. Fakat bu, günün en büyük dramı olsa da, onlara bulaşmış kişiler için önem taşıyan başka trajediler de gerçekleşiyordu. Bu olaylardan biri, Amerika'daki en zengin yerleşim bölgelerinden olan River Oaks'taki bir doktorun muayenehanesinde vuku buluyordu. Doktor Frank Wilkinson, masasının karşısındaki sandalyelerde sıralanmış oturan üç kişiye dirayetli ve nazik bir bakış attı.

Wilkinson'un sağ tarafında, Bunter and Theobald Hukuk Şirketi'nin büyük ortağı Ronald Bunter vardı, Ronald onun uzun süredir hastası ve arkadaşıydı. Ufak tefek, düzgün görünümlü, gümüş rengi saçları olan bir adamdı. Gözlerinin altındaki derin gölgeler, derisindeki grimsi renk ve koyu gri takım elbisesindeki kırışıklar –bu, Wilkinson'un daha önce hiç görmediği bir şeydi– normalde kusursuz, hatta titiz olan görüntüsünü bozuyordu. Bunter, "Günaydın," dediğinde ince ve net sesinde bir titreme vardı. Anlaşılan yorgun ve oldukça da gergindi. Ne var ki Ronald, normalde Wilkinson'un bugün göreceği hastalardan biri değildi.

Sıranın solunda, uzun boylu, iri yapılı ve oldukça güçlü görünen, kırk yaşlarının başında bir adam oturuyordu: Ronald Bunter'ın oğlu Bradley. Kalın telli, alnından geriye taranmış siyah saçları, fotoğraf çektirmeye hazır ya da işyerine gitmek üzere olan birine benzemesine sebep olan katmanlı bir şekle sokularak jölelenmişti. Gözleri açık maviydi ve Doktor Wilkinson'a meydan okuyan bir netlikle bakıyordu. Brad Bunter kavga etmek ister gibi görünse de doktor, babasından daha iyi saklayabilmesine rağmen onun da hatırı sayılır bir yorgunluk içinde olduğunu görebiliyordu. Ancak Brad Bunter'da çok bir terslik yoktu, iyi bir uykunun halledemeyeceği bir şey değildi. Bunterların Frank Wilkinson'ın muayenehanesini ziyaret etme sebepleri olan hasta, iki adamın arasında oturuyordu: Ronald'ın karısı ve Bradley'nin annesi, herkesin Betty olarak bildiği Elizabeth. Kadın Grace Kelly sarışınıydı, gençken son derece güzel bir kadındı ve bir o kadar da zekiydi. Ronnie'yle Teksas Üniversitesi'nde, her ikisi de birinci sınıf öğrencisiyken tanışmışlardı; üçüncü sınıfta da evlenmişler, o zamandan beri de ayrılmamışlardı.

"Onu hak etmek için ne yaptım bilmiyorum," derdi Ronnie. "Benim gibi bir herif için fazlasıyla güzel olması bir yana, ayrıca çok da zeki. Hukuk fakültesindeki notları en baştan beri benimkilerden çok daha yüksekti. Eğer benimle evlenmek için okulu bırakmasaydı şirketi yöneten o olurdu."

Ama şimdi incelmiş ve kamburlaşmıştı. Saçları dağınıktı ve günlük üniforması olan dar kesim, fitilli pantolon, beyaz bluz, inciler ve pastel renklerde kaşmir hırkanın yerini, beli lastikli, bol, gri pantolonun içine sokulmuş, eski mor bir polo tişört, ucuz bir çift spor ayakkabı almıştı. Çantasını kucağında tutuyordu ve sürekli içini açarak sıkıca katlanmış bir kâğıt parçası çıkarıyor, kâğıdı açıyor, elyazısıyla yazılmış kelimelere boş boş bakıyor, tekrar katlayarak çantasına koyuyordu.

Doktor Wilkinson onun ritüelini bir tam tur olarak tekrarlayışını izledikten sonra nazikçe sordu. "Neden burada olduğunu biliyor musun Betty?"

Kadın başını kaldırıp şüpheyle ona baktı. "Hayır, hayır, bilmiyorum," dedi. "Ben yanlış bir şey yapmadım."

"Hayır, sen yanlış bir şey yapmadın Betty."

Kadın ona, gözlerinde ümitsiz bir şaşkınlık ve kederli bir ifadeyle baktı. "Ben sadece... ben... ben... tüm bu olanları... anlayamıyorum. Bilemiyorum..." Susup çantasını açarak yeniden kâğıdı çıkardı.

"Sadece dönemsel bir kafa karışıklığı yaşıyorsun," dedi Doktor Wilkinson yumuşak bir sesle. Korkunç gerçeği mümkün olan en kibar ses tonuyla gizlemeye çalışıyordu. "Teşhisini konuşmuştuk, hatırlıyor musun?"

"Böyle bir şey yapmadık! Bunu hiç hatırlamıyorum Ve ben ellilerinde yetişkin bir kadınım." Aslında Betty'nin yetmiş üçüncü yaş gününe sadece üç hafta vardı. Sözlerine zoraki devam etti. "Neyin ne olduğunu biliyorum ve bilmem gereken her şeyi hatırlıyorum, bu konuda sizi temin ederim!"

"Ve ben de sana inanıyorum," dedi Doktor Wilkinson, bir Alzheimer hastasıyla tartışmaya girmenin ve onu şahsi gerçekliğinden gerçek dünyaya çekmeye teşebbüs etmenin anlamsız olduğunu bilerek. Dönüp kadının kocasına baktı. "Belki sen bana neler olduğunu anlatabilirsin Ronnie."

"Evet, şey, Betty uyumakta epey güçlük çekiyor," diyerek söze başladı Bunter. Şimdi tüm dikkatini yeniden kâğıt parçasına vermiş olan karısına baktı ve çekingen bir sesle konuşmaya devam etti, tam anlamıyla gerçeklerden bahsetmekten kaçındığı belliydi. "Dün gece biraz kafası karıştı, bilirsiniz, yani... biraz sinirleri bozuktu, diyebiliriz sanırım."

"Ah Tanrı aşkına baba!" dedi Brad Bunter hayal kırıklığından kaynaklanan bir kızgınlıkla. "Neden Doktor Wilkinson'a gerçekten olanları anlatmıyorsun?"

Babası bir şey söylemedi.

"Peki sen ne olduğunu düşünüyorsun Brad?" diye sordu Doktor Wilkinson.

"Pekâlâ." Brad derin bir iç çekti, düşüncelerini toparlayıp söze başladı. "Dün akşam saat yedide, hâlâ ofisteydim ve babamdan bir telefon geldi. Evdeydi, –bugünlerde annemle ilgilenmek için saat beşe kalmadan eve dönüyor– annem bavulunu toplayıp evden çıkmaya çalıştığı için yardıma ihtiyacı vardı. Yani, artık oranın kendi evi olmadığını düşünüyor. Ve babam, annem ona bağırdığı, onu yumruklayıp tekmelediği için endişe içindeydi..."

Ronald Bunter sanki oğlunun sözleri, canını karısının yumruklarından ve tekmelerinden daha çok acıtmış gibi yüzünü buruşturdu. Betty hâlâ söylenenlere kayıtsız görünüyordu.

Brad konuşmaya devam etti. "Ve annem ağlama krizine girmişti. Yani, ben babamla konuşurken fonda onun ağlamalarını işitebiliyordum. Bunun üzerine oraya gidip onu en azından bir şeyler yemeye ikna edecek kadar sakinleştirdim. Çünkü zorlasanız dahi, doktor, fazla bir şey yemiyor. Sonra kendi karımı ve çocuklarımı görmek için dokuza çeyrek kala eve gittim, fakat Brianne çocukları çoktan yatırmıştı ve biz de biraz televizyon izleyip yattık."

"Hı hı," diye mırıldandı Wilkinson. Notlarına birkaç kelime ekledi. "Dün gece olan son olay bu muydu?"

"Hayır. Gece ikide telefon yeniden çaldı. Arayan babamdı, aynı şey olmuş. Gelebilir miymişim? Annem kontrolden çıkmış. Dürüst olmak gerekirse içimden, gece yarısı yardım istiyorsan bir ambulans çağır, demek geldi. Ama biliyorsunuz, o benim annem, böylece yine onlara gittim, yine aynı hikâye, sadece bu sefer... bu arada üzgünüm, baba ama Doktor Wilkinson'un bunu bilmesi gerekiyor, kim bilir ne saçmalıklar mırıldanarak çırılçıplak evde dolanıyordu... hem de belli ki, hiç utanmadan."

"İnsan bedeniyle ilgili utanılacak bir şey yoktur Brad," dedi Wilkinson.

"Eh, bir gün anne veya babanız evinizi çıplaklar kampına çevirirse bunu hatırlayın."

"Brad'in kusuruna bakmayın lütfen Doktor Wilkinson. Bazen biraz kaba olabiliyor," dedi Ronald öfkesini gizlemekte başarısız olan abartılı bir nezaketle.

"Hayır baba, ben sadece her şeyi olduğu gibi söylüyorum. Ve bu böyle devam edemez doktor. Anne ve babamın yardıma ihtiyacı var. Her ne kadar istemediklerini söyleseler de buna ihtiyaçları var."

"Hımmm..." Wilkinson düşünceli bir şekilde başını aşağı yukarı salladı. "Dediklerine bakılırsa, bir kriz noktasına gelmişiz gibi görünüyor. Ama ben sonuç çıkarmakta aceleci olmak istemiyorum. Bazen senin tarif ettiğin bir dizi olayın fizyolojik bir nedeni olabilir. Şunu söylemeliyim ki, bu durumda öyle olduğundan şüpheliyim, ama küçük bir enfeksiyon ya da başka bir şey olup olmadığına bakmaya değer. O halde Betty sakıncası yoksa bazı kontroller yapacağım."

Bunun üzerine kadın yeniden canlandı. "Ben kesinlikle hasta değilim. Hasta olmadığımı biliyorum. Hayatımda hiç bu kadar iyi hissetmedim kendimi."

"Eh, bunu duymak harika Betty. Ama merak etme, ciddi bir şey yapacak değilim, sadece tansiyonunu ölçeceğim, göğsünü dinleyeceğim, bu tip basit şeyler. Benim için bunu yapabilir misin Betty?"

"Sanırım."

Ronald onun kolunu hafifçe sıvazladı. "Bir şey olmayacak Betsy-Boo. Ben yanında durup sana göz kulak olurum."

Betty Bunter bir anda, sanki bulutlu bir gündeki güneş ışığı gibi göz kamaştırıcı bir şekilde gülümsedi ve yüzüne renk geldi, güzelliği geri döndü. "Teşekkür ederim hayatım," dedi.

Kontrolünü tamamlaması Wilkinson'un beş dakikadan az bir zamanını aldı. Bitirdiğinde sandalyesinde arkasına yaslanıp konuştu. "Pekâlâ, tahmin ettiğim gibi, rapor edilecek fizyolojik bir sorun yok. O nedenle bilhassa akut anksiyete zamanlarında Betty'yi yatıştıracak bir şeyler yazacağım. Ron, sen ya da Brad, işlerin kötüye gittiğini düşündüğünüzde Betty'nin bu ilaçlardan günde yarım tablet almasını sağlayabilirseniz çok yardımı dokunacaktır ama bir günde iki tane yarım tabletten fazla almaması gerekiyor."

Bunter'ların söylediklerini anladığından emin olmak için onlara baktı, sonra devam etti. "Bu tip vakalarda, hastalarımızın etkili bir tedavi uygulamak için oturmuş bir kriz yönetimi prosedürümüz var. Bu sabah birkaç telefon görüşmesi yapıp gün bitene kadar sizin için bir şeyler bulacağım. Brad, Betty'yi bir süre bekleme odasına çıkarabilir misin rica etsem. Babanla kısa bir şey konuşmak istiyorum... çünkü sonuçta o da benim hastam."

"Bu çok endişe verici. Paniğe kapılmalı mıyım?" diye sordu Ronnie.

Wilkinson moral vermesi gerekirken bunu nadiren mümkün kılan bir edayla güldü. "Hayır, sadece hasta ve doktoru olarak konuşmak için bunun iyi bir fırsat olduğunu düşündüm."

Brad annesini odadan çıkarana kadar başka bir konuşma olmadı, sonra Ronnie Bunter sordu. "Ee, neler oluyor, Frank?"

"Betty endişelendiğim tek kişi değil," diye karşılık verdi Wilkinson. "Çok yoruldun Ron. Daha fazla yardım almalısın. Bu noktada Betty'nin yirmi dört saat bakıma ihtiyacı var artık."

"Ve ben bunu sağlamak için elimden gelen her şeyi yapıyorum. Sana yemin ederim Frank, 'hastalıkta ve sağlıkta' yemini ettim ben. Ve benim işimde yeminler önemlidir. Bozulmaz."

"Benim işimde de öyle ama onunla ilgileneyim derken hastalanırsanız Betty'ye iyilik etmiş olmazsınız. Alzheimer gibi ciddi bir psikolojik ve nörolojik rahatsızlığı olan birine bakmak zor, çok zor bir iştir. Hiç bitmez. Bitkin görünüyorsun Ron ve kilo da verdin. Düzgün besleniyor musun?"

"Mümkün olduğunca," dedi Bunter. "Yemek masasına oturup üç çeşit yemek yediğimizi söyleyemem. Orası kesin."

"Ya iş nasıl?"

"Eh, çoğu zaman işyerine gitmeye çalışıyorum ve personelim daima ulaşılabilir olduğumu biliyor, müşterilerim de öyle."

Wilkinson kalemini bırakıp arkasına yaslanarak kollarını göğsünde kavuşturdu ve arkadaşının gözlerinin içine baktı. "Gece gündüz Betty'ye bakmaya çalışıyorsun ve hukuki danışmanlık talepleriyle telefonun susmuyor. Söylesene, sence müşterilerine paralarının satın alabildiği en iyi danışmanlığı sağladığını düşünüyor musun? Çünkü senin şu anda yaşadıklarını ben yaşasaydım hastalarıma yeterince ilgi gösteremeyeceğimden eminim."

Bunter'ın omuzları çöktü. "Zor, o konuda haklısın. Ve evet, bazen telefonu kapatıp düşünüyorum, *Kahretsin! Bir şey unuttum,* diyorum ya da konuyu yanlış anladığımı fark ediyorum. Ve bunun sebebi doğru çözümü bilmemem değil, sadece fazlasıyla yorgunum."

"Evet, o yüzden şimdi sana bir reçete vereceğim ve onu seveceksin."

"Almak zorunda mıyım?"

"Biraz aklın kaldıysa, dostum, evet almak zorundasın."

"Peki öyleyse doktor, dökül bakalım," dedi Bunter, eski bir kovboy filmindeki bir karakteri taklit ederek Wilkinson'u güldürmüştü.

"Pekâlâ, öncelikle, Betty'ye senin ve sigorta poliçenin sağlayabileceği en iyi sürekli bakımı almalısın."

"Bunu düşüneceğim."

"Ron..." diye üsteledi Wilkinson.

"Tamam, tamam. Yapacağım. Başka?"

"Evet, işi epey azaltmanı istiyorum. Şirketinde iyi bir personelin var, öyle değil mi?"

"En iyileri."

"O halde müşterilerini devralabilirler. Günlük işleri de Brad yönetebilir. Doğrudan işin içinde olmadığın halde büyük patronun hâlâ sen olduğunu gösteren havalı bir unvan istiyorsan eğer, benim için mahsuru yok. Ama ofise haftada birden fazla adımını atmanı istemiyorum, tercihen ayda bir. Bırak da ağır yükü Brad üstlensin."

"Buna hazır olduğundan emin değilim sadece."

"Bahse girerim, senin ihtiyar da senin için böyle demiştir ama ona gösterdin."

"Ve bir de..." Bunter yüzünü ekşitti. "Eh, kendi oğlumla ilgili bunu söylemekten hoşlanmıyorum ama bazı karakter sorunları var. Bugün nasıl konuştuğunu duydun. Bazen sinir bozucu olabiliyor, zıtlaşan bir yapısı var."

"Bütün avukatlar gibi."

"Bunter and Theobald'da cesaretlendirmek istediğim bir tarz değil bu. En iyi anlaşmalar, kalıcı olanlar ve hırçınlıkla son bulmayanlar oluyor, her iki taraf da iyi bir iş yaptığını hissetmeli.

Bu da diğer tarafa saygı duyarak, pozisyonlarının değerini kabul ederek gerçekleşiyor; onları yerle bir etmeden istediklerini almamız veya en azından ihtiyaçları olanı almamız anlamına geliyor."

"Eh, Ronnie, sana şirketini nasıl yönetmen gerektiğini söyleyecek değilim, ama ben bugün sinir bozucu ve zıtlaşan bir evlat dinlemedim. İşlerin nasıl da kötüye gittiğinin farkında olan birini dinledim, her ikiniz için de benim kadar endişelenen birini. İyileşme şansın yoksa –Alzheimer'ın tedavisi olmadığı için– en azından katlanılabilir hale gelmesini arzu eden bir evlat gördüm."

Bunter endişeyle kaşlarını çattı. "Gerçekten yardım almam ve işi bırakmam gerektiğini düşünüyorsun, öyle mi?"

"Evet, öyle düşünüyorum."

"O halde ben ne yapacağım?"

"Yavaşla. Hâlâ vaktin varken Betty'yle iyi zaman geçirmeye bak. Dinle Ronnie, bu fazla uzun sürmeyecek –bir yıldan, hatta belki altı aydan bile kısa– daha sonra Betty'nin seni tanıyamadığı, saçma sapan bile olsa sohbet edemeyeceğiniz zamanlar gelecek ve âşık olduğun kadından eser kalmayacak."

Bunter'ın yüzü buruştu. "Böyle söyleme... bu çok korkunç..."

"Ama doğru. O yüzden sahip olduğun zamanın tadını çıkar. Kendine iyi bak ki onunla da ilgilenebilesin. Bunu en azından düşüneceğine söz ver bana."

"Evet, tamam, söz veriyorum."

"Sen iyi bir adamsın Ron, çok iyi bir adamsın. Betty sana sahip olduğu için çok şanslı."

"Asıl ben ona sahip olduğum için iki katı şanslıyım ve şimdi onu kaybediyorum..."

"Biliyorum..." dedi Doktor Wilkinson. "Biliyorum."

Teksas eyaleti, infazlarını onyıllardır Huntsville'de Walls Birimi'ndeki Teksas İnfaz Odası'nda gerçekleştiriyordu. 1998'e kadar Ölüm Hücresi de oradaydı. Fakat sonra, Johnny Congo'nun da aralarında olduğu idam mahkûmları kaçmanın bir yolunu bulmaya başlayınca Teksas Cezai Adalet Dairesi daha güvenli bir birimin gerekli olduğuna kanaat getirdi. Ölüm Hücresi, Batı Livingston'daki yüksek güvenlikli bir cezaevi olan Polunsky Birimi'ne taşındı. Oradan kimse kaçamadı. Yaklaşık üç yüz tutuklu hücre hapsinde tutuluyor, kapıdaki "fasulye bölmesi" denen bölmeden verilen yemekleri hücrelerinde yiyorlardı. Kafesli bir dinlenme alanında egzersiz yapıyorlardı. Tek fiziksel temasları hücrelerinden çıktıklarında elbiselerinin çıkarılarak aranmaları sırasındaydı. Bu düzen, bir insanı delirtmek için yeterliydi ve sırf oradan kurtulmak için temyiz haklarından vazgeçip erkenden infaz edilmeyi seçenler bile vardı.

Johnny Congo'nun infaz süreci 15 Kasım günü öğleden sonra üçte başladı. Mahkûmlara sunulan son yemek hakkı verilmedi, Huntsville'de de verilmeyecekti: Bu lüks gelenekten çoktan vazgeçilmişti. Sadece hücresinin kapısı yumruklandı ve bir gardiyan bağırdı. "Gitme zamanı, Johnny! Ellerini fasulye bölmesine koy."

Polunsky Birimi'ndeki zamanın her anı, tutukluları aşağılamak ve insanlıktan çıkarmak üzere ayarlanmıştı. Hücrelerden çıkma prosedürü de buna dahildi. Johnny kapıya doğru yürüdü. Dizlerinin üzerine çöktü. Sırtını kapıya vermek için dizlerini sürüyerek döndü ve kollarını fasulye bölmesinden geçirip koridora çıkaracak kadar arkaya doğru uzattı. Bileklerine kelepçe takıldı, sonra ellerini bölmeden kurtarıp ayağa kalktı.

"Kapıdan uzaklaş!" diye emretti ses.

Johnny itaat etti, elleri arkasında kelepçeli olarak odanın ortasına doğru geriledi. Sonra tekrar açılan kapıya doğru döndü.

İki gardiyan beş metrekarelik hücreye girdiler. Birisi beyazdı ve neredeyse Johnny kadar iriydi, asker tıraşı kesilmiş kızıl saçları vardı; kolları ve yüzü güneşten yanmıştı. Bir Mossburger tabanca taşıyordu ve yüzünde silahını kullanmak için bahane arıyormuş gibi gergin, sinirli bir ifade vardı.

Johnny ona gülümsedi. "Bana böyle bir günde silah doğrultmanın anlamı nedir, budala? Ben zaten ölmüşüm. Bir iyilik yapıp beni hemen öldürsene."

Johnny yüzünü ikinci gardiyana doğru çevirdi. Adam, orta yaşlı, yapılı bir Afro-Amerikandı, saçında aklar vardı. "İyi günler Uncle," dedi ona.

"Sana da iyi günler Johnny," dedi Uncle. "Senin için zor bir zaman, bunu biliyorum. Fakat ne kadar sakin hareket edersek o kadar kolay olur, anladın mı?"

"Evet anladım."

"Pekâlâ öyleyse, seni Huntsville'e nakledeceğim. Öncelikle bacaklarını kırk beş, elli santim kadar açmanı istiyorum. Sen askeri görevdeydin, değil mi?"

"İyi bildin, deniz piyadeleri biriminde topçu çavuşuydum."

"Bir denizci, ha? Eh, o halde rahat duruş nedir biliyorsundur."

Johnny itaatkâr bir şekilde söylenen pozisyonu aldı.

"Teşekkürler dostum," dedi Uncle. "Şimdi ben şunları ayak bileklerine geçirirken kıpırdamadan dur."

Johnny kendisinden istenileni yaptı ve beline zincir takılırken de itaatkâr davrandı. Sonra kelepçeleri çıkarıldı ve bileklerine bu kez zincirden sarkan kelepçeler geçirildi. Şimdi ayaklarındaki demirlerin izin verdiği kadar küçük adımlarla ve ayaklarını sürüyerek yürümek zorundaydı, bel zinciri ve kelepçeler arasındaki halkalar da ellerinin hareketlerini kısıtlıyordu. Her ne kadar cüsseli, güçlü ve göz korkutucu olsa da Johnny Congo artık çaresizdi. Polunsky Birimi'ne transfer edileceği aracın onu beklediği alana götürülürken hücresine gelen iki gardiyana daha fazlası katıldı.

Daha önce Johnny, Huntsville'den kaçarken, ortağı Aleutian Brown, Lucas Heller adında bir gardiyanın kafasına arkasından bir mermi sıkmış, adamı gözünü kırpmadan vurmuştu. Johnny şimdi etrafını çevreleyen gardiyanların bunu bildiğini tahmin ediyordu. Ona ne isterlerse yapabileceklerini ve onlara karşı koyamayacağını bilerek bir yumruk ya da bir cop darbesi bekledi. Ne var ki Uncle'ın barışçıl, medenileştiren varlığı saldırganca bir misilleme arzusunu engellemek için yeterli gelmiş olacak ki herhangi bir sıkıntı yaşanmadan araçların bulunduğu alana ulaştılar. Diğer tutuklulardan, İnfaz Odası'na giden mahkûm arkadaşlarına son bir uğurlama niyetiyle bir protesto haykırışı dahi gelmedi. Hepsi koridorlar boyunca sıralanmış metal kapıların ardına kapatılmış, sessiz hücrelerinde yapayalnızdılar. Johnny'nin ölüme gittiğini bilmek bir yana, onunla aynı birimde olduklarından dahi habersizdiler.

Johnny Congo, Suçlu Nakil Bürosu'na ait beyaz, yazısız minivanın arkasına yerleştirildi ve normal şartlarda yolcu bölümü olan yerin iki yanında döşemeyle kaplanmış iki gri banktan birine oturması emredildi. Ardından da ayak bilekleri aracın zeminine zincirlendi.

Pencerelerde demir parmaklıklar vardı, yolcu bölümünü sürücü koltuğundan ayıran pencereninkiler ise daha sağlam ve dayanıklıydı. Johnny'nin karşısında silahlı bir görevli oturuyordu, üzerinde taba rengi pantolon, beyaz gömlek ve siyah koruyucu yelek vardı. Görevli hiçbir şey söylemedi. İşinde iyi, diğer gardiyanların da tanınmış bir katilin karşısında ne yapacağını bildiğine inanan bir adam gibi tetikte ama aynı zamanda rahat görünüyordu. Johnny Congo da bir şey söylemedi, sadece görevliye baktı ve öleceği gün dahi kendisinin bir alfa erkeği olduğunu kanıtlamaya kararlı bir tavırla, gözlerini ona dikerek başka tarafa bakmasını sağladı.

Johnny Congo'nun infazının ayrıntıları, Teksas Cezai Adalet Dairesi'nin en alt kademesinden en üste kadar tartışılmıştı. Onun, maksimum güvenlikli bir birimden kaçabileceğini ispatlamış, son derece tehlikeli bir suçlu olduğunu gayet iyi biliyorlardı. Davası, basında büyük ilgi toplamıştı ve infaz vakti yaklaştıkça ilgi daha da artıyordu. Daha Polunsky Birimi'nden ayrılırken her bir kapıda birkaç televizyonun haber muhabiri ve tepede vızıldayan bir helikopter vardı. Bir başka, hatta daha büyük bir medya ordusu Walls Birimi'ndeki, infaz konvoylarının kabul edildiği arka kapıda birikmişti.

Hepsinin istediği şey Congo'nun şimdiki halinin bir fotoğrafıydı: bulanık ya da kumlu olsa bile herhangi bir fotoğraf. Herkeste olan tek görüntüsü, Abu Zara'dan gelen uçaktan inerken çekilmiş, üzerinden bir kamyon geçmiş gibi göründüğü fotoğrafı, sabıka fotoğrafı veya kötü şöhretinin ilk ortaya çıkışından kalma çok eski arşiv fotoğraflarıydı. Amerikan halkı, adalet sistemlerinin onların adına öldüreceği adamı yeryüzündeki son gününde görmek istiyordu. Fakat yetkililer, mahkûmun yanına kimseciklerin yaklaşmasına izin vermeyerek basın da dahil, hiç kimse için işleri kolaylaştırmıyordu.

Hem Johnny Congo'nun tehlikeli biri olduğunu, hem de onu ellerinden ikinci kez kaçacak olursa bütün Teksas Cezai Adalet Dairesi'nin kamuya karşı hissedeceği utancı akıllarında tutarak standart konvoy formatında bir değişiklik yapmışlardı. Her zamanki gibi üç araç vardı. Fakat bu kez üçüncü araç, normalde olacağı gibi bir başka ekip aracı değil, ağır silahlı, on kişilik bir SWAT timinin olduğu Lenco BearCat zırhlı personel taşıma aracıydı. BearCat büyük, tehditkâr ve simsiyah bir savaş makinesiydi. İçindeki adamlar da polise eşdeğer özel kuvvetlerden oluşuyordu. Ateş güçlerine karşı, ancak büyük çaplı askeri bir saldırının başarı şansı olabilirdi.

Johnny Congo'nun infaz günü, D'Shonn Brown'ı gören herkes, onun içine kapanık, sessiz sakin, abartısız ve bariz şekilde sıkıntılı olduğunu gözlemledi. İnfaz akşam saat altıdaydı. Huntsville, Houston'ın yaklaşık yüz kilometre kuzeyindeydi ve trafik yoksa 45 numaralı otobandan bir saatten fazla sürüyordu. Fakat D'Shonn trafiğin en yoğun olduğu saatten kaçınmak istedi ve böylece, Johnny Congo'yu infaza götüren konvoy Polunsky Birimi'nden ayrıldığı sırada, D'Shonn'un bir şoförünün kullandığı Rolls-Royce Phantom, Houston şehir merkezindeki ofisinin yeraltı garajından homurdanarak çıktı. D'Shonn arkada oturuyordu. Clint Harding sürücünün yanındaki koltuktaydı. Siyah bir Suburban, Rolls-Royce'u garajdan çıkarken takip ediyordu. İçinde Harding'in adamlarından dört kişi vardı; görevleri, infaz odasına bakan seyir bölümüne giden D'Shonn'u, hapishane kapılarının dışında başına üşüşecek olanların arasından geçirmekti.

D'Shonn, iPad'inden televizyon yayınını izliyordu. "Johnny'yi canlı yayınlıyorlar, onu sanki yeni O. J. Simpson'mış gibi tepeden takip ediyorlar."

"Bunu bir sirke çevirmelerine sinir oluyorum," dedi Harding, başını çevirip D'Shonn'a bakarak. "Bakın, onun kardeşinizin arkadaşı olduğunu biliyorum ama Johnny Congo tehlikeli bir adamdı. Toplumun verebileceği en korkunç cezayı aldı. Bu, bir televizyon şovuna dönüştürülmemeli."

D'Shonn'un telefonu çaldı. Telefonu cevapladığında bir süre karşı tarafı dinledi ve sonra konuştu. "Hey, Rashad, dostum... Evet, ben de izliyorum. Sanırım bunun olacağını biliyordum ama yine de... Düşünmesi bile delice, Johnny'yi son görüşüm onu infaz odasına götürürlerken olacak. Kabul etmeliyim ki bu sahneyi görmeye can atmıyorum."

Harding, patronunun mahremiyetine saygı göstermek amacıyla başını çevirmiş, ön camdan dışarı, 45 numaralı otobana bakıyordu. D'Shonn'un ikinci bir telefonu eline alıp bir Snapchat mesajı gönderdiğini görmedi. "Mükemmel. Başlayın. Helikopter ve jet hazır olsun."

Mesaj, alındıktan on saniye sonra, ardında hiçbir iz bırakmadan kayıplara karıştı.

Rashad Trevain iki hafta boyunca Johnny Congo'nun cezaevi konvoyunu, polislerin dikkatini çekmeden takip etmenin yollarını aramıştı. Aşikâr çözüm, yolda peşine takılmaktı, ama tüm yol boyunca sürekli konvoyun arkasında bir araba takipte olursa belirlenip durdurulabilirdi. Bir araçtan diğerine aktaracakları bir röle sistem edinebilirlerdi, ama gözetim altında tutulacak doksan kilometrelik üç rota vardı ve konvoy karşılarına çıktığında gözetimi devralmayı bekleyecek üç uzun araç zinciri oluşturmaları gerekirdi, bu da kullanmak istediğinden daha fazla insan gücü demekti. İşin içinde ne kadar fazla adam olursa hepsini yakından tanıma ihtimali o kadar azalır ve ağızlarını sıkı tutacaklarına dair güveni de aynı oranda düşerdi.

Rashad'ın bir sonraki fikri, polis güçlerinin kalabalığı kontrol etmek için kullandığı gözcü dronlardan satın almak olmuştu: birkaç metre genişliğinde, üç minyatür helikopteri andıran, yatay bir pervanesi olan ve görüntüleri eşzamanlı olarak bir baz istasyonuna gönderen bir kamera. Fakat bunları idare etmek için becerikli teknisyenler gerekirdi, ayrıca hem dronun kendisi hem de gönderdiği sinyal için menzil sınırlamaları vardı. Bunun üzerine Rashad işin temeline indi. Yolun ilk birkaç kilometresindeki önemli dönüş noktalarına, yani konvoyun rotasına karar verecek seçimler yapmak zorunda kalacakları yerlere, yarım düzine kadar gözcü cihaz yerleştirmeye karar verdi. Fakat Houston Golf Kulübü'nün sahasında karşı kıyıya, sekizinci deliğe bakarlarken sorunlardan bahsettiğinde D'Shonn Brown atış yapacağı toptan başını kaldırıp Rashad'a baktı ve sordu. "Sence konvoyu bir helikopter takip edecek mi?"

"Güvenlik kamerası olan polis helikopterlerini mi kastediyorsun?" diye karşılık verdi Rashad.

"O ya da trafiği takip etmeyi bırakıp belalı, zenci bir katilin son seyahatini izleyecek bir televizyon istasyonu. Olaya O.J. muamelesi yapacak basın mensupları."

"Olabilir. Bu mümkün. Neden?"

"Eh, birileri araç konvoyunu takip ederse bu kesinlikle hayatımızı kolaylaştırır..."

D'Shonn konuşmaya birkaç saniye ara verip deliğin yaklaşık on metre ilerisindeki topa, sırf geri dönüşe başlayıp direğe doğru yuvarlanırken mesafesini yarıya indirmek için vurdu.

"Vaaay, şanslı bir zıplayış dostum!" dedi Rashad gülerek.

"Şansla ilgisi yok, dönüş yapması için oynadım," dedi D'Shonn soğuk bir sesle. Konuşulanları kimsenin duymasını istemedikleri için yardımcısız oynamaya karar verdiklerinden, tekerlekli arabaya konmuş çantaya sopasını yerleştirmek üzere döndü. "Neyse, şu helikoptere gelecek olursak, havada bir helikopter olursa işe yarayacağına şüphe yok," diye devam etti. "Tek sorun sonrasında ondan kurtulmamız gerekecek. Bazı şeylerin kameraya yakalanmasını istemeyiz."

"Evet, anlıyorum, dostum."

"O halde icabına baksan iyi olur. Bu işin hallolmasını istiyorsak her ihtimali düşünmeliyiz."

Johnny Congo'nun tüm yolları Huntsville'e çıkıyordu. Bu yüzden de pusu grubu orada bekliyordu. Bolca yüküyle üç damperli kamyon ve beş çalıntı SUV, Martin Luther King Yolu'ndan Northside Mezarlığı'na giden çatlamış ve tozlu yol boyunca park etmişti. O gün için planlanmış bir cenaze yoktu, araç kuyruğunu görme ihtimali olan kimse de yoktu. Ekipten sorumlu, Janoris Hall ismindeki Melek, sıska, açık tenli, keçi sakallı bir adamdı. Bugün emrinde çalışan her adam gibi Janoris de kapüşonlu, Tyvek marka, tek kullanımlık beyaz bir tulum ve Nike spor ayakkabılarının üzerine ince, polipropilen galoş giymişti, ellerinde de lateks eldivenler vardı. Birçok olay yeri inceleme memuru da neredeyse aynı iş kıyafetlerinden giyiyordu. Olay yerini kirletmek istemiyorlardı. Bu durumda ise Melekler yaratacakları olay yerini kirletmek istemiyordu. Aynı zamanda kimliklerinin belirlenmesini de istemiyorlardı, o nedenle de her bir Melek'e hokey kalecilerinin yüz maskelerinden verilmişti.

Janoris maskesini takmamıştı iPad'inden haberleri izliyordu ve cezaevi konvoyu Farm'dan ayrılıp 350 Market Yolu'na doğru dönerek 190. Yol'a çıktığında yardımcı komutan Donny Razak'a döndü ve, "Kuzeye saptılar," dedi.

Razak'ın kafası tıraşlıydı, kalın, gür bir sakalı ve göğsünden bir yerlerden gelen boğuk, çatallı bir ses tonu vardı. "Gidip onlarla yüz doksanda buluşmamızı mı istersiniz?"

Janoris bir süre düşündü. Şimdi hemen oradan çıkıvermek ve pozisyon almak cezbediciydi. Kontrollü hareket ederlerse budalaca bir hata yapma oranı o kadar düşük olurdu. Ama ya konvoy gölün etrafındaki manzaralı rotayı seçtiyse ve

Huntsville'e Teksas 19'dan giderse ne olacaktı? Johnny Congo, Ölüm Hücresi'ne bir başka yoldan götürülürken hazırlıksız bir şekilde ve yanlış bir yerde beklemek istemiyordu.

"Hayır dostum, bir süre bekleyeceğiz. Köprüye vardıklarında ne olacağına bakacağız. Köprüyü geçip geçmeyeceklerini anladığımızda harekete geçeceğiz."

Walls Birimi'ndeki idari ofislerden biri, Congo operasyon komuta yeri olarak kullanılmak üzere ayarlanmıştı. Şimdi tek sorun komutaya kimin geçeceğiydi. Bu iş için üç muhtemel aday vardı: Johnny Congo'nun, Walls Birimi'ne canlı olarak girişinden başlayarak cansız bedeni oradan alınana kadar gerçekleşen her şeyden sorumlu olan cezaevi müdürü Hiram B. Johnson III; kendi kumanda merkezi Huntsville şehir merkezinin bir buçuk kilometre kuzeyinde James "Jay" H. Byrd Jr Birimi'nde bulunan ve Johnny Congo'yu bir cezaevi biriminden diğerine taşımakla sorumlu Suçlu Nakil Bürosu Müdürü Tad Bridgeman ve son olarak da, burası Teksas olduğu için, beyaz Stetson şapkalı bir adam.

Bu sonuncusu ten rengi kovboy çizmeleri, taşlanmış kot pantolon, temiz, beyaz bir gömlek giymiş ve koyu renk kravat takmıştı. Silahı, eğer at sırtındaysa kolaylıkla çekebilmesi için kalçasının üzerindeki kılıfındaydı ve göğsünde, elli pesoluk Meksika madeni paralarından yapılmış, Teksas yıldızı rozetini taşıyordu. Bıçkın kovboy kökenleriyle bilinen Teksas Rangers görevlilerinin rozetleri ve şapkaları hariç, resmi bir üniformaları yoktu. Ancak gayriresmi olarak kot pantolon ve beyaz gömlek beklenen bir kıyafet şekliydi ve bu adam, Rangers, A Birliği Komutanı Binbaşı Robert "Bobby" Malinga'ydı.

Başka iki memurla birlikte transfer güvenlik önlemlerini düzenleyen de oydu ve Johnny Congo büyük bir talihsizlik eseri Batı Livingston ve Huntsville arasında bir yerde kaçacak olursa onu yeniden yakalamaktan sorumluydu. Durum, dördüncü bir kişinin, Chantelle Dixon Pomeroy'un katılımıyla daha da karışıyordu. Kusursuz derecede bakımlı, yapmacık tavırlı ama lazer gözlü, kızıl kafalı Chantelle, Teksas valisinin kurmay başkan yardımcısıydı. Görevi, infazı politik ve halka ilişkiler açısından gözlemlemeyi, infazla ilgili bilgi vermeyi ve diğer işleri kapsıyordu. Eyaletin cezai adalet sistemi temsilcilerinden birine doğrudan emir verme yetkisi yoktu. Fakat valinin hem gözü kulağı, hem de sesiydi. Ve onun emir verme yetkisi olduğu muhakkaktı.

Şimdi Congo konvoyu kuzeyde 190'a, Cedar Point'teki göl kenarı tesislerine doğru yönelirken komuta merkezindeki dört önemli oyuncu, geri kalan herkesle aynı şeyi yaparak konvoyun ilerleyişini televizyondan izliyordu.

"Bu görüntüler hoşuma gitmiyor," diye homurdandı Bobby Malinga. "Eğer biz onları görebiliyorsak Teksas'taki çete üyeleri de görüyor demektir. Kimsenin, arkadan iş çevirip Johnny Congo'yu azat eden kişi olarak isim yapabileceğini düşünmesini istemiyorum. Ya da eyalet görevini yerine getirmeden önce Johnny Congo'yu öldürebileceğini düşünmesini. İkisi de aynı şekilde kötü."

"Bu olmayacak binbaşı," dedi Chantelle Dixon Pomeroy, yumuşak bir sesle. "Burası Rusya değil. Bizim bir Anayasa'mız var. Televizyon kanallarına gidip Teksas halkı için önemli bir olayı kayda almamalarını söyleyemeyiz."

"Ulusal Güvenlik diye bir şey duymadınız mı? Johnny Congo tehlikeli bir katil. Afrika'da bir kaçak olarak yıllar geçirdi, anladığım kadarıyla oradan şahsi olarak bir milis kuvveti yönetti, kim bilir belki de hâlâ da yönetiyordur. Ulusal Güvenlik için açık bir tehdit arz ediyor. Düşmanlarımıza yardım etmek mi istiyorsunuz Bayan Pomeroy?"

"Hayır bunu istemiyorum binbaşı," dedi başkan yardımcısı, tatlı sesinin arasına buz gibi bir sivrilik yerleştirerek. "Ve şayet o, İslami bir terörist olsaydı eminim valilik de sizin kadar endişeli olurdu. Ama elimizdeki, tam olarak tanımlamak gerekirse, sıradan bir katil. Adalet yerini bulacak. Ve vali de Teksas halkının, devletin en iyi polis memurlarına ve cezaevi personeline sahip olduğumuzu görmesini istiyor."

"Valiliği arayıp valinin uçma yasağı emrini onaylayıp onaylamadığını sorabilir misiniz?" diye rica etti Malinga.

"Elbette yapabilirim ama buna gerek yok. Valinin istekleriyle ilgili en ufak bir şüphem yok. Üzgünüm binbaşı ama helikopter kalıyor."

Trinity Nehri, Onalaska sahil bölgesinin yanındaki Livingston Gölü'nün kuzey ucuna akar. Nehir ağzı yaklaşık beş kilometre genişliğindedir ve iki kıyı birbirine Trinity Köprüsü'yle bağlanır. Johnny Congo'nun olduğu minivan, 190. Yol aracılığıyla, Onalaska'nın merkezi olarak kabul edilen bölgeden geçerken Congo başını çevirip arka pencereden dışarı baktı. Bir berber dükkânı, bir sigorta bürosu, halı ve yer fayansı satan bir mağazanın olduğu alçak bir yapı gördü. Onun biraz ilerisinde bir Subway şubesi vardı.

"Ah, şu anda bir B.M.T. İtalyan sandviç için neler vermezdim," dedi karşısında oturan görevli. "İtalyan otlu ve peynirli ekmeği, ekstra *provolone* peyniri, bol mayonez, mmm... Senin en sevdiğin hangisi?"

"Ne?" Johnny Congo anlamayarak ona baktı.

"Subway, dostum, hangi sandviçlerini seviyorsun?"

"Bilmem. Hiç orada yemedim."

"Dalga geçiyorsun! Subway'de bir kere bile sandviç yemedin mi?"

"Hayır. Adını da hiç duymadım." Johnny Congo boş boş görevliye baktı, arkasından da konuşmamaya yeminli tavrından kasıtlı olarak vazgeçiyormuş gibi iç geçirdi. "Irak'taydım. Görevdeydim. Sonra eve döndüm, cinayet olaylarına karıştım ve hapse girdim, uzun seneler hapishane yemeğinden başka bir şey yemedim. Sonra Afrika'daydım. Afrika'da lanet bir Subway restoranı yok. O yüzden, hayır, Subway'de hiç sandviç yemedim."

"Ha?" Görevli, sanki bu gerçek anlamda yeni ve olağandışı bir bilgiymiş gibi hayretler içindeydi. Bir Shell benzin istasyonunun karşısındaki kavşakta, trafik ışıklarında durdular. Şimdi bir seçim yapmaları gerekiyordu: Ya düz devam edeceklerdi ya da benzin istasyonunu geçip Farm'a çıkarak Market 356'ya doğru yöneleceklerdi.

Johnny de görevli de bilmiyordu ama Huntsville'de bir çift göz iPad'in ekranına yapışmış, konvoyun bu dönüşü yapıp yapmayacağını görmeyi bekliyordu. Eğer yaparsa o zaman Congo manzaralı rotadan, 19 numaralı otobanın kavşağına çıkacak, 19'da ilerledikten sonra güneybatıdan Huntsville'e ulaşacaktı. Fakat ışıklar yeşile döndüğünde konvoya önderlik eden ekip aracı, 190. Yol boyunca Trinity Köprüsü'ne doğru yöneldi. Büyük bölümü, sudan birkaç metre yükseklikteki köprünün yüksek, beyaz beton blokuna doğru devam eden otobanı üzerinde taşıyan hafriyata ulaşana kadar ilerledi.

"Sanırım artık asla bir Subway sandviçi yiyemeyeceksin," dedi görevli. "Gücenmek yok... sen ne demek istediğimi anladın."

"Evet biliyorum," dedi Congo. "Mesele şu, acaba sen yiyebilecek misin?"

Elli kilometre ileride, Hunstville'in kuzeyinde mezarlığın hemen yanında duran Janoris Hall, yumruğunu havaya kaldırıp salladı. "Evet!" diye bağırdı. "Şimdi yakaladık seni! Dönüp operasyonu başlatmak için işaret bekleyen diğer Meleklere baktı. "Başlıyoruz. 190'a döndüler, şimdi yolda onlarla buluşacağız, bir randevumuz var. Pekâlâ, şimdi toplanın..."

Melekler hep birlikte maç öncesi toplaşmalarında olduğu gibi Janoris Hall ve Donny Razak'ın etrafında toplandılar. Janoris, peşinde onu bir boksör gibi izleyen Donny'yle birlikte, küçük ve dar çemberin içinde gezindi. "Bugün, burada bize bir fırsat doğdu!" diye bağırdı Janoris, diğer Melekler'in haykırışları eşliğinde Razak'a bir yumruk savurdu. Birkaç yumruk darbesi ve başka tezahüratların ardından Janoris devam etti. "Bu, hayatta bir kez ele geçecek bir fırsat! Tarih yazma fırsatı! Daha önce yapılmamış bir şey yapacağız. Başaracağız..."

"Başaracağız!" diye bağırdı diğer Melekler cevaben. Sanki gemilerle Batı Afrika'nın esir barakalarından pamuk tarlalarına ve Amerika'nın güney eyaletlerindeki Gospel kiliselerine gelmiş kabilelerin sözlü atışmalarını taklit ediyor gibiydiler.Janoris yumruğunu havada salladı. "Bir kez daha..."

"Başaracağız!"

"Bir kez daha..."

"Başaracağız!"

"Üçte Congo... ve bir!"

"Bir!"

"İki!"

"İki!"

"Üç!"

"Congo!"

Hepsi birlikte havaya, çemberin ortasına doğru geldiler ve kollarını uzatarak birbirlerinin ellerine vurdular. Sonra Janoris Hall etrafını saran yüzlere bakıp konuştu. "Haydi gidip yakalayalım şu kalleşi."

Bir dakika geçmeden mezarlığa giden yol boşalmıştı. Kamyonlar ve SUV araçlar yola çıkmış, 190 numaralı karayolu kavşağına doğru yol alıyorlardı.

Televizyon ekranlarında, konvoyun tepeden çekilen görüntülerinin yerini Walls Birimi'nin dışında toplanmış kalabalığın görüntüsü almıştı. Ölüm cezasını protesto eden insan hakları eylemcileri, mağdur hakları grupları ve, "Öl, Johnny, öl!" diye bağıran tutucu, kanun ve düzen yanlıları vardı.

New York ve Los Angeles'tan gelen erkek muhabirler, ekran karşısına geçmeden önce saç ve makyajlarını kontrol ediyorlardı. Kadın muhabirler ise mankenleri andıran halleriyle kamera karşısına geçip sanki saatlerdir olayı aktarıyormuş numarası yapacakları son ana dek neredeyse vakumlanmış ambalajları andıran görüntülerini koruyorlardı. Alana kurulmuş yiyecek tezgâhlarında acılı sos ve gurme pirzola satılıyordu. Teksas'taki eyalet hapishanesinin duvarlarının dışında durmak için mesleki bir sebebi olanlar dışında, sırf kötü adam, koca Johnny Congo'ya iğneyi batırdıkları gece orada olduğunu söyleyebilmek için merak içinde bekleyen yüzlerce kişi daha vardı.

Suçlu Nakil Büro Müdürü Tad Bridgeman komuta merkezinde, Johnny Congo'nun olduğu minivanın yolcu koltuğundaki memurlardan biriyle konuşuyordu.

"Tutuklu nasıl? Sıkıntı var mı?" diye sordu Bridgeman.

"Hayır efendim," diye geldi cevap. "Kuzu gibi oturuyor. İnanır mısınız bilmem ama son duyduğumda o ve Frank sandviçlerle ilgili konuşuyorlardı."

"O adamın gittiği yerde sandviç falan olmayacak," dedi Bridgeman. "Kızarmış olanlar hariç. Johnny Congo'yu da öyle kızartacaklar."

"Yalan değil!"

"Pekâlâ, beni haberdar et evlat. Herhangi bir şey olduğunda ilk bilen ben olayım."

"Baş üstüne efendim."

Teksas Rangers'dan Binbaşı Bobby Malinga televizyon ekranına bakarak homurdanıyordu. "Tanrım, kapıların dışındaki bu saçmalıklardan kurtulabilir miyiz artık? Konvoyun nerede olduğunu görmek istiyorum."

Chantelle Dixon Pomeroy nazikçe güldü. "Neden ama binbaşı? Birkaç dakika önce helikopteri almam için diretirken böyle demiyordunuz."

"Eh, evet, orada olması gerekiyor, onun gördüğü şeyi görmek istiyorum."

Kapı vuruldu ve üniformalı bir polis memuru içeri girdi. Gözleriyle komuta merkezini taradıktan sonra Chantelle'i gördü. "Affedersiniz, rahatsız ediyorum, efendim, fakat sizinle konuşmak ve valinin bugün burada olanlarla ilgili düşüncelerini öğrenmek isteyen bir yığın muhabir var. Onlara ne dememi istersiniz?"

"Hemen geliyorum." Telefonunu alıp Austin'deki özel kalemle otuz saniyelik bir görüşme yaptı. "Tamam", "Tamam", "Anlıyorum", "Anladım" ve son olarak, "Tamamdır" sözlerinden başka kelime kullanmadı. Ardından telefonunu çantasına koyup katlanır bir ayna çıkardı. Yüzünü kontrol etti, dağılmış, kestane rengi saçlarını düzeltti ve aynayı şak diye sert bir ses çıkararak yeniden kapadı. Aynayı çantasına geri koyarken Bobby Malinga'ya baktı ve hafifçe omuzlarını silkti. "Bir kadın her zaman iyi görünmelidir," dedi. Ardından da Teksas eyalet valisinin sözlerini iletmek üzere kumanda odasından çıktı.

Tam konuşacağı sırada medya mensupları, bir telefon telinden havalanıp uzaklaşan sığırcık sürüleri gibi hızla dağıldılar. D'Shonn Brown, Walls Birimi'ne giriş yapmıştı. Mahkûmun infaza tanıklık edecek tek yakınıydı. Teksas valisinin sözlerini duymak yerine herkes onun olayla ilgili söyleyeceklerini öğrenmeyi tercih ediyordu.

Huntsville'in yaklaşık on üç kilometre dışında, Farm ve Market 405 kavşağında, 190. Yol'un sağa doğru kıvrıldığı dönemeçte, Valero benzin istasyonunun olduğu bir park alanı ile yerel halk ve yolda mola vermek isteyenlere hizmet veren Bubba'nın Yeri adlı bir restoran vardı. Mercedes ML63'ün yolcu koltuğunda oturan Janoris Hall, dört SUV araca ve park alanındaki üç kamyona öncülük ediyordu. Tıpkı Bobby Malinga gibi Janoris de helikopter kamerasından gelen televizyon görüntülerinin yokluğundan şikâyetçiydi ama son birkaç dakikadır haber müdürü, Walls Birimi'nin dışındaki çekimlerden sıkılmış olacak ki Congo'nun olduğu konvoya geri dönüş yapıldı. Janoris araçlar, yavaş ilerleyen bir kamyonun veya karavanın ardında sıkışıp kaldığında lanetler okuyor ve öfkeyle navigasyonun etrafındaki deri çerçeveye vuruyordu. Yol açıldığında, otobanda ışıklarını yakarak hızla ilerlemelerine rağmen sürekli engeller çıkıyordu ve ekip aracını, minivanı ve BearCat'i yolun öteki tarafında ilerlerken görüp onları durdurmak için hiçbir şey yapmama ihtimalinden korkuyordu. Fakat görüntüleri ve haber kanalının ekranın köşesinde yayınladığı haritayı gördüğünde başaracaklarını anladı. Ama kolay olmayacaktı.

Bubba'nın Yeri'nin olduğu alana geldiklerinde konvoy sadece dört-beş kilometre uzaklarındaydı ve saatte yüz on kilometre hızla onlara doğru geliyordu. Janoris bütün SUV araçları numaralandırmış, onlara birden beşe kadar Congo 1, Congo 2 gibi isimler vermişti. Doğal olarak o, Congo 1'deydi ve şimdi konvoyu gördükleri anda telsizle haber vermeleri, sonra da mümkün olduğunca hızlı dönerek onu Meleklerin geri kalanının beklediği yere doğru takip etmeleri talimatını verdi, sonra da Range Rover Sportlar'dan biri olan Congo 2'yi yolun ilerisine gönderdi. "Ama Peterbilt'i geçmeyin," diye de ekledi.

Janoris tam kalan araçları düzgünce organize etmişti ki telefonu çaldı ve bir ses konuştu. "Onları gördük. Bir buçuk kilometreden fazla uzak değiller, bir dakikadan kısa bir süre içinde yanınızda olurlar. Helikopteri de görüyoruz."

Janoris konvoyun yaklaştığı tarafa doğru baktı. Yol, yarım kilometre mesafedeki alçak bir tepenin üzerine dek dümdüz uzanıyordu. Konvoy o tepenin üzerinde göründüğü anda harekât başlayacaktı.

"İlk iki kamyon başlangıç noktasına. Congo 3 yavaşça arkalarına gir," diye emretti Janoris. "Congo 5, Bobby Z, sen de işini yap dostum."

İki iri Kenworth T800, 190. Yol'un sağ şeridine yönelen çıkışa doğru ilerledi, ikinci Range Rover Sport arkalarındaydı, araçlar çamurlukları asfalt yolun dışına sarkacak şekilde yan yana durdular. Çıkışa girmek isteyen diğerleri ise beklemek zorundaydı.

Congo 5 yani Audi Q7, Bubba'nın Yeri adlı restoranın arkasına park etmişti. Şimdi aracın içinden, elinde bir buçuk metre uzunluğunda, ağır bir boruya benzeyen bir şey taşıyan bir adam iniyordu. Adam, Q7'nin iri burnunun yanında pozisyon aldı, bir dizinin üzerine çökerek boruyu omzuna kaldırdı. Sonra onu doğuya doğru çevirip yukarı doğrulttu.

* * *

Houston'da, canı sıkılan bir yayın yönetmeni tepeden çekimi yayından çıkardı. Otobanın heyecansız bir yerinde seyahat eden üç aracın görüntüsüne ancak bu kadar zaman ayırabilirdi. Yayın yönetmeninin kameramana son talimatı şöyleydi: "İlginç bir şey görürsen bana haber ver."

O sırada Janoris Hall ekip aracının tepenin yamacına ulaştığını gördü. Trafik azdı ve onlarla arasında başka araç yoktu. Mükemmeldi. "Harekete geçin!" diye bağırdı Janoris telefonunun mikrofonuna ve iki damperli kamyon park yerinden ayrıldı. Her biri bir şeritte ilerliyordu, otobanın batı tarafını tamamen bloke ederek, otuz kilometre hızla 190. Yol'dan aşağı inmeye başladılar. Congo 3, yani Range Rover yolun hemen kenarında, çıkışın ortasındaki yerini aldı.

Janoris eğilerek ön camdan yukarı doğru baktı. Evet, işte helikopter oradaydı, yavrularını izleyen bir anne kuş gibi havada dolanıyordu. "Şunu görüyor musun Bobby?" diye sordu.

"Evet dostum, tam da ona nişan alıyordum," diye geldi cevap.

"Erken hareket etme kardeşim. Damperlilerin işini yapmasını beklemen gerek." Janoris yolun ilerisine baktı. Konvoy şimdi neredeyse karşısındaydı. "Congo 3, başla." Range Rover, 190. Yol'a girip fazla hızlı gitmeden dış şeritte kaldı. Polis ekip aracı, onun arkasından sola sinyal verdi ve konvoyu iç şeride doğru yönlendirdi. Congo 3 hızlanarak ekip aracının yanında pozisyon aldı.

"Congo 4 başla, Peterbilt başla," dedi Janoris ve Porsche kamyonu otobana doğru sürdü.

Helikopter şimdi tam tepelerindeydi.

Ekip aracının sürücüsü, ilerideki kamyonların yolu kapattığını fark etmişti. Tepesindeki yanıp sönen ışıkları ve sirenleri çalıştırdı. Kamyonlar yerlerinden kıpırdamadılar. Tam arkalarına yaklaşmak üzereydi, o yüzden biraz yavaşladı, bunun üzerine minivan ve BearCat de hız kestiler.

Yanıp sönen ışıklar, yukarıdaki kameramanın dikkatini çekmişti. Televizyona mesaj gönderdi. "Burada bir şeyler oluyor, birkaç damperli kamyon yolu kapatmış. Eyalet polisi çok sinirlenmiş olmalı, çünkü ışıklarını yaktılar."

"Tamam, onları dikkatle takip et, bir şey olursa sana bağlanırız." Sonra bir şey oldu. İki kamyon art arda sola doğru yön değiştirdi. Kameraman mırıldandı: "Nasıl yani?..." Ardından baştaki Kenworth yoldaki sarı orta çizgilerini geçerek doğu istikametindeki şeridin tam çaprazında durduğunda bağırdı: "Bunu alıyor musunuz?" İkinci Kenworth baştaki kamyonun uzak tarafından bir kavis çizerek durdu, sonra cezaevi konvoyunun gittiği batı istikametindeki şeridi bloke etmek üzere, geldiği yolu geri geri gitmeye başladı.

Bobby Z, Bubba'nın Yeri'nin arkasında, sağ omzunda duran FIM-92 Stinger uçaksavar bazukanın tetiğini çekerek, ses hızının iki katından daha büyük bir hızla ilerleyip gökyüzünde patlayan on kiloluk bir roket gönderdi. Alıcıları helikopterin yolcu kabininin tam üstünde ve arkasında yer alan egzoz borularına kilitliydi. Tesir etmesi bir saniyeden kısa sürdü.

Helikopterdekiler, birinin onlara ateş açtığını dahi anlamadı. Hepsi havaya uçup paramparça oldular: Bir an sapasağlamken bir saniye sonra bu dünyadan göçüp gitmişlerdi.

Houston'a aktarılan yayın kesildi. Böylece stüdyodakiler ve televizyon başındaki izleyiciler 190. Yol'da olanları göremedi. Ekip aracının sürücüsü konvoyun önünden sağ şeride doğru ilerleyerek kamyonları geçebileceğini düşündü. Range Rover sürücüsünün, sirenleri çalan bir polis aracı gördüğünde frene basmak zorunda kalacağını varsaydı. Ne var ki Range Rover yavaşlamadı, olduğu yerde kaldı. Ekip aracı ona çarptı; araçlardan kıvılcımlar çıkarken, metalik gıcırtılar yükselirken ve her iki aracın ön panelleri içeri çökerken olduğu yerde durmaya devam etti.

Şimdi iki kamyon, birbirine paralel ama biraz uzakta, otobanın bir yanından diğerine çapraz şekilde dizilmişti.

Damperleri kalkmaya başladı, arka kapaklar açıldı ve sert molozlar yola dökülerek geçilmez bir duvar ve bir ölüm alanı oluşturdu.

Congo 3'ün sürücüsü, neler olacağını bildiğinden mükemmel bir zamanlamayla hareket etti. Sağa doğru fırladı, Kenworth'ü sıyırarak geçip kaçabileceği yolu birkaç santimle –milisaniyelerle– bloke etti. Onu takip etmeye çalışan ekip aracı bir beton, tuğla ve taş heyelanına kapılarak kendi etrafında döndü ve asfalt yoldan çıkıp hemen otoban kenarındaki çam ağaçlarına çarptı.

Johnny Congo'yu taşıyan minivanın sürücüsü aniden bir seçimle karşı karşıya kaldı. Ya kamyona çarpacaktı ya da molozlara. Frene asıldı, direksiyonu hızla sağa kırdı ve yana, damperi kalkıp boşalmış kamyona doğru savruldu. Minivanın arka tarafında oturan görevli, çarpmanın etkisiyle bölmenin içinde savruldu ve bedeninin farklı bölümleri, Johnny Congo'yu sıyırarak oturma bankına, minivanın metal duvarlarına ve penceredeki parmaklıklara çarptı.

Kaçırma planının ayrıntılarını bilmeyen ama olanları gören Congo, kendini çarpışma sonucu oluşan darbelerden korumuştu. Elleri onu yere bağlayan zincirleri tutuyordu ve kocaman kol kasları gerilmişti. Zincirlere yapışmasına rağmen, çarpışma gerçekleştiğinde kolları neredeyse yerlerinden çıkacağını hissetti ve eğer başını dizlerinin arasına almamış olsaydı, görevlinin havada uçan gövdesi başını koparacaktı.

Minivan nihayet durduğunda, görevli bozulmuş bir oyuncak gibi, elleri ve kolları çarpık çurpuk bir halde, minivanın yerinde yatıyordu. Hâlâ nefes alıyordu ama tam anlamıyla savunmasız durumdaydı. Johnny Congo'ya gelince kendini yaralanmış, hırpalanmış, adeta iki parçaya ayrılmış gibi hissediyordu. Fakat bütün bunların dışında iyi durumdaydı.

O sırada minivanın arka tarafına doğru sızan gaz kokusunu fark etti ve birden bağırdı. "Çıkarın beni buradan!" Bölmenin içinde sürünerek damperli kamyona çarptıkları taraftan uzaklaştı. Sesini çıkarabildiğince haykırmayı ve aracın yan tarafını yumruklamayı planlıyordu. Fakat yan pencereye ulaşıp dışarı baktığında ve dışarıda olanları gördüğünde sesi boğazında düğümlendi.

Helikopterin cayır cayır yanan kalıntıları, bir volkandan akan kızgın, iri parçalar gibi yere dökülüyordu. Ana pervane çam ağaçlarına büyük zarar vermişti. Kopmuş bir kapı bowling topu gibi yolda zıplayıp duruyordu. Beş-altı farklı yerde küçük yangınlar çıkmıştı. Büyük ve ağır bir şey, konvoyun ardında otobanı bloke eden kamyonlardan birinin oturma bölümünü dümdüz etmişti.

BearCat düz, siyah çamurluğu ve zırhlı burnuyla, minivana hafifçe değecek şekilde durmuştu. Congo, onun ardında, havalı, beyaz bir Porsche SUV görüyordu. Dört kısa sıska bacağa tutturulmuş, yirmi santimetre boyunda, gri plastik bir boruya benzeyen bir şey taşıyan biri araçtan iniyordu. İlk adamın arkasından iki kişi daha araçtan çıktı. Ellerinde tehlikeli görünen silahlar vardı, aralarında eski model makineli tüfekler gibi dönen tambur şarjörler sallanıyordu. İşte bu! diye düşündü Johnny Congo, *işte bu çok iyi.*

Krakatoa basit ama son derece etkili bir silahtır. Bir tarafı, kilitleme halkasını tutan ve yüksek patlayıcı RDX barutuyla dolu plastik bir diskle kapatılmış kısa bir borudan oluşur. Plastik diskten bir fünye teli geçerek patlayıcı baruta ulaşır.

Borunun diğer ucundaki bir başka kilitleme halkası, sivri ucu içe, RDX barut tozuna doğru bakan, Çinli işçilerin şapkasını andıran basit bir bakır koniyi tutar.

Bu silahlardan birini BearCat'in arkasında, yere yerleştirmişlerdi. Onu oraya koyan kişi Krakatoa'nın arkasında durmamak için birkaç adım geriledi. Fünye telinin diğer ucuna sabitlenmiş bir düğmeyi tutuyordu. Düğmeye bastı. Krakatoa ateş aldı. Sıcaklık ve patlamanın etkisi bakır diski erimiş kurşuna dönüştürdü, ileri doğru fırlayıp tanksavar füzesi gücüyle BearCat'e saplandı. Zırhlı aracının arka tarafı parçalandı. Üzerlerine zırh giymiş bile olsalar içindekilerin hayatta kalmaları olanaksızdı, fakat silahlı adam yine de kontrol etti.

Ellerinde, ölümcül ve yıkıcı askeri silahlar olarak bilinen Atchisson pompalı tüfekler ya da şimdiki adıyla AA-12'ler vardı. AA-12, 12'lik otuz iki mermi barındırıyor ve dakikada üç yüz mermi ateşleyebiliyordu. İki şarjörü içi insanla dolu bir alana boşaltmak, onları dev bir Magimix'in içine atmakla aynı etkiye sahipti. Sadece ölmekle kalmaz, tamamen yok olurlardı.

Silahlı adamlar silahlarına yeni mermiler sürdüler ve büyük adımlarla minivana doğru ilerlediler. Krakatoa'yı ateşleyen adam koşarak Porsche'ye döndü ve birinin uzanıp araçtan kendisine attığı demir makasını tuttu.

Baştetikçi şimdi minivanın yan tarafındaydı. Avucunun içiyle kapıya vurdu. "İçeride misin, Johnny?" diye bağırdı.

"Evet, çıkar şimdi beni!"

"İyi misin?"

"Böyle laf kalabalığına devam edersen iyi olmayacağım."

"Kapıdan uzak dursan iyi olur dostum."

Bir saniye sonra tüm kilit mekanizması AA-12'den çıkan tek bir kurşunla paramparça olmuştu. Kapılar uçarak açıldı ve minivana tırmanan Melek'in demir makasını gören Johnny'nin yüzüne büyük, yırtıcı bir sırıtış yayıldı. Makasın Johnny'nin ayaklarını tutan, onu minivanın zeminine bağlayan ve belinin etrafını sararak bileklerine ulaşan zincirleri kırması sadece birkaç saniye sürdü. Johnny kollarını minivanın duvarlarına değecek şekilde iki yana açtı. Boyun ve omuz kaslarını gevşetmek için başını döndürdü. Ardından aracın kapısından dışarı doğru bağırdı. "Şimdi ver bakalım şu silahı bana."

Johnny, kendisine doğru atılan AA-12'yi tek eliyle yakaladı. Ardından arkasında, yerde büzülmüş yatan ve inleyerek acı içinde kıvranan Suçlu Nakil Bürosu görevlisine döndü. "Bu sandviçe ne dersin, seni oros..."

Cümlenin sonu, minivanın kapalı alanında yankılanan patlamanın ardında kayboldu. Johnny bir zamanlar görevlinin kafası olan kırmızı yığına baktı, kendi kendine güldü ve minivandan alevler içindeki yola indi.

"Araba ileride seni bekliyor dostum," dedi zincirleri kesen Melek.

"Bana bir dakika ver," diye karşılık verdi Johnny. Minivanın ön tarafına dolandı. Oraya vardığında ön koltukta oturan memur kapısını açmaya çalışıyordu.

"Dur da sana yardım edeyim," dedi Johnny.

Minivanın kapısını açtı. Sersemleyen görevli açılan kapıdan yola düştü. Johnny birkaç saniye onun ayağa kalkmaya çalışmasını izledikten sonra onu havaya uçurdu: Bir saniyeden kısa bir süre içinde gerçekleşen art arda üç el ateş, adamı alıp şımarık bir çocuğun yol kenarına attığı oyuncak bir bebek gibi havalandırarak gerisin geriye minivana doğru fırlattı.

Johnny yolcu kabininin içine baktı. Sürücünün ölü mü yoksa bayılmış mı olduğuna karar veremedi. Bunun üzerine şüphelerine son vermek için üç el ateş etti.Ardından Meleklerin onu kamyonların ön tarafında bekleyen Range Rover'a yönlendirmelerine izin verdi. Araç, yolun aşağısına doğru bir buçuk kilometre kadar hızla devam ettikten sonra yoldan çıkıp açık alanda, başka bir helikopterin inmeye hazırlandığı bir açıklığa doğru ilerledi. Johnny apar topar ona bindirildi ve helikopter yeniden havalandı. Meleklerin kamyonlara yerleştirdiği benzin bidonlarının patlatılmasıyla bir savaş alanına dönen otobanda alçaktan uçarak ilerledi.

Kamyonlar ve taşıdıkları molozların yarattığı barikatların her iki yanında da trafik oluşmuştu. Bubba'nın Yeri'ndeki müşteriler, kargaşayı görmek için restorandan çıkıyorlardı. Bu karışıklıktan faydalanan Melekler, Congo 1, 2 ve 5'e atlayarak doğu istikametine doğru hızla uzaklaştılar.

Beaumont'un yaklaşık sekiz kilometre dışında Johnny'nin içinde olduğu Congo 5, Cessna 172'nin indiği ve motorunu rölantide çalıştırarak onu beklediği iniş sahasına doğru yöneldi. Johnny hemen bu helikoptere bindi ve pilot motoru tam gaz çalıştırarak kalkış yaptı. Havalandıktan sonra Johnny pilottan şaşkınlıkla kaşlarını çatmasına sebep olan bir istekte bulundu, adam sırıtarak karşılık verdi. "Elbette, neden olmasın? Çok aç olmalısınız," ve ardından, isteği yerine getirmek üzere bir telsiz bağlantısı kurdu.

Walls Birimi'nde, sinirli bir cezaevi müdürü Johnny Congo'nun avukatı Shelby Weiss ve aile dostu, tanınmış girişimci ve hayırsever D'Shonn Brown'a infazın ertelendiğini açıklıyordu. Görünüşe bakılırsa Johnny Congo'yu Hunstville'e getiren konvoya pusu kurulmuştu. Congo ortadan kaybolmuştu. Pusu kurulan alanda kendisinden ölü ya da diri, hiçbir iz yoktu. Pusunun gerçek amacının ne olduğu da belli değildi.

"Bu da ne demek oluyor?" diye sordu Weiss sabırsız bir tavırla.

"Congo'nun, onu özgür bırakmak isteyen dost çeteciler tarafından mı yoksa onu öldürmek isteyen düşmanları tarafından mı kaçırıldığını bilmiyoruz demek oluyor."

"Yetkili kişiyle konuşmak istiyorum," dedi D'Shonn Brown.

"Yetkili kişi benim."

"Ben Teksas valisini kastetmiştim. Onunla hemen şimdi konuşmak istiyorum. Burada neler olduğunu ve onun bu konuda ne yapmayı planladığını bilmek istiyorum."

Bunu, operasyon komuta merkezini sıkıştıran tüm ulusal ve bölgesel basın da bilmek istiyordu, Chantelle Dixon Pomeroy'un çıkıp Teksas adalet sisteminin, bir mahkûmu infazına ulaştırmakta nasıl bu denli başarısız olduğunu açıklamasını talep ediyorlardı.

"Johnny Congo'nun nerede olduğunu biliyor musunuz bari?" diye sordu bir muhabir.

Her zamanki soğukkanlılığına bürünmeden önce Chantelle'in yüzünü bir panik ifadesi kapladı. "Korkarım bu oldukça hassas bir bilgi ve şu anda bu konuda konuşamam."

"Basit bir evet ya da hayır demekte hassas olan bir şey yok. Nerede olduğunu biliyor musunuz, bilmiyor musunuz?"

"Ah... ben... yani, hiç uygun olmayacağından..."

"Bilmiyorsunuz, değil mi? Teksas'ın en fazla aranan adamı infazdan kaçtı ve onun nerede olabileceğiyle ilgili en ufak bir fikriniz yok. Öyle mi?"

"Tam olarak böyle demedim," dedi Chantelle Dixon Pomeroy, küstah bir tavırla.

Ama bir şey demesine gerek yoktu. Bir mikrofon ya da kamera tutan veya olayları evindeki televizyondan izleyen herkes için Johnny Congo'nun iz bırakmadan ortadan kaybolduğu aşikârdı.

Johnny Congo'yu taşıyan Cessna 172, Jack Brooks Bölge Havaalanı'ndaki özel piste indiğinde, motorlarını ısıtmış, onu almak için park alanında bekleyen gümüş rengi bir Citation X jetin olduğu yere yanaştı.

Johnny uçağa bindi. Merdivenlerin başında onu şık bir üniforma giymiş, sarışın bir hostes karşıladı. Hostes Johnny'yi arka kabine doğru yönlendirdi. Kabinin içindeki yatağın üzerinde gri bir takım elbise, beyaz bir gömlek, masmavi ipek bir kravat, siyah ipek çoraplar, bir çift ayakkabı ve bir kemer vardı.Hostes bir duygu belirtisi göstermeden onun "İM" yazılı hapishane kıyafetlerini çıkarmasına yardım etti. Sessizce kıyafetleri alıp takım elbisesini giymesi için onu yalnız bıraktı.Johnny giyindiğinde, yatağın üzerinde duran timsah derisi evrak çantasının içindekileri kontrol etti. Toplam elli bin dolar olan yüz dolarlık tomarları ve beş milyon değerindeki tahvilleri sayarken memnun bir şekilde bir şarkı mırıldanıyordu. Çantada ayrıca, izi sürülemez bir akıllı telefon ve bir tanesi Kazundu Kralı John Kikuu Tembo adına olmak üzere bir dizi pasaport bulunuyordu. Kralları andıran bir edayla kabinden çıkan Johnny, Citation'un salon kısmına geçti. Kral Hazretleri John, Citation'un uçuş planlarından yasal süre olan iki saat önce haberdar olan Amerika Gümrük ve Sınır Muhafaza Birimi'nin uçuş işlemi için gönderdiği memurun pasaportunu çıkış vizesiyle damgalamasına zarif bir şekilde izin verdi.

Johnny, Citation X'i göklerdeki en hızlı ticari jet olması sebebiyle kiraladığını belirtmişti. Kabin ekibine, Afrika kraliyet ailesine hizmet edecekleri, yolcu ve ailesinin son derece saygın kişiler oldukları söylenmişti. Kalkıştan hemen sonra Citation, Meksika Körfezi'nden güneye doğru hızla giderken kabin ekibinden güzel bir kumral, cesaretini toplayarak ve kıkırdayarak onunla konuştu. "Affedersiniz majesteleri, bu akşam uçuş yemeğiniz için özel bir isteğiniz olduğu bilgisi verilmişti bize."

Ardından da gösterişli bir hareketle önüne Çin porseleninden bir tabak yerleştirdi, tabağın içinde et ve peynirle dolu, mayonezi dışarı sızmış bir sandviç vardı.

Johnny Congo, kıza onu memnun eden ama aynı ölçüde heyecanlandırıp korkutan bir şekilde gülümsedi. "Tam isabet!" dedi. "Ben de ilk Subway sandviçim için sabırsızlanıyordum."

Sandviçten büyük bir ısırık aldı ve ağzından taşan lokmayla yanakları şişerken memnuniyetle gözleri parladı. Ardından da krem rengi deri koltukta arkasına yaslandı ve hoşnut bir şekilde sandviçi çiğnemeye koyuldu.

Özgürdü ve şimdi gücünün her bir damlasına, büyük zenginliğinin her bir kuruşuna konsantre olabilir ve Hector Cross'un sonunu hazırlamak için çalışmalara başlayabilirdi.

Amerikan hava sahasından çıkarlarken Johnny Congo yüksek sesle düşündü. "Sadece Hector Cross'un değil, o düzdüğü sıska kaltak Jo Stanley ve minik kızının da icabına bakacağım. Onları yavaş yavaş ve şefkatle öldürürken Cross'u bu sahneyi izlemeye zorlayacağım. Onun işini ancak ondan sonra bitireceğim."

Gece çökmüştü ve 190. Yol artık bir savaş alanı değildi. Fakat Johnny Congo'nun kaçışının etkileri asıl kaosu artıran şeydi. Benzin istasyonundan, hapishane konvoyunun düştüğü tuzağın yerini belirleyen, etrafı moloz yığınlarıyla çevrili, yanıp kül olmuş iki damperli kamyona kadar uzanan yolu aydınlatan lambalar kapatılmıştı. Aslına bakılırsa aydınlatmaya pek de ihtiyaç yoktu: Olay yerine gelen ambulansların, itfaiye kamyonlarının, çekicilerin ve bolca polis aracının farları ve tepe ışıkları yeterliydi.

Polk, Walker ve San Jacinto bölgelerinden gelen polisler, her iki yanda oluşan trafiği düzenlemek üzere çağrılmıştı. Sürücüler telaş içinde alternatif yollara yönlendiriliyorlardı ama ondan önce sürücü ehliyetlerini göstermeleri, irtibat bilgisi paylaşmaları ve kısa, kanlı ve tek taraflı çarpışmada gördükleri ve daha da iyisi kaydetmiş olabilecekleri her şeyi aktarmaları isteniyordu. Shell benzin istasyonunda veya Bubba'nın Yeri'nde bulunan herkes de benzer işlemlerden geçirilmişti. Sonuç olarak, iki düzineden fazla görgü tanığı, dedektifler tarafından daha ayrıntılı bir görüşmeye alınmak üzere alıkonmuştu; ayrıca fotoğraf ve video kaydı içeren telefon ve tabletler toplanmıştı.

İnsanların yakaladığı hemen hemen her görüntü, ilk ekip otosu olay yerine gelene kadar çoktan bir sosyal medya platformlarına yüklenmişti –sonuçta bu yirmi birinci yüzyıldı– ve en iyi kalitedeki çekimler de tüm ülkede, televizyon kanallarında yayınlanmaya başlamıştı bile. İnfaz için Huntsville'de toplanmış bütün medya mensupları, buna engel olan olayları rapor etmek üzere 190. Yol'a gelmişti ve diğer haber kuruluşlarının başka personel ve ekipmanları da Doğu Teksas otobanının bu yakasına ulaşmak üzere yoldaydı.

Bu patırtıya ek olarak, olay yerinde mevcut olan emniyet görevlilerinin sayısı bir petri kabındaki virüsler gibi çoğalıyordu. Valilik, FBI'dan yardım istemişti ve Teksas Eyalet Savunma Kuvvetleri'ni göreve çağırmıştı, fakat henüz net bir komuta zinciri açıklanmamıştı. Bu nedenle farklı, yerel, bölgesel ve ulusal kuruluşların temsilcileri arasında olağan kibir ve çalım rüzgârlarından geçilmiyordu. Hepsi, onları bir nebze başarıya götürecek övgüler almak için itişip kakışıyor, bu arada eli kulağında tenkit belasını ve öğleden sonra gerçekleşen felaketin sorumlusu sayılacak olanları yutuverecek suçu göz ardı ediyorlardı. Teksas Rangers'tan Binbaşı Robert Malinga gibileri mesela.

"Tanrım, Connie hayatında hiç böyle bir şey gördün mü?" diye sordu Malinga, helikopterin yanmış kalıntıları arasında BearCat'in enkazına doğru giden yolda dikkatlice yürürken. Birkaç metre ileride, bir çocuktan biraz daha büyük sayılabilecek genç bir polis, yolun kenarında dizlerinin üzerine çökmüş, midesindekileri çimenlere boşaltıyordu. Hemen arkasında, kulağında hâlâ bir helikopter pilotunun kulaklıkları olan, gövdesinden ayrılmış bir kafa, bir çocuğun evin bahçesinde duran futbol topu gibi bir çam ağacının dalları arasına sıkışmış duruyordu.

"Afganistan'da Pech Valley'de askeri hizmet yapmıştım," dedi Malinga'nın yanında yürüyen kadın. "Orası bayağı hareketli geçmişti. El yapımı bombalarla patlatılan otobüsler, pazar yerinde kendini patlatan hükümet ajanları gördüm. Bu olay da en iyilerinin arasına girer."

Yüzbaşı Consuela Hernandez, Malinga'nın yardımcısıydı. Evine her gittiğinde ailedeki diğer kadınlar, –kız kardeşleri, annesi, büyükannesi, teyzeleri, kuzenleri, herkes– kendisine biraz baksa ne kadar güzel görünebileceğini söylerlerdi. Ne var ki diğer herkes gibi, sırf hayatının geri kalanını birlikte geçirebileceği bir sersem bulmak için süslenmek, Connie'nin tarzı değildi. Rangers'a katılmadan önce, Amerikan Askeri İnzibat Teşkilatı'nda Cezai Soruşturma özel ajanı olarak altı yıl hizmet vermişti. Rangers'a dahil oluşundan sonraki bir hafta içinde Malinga'yı iyi bir polis olduğuna çoktan ikna etmişti. Malinga'nın anlayamadığı şey, neden bir Ranger olduğuydu. "Askeri İnzibat kadınların ilerlemesi için daima iyi bir yer olmuştur. Bunu söylemek hoşuma gitmiyor ama iş cinsiyet eşitliğine geldiğinde Rangers'ın pek de büyük bir şöhreti yok."

"Biliyorum," demişti Hernandez. "Bu yüzden buradayım. Hepinizi sinir etme şansını elde etmek istedim."

Malinga bir an için, başına bir bela aldığından ve erkekleri kontrol etmeyi seven, tek bir espriyle bile hemen cinsiyet ayrımcılığıyla ilgili dava açmaya koşacak bir kadınla karşı karşıya olduğundan korkmuştu. Sonra Hernandez'in dudaklarında gezinen muzip tebessümü görüp onunla dalga geçtiğini anlamış ve gülmeye başlamıştı. O andan beri çok iyi geçiniyorlardı. "Şu anda gerçekten de kendimi Pech'deymiş gibi hissediyorum," dedi Hernandez, BearCat'e bakarak.

Zırhlı personel aracının arka tarafı yok olmuştu. Arka dingili öyle bir çökmüştü ki aracın tamamı yere yapışmıştı. Birkaç olay yeri görevlisi aracın üzerinde inceleme yapıyordu. Malinga, onların fenerlerinden çıkan ışıkta, saldırıya uğradıkları sırada taşıtın arkasında oturan SWAT ekibinin kararmış cesetlerini görebiliyordu. Hepsinde kask ve gövde zırhı vardı ama bedenleri saldırının şiddetiyle parçalanmıştı.

"Onları bu hale getiren nedir?" diye sordu Malinga, olay yeri inceleme ekibinden birine.

"Her şey," diye cevap verdi görevli. "Öncelikle, aracın arkasındaki zırhı sanki ince bir tenekeden ibaretmiş gibi patlatmaya yetecek güçte bir roket. Sonra birisi beş-altı metre mesafeden ateşli silahla inanılmaz bir yaylım ateşi açmış. Yolda yaklaşık altmış adet on ikilik kovan saydık ve inanılmaz hızlı ateş etmiş olmalılar. İçeriden hiç kimsenin karşılık vermeye vakti olmamış."

"Ateş edecek durumda değillermiş anlaşılan," dedi Hernandez. "Patlama onları öldürmemiş olsaydı da sersemleyip afallarlardı. Sesi kastediyorum."

"Bir yerde failden bir iz var mı? Parmak izi, DNA ya da herhangi bir şey?" diye sordu Malinga.

Görevli başını iki yana salladı. "Henüz bulduğumuz bir şey yok. Burada yapabileceklerimiz sınırlı, bu nedenle araçları inceleme yapmak üzere götüreceğiz. Ama benim tahminime göre bir şey bulabilirsek şanslıyız demektir. Kullandıkları kamyonları ateşe vermişler. Bunlar her kimse ne yaptıklarını bildikleri kesin."

"Öyle görünüyor," diyerek hemfikir oldu Malinga. BearCat'den uzaklaşırlarken Hernandez'e döndü. "Hüküm giymiş suçlular arasındaki en büyük ortak nokta nedir biliyor musun? Budalalık. Elbette, sosyopatlar, madde kullanımına, istisnai derecede yüksek klinik müdahale gerektiren depresyona ve bu tür güzel şeylere yatkındırlar. Fakat hepsinden çok da ahmak olmaları. Ama bu adamlar öyle değil. Onlar gerçekten akıllı ya da başlarındaki herif öyle. Ve paraları da var. Kamyonları, kaçış araçları, otomatik silahları, Tanrı aşkına... karadan havaya atılan füzeleri var."

"Ciddi para ister," diyerek doğruladı Hernandez.

"O nedenle de soru şu: Johnny Congo tüm bunları cezaevinden halledecek kadar zengin ve zeki miydi, yoksa bunları bir başkası onun için mi yaptı?"

"Zengin ve zeki, ha?" dedi Hernandez düşünceli bir tavırla. "Bulunmaz erkek modeli. Onu tutuklamak mı yoksa onunla evlenmek mi lazım bilemedim."

Jo Stanley, Londra'da, Hyde Park Corner'a çok yakın mesafede, sade, maskülen tarzda ve kusursuz şekilde döşenmiş, görkemli çiftlik evlerinin yatak odasında, Hector Cross'un yanında uzanmış, uyurken komodinin üzerinde duran cep telefonunun çalmasıyla birlikte uykusundan uyandı. Gözlerini ovuşturdu ve çapaklarının arasından baktığında ekranda Ronnie Bunter'in ismini gördü. "Selam Ronnie," diye mırıldandı, Cross'u uyandırmamaya çalışarak. Cross kımıldadığında bir an için endişe etti ama sonra Cross homurdanarak ve yorganın yarısını da kendisiyle birlikte götürerek arkasını döndü ve tekrar uykuya daldı.

"Selam, bu saatte aradığım için üzgünüm," diyordu Bunter. "Sanırım, İngiltere'de saat bayağı erkendir."

"Beşe çeyrek var."

"Ah, o halde sonra arasam iyi olacak..."

"Hayır. Önemli değil, uyandım artık. Bekle de konuşabileceğim bir yere geçeyim." Jo yataktan kalkıp parmak uçlarına basarak banyoya yürüdü. Kapıyı kapayıp ışığı yaktı ve banyonun aynasında solgun, makyajsız, uyku mahmuru yüzüne bakarak sızlandıktan sonra devam etti. "Ee, nasılsın?"

"Ah, bilirsin işte, idare ediyorum."

Ama sesine bakılırsa pek de öyle değildi. "Peki Betty nasıl?" diye sordu Jo.

"Pek iyi değil," dedi Bunter, üzgün bir sesle. "Durumu iyice kötüleşti. Biraz da bu yüzden aradım seni."

Jo eski patronunun sesindeki bitkinlikten, kendisine verdiği haber kadar endişelenerek kaşlarını çattı. "Ne demek istiyorsun?"

"Eh, sanırım, şirketten biraz uzaklaşmam gerekecek, evde kalıp Betty'yle daha fazla vakit geçirebilmek için. Artık ne kadar vakti kaldıysa..."

"Ah, Ronnie çok güzel bir şey yapıyorsun," dedi Jo. "Yani Betty'ye böyle öncelik vermen. Tanrım, bu söylediklerin gerçekten gözlerimi yaşarttı!"

Havluya uzanıp yüzünü yumuşak hareketlerle kuruladı. O sırada Bunter devam etti. "Sanırım bu da Brad'in işi devralması anlamına gelecek."

Jo böyle radikal ve beklenmedik bir değişim karşısında gözyaşlarını unuttu. "Pekâlâ..."

"Bu fikirle ilgili biraz şüphecisin."

"Hayır, hiç de değil, Brad harika bir avukat."

"Ama doğru insan değil, bunu biliyorum. Ve aynı fikirde olmadığım da söylenemez. Belki de bir başkasını büyük ortak yapmalıyım..."

"Ama Ronnie bunu yapamazsın. Yani, bu bir aile işi. Baban başlattı ve sen devraldın. Eğer Brad işi senden almazsa firmadakilere oğlunun yeterince iyi olmadığını düşündüğünü söylemek olur bu. Ve Brad bu yüzden seni ölene kadar affetmez. Bir evlat olarak kaybedersin onu. İşi o devralmalı."

"Evet haklısın," dedi Bunter fazla bir tepki göstermeden. "Belki eski kafalılık ediyor olabilirim. Sanırım Brad'in hukuku uygulama şekli dünyanın bugünlerdeki tarzıyla daha uyumlu."

"Sanırım."

"Fakat, Jo, sana söylemem gereken başka bir şey var ve bu hiç hoşuna gitmeyecek."

Jo, Bunter'in söyleyeceği şeyin onu, günün normal bir saatini beklemek yerine şimdi aramasının gerçek sebebi olduğuna dair bir hisse kapıldı. "Dinliyorum..."

"Johnny Congo kaçmış. Az önce televizyon haberlerinde gördüm. Birileri –kim olduğunu henüz bilmiyorlar– onu Huntsville'deki infaza götüren konvoya tuzak kurmuş."

"Ah, Tanrım, olamaz..." Jo sırtını duvara yasladı ve kayarak banyonun mermer zeminine oturdu. Banyonun dışından gelen ayak seslerini duyabiliyordu. Hector uyanmış olmalıydı. Jo bir eliyle başına destek yaptı, gözlerini kapayıp sesini alçaltarak sordu. "Ne olmuş? Şu anda nerede olduğunu bilen var mı?"

"Hayır, hayatta olup olmadığını dahi kesin olarak bilmiyorlar. Fakat ortada bir ceset olmadığına göre hayatta olduğunu varsaymalıyız."

Jo bir şey söylemedi.

Bunter sessizliği bozdu. "Çok üzgünüm Jo ne kadar sarsıldığını tahmin edebiliyorum."

Jo yeniden konuştuğunda sesi çatlak çıkıyordu. "Benim hatam."

"Hayır böyle düşünme. Bugün olanlarla ilgili kendini nasıl suçlarsın?"

"Çünkü Heck'in şansı varken Johnny'yi öldürmesine izin verseydim böyle olmazdı. Bunu yapmak istedi ama ben hayır dedim."

"Elbette öyle diyeceksin. Sen olması gerektiği gibi adalet sistemine inanıyorsun."

"Ama Johnny Congo gibi insanlar ona kafa tutup yakayı sıyırabiliyorsa hukukun ne değeri var?" diye sordu Jo, en değerli inançları aniden sarsılmış gibi. "Kuralına göre oynamak isteyen bendim ve şimdi o canavar dışarıda..."

"Dinle, Hector bir kere Congo'yu alt etti, tekrar edebilir. Ayrıca seni asla suçlamadı. O bunu yapmayacak kadar iyi biri."

"Sesli olarak suçlamadı, evet. Ama içten içe haklı olduğunu biliyordu ve ben içgüdülerini dinlemesine izin vermediğim için Catherine Cayla'nın hayatı tehlikede."

Jo tekrar ağlamaya başlamıştı. Alçak sesle lanet okurken yüzünü silebileceği bir şeyler bulmak için etrafına bakındı, tuvalet kâğıdı rulosunu çekiştirirken Bunter'in konuştuğunu işitti. "Bak Jo durumun senin için ne kadar zor olduğunu biliyorum ama hayatım, zamanında çok şey görüp geçirmiş bir ihtiyarın nasihatini dinle ve acele etme. Sana söylediklerimi sindirmeyi bekle ve Hector'un da aynısını yapmasına izin ver. İnan bana, işler bu şekilde daha iyiye gidecek. Bu güçlüğe ayrı ayrı göğüs germek yerine bir çift olarak daha güçlü olacaksınız."

Jo sanki Bunter onu görebiliyormuş gibi başını sağa sola salladı. "Hayır yapamam... Ayrılmamız gerek. Heck'le birlikte olmak bir volkanla yaşamak gibi. Volkan sessizken ve güneş parlarken hayat muhteşem. Ama volkanın bir gün patlayacağını ve bu olduğunda tüm dünyanın kararacağını biliyorum. Bununla baş edebileceğimi sandım, ama şimdi Congo özgür ve çok korkuyorum... Artık bununla yaşayamam."

Cross'tan ayrılacağını söylerken bile Jo'nun hayatta tek istediği, onun kollarında olmak ve başını göğsüne dayamaktı.

Kısa bir sessizliğin ardından Bunter devam etti. "Eh, şayet gerçekten hissettiğin buysa şirkete geri dönmelisin. Sen ve Heck birlikte olmak için yaratıldıysanız yeniden kavuşmanın bir yolunu bulursunuz. Fakat bu gerçekleşene kadar gelip Houston'da kal, ofise geri dön. Bu hem senin için hem de bizim için iyi olur."

"Ama ben çoktan istifa ettim."

"Öyle mi? Senden resmi bir istifa dilekçesi aldığımı hatırlamıyorum. Ve seni kovmadığımdan da eminim."

"Sanırım kovmadın," diyerek kabullendi Jo. "Ama sen şirkette olmayacaksan ben ne yapacağım?"

Ayağa kalkıp aynada yeniden kendini inceledi. Yüzü tıpkı önceki kadar solgun görünüyordu ve saçları darmadağındı, ama şimdi bir de gözleri kızarmış ve sulanmıştı. Çok daha iyi görünmek için bir şeyler yapana kadar banyodan çıkmamaya karar verdi. Şayet Hector'dan ayrılacaksa onu bu şekilde hatırlamasını istemiyordu.

"Gözüm, kulağım olursun," diyordu Bunter. "Doktor mümkün olduğunca işten uzak kalmamı istiyor ama neler olduğunu tam anlamıyla bilmediğim sürece bu imkânsız."

"Senin için casusluk etmemi mi istiyorsun? Bunun pek rağbet göreceğini sanmam."

"Hayır, benim için casusluk etmeni istemiyorum. Ama beni temsil edebilirsin. Bir elçi gibi fikir ve görüşlerimin bilinmesini sağlayabilir ve aynı zamanda diğerlerinin fikirlerini de bana aktarabilirsin. Ve elbette avukat yardımcısı olarak işine devam edebilirsin. Bu işte çok iyisin, Jo. Yanlarında olman çocukların da hoşuna gidecek."

"Teşekkürler Ronnie gerçekten minnettarım. Ve sanırım sana yardım edeceğim. Houston'a, evime geri dönüyorum. Gelmemeyi dünyada her şeyden çok isterdim. Ama Hector'dan ayrılmam şart..." Ümitsizce, derin bir iç çekti. "Ve şimdi bunu ona söylemenin bir yolunu bulmalıyım."

O geceki sevişmeleri hem Hector hem Jo Stanley için tatmin ediciydi. Hector sonrasında öyle derin uyuyordu ki, Jo'nun ne yataktan ne de yatak odasından çıktığını duydu. Uyandığında onun banyodan gelen sesini işitti. Yatağın başucundaki saati kontrol etti ve saatin henüz beş bile olmadığını gördü. Yataktan kalkıp kendi banyosuna gitti.

Geri dönerken Jo'nun olduğu banyonun kapısında duraksadı ve telefonla konuştuğunu anladı. Gülümsedi ve muhtemelen Abilene'deki annesini aradığını düşündü. Her gece konuştukları halde hâlâ konuşacak ne bulduklarını merak ediyordu bazen. Yatağa geri döndü ve çok geçmeden yeniden uykuya teslim oldu.

Tekrar uyandığında saat yediydi ve Jo giyinme odasındaydı. Hector bornozunu üzerine geçirerek çocuk odasına geçti. Kucağında, bezi değiştirilmiş, biberonunu eline almış olan Catherine'le birlikte odaya döndü. Kendini yastıkların üzerine atarak Catherine'i kucağına yerleştirdi.

Kızının sütünü içişini izledi. Ona sanki her geçen gün daha da güzelleşiyormuş ve annesi Hazel'a daha çok benziyormuş gibi geliyordu.

Sonunda Jo'nun giyinme odasının kapısının açıldığını duydu. Başını kaldırıp baktığında yüzündeki tebessüm kayboldu. Jo tamamen giyinikti ve elinde bir bavul, yüzünde ise ciddi bir ifade vardı.

"Nereye gidiyorsun?" diye sordu ama Jo bu soruya aldırış etmedi.

"Johnny Congo hapishaneden kaçmış," dedi Jo. Hector kalbinin buz kestiğini hissetti.

İnkâr eder gibi başını iki yana salladı. "Sen bunu nereden biliyorsun?" dedi fısıldayarak.

"Ronnie Bunter söyledi. Neredeyse bütün gece onunla telefondaydım ve bunu konuşuyorduk." Öksürmeye başladı, boğazını temizledikten sonra başını kaldırıp yeniden ona baktı, gözlerinde acı vardı. Sözlerine devam etti. "Bunun için beni suçlayacaksın öyle değil mi, Hector?"

Hector inkâr edecek kelimeleri arayarak başını sağa sola salladı.

"Yine Johnny Congo'nun peşine düşeceksin," dedi Jo, sakin bir kararlılıkla.

"Başka seçeneğim var mı?" diye sordu Hector ama bunu bir cevap almak için sormamıştı.

"Senden ayrılmak zorundayım," dedi Jo.

"Beni gerçekten seviyorsan kalırsın."

"Hayır. Seni gerçekten sevdiğim için gitmeliyim."

"Nereye?"

"Ronnie Bunter, Bunter and Theobald'daki eski işimi teklif etti. En azından orada Catherine'in fondaki haklarını korumak için bir şeyler yapabilirim."

"Bana geri dönecek misin?"

"Sanmıyorum." Artık ağlamaya başlamıştı ama gözyaşları içinde konuşmaya devam etti. "Bir daha senin gibi birini tanıyabileceğimi hayal bile edemiyorum. Ama seninle yaşamak bir volkanın yamaçlarında olmak gibi. Bir yamaç güneşe dönük. Orası sıcak, bereketli, güzel ve güvenli. Sevgi ve kahkahayla dolu." Tekrar hıçkırıklara boğuldu, sonra devam etti. "Senin diğer yamacın gölgelerle ve nefret ya da intikam gibi karanlık, korkutucu şeylerle dolu: kızgınlık ve ölüm gibi. Volkanın ne zaman patlayıp kendisiyle birlikte beni de yok edeceğini bilmiyorum."

"Seni gitmekten alıkoyamayacaksam en azından gitmeden önce beni bir kez daha öp," dedi Cross ama Jo başını iki yana salladı.

"Hayır. Eğer seni öpersem kararlı halimden eser kalmaz ve sonsuza kadar birlikte kalırız. Bu olmamalı. Biz birbirimize uygun değiliz Hector. Biz ancak birbirimize zarar veririz." Gözlerinin içine bakarak usulca devam etti. "Ben hukuk kaidelerine inanan biriyim, sense hukuku kendin uygulaman gerektiğine inanıyorsun. Gitmeliyim Hector. Hoşça kal aşkım."

Arkasını dönüp koridora çıktı ve kapıyı yavaşça arkasından kapadı.

Binbaşı Bobby Malinga'nın derhal konuşmak istediği iki kişi vardı: Johnny Congo'nun Polunsky Birimi'ne vardıktan sonra hapishane sisteminin dışında temasta olduğunu bildiği yegâne iki kişi. Ve her ikisi de "zengin ve zeki" tanımına uyuyordu. Bu ikisinden, Malinga'yı yoğun programına alabilecek ilk kişi D'Shonn Brown'dı. Malinga onun ofisine gitti. Parlak mermer ve altının şatafatlı görüntüsünün becerebileceğinden çok daha akıllıca ama ciddi meblağlar harcandığını belli eden zevkli bir sadelikte döşenmiş, büyük, modern ve minimal bir ofisti. Malinga'yı karşılayan asistan, son derece düzgün görünümlü bir kadındı, dizlerine inen eteğiyle döpiyesi ve beyaz ipek bluzu ince fiziğine mükemmel şekilde uyacak biçimde dikilmişti ama iç gıcıklayıcı olmaktan çok uzaktı.

Her ne kadar Brown birçok ünlü kişi, iş dünyası lideri ve üst düzey politikacıyla görüşüyor olsa da duvarlarda bu buluşmalara dair herhangi bir fotoğraf yoktu. Egosunu okşadığı belli olan yegâne işaret, çerçevelenmiş olarak çalışma masasının arkasına asılmış Baylor'dan üniversite, Stanford Hukuk'tan yüksek lisans diplomaları ve hem Kaliforniya hem de Teksas Eyalet Barosu sınav sertifikalarıydı. Gayet belirgin ve gerekli sebeplerden orada bulunuyorlardı. Birkaç akademik çalışma, en liberal beyazların bile genç Afro-Amerikan erkeklerinin entelektüel becerileri hakkında bilinçsiz varsayımlarda bulunduğunu gösteriyordu. D'Shonn Brown'ın ofisini ziyaret edenlere ne kadar zeki olurlarsa olsunlar onun çok daha zeki olduğunu hatırlatmanın bir yoluydu bu.

Malinga şapkasını çıkardı. Bir insanın ofisinin evi kadar şahsi olduğuna ve nezaket gereği, her iki yerde de başında her ne varsa çıkarmanın yerinde olacağına inanıyordu. Odada şapka askısı yoktu, o nedenle elindekini masaya bıraktı, Brown'ın karşısına oturdu ve arkasındaki etkileyici tabloya baktı. "Okulda benden çok daha fazla zaman geçirdiğinize şüphe yok," dedi, mütevazı Columbo tarzına bürünerek.

Brown belli belirsiz omuzlarını silkti, ardından sordu. "Sizin için ne yapabilirim binbaşı?"

"Johnny Congo'nun infazı için Huntsville'e geldiniz," diye karşılık verdi Malinga, defterini ve kalemini çıkararak. "Neden?"

"Avukatı Shelby Weiss aracılığıyla bana ulaştı ve orada olmamı istedi." Brown saklayacak bir şeyi olmayan, soruşturmasında polise yardımcı olmak için elinden geleni yapan, dürüst bir vatandaş gibi rahat ve açık konuşuyordu.

"O halde Congo'nun yakın arkadaşı mısınız?"

"Pek sayılmaz. Onu çocukluğumdan beri görmedim. Ama geçen yıl öldürülen erkek kardeşim Aleutian'la yakındılar. Bildiğim kadarıyla, Johnny Congo'nun bir ailesi yok. O nedenle sanırım, aklına gelen ilk kişi bendim."

"Sizden infaza gelmeniz dışında bir şey istedi mi?"

"Johnny doğrudan doğruya bir şey istemedi benden. Fakat Bay Weiss bana, onun için bir cenaze töreni ve arkasından da şerefine bir anma partisi düzenlememi istediğini söyledi."

"Peki bunu yaptınız mı?"

"Elbette. Johnny'nin mezarı için bir yer de buldum, cenaze için çiçek ve levazımatçı gibi şeyleri ayarladım ve parti için hazırlık yaptım. Asistanım size tüm ayrıntıları verebilir."

"Adamı çok az tanımanıza rağmen mi?"

"Ben kardeşimi tanıyordum, o da Johnny'yi. Bu benim için yeterli."

"Tüm bunların parasını kim ödedi?"

"Johnny ödedi. Bay Weiss aracılığıyla bana para gönderdi."

"Ne kadar?"

"İki milyon dolar," dedi Brown, hiç tereddüt etmeden ve böyle bir paranın kendisi için fazla büyük bir meblağ olmadığını Malinga'nın anlamasını sağlayarak.

Malinga ise bu konuda pek soğukkanlı olamadı. "Bir cenaze için... iki milyon... dalga geçiyor olmalısınız!"

"Neden?" diye sordu Brown. "Siz ya da ben Johnny Congo'nun suçlarıyla ilgili ne düşünürsek düşünelim, ben bunların kötü şeyler olduğunu inkâr etmiyorum, o çok zengin bir adamdı. Anladığım kadarıyla, Afrika'daki yaşam tarzı son derece müsrifmiş. O yüzden birinci sınıf uğurlanmak istedi."

"Ve bunun için de iki milyon dolara mı ihtiyaç vardı?"

"İhtiyaç meselesi değil, Binbaşı Malinga. Bir düğüne bir milyon harcamaya kimsenin ihtiyacı yoktur ya da bir doğum günü partisi ya da bir *bar mitzvah* için. Ama bu şehirde bunu gözünü kırpmadan yapacak birçok insan var. Beyoncé'nin sahne aldığı partilere katıldım ben, alın size iki milyon, sadece ona giden para bu kadar. Johnny'nin parası vardı. O parayı gideceği yerde harcayamazdı. Neden misafirlerine iyi vakit geçirtmek için harcamasın ki?"

"Pekâlâ... Tamam," dedi Malinga, Brown'ın kurduğu mantığı kabullenerek. "Peki, bu paraya ne oldu?"

"Sadece Johnny'nin etkinlikleri için özel bir hesap açtım. Bir kısmını harcadım, bunlar için de gerekli makbuz ve evrakları ibraz edebilirim. Kalanına dokunulmadı, hâlâ hesapta duruyor."

"Ve Congo'nun kaçma planlarıyla ilgili bir şey bilmiyordunuz, öyle mi?"

"Hayır, ben cenaze planlarını biliyordum. Ve ciddi planlar olduğuna dair iki milyon adet iyi sebebim var."

"Yani, tüm bu olanlar sizin için sürpriz mi oldu?"

"Evet, öyle oldu. Bir adamın gözlerimin önünde ölmesini izlemek üzere kendimi hazırlayarak Huntsville'e doğru yola çıktım... Tanrı'ya şükür, bu daha önce tanık olmadığım bir şey. Bir muhabir suratıma mikrofon tutup televizyonda canlı yayında bu konuda ne düşündüğümü sorduğunda kaçış olayından haberdar oldum. Neden bahsettiğini anlayamadım. Doğrusunu isterseniz kendimi bir budala gibi hissettim."

"Ve bir mahkûmu kaçırmak, on beş polis memuru ve eyalet görevlisini öldürmek üzere kullanılan silahları satın almak, ulaşım ya da personel kiralamak için bu iki milyondan faydalanılmadı, öyle mi?"

Brown, Malinga'nın gözlerinin içine baktı. "Kesinlikle hayır."

"Bay Weiss paranın böyle bir amaç için kullanılması yönünde bir şey söyledi mi?"

"Ne?" Brown ilk kez sesini yükseltmişti. "Eyaletin en saygın ceza avukatlarından birinin, kendisi de hukuk okumuş, aynı derecede saygın bir işadamıyla birlikte, hüküm giymiş bir katilin yasadışı şekilde yakalanmasıyla ilgili bir görüşme yaptığını mı ima ediyorsunuz gerçekten?"

Malinga ise sesini yükseltmedi. "Ben hiçbir şey ima etmiyorum Bay Brown. Size bir soru soruyorum."

"O halde cevap kesin ve kati bir 'hayır'."

"Pekâlâ, öyleyse size bir başka soru: Bay Weiss'ten duyduklarınız haricinde Johnny Congo'yla bir iletişiminiz oldu mu?"

"Tekrar hayır. Bunu nasıl yapabilirdim ki? İnfazlarını bekleyen tutukluların sınırlı iletişimleri vardır. Ve şayet Johnny benimle konuşmaya veya yazışmaya kalksaydı sanırım Polunsky Birimi'nde bununla ilgili bir kayıt olurdu. Böyle bir kayıtları var mı, Binbaşı Malinga?"

"Hayır."

"Eh, o halde cevabınızı aldınız." Brown nefes vererek gerginliğinden kurtulmaya çalıştı. Ardından önceki sakin ve otoriter tavrıyla konuştu. "Sanırım konuşmamız bitti, öyle değil mi? İşinizi yapmanızı takdirle karşılıyorum, Binbaşı Malinga. O nedenle elimden geldiğince basit ve doğrudan söyleyeceğim. Johnny Congo'nun kaçışıyla herhangi bir ilgim yok. Böyle bir kaçışla ilgili planlardan habersizim. Yasadışı faaliyetlerini parasal olarak karşılamak ya da Johnny Congo'nun adına satın alma yapmak gibi bir olaya bulaşmadım. Johnny Congo'nun cenazesine ve anma törenine fon sağlamak üzere verilen para planlanan amaç haricinde kullanılmadı. Bu konularda net miyiz?"

"Sanırım."

"O halde size sürmekte olan soruşturmanızda iyi şanslar diliyorum. Asistanım size çıkış yolunu gösterir."

Cross, bir kadın kalbini göğsünden söküp çıkardığında ve yere atıp ayakkabısının topuğuyla ezdiğinde bir erkeğin hissedebileceği acıyla baş etmenin bir yolunu bulmuştu. İlk olarak onu kurşundan, kalın bir hayali kutuya mühürledi; sonra onu radyoaktif bir atıkmış gibi zihninin en derin ve en karanlık yerine gönderdi. Bunu hallettiğinde işine geri döndü.

Cross duygularını bir kenara koyup düşüncelerini gelecekte hayatına egemen olacak iki meseleye yönlendirdi: Bannock Petrol'ün Angola operasyonlarının güvenliği ve Johnny

Congo'nun peşine düşmek. Şimdi baş düşmanı bir kez daha kanundan kaçtığına göre Cross savaşa geri dönmek zorunda olduğunu biliyordu. Congo er ya da geç onun peşine düşecekti ve bunu yaptığında kazanan ve hayatta kalan sadece tek bir kişi olacaktı.

Kendisinden önce Hazel'a yıllarca sekreteri, sırdaşı ve güvenilir dostu olarak bağlılık gösteren asistanı Agatha'yı aradı. "John Bigelow, benim Dışişleri Bakanlığı'ndan Bobby Franklin adında bir yetkiliyle konuşmamı istiyor ama bana irtibat numarasını vermedi. John'un ofisini arayıp numarayı al ve sonra Franklin'i arayıp gelecek birkaç gün içinde Skype üzerinden bir toplantı ayarla."

"Elbette," diye karşılık verdi Agatha, her zamanki şaşmaz soğukkanlı ve becerikli tavrıyla.

"Teşekkürler. Sonra da Imbiss ve O'Quinnlerle görüşmem gerekiyor ama yüz yüze görüşmeliyim. O yüzden lütfen onları bul ve dünyanın neresinde olurlarsa olsunlar yarın öğle yemeğine kadar Londra'da olmaları gerektiğini söyle."

"Ya uçak yoksa?"

"Bir uçak gönder. Gerekirse her birine birer tane gönder. Ama mutlaka burada olmaları gerekiyor."

"Merak etmeyin efendim olacaklar."

"Teşekkür ederim Agatha. Bunu söyleyen bir başkası olsaydı muhtemelen blöf yaptığını düşünürdüm. Ama adamlarımı buraya getirme konusunda sana güveniyorum. Hiçbiri sana hayır demeye cesaret edemez."

"Teşekkür ederim efendim."

En iyi adamlarının etrafında olması fikri Cross'un moralini yerine getiriyordu. Dave Imbiss ateşli bir savaşta insanın yanında olmasını isteyeceği birine benzemiyordu. Spor salonunda ne kadar sıkı çalışırsa çalışsın yine de toplu ve temiz yüzlüydü. Fakat bu görüntü yanıltıcıydı. Imbiss'in iriliği yağdan değil kastan kaynaklanıyordu. Afganistan'da piyade yüzbaşı olarak hizmet verirken savaştaki kahramanlığı sonucunda Bronz Yıldız'la ödüllendirilmişti ve kas gücü kadar akıl gücü de vardı. Imbiss, Cross Bow'un teknoloji kurduydu, siber savaş, hedef bulma, bilgisayar korsanlığı ve çok amaçlı aygıtlar gibi karanlık sanatlarda uzmandı. Paddy O'Quinn ise düşman saldırısı sırasındaki kararları, on beş kişilik bir taburun hayatına mal olacağını düşündüğü bir subayı yumruklayana dek SAS'ta Cross'un emrinde çalışan, diğerinden daha zayıf, daha heyecanlı, cinfikir bir İrlandalıydı. O isyankâr yumruk bütün taburun hayatını kurtarmıştı ama O'Quinn'in askeri kariyerine mal olmuştu. Fakat Cross Bow için çalışmaya başladığında onu Cross'un listesindeki ilk isim haline getirmişti.

Paddy O'Quinn oldukça zorlu biriydi ama hakkından –ve daha fazlasından– gelebilecek birini, yani karısını bulmuştu. Anastasia Voronova süper modelleri andıran fiziğiyle, bir şeytan gibi dövüşen ve erkekleri cebinden çıkaracak kadar içebilen, güzel bir sarışındı. Yalnızca dostlarının söyleyebildiği ismiyle Nastiya, Komünizm sonrası dönemde KGB'nin yerini alan Rus Güvenlik Ajansı FSB tarafından dolandırıcılık ve hilekârlık alanında eğitilmişti, bu arada Spetsnaz –Rus Özel Kuvvetleri– ona acı çektirmenin ve gerekirse öldürmenin sayısız farklı yolunu öğretmişti. Adamları iyi olmasına karşın Cross, onlardan çok daha ileride olduğuna inanıyordu. Ama öyle olsa bile Nastiya'yla kavgaya tutuşmadan önce iki kez düşünürdü.

Birlikte Johnny Congo'yu bir kez alt etmişlerdi. Şimdi bunu ikinci kez yapacaklardı. Ve bunu bir daha yapmak zorunda kalmayacaklardı.

D'Shonn Brown suçlayıcı olabilecek hiçbir şey söylememişti. Şimdiye dek yanlış bir şey yaptığını gösteren bir kanıt da yoktu. Bu doğrultuda, Johnny Congo'nun kaçışıyla bir ilgisi bulunduğunu iddia etmek haksız ve taraflı olurdu. Fakat Malinga, onu bir kaşıntı gibi sürekli huzursuz eden duygudan bir türlü kurtulamıyordu: kurnaz, mahir ve utanmaz bir yalanla karşı karşıya olduğunu düşünen bir polisin sezgisi. Bu şüphelerini henüz açıkça dile getirmeyecekti. O kadar budala değildi. Ama yine de Shelby Weiss'le yapacağı görüşmeye Johnny Congo'nun avukatının saklayacak bir şeyleri olabileceği düşüncesiyle yaklaşabilirdi.

Brown'ın çalışma ortamı modern bir tasarıma sahipken Weiss'inki çok daha gelenekseldi: duvarlarda ahşap paneller, August Legal kitaplarıyla dolu raflar, Brown'ın bariz biçimde sakındığı gösterişli fotoğraflar. Ortak olan noktaları çerçeveli diplomalarıydı. Fakat D'Shonn Brown'ın eğitimi Ivy League'e yakınken; Weiss, Güney Teksas Üniversitesi'nin Houston'ın merkezindeki Cleburne Caddesi'nde, nispeten mütevazı, özel bir okul olan Thurgood Marshall Hukuk Fakültesi'nde okumuş olmaktan dolayı saplantılı bir gurur duyuyordu. Şu anda ne kadar cazibeli görünüyor olursa olsun bir mavi yakalı çocuğu olarak yola çıkıp kendi azmi, becerisi ve sıkı çalışmasıyla yükseldiğinin bilinmesini istiyordu. Bu gerçek jürileri etkilemeye de yarıyordu. Malinga tüm bunları umursamayacak kadar yeterli sayıda mahkemede, yeterli sayıda Shelby Weiss Gösterisi izlemişti.

"Bu sefer farklı oldu," dedi Weiss, Malinga'nın elini sıkarken. "Seni birçok kez sorguya aldım Bobby. Ama senin beni sorguya çektiğin hiç olmamıştı."

"Her şeyin bir ilki vardır," dedi Malinga, D'Shonn Brown'ın ofisindekilerden çok daha rahat olan dolgulu, deri sandalyeye yerleşirken. "Ee, Bay Weiss," diye devam etti. "27 Ekim'de Allen B. Polunsky Birimi'nde Johnny Congo'yu ziyaret ettiğinizi doğrulayabilir misiniz?"

"Doğrulayabilirim."

"Peki, Congo'yla olan görüşmenizin konusu neydi?"

Weiss sırıttı. "Ah, haydi ama, avukat-müvekkil dokunulmazlığının bu soruya yanıt vermeme engel olacağını biliyorsun."

"Ama genel anlamda yasal durumunu konuştunuz, değil mi?"

"Elbette. Ben bir avukatım. Bizim işimiz bu."

"Peki o noktada, yasal durumunu nasıl tarif edersiniz? Yani infazını erteleyebileceğinize güveniyor muydunuz?"

"Eh, adam, eyalet hapishanesinden firar etmeden önceki ilk suçlanmasında tüm temyiz haklarını kullanmış, kaçak olarak birkaç yıl geçirmiş ve sonra yakalanmış ve hüküm giymiş bir katil. İnfazın ertelenme şansıyla ilgili sen olsan ne düşünürdün?"

"Sıfırdan bile az."

"Kesinlikle öyle. Johnny Congo da dahil bunu herkes anlayabilir. Yine Johnny Congo da dahil, en iyi savunmaya sahip herkes. Böylece onu ölüm hücresinden uzak tutmak için elimden gelen çabayı göstereceğime söz verdim."

"Peki, bu çabayı gösterdiniz mi?"

"Kesinlikle. Valiyle ve daha da ilerisine kadar aklıma gelen tüm görüşmeleri yaptım. Yaptığım iyiliklerin karşılığını bile istedim. İnan bana, şu anda pek popüler biri sayılmam. Birileri 190. Yol'u savaş alanına çevirdiğinden beri yani."

"Bu işi onun adına yapmanız için Congo size ödeme yaptı mı?"

"Elbette yaptı. Bir müvekkili hayır amaçlı temsil etmiyorum ben."

"Size ne kadar ödedi?"

"Bunu sana söylemek zorunda değilim." Weiss'in masasının üzerinde içi renkli şekerlerle dolu cam bir kavanoz vardı. Kapağını açıp kavanozu Malinga'ya doğru eğdi. "İster misin?"

"Hayır."

"Sen bilirsin. Nerede kalmıştık?"

"Johnny Congo'nun size ne kadar ödeme yaptığını söyleyemeyeceğinizi açıklıyordunuz."

"Ah, eve..."

"Ama Johnny Congo'nun adına D'Shonn Brown'a iki milyon dolar ödediğini doğrulayabilirsiniz ve bana bunun da gizli olduğunu söylemeyin, çünkü olmadığını biliyorum. D'Shonn Brown sizin müvekkiliniz değil. Onunla yapılan bir görüşme ya da yapılan bir ödeme geçerli bir delil oluşturur."

Weiss ağzına birkaç tane şeker attı. "Başka türlüymüş gibi yaparak senin gibi kıdemli ve deneyimli bir memuru hor göremem. Evet, Bay Brown'a parayı verdim. O parayla ne yaptığını kendisine sorabilirsin."

"Sordum bile. Parayı ona verirken ne söylediğinizle daha çok ilgileniyorum."

"Sadece Bay Congo'nun talimatlarını ilettim."

"Neydi onlar?"

"Bir düşüneyim..." Weiss arkasına yaslanıp sanki Johnny Congo'nun söylediği sözler tavanda yazılıymış, hatta oraya projektörle yansıtılıyormuş gibi bakışlarını yukarı dikti. Sonra tekrar Malinga'ya odaklandı. "Hatırladığım kadarıyla Bay Congo, Bay Brown'dan ona son kez saygılarını sunup onu uğurlayabilsinler diye bir zamanlar birlikte takıldığı kişileri bir araya getirmelerini istedi." Weiss kendi kendine güldü.

"Bu kadar komik olan nedir?" diye sordu Malinga.

"D'Shonn Brown zeki bir çocuk. Bana, Johnny'nin arkadaşlarının onu uğurlayamayacaklarını, çoğu ölmüş olduğu için ancak karşılayabileceklerini söyledi. Ne demek istediğini anlayabiliyorum. Ama bu yine de Bay Congo'nun arzusunu değiştirmedi. Bay Congo aslen gösterişli bir cenaze, katedralde bir tören, cenaze arabaları ve limuzinlerden bir geçit alayı, ardından Cristal marka şampanya ve Grey Goose votkaların –bu markaları özellikle belirtmişti– olduğu bir parti istiyordu."

"Ve bu da iki milyon dolara mı mal olacaktı?"

"Anlaşılan öyle. Congo, Bay Brown'a iletilmek üzere, 'iyice abartsın' ve 'beni etkilesin' ifadelerini kullandı –bunlar kendi kelimeleri, bu usule şaşırdığımı hatırlıyorum– bunların ölmekte olan bir adamın istekleri olduğunu bilmesini istiyordu."

"Peki, siz bu talimatlardan ne sonuç çıkardınız?"

"Göründükleri anlama geldiklerini: çok fazla parası olan, hüküm giymiş bir suçlunun topluma son kez hareket çekmek istediğini."

"Johnny Congo'nun kendi cenazesine katılmayı planladığından şüphelenmek için bir sebebiniz yok mu?"

"Eh, buna bir servet harcıyordu ve Teksas eyaleti de onu infaz etmeye kesinlikle kararlıydı, o yüzden neden olsun ki?"

"Daha önce kaçtı ama."

"Bu da senin gibilerin bir daha bunu yapmasına izin vermeyeceğini düşünmek için iyi bir sebep. İşimiz bitti mi?" Shelby Weiss aniden üzerinde özenle çalışılmış rahat ve cana yakın havasını kaybetmişti, D'Shonn Brown'da olduğu gibi.

"Neredeyse," dedi Malinga, her ikisinin de bir şeyler sakladığından artık emindi. "Açıklığa kavuşturmak istediğim son bir şey daha var. Johnny Congo neden sizi aradı?"

"Çünkü ben iyi bir avukatım."

"Evet, elbette, ama bunu nereden biliyor? Yıllardır yurtdışındaydı."

"Sanırım böyle haberler yayılıyor. Ayrıca, ilk kaçışından önce, Huntsville'e ilk kapatıldığı zamanlarda da başarılı bir avukattım ben." Weiss, "ilk" kelimesini, Malinga'ya ikinciyi hatırlatmak için, üzerine basarak söylemişti. Sonra devam etti. "O zamanlar onu temsil etmiyordum ama Ölüm Hücresi'ndeki başka mahkûmları ediyordum. Beni tanıyor olabilir."

"Geçtiğimiz birkaç haftadan önce Johnny Congo'yu hiç temsil ettiğin oldu mu?" diye sordu Bobby Malinga.

Bu soruya tek kelimelik bir cevap yeterliydi. Bir saniye bile almazdı. Fakat Weiss duraksadı. Bir şeyler söylemek üzereydi, Malinga bunu görebiliyordu ama sonra fikrini değiştirdi. Ve sonunda konuştu. "Johnny Congo adında bir adamı hayatımda ilk temsil edişim, 27 Ekim'de, Allen B. Polunsky Birimi'ne gelip onunla görüşmem istendiğindeydi. Bu senin için yeterince açık mı?"

"Teşekkür ederim," dedi Malinga. "Gayet açık." Gülümseyerek ayağa kalktı. Weiss'in elini tekrar sıktı ve işbirliği için teşekkür etti.

Weiss, Mendoza and Burnett'in ofisinden çıkarken D'Shonn Brown ve Shelby Weiss"in Johnny Congo'nun kaçmasına yardım ettiklerinden emindi.

"Birileri bu kâseye bir el bombası atsaydı ortalığı bu küçük hanımın yaptığı kadar batıramazdı," dedi Cross, Catherine'in yemeğini yemek gibi basit bir işle ortalığa verdiği hasardan gerçekten etkilenmiş görünerek. Makarnasından parçalar ve kıymalı sos şık mutfağın duvarlarına, zeminine, Catherine'in mama sandalyesine, masasına ve masaya yerleştirilmiş tepsiye, elbette zıbınına, plastik önlüğüne sıçramış; en çok da turuncumsu kırmızı sosun muhteşem şekilde çevrelediği, yapış yapış olmuş ağzındaki kocaman gülüşün öne çıktığı yüzünü, çenesini ve tombul yanaklarını kaplamıştı.

"Sizin için güzel bir gösteri yapmış," dedi bakıcı Bonnie Hepworth. Catherine'i doğduğu günden beri tanıyordu: Bir bebeğin dünyaya gelişinde hissedilen büyük mutluluk ve annesinin bir katil kurşunuyla aldığı öldürücü yaranın verdiği katlanılmaz üzüntüyle dolu o gün görevli olan doğum hemşiresiydi. Cross, Bonnie'nin sıcak kalbinden, nazik tebessümünden ve sabır, beceri ve sağduyulu duruşunun şaşmaz kombinasyonundan etkilenmişti. Ona reddedemeyeceği bir teklifte bulununca Hampshire Hastanesi'nin hastaları birinci sınıf bir hemşireyi kaybetmişlerdi. Catherine Cayla Cross ise annesini kaybetmiş bu küçük kızdan sevgisini ve ilgisini bir an bile esirgemeyen bir bakıcı kazanmıştı. "Gösteri buysa bis sırasında olacaklardan korkuyorum," dedi Cross.

"Çikolatalı puding. Asıl o havada uçmaya başlayana dek bekleyin. Daha bir şey görmediniz!"

Cross hayretle kızına, sevgili Kitty-Cross'una bakarak güldü. Bir şeyi çok merak ediyordu: Nasıl oluyordu da, ilk kelimelerini henüz öğrenmiş, minicik bir insan yavrusu kalbini böylesi büyük bir sevgiyle doldurabiliyordu? Onun yanında çaresizdi ama ona olan sevgisinin yumuşaklığı onu güvende tutmak konusundaki azminin haşinliğiyle eşitlenmişti.

Şimdi Johnny Congo bir kez daha serbest kaldığına göre Cross savaşa geri dönmesi gerektiğini biliyordu. Congo er ya da geç onun peşine düşecekti ve bunu yaptığında kazanan ve hayatta kalan tek kişi olacaktı. Ne var ki bu kez Cross savaş alanında tek başınaydı. Jo'nun ayrılık kararı iyileşmesine yardım ettiği duygusal yarayı yeniden açmıştı. Cross bir daha birini bulma şansı olup olmayacağını da merak ediyordu. Jo'nun gitme sebeplerinden biri, Cross'un, Congo'nun kaçışı için kendisini suçlayacağını düşünmesiydi. Aslına bakılırsa Cross, Jo'yu kaçınılmaz refakatçileri olan ölüme, acıya ve zalimliklere maruz bıraktığı için asıl kendisini suçluyordu.

"Bay Cross... Bay Cross!" Bonnie'nin sesi daldığı düşüncelerden sıyrılmasına sebep oldu. "Sizi Skype'tan arıyorlar... Amerika'dan."

Cross saatine baktı. Catherine'in yemeğinin telaşıyla birlikte zaman kavramını tamamen yitirmişti. *Kendine gel dostum*! dedi içinden. Çalış!Çalışma odasına gidip bilgisayarın karşısına oturdu ve monitöre baktığında şaşırdı. Bobby Franklin beklediği gibi orta yaşlı, beyaz bir adam değil, güzel yüz hatları ve benekli gözlüklerinin hoş bir hava verdiği güzel ela gözleriyle zarif, Afro-Amerikan bir kadındı. Tay Nehri'ndeki o öğleden sonra Bigelow'la teması kaybettiğinde eksik kalan bir bilgi olmalıydı bu. Karşısındaki ekranda görünen kumlu görüntüden anladığı kadarıyla Franklin, otuzların başında ya da ortalarındaydı. "Selam," dedi. "Ben Hector Cross."

Kadının yüzünden bir tebessüm gelip geçti. Cross emin olamayarak kaşlarını çattı. Komik bir şey mi söylemişti?

"Kusura bakmayın Bay Cross," dedi Franklin. "Ama yüzünüzde bir şey var ve makarna sosuna benziyor."

Bu kez gülme sırası Cross'taydı, durumun komikliğinden ziyade utançtan. "Kızımın yemeği bulaştı da. Bu akşam ona yemek yedirmeye çalışmak gibi bir çılgınlık yaptım. Tam olarak nerede?"

"Yanağınızda ve çenenizde..." Kadın durup Cross'un yüzüne dokunmasını izledi. "Hayır, öteki tarafta... hah, şimdi oldu!"

"Teşekkürler. Umarım bu durum güvenlik uzmanı olarak güvenilirliğimi zedelememiştir."

"Hiç de değil. Hatta sizi daha ilginç biri haline getirdi."

Cross bir erkekle bir kadının arasındaki ilk temasın elektriğini hissetti. Bunu bir çift ekranın arkasından ve binlerce kilometre öteden hissetmek ne kadar da tuhaftı. Jo Stanley'yi kaybetmek onu yıkmamıştı ve bu memnuniyet vericiydi. Cross, Franklin'e onu anladığını belli edecek şekilde baktı. "İlginç demişken, olağan bir Bob gibi görünmüyorsunuz," dedi.

Kadın yeniden gülümsedi. "Aslında Bobbi, sonunda 'i' harfi var, Roberta'nın kısaltması."

"Eh, bunu açıklığa kavuşturmamıza sevindim," dedi Cross. "Şimdi işimize dönelim..."

"İyi fikir... o halde Afrika'yla ilgili neler biliyorsunuz Bay Cross?"

"Eh, ben Kenya'da doğdum, hayatımın ilk on sekiz yılını orada geçirdim ve her ne kadar tüm ritüellerine katılsam da Maasai kabilesinde gerçek bir Morani savaşçısı haline gelemememin tek sebebi sünnet olmamış olmam. O yüzden evet biraz bir şeyler biliyorum."

"Öyle mi..." dedi Franklin yüzünü buruşturarak. "Anlaşılan tanışmadan önce dersimi çalışmam gerekirdi."

"Endişelenmeyin. Sam Amca'nın hakkımda her şeyi bilmemesi rahatlatıcı."

Kadın gülümsedi. "Ah, eminim biliyordur. Ben sadece arşivlere doğru soruları sormamışım. Fakat geçmişinizle ilgili bir şeyler öğrendiğime memnunum, çünkü bu bilgiler benim bugünkü işimi kolaylaştırıyor. Söylemek istediğim ilk şeyi anlayacaksınız, o da şu: Afrika fakir bir yer değil. Büyük Afrika toplulukları hâlâ fakir. Ama Afrika'nın kendisi çok zengin. Ya da en azından öyle olabilir."

"Yozlaşmış liderler halkın tüm zenginliğini kendilerine saklamasalar ve Batı'daki kan emicilerin suçluluk duygusuyla verdiği yardımları ceplerine indirmeseler mi demek istiyorsunuz?" dedi Cross, Bobbi Franklin'in görünüşü kadar güzel bir düşünme biçimi olması hoşuna gitmişti.

"Eh, ben bunu daha diplomatik bir şekilde ifade ederdim ama evet. Demek istediğimi örneklerle açıklayayım. Halihazırda bildiğiniz şeyleri anlatacak olursam beni durdurun. Siz Angola'nın kıyısında faaliyet göstereceksiniz, o halde kıyı sahalarının günde toplam ne kadar petrol ürettiğini tahmin etmek ister misiniz?"

"Hımmm..." Cross düşündü, şimdi aklı tamamen işine odaklanmıştı. "Bizim Magna Grande'deki sondaj platformumuz tam gaz çalıştığında günde seksen bin varil civarında üretim yapacak. Onun gibi birçok platform var. Demek ki toplamda, ne olur, yirmi katı falan."

"Fena değil Bay Cross, hem de hiç fena değil. Angola günde bir nokta sekiz milyon varil petrol üretiyor: O yüzden evet, sizin üretiminizin yirmi katından fazla ediyor. Ülkenin petrol ticareti şu anda yılda yetmiş iki milyar dolara koşuyor. Ve orada üç yüz milyar metreküp doğalgaz da var."

"Trilyon dolarlık rezervleri var gibi görünüyor."

"Ben de bu nedenle Afrika zengin diyorum. Evet, Angola, petrol rezervlerinde Nijerya kadar bereketli değil ve Demokratik Kongo Cumhuriyeti'nin mineral zenginliğine de sahip değil. Ama Afrika'nın ilk kadın milyarderi orada ve bu da cumhurbaşkanının kızı. Ve umarım, oraya gittiğinizde Bannock Petrol size düzgün bir harcırah verir, çünkü birkaç yıl önce Angola'nın başkenti Luanda, dünyanın en pahalı şehri olarak sınıflandırıldı. Bir hamburger size elli dolara mal olacak. Bir plaja gidip bir şişe şampanya sipariş edin... Bu da dört yüz dolar. Eğer hoşunuza gittiğine karar verir ve tek odalı bir daire kiralamak isterseniz bulabileceğinizin en iyisi on bin dolar tutacak."

"Ben de Londra'nın pahalı olduğunu sanırdım."

"İşte her şeyin değiştiğine dair en büyük gösterge. Kırk yıl önce Angola, Portekiz'den bağımsızlığını ilan ediyordu. Üç yıl önce Portekiz başbakanı Luanda'ya bir ziyaret gerçekleştirdi. Angola'ya yardım etmek için gelmemişti. Bunu karşılayamazdı. Portekiz iflas etmişti. Yani başbakan, Angola'dan yardım isterdi."

Hafif bir ıslık çaldı. Cross daima, siyahi Afrika'nın, beyaz adamın masasından düşecek birkaç kırıntıya acınası şekilde muhtaç, çaresiz ve umutsuz durumdaki bir kıta olduğuna dair Batılı liberal yargının küçümseyici, hatta ırkçı bir yanı olduğunu düşünmüştü. Şimdi masalar yer değiştirmişti. Ancak Bobbi Franklin'in açıklamasında eksik olan önemli bir detay vardı.

"Sadece meraktan soruyorum, ortalama bir Angolalı ne kadar zengin?" diye sordu Cross. "Elli dolarlık hamburgerlerden çok fazla yemediklerini tahmin ediyorum."

"Doğru tahmin ediyorsunuz. Angola nüfusunun üçte birinden fazlası, ki bu da kabaca yirmi milyon kişi ediyor –tam sayıyı kimse bilmiyor– yoksulluk sınırının altında yaşıyor. Yarısından azının elektriğe erişimi var. Yani, dev enerji rezervlerinin üzerinde otursalar da çoğu, yemek pişirmek için odun karışımı, kömür, tarımsal ürün artığı ve hayvan gübresine bel bağlıyor. Klasik aşırı yoksul Afrikalılarla dolu zengin bir Afrika ülkesi vakası."

Artık konunun özüne gelmişlerdi. "Bu insanlar ne kadar kızgın peki?" diye sordu Cross. "Dış ticaretle ilgili meseleler yüzünden, devlete karşı şiddete dayalı eylem başlatmaya hazırlar mı mesela? Sonuçta Nijerya'da oluyor bu."

"Evet, öyle olduğu kesin." Franklin başını salladı ve Cross gözlüklerini burnundan geriye doğru iterken onun ne kadar seksi göründüğünü düşününce bir an için dikkati dağıldı. Zihnini yeniden kadının söylediklerine odaklamaya çalıştı.

"Nijerya'daki petrol üretimi, teröristler ve suç faaliyetleri nedeniyle günde beş milyon varile inebiliyor. Mutlaka sizin de bildiğiniz gibi, petrol endüstrisinin altyapılarına düzenli saldırılar oluyor. Aynı zamanda 'yakıt ikmali' adıyla bilinen büyük bir sorun da var. Bir boru hattını kesmek ve taşıdığı petrolü çalmak anlamında kullanılan yerel bir ifade, bir arabadan benzin hortumlamak gibi, ama çok daha fazla ölçekte. Buna bir de Müslüman ve Hıristiyan halk arasındaki acımasız çatışmaları ile Boko Haram gibi güçlü terörist grupların varlığını ekleyin; o zaman Nijerya'daki büyük ölçekli iç huzursuzluğun son derece yüksek olduğunu görebilirsiniz. Tevekkeli değil, başlıca petrol şirketlerinin bazıları Nijerya operasyonlarını geri çekiyor ya da bunu ciddi anlamda değerlendiriyorlar."

"O halde Angola'da da aynı şeyler olabilir mi?"

"Birkaç sebepten dolayı o kadar kolay değil," dedi Bobbi Franklin. "Angola kırk yıl boyunca savaş nedeniyle paramparça oldu: Önce Portekiz'e karşı bağımsızlık mücadelesi verdi; bu, 1975 yılında gelen bağımsızlıkla sonuçlandı ve ardından 2002'ye kadar bitmeyen bir içsavaş oldu, bir buçuk milyon Angolalı öldü. İktidardaki parti MPLA, bağımsızlıktan beri başta ve Başkan José Eduardo dos Santos 1979'dan beri görevde."

"Popüler bir adam olmalı," dedi Cross.

Franklin, onun sözlerindeki gizli alayı fark etmişti ve bunu daha da ileri taşıdı. "Nasıldır bilirsiniz: Afrikalı liderler, ortalama bir Batılı liderden daha uzun süre makamlarında kalmanın yolunu buluyorlar. Son seçimlerde MPLA oyların yüzde yetmişini kazandı ve meclisteki iki yüz yirmi koltuğun yüz yetmiş beşini aldı. Angola halkı onlara doyamıyor."

"Çünkü MPLA onlara para, yiyecek ve elektrik vermek konusunda muhteşem bir iş yapıyor."

"Ya da sebebi, seçimlerin adaletten çok uzak olması ve devletin Sahraaltı Afrika'da savunmaya her şeyden fazla bütçe ayırması olabilir. Ayrıca, Başkan dos Santos silahlı kuvvetlerin de başında olduğu için askeri bir darbe de gerçekleşmiyor. Endişelenilmesi gereken dini bir boyut yok, çünkü İslamiyet Angola'da bir mesele değil. Nüfusun yarısı Hıristiyan, geri kalanı Afrika dinine mensup."

"O halde Angola nispeten daha mı huzurlu?"

"Bugünlerde kesinlikle öyle ve orada çalışmanızın bir başka avantajı da tesislerinizin denizin açıklarında olması. Nijerya'dakilerin çoğu Nijer Deltası sularında, anakaraya çok daha yakınlar, bu yüzden de kötü adamların saldırması açısından daha kolay yerler."

Cross kaşlarını çattı. Bir uyarı alacağı söylenmişti ama tek duyduğu iyi haberlerdi. "O halde sorun nedir?"

"Hiç sormayacaksınız sandım," dedi Franklin.

Nabza göre şerbet veriyorsun demek, diye düşündü Cross içinden, DC'ye giden bir uçağa atlayıp bu görüşmeyi yüz yüze yapmadığı için kendine gitgide daha fazla kızıyordu. Ama şimdi kadın yeniden konuşmaya başlamıştı. "Bakın, içsavaştan kalma son bir şey daha var: Cabinda eyaleti. Angola'dan Demokratik Kongo Cumhuriyeti'ni Atlantik Okyanusu'na bağlayan dar bir alanla ayrılıyor. Cabinda'nın halen –sıkı durun– kendisine 'Cabinda Bölgesi Kurtuluş Cephesi... Forças Armadas de Cabinda' ya da kısaca 'FLEC-FAC' dediği bir isyan hareketi var."

"Oradaki 'F' ve 'C' harflerinin arasına bir başka ünsüz harf koymak çok çekici geldi."

Franklin güldü ve onun o kadınsı tatlı kıkırdaması Cross'un hoşuna gitti. Şimdi elime geçirdim seni! dedi içinden zafer dolu bir edayla.

Dışişleri Bakanlığı analiz uzmanı hızla toparlanıp profesyonel duruşuna geri döndü. "Asilerin Paris ve Pointe-Noire'da ofisleri var, yani Kongo Cumhuriyeti..."

"Bu da Demokratik Kongo Cumhuriyeti'yle aynı değil," diyerek araya girdi Cross.

"Aynen öyle. Kongo Cumhuriyeti çok daha küçük ve Fransızlar tarafından idare ediliyordu. Demokratik Cumhuriyet ise çok büyük ve Belçikalılar tarafından yönetiliyordu. Cabinda ikisinin arasına sıkışmış durumda. Ama şöyle bir şey var: Angola'daki petrolün neredeyse yarısı, eğer bağımsız bir eyalet olsaydı Cabinda'nın bölge suları denebilecek bir yerde bulunuyor. Ve tüm Cabinda nüfusu dört yüz bin kişiden oluşuyor. Yani, potansiyel olarak çok çok zengin, küçük bir bölge olabilir."

"Uğruna mücadele etmeye değecek bir yer gibi geliyor kulağa," dedi Cross.

"Anladınız. Şimdi, siz Angola'daki Bannock operasyonlarına ne kadar dahilsiniz?"

"Çok değilim. Eşim Hazel Bannock Cross geçen yıl cinayete kurban gitti. Kızımızı doğururken öldü. Tahmin edebileceğiniz gibi ilgilenmem gereken başka meseleler vardı."

"Elbette anlıyorum. Kaybınız için üzgünüm," dedi Franklin, samimi görünüyordu.

"Teşekkür ederim. O halde Bannock'un Angola operasyonlarıyla ilgili de konuşacak mısınız?"

"Elbette. Çalışma arkadaşlarınızın petrol çıkardığı Magna Grande sahası, aslında Cabinda sularında yer alıyor ve Cabinda'nın günlük üretimine yüzde on daha ekleyecek. Bu şekliyle tüm para Angola'ya gidiyor. Fakat eğer Cabinda bağımsız olsaydı Magna Grande gibi sahalar bu farazi küçük ülkeyi daha da zenginleştirirdi. Bizim bakanlık olarak endişemiz şu: Er ya da geç birilerinin gelecekteki petrol gelirinden belli bir pay karşılığında Cabinda'daki asilere arka çıkmanın çok akıllıca bir yatırım olabileceğini fark etmesi. Cabinda çok küçük olduğundan çok da savunmasız. Teksas eyaletine doksan tane Cabinda sığdırabilirsiniz. Bunu sizin ülkenize İngiltere'ye uyarlamak gerekirse Kuzey Yorkshire boyutlarında bir yer."

"Yani, Irak veya Afganistan'ın tersine, bir ordu tarafından el konabilecek ya da ele geçirilecek kadar büyük bir yer değil."

"Aynen. Angola'nın geri kalanından ayrı olduğu için Angolalıların Cabinda'ya adam ve tedarik sağlayabilmeleri, onları Kongo hava sahası aracılığıyla havadan ya da kıyıdan deniz yoluyla getirmeleriyle mümkün olabilir ancak. Bu da Başkan dos Santos'un bir girişime karşılık vermesini güçleştirir. Angola'nın Ulusal Hava Kuvvetleri en fazla Rus yapımı beş adet Ilyushin-76 Candid ulaşım jetinden oluşuyor, gerçi onlardan da şu anda iki veya üçünün uçabilir durumda olduğunu düşünüyoruz."

"Candid'i biliyorum," dedi Cross. "Sovyetler onları Afganistan'da ana ulaşım aracı olarak kullanıyordu. Tipik Rus donanımı: basit ama sağlam. Füzeyle ve silahla vurmak kolay ama düşürmek son derece güçtür."

"Ama eğer bir Cabindalı isyancı lideriyseniz sadece birkaç uçağı düşürmeniz yeterli olur ve Angolalıların işi biter," diye yorum yaptı Franklin. "Ve güçlü bir desteğiniz varsa, zamanında Taliban'a verdiklerimizden daha iyi füzeleriniz olmayacağını kim söyleyebilir?"

"ABD, isyancı operasyonlara fon sağlama işine geri dönmüş gibi konuşuyorsunuz."

"Hayır, bunu yapmıyoruz ve kesinlikle bu örnektekine değil. Ama başkaları yakında yapabilir bunu, çünkü FLEC-FAC kendine, Mateus Da Cunha adında başarılı, yeni bir lider edindi. Kökleri Portekizli ama 28 Mart 1987'de Fransa Paris'te doğmuş. Babası Paulo Da Cunha, başka Cabindalı isyancı liderlerle birlikte oraya sürgün edilmiş. Annesi Cécile Duchêne Da Cunha Fransız. Ailesinin tümü zengin, sol görüşlü aydınlardan oluşuyor. *Très chic* ama *très communiste*, ne demek istediğimi anlıyorsunuzdur."

"Tipik lanet Fransızlar!" dedi Cross burnundan soluyarak.

"Bunu söyleyen de tipik bir İngiliz," dedi Franklin cevaben.

"Tipik Kenyalı diyelim."

Franklin'in kaşları hayretle çatıldı. "Tahmin edersiniz ki, benim gibi bir Afro-Amerikan için sizin gibi beyaz bir Anglosakson'la konuşurken, 'Acaba benden daha mı Afrikalı?' diye düşünmek oldukça tuhaf."

"Öyle olabilirim gerçekten de," diye karşılık verdi Cross. "Bu arada, her ikimiz de Mösyö Mateus Da Cunha'dan daha Afrikalı olabiliriz. Bana biraz ondan bahsedin."

"Pekâlâ, kendisi herhangi bir Fransız vatandaşının alabileceği en seçkin eğitimi almış. Üniversiteyi Paris Siyasal Bilimler Enstitüsü'nde okuyup mezun olmuş, Strazburg'taki Ulusal İdare Okulu'nda yüksek lisans yapmış."

"Londra Ekonomi Okulu'nda okumuş devrimcilerden sonra büyük bir değişiklik."

"Evet ve sonuç olarak bu çocuğun bağlantıları var. Fransız ve Avrupa Birliği'nin bir parçası. Paris'in en şık salonlarında nasıl davranacağını biliyor. Ve aktif olarak Cabinda'ya yatırım yapacak kişiler arıyor. Çok becerikli ve ikna edici. Yatırımcılarının aslında bir savaş için ona yardım etmek üzere gerekli araçlara para ödediklerini onlara sezdirmiyor bile. Afrika'nın bu küçük parçasının kullanılmamış potansiyelini tarif ediyor sadece. En sevdiği söz, Cabinda'nın Afrika'nın Dubai'si olabileceği: petrolün fon sağladığı, plajlarla çevrili, tropik bir güneşle ısınan, vergiden muaf bir oyun bahçesi."

"Onun satış ekibinden biri gibi konuştunuz."

"Her şey olur da bu olmaz! Benim demek istediğim, Mateus Da Cunha'nın babasının asla yapamadığını yapıp bağımsız bir Cabinda yaratmaya kararlı olduğu."

"Ömür boyu başkanı olmaya da."

"Aynen öyle."

"Ve hesabına yatan büyük petrol gelirleriyle."

"İşte bu."

"Ama bunu yapmayı başarmadan önce," dedi Cross, konunun nereye gittiğini kavrayarak. "Bir tür ayaklanma başlatması gerekiyor. Ve dünyaya ciddi olduğunu anlatmasının en iyi yolu havalı yeni bir kuyu açma donanımını havaya uçurmak, Atlantik'te bir yerlerde."

"Bu doğru ama bu hassas bir denge. Pek çoğunu enkaz haline getirmeyi tercih etmez, çünkü parasının kaynağı petrol ve insanları korkutup kaçırmak istemiyor. Bir yolu, bir saldırının vuku bulması ve Cunha'nın bağımsızlık hareketi içindeki serserileri suçlaması olabilir. Herkese endişelenmemelerini, bu deli fişeklerle baş edebileceğini söyler ama dünyanın onları dinlediğini, özgürlük ve bağımsızlık ihtiyaçlarına saygı duyduğunu söyleyebilirse kesinlikle faydası olur."

"Kulağa eski moda bir korunma haracı gibi geliyor."

"Aynen öyle. Sonra Da Cunha dünyanın mesajı alıp Angola'ya Cabinda'yı özgür bırakmasını söyleyeceğini umuyor."

"Bu arada da birkaç İsviçre bankasında, noktalı yerlere imzalarını atabilecek Angolalı saygın politikacıların ve askeri komutanların sahibi olduğu büyük miktarlarda para ortaya çıkıverecek."

"Bu bir ihtimal. Ve sonra Mateus Da Cunha kendi özel Afrika krallığını kurmuş olacak."

"Bu da yapılabilir bir şey," dedi Cross. "Bunu gördüm. Yani bana bu açık tehlikenin yakın bir zamanda gerçekleşebileceğini mi söylüyorsunuz?"

Franklin başını hafifçe salladı. "Hayır, o kadar ileri gitmiyorum. Ama Angola kıyısındaki petrol tesislerinde gerçekleşebilecek bir huzursuzluk ihtimali mevcut. Yani, Bannock Petrol'ün güvenlik müdürü olarak önlem almanızın mantıklı olduğunu düşünüyorum."

"Aklınızda belirgin bir şey var mı?"

"Eh, karşılaşacağınız her tehdit havadan ya da deniz yoluyla gelecektir. Helikopterlerle yapılan bir terör saldırısı duymadım. Fakat gemilerle gerçekleştirilen birçok ama birçok korsan ve terör saldırısı söz konusu: Ekim 2000'de Yemen açıklarında USS *Cole* saldırısından günümüzde de faaliyetlerine devam eden Somalili korsanlara kadar."

"Bunu gördüm." Cross, Somali kıyılarında, korsanların sığınağını ortadan kaldıran, karargâhlarını yok eden ve iki milyar dolar değerinde el konmuş nakliyatı kurtaran bir baskına liderlik ettiğini de söylemek istedi ama sonra vazgeçti. "Sanırım, personel, teçhizat ve eğitim anlamında ihtiyaç duyacağımız şeyler hakkında yeterli bilgim var. Orada başımıza gelebileceklerle alakalı uyarılarınız için teşekkürler Bayan Franklin."

"Lütfen," dedi kadın tatlı bir sesle. "Bana..." Ona takılmak ister gibi alaycı bir edayla duraksadı. "Doktor Franklin deyin. Sonuçta bir doktora derecem var."

Cross güldü. "Tanıştığımıza memnun oldum *Doktor* Franklin. Ve eğer sakıncası yoksa siz de bana Binbaşı Cross diyebilirsiniz. Daha az resmi şartlarda görüşene kadar yani."

"Bunun için sabırsızlanıyorum," dedi kadın ve ardından ekran karardı.

Hector Cross arkasına yaslandı. "Pekâlâ," dedi kendi kendine. "Bu beklediğimden daha ilginç oldu." Monitöre baktı ve güzel Doktor Franklin onu artık göremeyecek ve duyamayacak olsa da ekledi. "Ben de sizinle yüz yüze tanışmak için sabırsızlanıyorum."

"Weiss'in söylediği şey aklımı kurcaladı," dedi Malinga, Connie Hernandez'e. Rangers'ın merkez ofisinde görüşmelerin üzerinden geçiyorlardı. "Daha önce Johnny Congo'yu temsil edip etmediğini sordum, bir süre düşündü ve dedi ki..." Malinga söylenenleri tam olarak aktarabilmek için notlarına baktı. "Tamam, işte burada. Dedi ki, 'Johnny Congo adında bir adamı hayatımda ilk temsil edişim...' Söyleyiş şekli sana da tuhaf gelmiyor mu?"

"Avukatları bilirsin," diye karşılık verdi Hernandez. "Kelimelere ters anlam vermeyi severler."

"Evet severler. Ama sadece doğru cevabı vermemeleri gerektiğinde. Johnny Congo'yu daha önce hiç temsil etmediğini söylemedi. 'Johnny Congo adında bir adamı,' dedi, 'Johnny Congo adındaki adamı' bile demedi. Bir adam dedi."

"Adında bir adam ya da adındaki adamı, ne fark eder ki?"

"Bir adamın başka bir ismi olabilir. Anlamıyor musun Johnny Congo adında bir adam. Ama başka bir isimde birilerini temsil etmiş..."

"Aslen Johnny Congo olan birini."

"Olabilir."

"Ama her iki adamın da aynı kişi olduğunu nasıl bilmez? Onun avukatıydı sonuçta."

"Ya ilk adamla hiç tanışmadıysa? Ya iş sadece e-posta ve telefon görüşmeleriyle yürüdüyse? Bir düşünsene: Congo yurtdışındaydı, Afrika'da ya da her neredeyse. Geri gelemiyordu, kendi adını dahi kullanamıyordu. Ama takma isim kullanarak kendisiyle çalışması için Weiss, Mendoza and Burnett firmasıyla anlaştı."

"Pekâlâ," dedi Hernandez, biraz daha ikna olmaya başlamıştı. "O halde biz de Weiss'e gidip olayın aslını sorarız." Mendoza başını iki yana salladı. "Hayır. Onu alarma geçirmek istemiyorum. Ama benim için şunu yapabilirsin: ABD Kolluk Kuvvetleri'ni arayabilirsin. Congo'yu Abu Zara'dan getiren ekipten biriyle konuşmayı denersin. Daha önce nerede olduğunu, kullanmış olabileceği takma ismi bilip bilmediklerini öğrenirsin. Weiss'le çalışırken başka bir isim kullanmış mı mesela, aynı ismi ülkeden çıkmak için de kullanmış olabilir. Ve nasıl çıktığını bilirsek nereye gittiğini de anlayabiliriz. Sonra da adi herifi yakalarız."

Hernandez bir seferinde ABD Körfez Şeridi Güvenlik Kuvveti Suçlu ve Kaçak Birimi'nden biriyle çıkmıştı. İlişki iyi bir şekilde sonuçlanmamıştı. Onunla bir daha tek kelime etmek zorunda kalmasa memnun olurdu. Fakat mecburen ona telefon etti.

Eski flörtü de Connie Hernandez'in sesini duyduğuna memnun olmamıştı. Doğrudan yardımcı olamadı ama sırf bu konuşmadan kurtulmak için, onu yardımı olabilecek birine bağladı ve Hernandez üç farklı rütbede memurun ardından kendini Congo'yu Abu Zara'dan çıkaran adamlardan biriyle konuşurken buldu.

"Kayıt dışı değil mi?" diye üsteledi memur.

"Elbette, neyse, ben sadece bir ipucu arıyorum. Onu nerede bulacağım önemli değil."

"Tamam, bütün o Abu Zara olayı çok tuhaftı. Yani, resmi bir suçlu iadesi durumu yoktu. Aranan, kaçak bir katilin, kim bilir ne zamandan beri kimsenin adını duymadığı bir yerde, bir hücrede oturduğuyla ilgili bir telefon aldık. Ama bu yeri yöneten sultan, onu yakalayan Limey adındaki İngiliz arkadaşına iyilik olarak katili almamızdan memnun olacakmış."

"Nerede yakalanmış?"

"Bize söylenmedi. Afrika'da bir yerde diye duyduk sadece."

"Peki ya İngiliz? Size onunla ilgili bir şey söylediler mi?"

"Adamın yumruğu sağlam, bu kadarını söyleyebilirim. Congo'yu tek bir vuruşta yere serdi, o şeytani pislik tam bir hayvandı."

"Ne? Bir sivil, sizin gözetiminizdeki bir tutukluya vurdu ve siz de buna müsaade mi ettiniz?"

"Olay o kadar basit değil. Abu Zara'ya uçtuk ve bize sultanın özel hangarına gitmemiz söylendi. Tanrım, öyle büyüktü ki. Adamın kendine ait havayolu var. Neyse, oraya vardık ve İngiliz'in yanında ekibi vardı, Congo'yu gözlüyorlardı... hepsi eski Özel Kuvvetler'den, üst kademe paralı askerler... Congo'yu teslim ettiler ve Congo aniden çıldırıp İngiliz hakkında küfürlü konuşmaya başladı, gerçekten pis bir dille ona sövüyordu ve biz de ona engel olmaya çalışıyorduk ama Godzilla'yı tutmanın imkânı yoktu. Sonra Congo, İngiliz'in karısını öldürdüğünü, onun bir fahişe olduğunu söyledi. O sırada biz daha ne olduğunu anlamadan –bam!– Congo yere serilmişti, yani hangarın zemininde taş kesilmiş yatıyordu. İnanılmazdı."

ABD Kolluk Kuvvetleri memuru hatırladıklarına gülmeye başladı. Hernandez tam araya girecekti ki o daha buna fırsat bulamadan adam atıldı. "Bir dakika! Bir şey hatırladım. Congo bağırırken adamın adını söyledi, İngiliz'in."

"Neymiş adı?..."

"Bir dakika bekle, dilimin ucunda. 'C' ile başlıyordu. Neydi, ah..." Görevli ismi hatırlamaya çalıştı. "C-C-C..."

"Tanrım..." dedi Hernandez bıkkın bir edayla ve iç geçirdi.

"Buldum!" diye bağırdı görevli. "Cross, adı Cross'tu! Sanırım, başharfi tekrarlamam işe yaradı, ha?"

"Teşekkür ederim," dedi Hernandez minnettarlıkla. "Çok çok yardımcı oldun."

"Eh, o halde, yardımcı olabildiğime sevindim," diye karşılık verdi görevli, sesi kadının davranışındaki değişime şaşırmış gibi çıkıyordu.

Hernandez telefonu kapadı. Anlaşılan Kolluk Kuvvetleri memuru, Hazel Bannock Cross'un cinayet hikâyesini takip etmemişti. Eh, bu da şaşırtıcı sayılmazdı. Çoğu polisin başkalarının davalarına üzülecek vakti yoktu ve Bannock Petrol Halkla İlişkiler Bölümü trajedinin basında fazla yer almaması için mümkün olan her şeyi yapmıştı. Fakat Hernandez pek de kadınsı bir tip olmasa da her kadın gibi kuaföre gitmeye ihtiyaç duyuyordu. Ve bir seferinde, kuaförünün işine başlamasını beklerken oturup şu saçma haftalık dergilerden birini karıştırmış ve onlardan birindeki hikâye dikkatini çekmişti. Başlıkta. "Hazel Bannock'un

Trajik Ölümü... ve Milyarder Bebeğinin Mucizevi Doğumu" yazıyordu. Bu nedenle de Cross'un kim olduğunu biliyordu. Şimdi iş, onu bulmaya kalıyordu.

Cross ofisinde oturmuş, Dave Imbiss ve O'Quinnlerle yapacağı toplantıya hazırlanırken telefonu çaldı. "Sizi Houston Bannock Petrol Kurumsal İletişim'den Tom Nocerino adında biri arıyor, hatta bekliyor," diye bilgi verdi Agatha. "Angola projesindeki rolünüzle ilgili ifadenize ihtiyacı olduğunu söylüyor. Yatırımcı gazetesi için gerekli olduğunu iletmemi istedi."

"Daha önce hiç duymamıştım."

"Anlaşılan yeniymiş. Onunla konuşmak ister misiniz yoksa daha sonra aramasını mı söyleyeyim?"

"Bitirip kurtulalım bari. Bağla."

"Bana vakit ayırdığınız için çok teşekkür ederim, efendim," diye başladı Nocerino yağcılıktan yapış yapış bir sesle.

"Demek bu sadece kurumsal gazete için, öyle mi? Birileri onu bir basın bültenine sıkıştırıp gazetelerde yayımlamayacak ve ben de sabah haberlerinde dünyanın fikirlerimle karşı karşıya kaldığını görmeyeceğim, öyle değil mi?"

"Kesinlikle hayır Bay Cross. Sizi temin ederim ki, efendim, bu tamamen özel ve kurum içinde kalacak. Sadece kıymetli yatırımcılarımız bilgi edinmiş olacak ve böylece Bannock Petrol'le finansal anlamdan daha öte bir ilişkileri olduğunu hissedecekler."

"Bunu daha önce duymadım."

"Hayır efendim çok yeni bir oluşum. Aslına bakılırsa bu ilk sayı olacak. Ama fikir üst kademeden geldi."

"John Bigelow'dan mı?" diye sordu Cross, uygulanabilirlikten çok her şeyin görüntüsüne daha fazla önem vermenin Batılı siyasetçinin tipik hareketi olduğunu düşünerek.

"Evet efendim," diye cevap verdi Nocerino. "Senatör Bigelow, Bannock Petrol'e inanan, güvenen insanlara ve kuruluşlara ulaşmanın önemine inanıyor."

"Ve paralarını koyan insanlara ve kuruluşlara..."

"Evet efendim. O da var."

"Pekâlâ öyleyse, tam olarak ne istiyorsunuz?"

"Magna Grande sahasıyla ve güvenlik müdürü rolünüzle ilgili birkaç şey söylemenizi. Fazla spesifik bir şey değil. Bannock'un Angola operasyonundaki potansiyelden ne kadar heyecan duyduğunuz, çalışanlarımız ve şirket varlıklarının güvenliğini sağlama konusunda ne denli kararlı olduğunuzla ilgili bir şeyler. Eğer isterseniz bir taslak hazırlayıp onayınıza sunabilirim."

"Hayır. Eğer kendi adıma bir şeyler söyleyeceksem kendi kelimelerimi seçmeyi tercih ederim. O halde konuşmaya başlayabilir miyim?"

"Devam edin efendim."

Cross bir süre durup düşüncelerini toparladı, sonra konuştu. "Magna Grande sahasının gelişimi, Bannock Petrol'e, gitgide önem kaydeden Batı Afrika Petrol Sanayisi'ndeki varlığımızı oluşturmak adına muhteşem bir... hayır, benzersiz bir fırsat sunuyor. Güvenlik müdürü olarak tüm tesislerimizin ve daha da önemlisi tüm çalışanlarımızın ve girişimcilerimizin oluşabilecek muhtemel tehditlerden düzgün bir şekilde korunması benim sorumluluğumdur. Şu anda, karşılaşmamızın muhtemel olduğu çeşitli zorlukları ve her ihtimale karşı nasıl hazırlanacağımızı tartışmak üzere en üst kademe ekibimle bir toplantıya girmek üzereyim. Bannock'un Abu Zara'daki operasyonlarında uzun yılların getirdiği tecrübelere sahibiz..." Cross duraksadı. "Bir dakika, onu Bannock operasyonlarında birlikte çalışmanın getirdiği vesaire diye düzeltin. Tamam, cümleyi yeniden söylüyorum: Abu Zara yetkililerinin tam desteğiyle daima insanların güvenliğini sağlayan ve petrol akışını devam ettiren bir güvenlik koridoru oluşturduk ve bunu koruduk. Şimdi açık deniz ortamına taşınıyoruz, bu yüzden epey zorlu bir iş olacak. Çok çalışmak gerekecek. En iyi işi, en üst standartlarda yapmaya olan bağlılığımız her zamanki gibi büyük olacak." Tüm söyledikleri Cross'a su katılmamış saçmalıklar gibi geliyordu. Ama zaten bu, savaşta ve barışta göreve gitmeden evvel adamlarına yaptığı o coşkulu, ilham verici moral konuşmalarından çok da farklı mıydı gerçekten? Bazen insanlara duymak istedikleri şeyleri söylemek gerekiyordu.

"Nasıl?" diye sordu.

"Harika, Bay Cross gerçekten harika," dedi Nocerino coşkuyla.

Cross şakşakçılarla çalışmayı işte bu yüzden sevmiyordu. Her liderin, yanılıyor olabileceğini söyleyecek kadar cesur adamlara ihtiyacı olduğu zamanlar vardı. Başka bir şey söylemeden, sıkıntıya sebebiyet verecek bir şey olup olmadığını düşünerek sözlerini zihninde gözden geçirdi.

Nocerino, Cross'un kuşkusunu fark etmiş olmalıydı. "Merak etmeyin efendim. İhtiyacım olan şey tam da buydu," dedi. "Size iyi günler diliyorum."

Cross tam kapamıştı ki telefon yeniden çalmaya başladı.

"Evet?" diye cevap verdi telefona.

"Amerika'dan bir telefon daha var," dedi Agatha.

"Teksas Rangers'tan Johnny Congo'nun kaçışını araştıran Yüzbaşı Hernandez."

"O halde adamı bekletmeyelim bağlayabilirsin."

"Aslına bakarsanız, Yüzbaşı Hernandez bir kadın."

"Teksas Rangers'ta bir kadın demek?" Cross gülümsedi. "Bu çok ilginç."

"Alışılmadık olduğu kesin," dedi Agatha. "Ayrıca toplantı için herkes burada."

"Onlara benim ofisime gelmelerini söyle."

"Elbette. Yüzbaşı Hernandez'i bağlıyorum."

Hat bağlandı. "Ben Hector Cross, size nasıl yardımcı olabilirim yüzbaşı?" diye sordu.

"Johnny Congo'yla ilgili söyleyebileceğiniz ne varsa yardımı olur."

"Biraz daha spesifik olabilir misiniz?"

"Elbette. Congo'nun birkaç hafta önce yakalanmadan önce Afrika'da geçirdiği zamanla ilgileniyorum. Burada, Houston'daki avukatıyla daha önce de takma bir isim kullanarak çalıştığına inanmak için bazı sebeplerimiz var ve ülkeden çıkmak için de aynı kimliği kullanmış olabileceğini düşünüyoruz."

"En basiti avukatına sormak olur gibi görünüyor," diye yorum yaptı Cross.

"Bu zor olabilir. Bir avukata size söylemek istemediği bir şeyle ilgili soru sordunuz mu hiç?"

Cross güldü. Bu görüşmeye öncekinden daha fazla ısınmaya başlamıştı. "Peki ben avukatın yapamadığı neyi yapabilirim sizin için?" diye sordu, Dave, Paddy ve Nastiya'nın odaya girdiklerini görüp ekip toplantılarını yapmayı tercih ettiği masayı işaret ederken.

"Congo'nun Amerika dışındayken geçirdiği yıllardaki faaliyetlerle ilgili bildiklerinizi anlatın bize sadece," diye karşılık verdi Hernandez. "Haberdar mısınız bilmiyorum ama Congo'nun Abu Zara'da nasıl tutuklandığına dair Amerika'da çok az şey konuşuldu... mesela oraya nasıl gitti. Ama Congo'nun sizin elinizde olduğunu ve onu ABD Kolluk Kuvvetleri'ne teslim ettiğinizi öğrenebildim. O yüzden bize, nasıl kaçtığını ve şu anda hangi cehennemde olduğunu bulmamızda yardımı olacak herhangi bir şey anlatabilir misiniz?"

"Hımmm..." Cross duraksadı. "Bu nokta benim de bir avukat gibi konuşmamı gerektiriyor. Bakın, her ne şekilde olursa olsun size yardım etmeyi çok isterim. İnanın bana kimse, Johnny Congo'nun yeryüzünden silinmesini benden daha fazla isteyemez. Ve hak ettiği cezadan kaçmış olmasına kimse benden daha fazla deliremez."

"Ama?..." diyerek araya girdi Hernandez.

"Yakalanmasında, nasıl desem, kanuna biraz aykırı faaliyetlerin, ayrıntılı tanımlandıklarında, birtakım olası iddialara yol açabilecek, bazı alışılmadık yönler vardı."

Cross, iş arkadaşlarının yüzlerinde beliren tebessümleri görebiliyordu. Nastiya her zamanki korkutucu ifadesini bırakmış, kıkırdamasına engel olmaya çalışıyordu.

"Bakın," diye başladı Hernandez ve lafını esirgemeden konuştu. "O pisliği Abu Zara'ya getirmek için neler yapmak zorunda kaldığınız umurumda değil. Benim yargı yetkim Teksas eyaletiyle sınırlı ve Afrika'da olan Afrika'da kalır. Tek öğrenmek istediğim bana yardımı olabilecek neler bildiğiniz?"

"Şu kadarını söyleyebilirim. Johnny Congo kendini Kazundu denen yerin lideri ilan etmişti. Orası Afrika kıtasının en küçük, en fakir, en sefil noktası ve partneri Carl Bannock'la birlikte orayı kendi özel krallıkları haline getirdiler."

"Bu Bannock, Bannock Petrol'ün Bannock'u mu?"

"Evet, Henry Bannock'un evlatlık oğlu."

"Partner derken iş ortağı mı demek istiyorsunuz?"

"Hem iş hem de hayat ortağı. Siz sormadan söyleyeyim, hayır, Carl Bannock'un şu anda nerede olduğunu bilmiyorum. Kendisi sırra kadem bastı."

"Aslında daha çok bir timsahın poposundan çıktı," diye espri yaptı Paddy O'Quinn alçak sesle.

"Congo'nun Kazundu'dayken kullandığı takma isimlerle ilgili bir şey biliyor musunuz?" diye sordu Hernandez, konuşmalarının yarattığı çocukça eğlenceden habersiz.

"Hayır ama şu kadarını söyleyebilirim. Kazundu kendi pasaportunu veren bağımsız bir ülke. Congo ve Bannock'un kendilerine birer Kazundu pasaportu edindiklerine neredeyse eminim, muhtemelen diplomatik olanlardan. Ayrıca, kaçış olayının hemen ardından denizaşırı bir destinasyona gitmek üzere Teksas'tan ayrılan çok fazla Kazundu vatandaşı olduğundan şüpheliyim. O nedenle, herhangi bir yerde, Kazundu pasaportu olan birini bulursanız muhtemelen bu Johnny Congo'dur."

"Teşekkür ederim Bay Cross çok yardımcı oldunuz," dedi Hernandez. "Başka bir şey daha var. Congo'nun önemli miktarda bir paraya erişimi olduğu izlenimini edindik. Sizin de böyle bir düşünceniz var mı?"

"Önemli kelimesi çok küçük kalır yüzbaşı. Johnny Congo'nun çok büyük miktarlarda paraya erişimi var. Her istediğini satın alabilir, herkese rüşvet verebilir ve nereye isterse gidebilir."

"Nereye gitmiş olabileceğiyle ilgili bir fikriniz var mı peki?"

"Hiçbir fikrim yok. Ama bunu bulmayı amaçlıyorum. Ve bunu yaptığımda onu..."

"Bunu bana söylemeyin," dedi Hernandez. "Aynı gün içinde birden fazla 'kanuna biraz aykırı' faaliyeti görmezden gelemeyebilirim."

Cross'la olan görüşmesi bittiğinde Hernandez, ABD Gümrük ve Sınır Muhafaza Birimi'nin Houston 2323 Güney Shepherd Yolu'ndaki saha ofisiyle iletişime geçti. "Yardıma ihtiyacım var: Johnny Congo soruşturması üzerinde çalışıyorum. Kaçışının hemen ardından, bir takma isim kullanarak ülkeyi terk ettiğini düşünüyoruz. 15 Kasım gününün saat akşam dört ve dokuz arasında, denizaşırı ülkelere giden ve sizin ofisiniz tarafından gerçekleştirilen çıkışları kullanan kişileri kontrol etmem gerekiyor. Kazundu pasaportu taşıyan herkese bakın."

"Ka-ne?" diye sordu hattın öteki ucundaki görevli.

"Kazundu. Afrika'daki en küçük ülke, kodluyorum: Kestane-alfa-zaman-uydu-nakil-delta-uydu. Congo'nun diplomatik pasaportla seyahat etmesi mümkün. Ayrıca adam paralı, muhtemelen tarifeli uçakla gitmemiştir. Özel uçak ve yatlara bakın."

"Eğer tekneyle gittiyse herhangi bir yerden binmiş ve açılmış olabilir, bunu bilemeyiz."

"Evet ama deniz seçeneği riskli. Yani tekneler yavaştır. Ve Congo her nereye gitmek istiyorsa elinden geldiğince hızlı gitmek istemiş olmalı. O nedenle havaalanlarına, öncelikle özel uçuşlara bakın."

Hernandez bir saat sonra cevabını almıştı. Bobby Malinga'yı aradı. "İyi ve kötü haberlerim var."

"Eh, hepsinin kötü olmasından iyidir, şu ana dek bendekiler öyle de."

"İyi haber, Johnny Congo'nun takma ismini biliyorum. Enteresandır ki kendisini Kral Hazretleri John Kikuu Tembo olarak tanıtıyor."

"Dalga geçiyorsun!"

"Hayır."

"Sınır Koruma da bunu yemiş mi yani?"

"Adamın pasaportunda 'Kral' yazıyor, ne yapacaklardı ki?"

"Pekâlâ, o halde elimizde bir isim var. Ya uçuş?"

"Beaumont'un güneyindeki Jack Brooks Bölgesel Havalimanı'ndan bir Citation jetle ayrılmış. Uçak Lonestar Jetcharters adında Panamalı bir şirket tarafından ayarlanmış ve işte kötü haberin bir kısmı: Panama'da, yabancı şirketlerdeki hissedarların kimliklerinin kaydedilmesine dair yasal bir gereklilik yok."

"Yani, o jeti kimin kiraladığını bulmamızın hiçbir yolu yok."

"Lonestar'la iletişim kurduklarında dikkatsiz davranmadılarsa hayır. Ve kötü haberin ikinci kısmı da şöyle: Jetin nereye gittiğini biliyorum. Ve inan bana, bu hiç hoşuna gitmeyecek."

Hector Cross da Johnny Congo'nun attığı adımları değerlendiriyor ve bunlarla ilgili Imbiss ve O'Quinnlerle konuşuyordu. "Aranan bir adamsın. Yakalanıp tekrar Amerika'ya götürülürsen infaz edileceğini biliyorsun. Ama iyi haber şu ki neredeyse sınırsız kaynaklara sahipsin. Ne yaparsın?"

"Ben hazırlanırdım," dedi Nastiya. "A Planı, B Planı ve C Planı yapardım. Para, pasaportlar, kimlikler... hepsi güvenli bir şekilde gizlenmiş, gerekli olacakları zaman için hazır halde."

"Ben de," diyerek hemfikir oldu Cross. "Carl Bannock hasta, psikopat, katil bir pislikti ve Johnny Congo hâlâ öyle. İkisinin Kazundu'da yaşama şekilleri o kadar yozlaşmış ve ahlaksızdı ki İmparator Caligula'yı Mormon bir izci çocuk gibi gösteriyordu. Ama aptal değillerdi. Haklısın, Nastiya, gözaltından kurtulmak ve sonra da Amerika'dan çıkmak için bir ya da birkaç planları olmalı. Bir sonraki soru, Congo'nun nereye gitmek istediği?"

"Ölüm cezası Teksas'ta uygulamaya kondu, o nedenle Congo oradan kaçırılacaktı ve herhangi bir kaçışın başlama noktası da orası," dedi Dave Imbiss. "Tarifeli bir uçağa binmiş olmasının imkânı yok: Çok riskli, çok az kontrol var ve gerek de yok, çünkü özel uçakla gitmeye parası yeter. Yakıt ikmali yapmak zorunda kalmak isteyeceğini sanmıyorum, çünkü uçak sabit bir şekilde yerde olduğunda kolay bir hedef olur, o yüzden kalkış yerinden maksimumda yaklaşık beş bin kilometre yarıçaplı bir alana bakıyoruz. Bu da Meksika, Orta Amerika, Karayipler ve Güney Amerika'nın kuzey yarısı demek. Tahminde bulunuyorum ama ulaşabileceği en uzak büyük şehir Peru, Lima olabilir."

"Tabii kuzeye uçmadıysa," diye belirtti Paddy O'Quinn. "Kuzey sınırı, Houston'dan sadece birkaç saatlik uçuş. Ve burası bir adamın kaybolabileceği kadar büyük bir ülke."

"Aynı zamanda Amerika'yla arası iyi olan bir ülke," dedi Cross. "Ben Johnny'nin yerinde olsaydım Washington'la anlaşıp doğrudan doğruya infaz odasına geri göndermeyecek bir yere gitmek isterdim."

"Ya da devleti kanunsuz kılacak kadar güçlü bir suç ağı olan bir yere. Meksika'da Congo'yu belli bir fiyat karşılığında barındıracak birçok insan var," dedi Imbiss.

Cross düşünceli düşünceli başını salladı. "Doğru. Ama bir suçlu diğerine güvenir mi? Ayrıca sen Meksikalı bir uyuşturucu baronunun zimmetinde olmak ister miydin? Congo'nun kendini güvende hissetmeye ihtiyacı var. Ve bu da arkasını kollayacak bir devlet anlamına gelir."

"Küba," dedi Imbiss, kararlı bir tonda. "Orası olmalı."

"Hayır, çok fazla Amerikalı var," diyerek karşı çıktı Nastiya.

"Guantánamo'dadır belki. Ama merkezi, adanın geri kalanından kopuk. Ve orada hiç Amerikalı bulamazsın."

"Elbette bulursun." Nastiya zafer dolu bir edayla gülümsedi. "Ben FSB'deyken tropik şartlarda eğitim görmek üzere Küba'ya gitmiştik... bize yol gösterecek subaylar da havuz kenarında yatmak, rom içmek ve Kübalı kızları düzmek için yanımızdaydı. Havana'da bize İsviçre Konsolosluğu'nu gösterdiler. Büyük bir bina, neredeyse Havana'daki en büyük konsolosluk... Peki, bütün o bina küçük bir ülke olan İsviçre için miydi dersiniz? Hayır. Binanın sadece dörtte biri, hatta daha azı İsviçre içindi. Geri kalanı, onların İsviçre Konsolosluğu'nun 'Amerikan Menfaatleri Bölümü' dedikleri bir yer içindi. Diğer bir deyişle resmi olmayan Amerikan Konsolosluğu. Ve bunu neden herkesin bildiğini biliyor musunuz? Çünkü orada İsviçre Konsolosluğu'nu koruyan Amerikan Donanması şirketi var. Kendi yaşam alanları var, adı Marine House. Havana'daki en güzel etler, en güzel biralar, en iyi dev ekranlı televizyonlar."

"Sen de bunu biliyorsun çünkü?..." diye sordu Paddy.

"Çünkü ben üniformalı bir adamı seven bir kadınım, hayatım," dedi Nastiya alaycı bir tavırla ve kocasını işaret ederek.

"Cidden, Hector, Congo'nun Küba'ya gitmesi için çıldırmış olması lazım. Tüm ada sürekli gözetim altında: uydular, casus uçaklar, sinyal engelleyiciler. Fidel Castro'nun kendisi onu kendi hasta yatağında saklasa bile Congo fark edilmeden orada tek bir gün bile geçiremez."

"O halde Kanada değil, Meksika değil, Küba da değil," dedi Cross, çalışma masasından kalkıp altı kişinin rahatlıkla yemek yiyebileceği kadar büyük, yüzeyinin yarısı kocaman tek bir ciltli kitapla kaplı masaya yaklaştı. "*The Times Kapsamlı Dünya Atlası*," dedi Cross, diğerleri de yerlerinden kalkıp ona katılırken. "Bütün o internet saçmalığını unutun, bu, hâlâ gezegenimizdeki yerleri bulmanın en iyi yolu." Kitabı açtı ve Orta Amerika'nın görselinin olduğu yere gelene kadar poster büyüklüğündeki sayfaları çevirdi. "Evet. Bu Güney Meksika ve şurası da Guatemala ve Belize'yle olan sınırı. Teker teker her bir ülke ya da Karayip Adası'nı bitirene ve kaçak bir katile sığınak olabilecek muhtemel yerlerin bir listesini oluşturana kadar çevirmeye devam edeceğim. Ve listenin son halini elde ettiğimizde adi herifi nasıl bulup yakalayacağımızı düşünmeye başlayacağız."

Bir saat boyunca konuştular ve dört muhtemel destinasyon belirlediklerinde Cross'a bir başka telefon daha geldi. "Yüzbaşı Hernandez," dedi Agatha.

"Sadece yardımınıza teşekkür etmek istemiştim," dedi Hernandez. "Haklıymışsınız. Daha önce Johnny Congo'yu bir kez yakalayıp federal yetkililere teslim etmiş olduğunuz için iyice düşündükten sonra fikrimi değiştirdim ve sizin yardımınızla edindiğimiz bilgiyi sizinle paylaşmaya karar verdim."

"Doğru olanı yapmayı bilen ve yasalara saygı gösteren bir birey olduğuma inandığınız için mi?"

"Aynen öyle," dedi Hernandez. "Güvendiğim şey bu."

"Peki elinizde ne var?"

Hernandez, Congo'nun kullandığı takma isim ve ulaşım yoluyla ilgili Cross'a bilgi verdikten sonra ekledi. "Citation'ın nereye gittiğini bilmek ister misiniz?"

"Hem de çok."

"Venezuela, Karakas."

"Oraya kadar bir depo yakıtla mı gitmiş?"

"Bin beş yüz kilometre gidebilen yedek bir depoyla. Çok da hızlı gitmiş, Citation saatte altı yüz mil yapıyor. Latin Amerika'da insanların geç saatte yemek yediklerini bilir misiniz?" diye sordu Hernandez.

"Bunu duymuştum, evet."

"Eh, Kral John Kikuu Tembo, Karakas'ın merkezine akşam yemeği saatinde varmış."

"O halde umarım, yemeği boğazında kalmıştır," dedi Cross. Telefonu kapatıp dikkatini yeniden ekibine verdi. "Şimdi iki önceliğimiz var. İlki, ABD yetkilileri onu yakalamadan önce Johnny Congo'nun ya da kendisine ne diyorsa o kişinin tam olarak Venezuela'nın neresinde saklandığını bulmak. Ellerinden iki kez kaçtı. Bunu üçüncü kez yapmasına göz yummak istemiyorum. Bu işi kendi üzerime alıyorum. Bu şahsi bir mesele ve yapılacak olan bütün masrafları ben karşılayacağım."

"Yani Karakas'a gitmeyi mi planlıyorsun?" diye sordu Dave Imbiss.

"Hemen değil. Hazel öldürüldüğünde Agatha onu tehdit eden veya bir şekilde ölmesini istemek için bir nedeni olan kişilerin bulunduğu ülkelerdeki özel dedektiflerin listesini yapmıştı, hatırladın mı? Bu sefer de aynısını yapacağız, en iyi adamı..."

"Ya da kadını bulacağız," diyerek araya girdi Nastiya.

"Ya da Venezuela'daki en iyi kadını bulup olaya dahil olmalarını sağlayacağız. Bizim halledemeyeceğiz yerel bağlantılara ve bilgilere sahip olacaklar. İşi sağlama almak için Kolombiya, Brezilya ve Guyana'nın sınır bölgesindeki insanları çalıştıracağız. Bizim haberimiz olmadan komşu bir ülkeye sıvışmasını istemiyorum. Birisi Congo'yu bulduğunda bizzat gidip onunla ilgileneceğim."

Cross'un bununla ne kastettiğini kimse sormadı. Buna gerek yoktu.

"Zamanı geldiğinde yardım istersen neye ihtiyacın olursa bana güvenebilirsin," dedi Paddy O'Quinn. "Ve bunun hepimiz için geçerli olduğuna eminim. O pisliğin Hazel'a yaptıklarını ödemesinin vakti geldi."

"Teşekkürler," dedi Cross, diğerleri Paddy'yle hemfikir olduklarına dair bir şeyler mırıldanırken. "Şimdi şirket işlerine geri dönelim. Bannock Petrol'ün Angola kıyı şeridinin yüz elli-yüz altmış kilometre açığında multimilyar dolarlık bir yatırımı bulunuyor ve korunmaya ihtiyacı var. Washington'daki Dışişleri Bakanlığı'nda biriyle resmi olmayan bir görüşme yaptım ve her an fırtınalı sulara seyahat edebiliriz gibi görünüyor."

Cross, Bobbi Franklin'in kendisine verdiği bilginin kısa bir özetini onlara aktardı. "Yani uzun lafın kısası," dedi. "Bunu iki aşamalı olarak düşünmemiz gerekiyor. İlki, sondaj platformuna veya Bannock A'ya veya her ikisine karşı da oluşabilecek olası bir tehditle baş etmemizi mümkün kılacak temel bir savunma stratejisinin geliştirilmesi. Ve ikincisi, Mateus Da Cunha'dan başlayarak bir saldırı gerçekleştirebilecek kim varsa onlarla ilgili bir istihbarat operasyonu. Paddy, senin Özel Kuvvetler deneyimin var, o nedenle seni savunma planlamasıyla görevlendiriyorum. Poole'deki eski arkadaşlarımızla konuş. Uzun süredir Kuzey Denizi'ndeki sondaj platformları üzerinde eğitim alıyorlar."

"Yani balon kafalarla konuşmamı mı istiyorsun? Tanrım, Heck, Hereford'lu birinden çok fazla şey istiyorsun."

"Ama Paddy, SBS'yi böyle hor görmemelisin," diye uyardı onu Hector, ciddi görünmeye çalışırken gülmemek için kendini zor tutuyordu. "Süslü deniz piyadeleri olsalar bile duyduğuma göre bir-iki tane düzgün sayılabilecek savaşçıları varmış."

"Pardon," dedi Nastiya. "Siz neyden bahsediyorsunuz?"

"Birleşik Krallık Özel Kuvvetleri'nin iki asil elamanı arasındaki ateşli rekabetten sana söz etmedim mi, hayatım? Bildiğiniz gibi, Binbaşı Cross ve ben bütün dünyanın ilk ve hâlâ en büyük Özel Kuvvetleri SAS'ta hizmet etmiş olmaktan gururluyuz ve bu, Hereford'ta yer alan bir ordu birimidir. Fakat Kraliyet Donanması dışlanmışlık hissiyle kendi birliklerine sahip olma kararı verdi. Böylece Kraliyet Donanması'ndan bir parça alıp onlara SBS adını verdi ve onları bütün gün deniz kenarında oynayabilecekleri Poole'ye gönderdi. Dalış kıyafetlerinden çıkan baloncuklara istinaden onlara *balon kafa* diyoruz. Deniz piyadelerine de *çizme boyunlular* diyoruz... Niye böyle diyorlar bilmiyorum ama diyorlar işte. Her birim diğerini hakir görür, ta ki dışarıdan biri tarafından tehdit edilene kadar, örneğin bir Amerikalı..."

"Boktan Amerikalılar," diye açıkladı Dave Imbiss bıkkınlıkla.

"Böyle bir durumda," diye devam etti O'Quinn. "Güçlerimizi birleştirip sıkı dostlar oluyoruz ve önümüze gelene bir tekmee..."

"Bunu, Spetsnaz tarafından eğitilmiş bir kadına mı söylüyorsunuz? Onlar sizi kahvaltı niyetine çiğneyip tükürürler," dedi Nastiya aşağılar bir tavırla.

"Bu kadar yeter!" dedi Cross otoriter bir sesle. "Halihazırda bir bebekle uğraşıyorum, bir de iki yaşındaymış gibi davranan üçünüzle uğraşamam. Çalışma arkadaşlarına sataşmayı bırak, Paddy ve bana Bannock Petrol'ün Angola sularındaki tesislerini korumakla ilgili ilk düşüncelerini anlat."

Paddy çalıştığı notlardan faydalanarak yaklaşık bir saat konuştu. Hector onu dinlerken, Paddy'yi başka bir şirket kapmadan yakalayabildiği için kendi kendini tebrik ediyordu ve bu ilk değildi. Konuşmayı bitirdiğinde Hector başını onaylar anlamda salladı. "Tüm bunlar kulağa mantıklı geliyor. Notlarını Bannock yönetim kuruluna aktaracağım. Tüm o ekstra teçhizatı tedarik etmeleri gerekecek. Bunu halleder halletmez Paddy, seninle birlikte Angola'da kaç adama ihtiyaç duyacağımızı, kriz çareleri anlamında ne tür protokoller olacağını ve adamları nasıl eğiteceğimizi tam anlamıyla planlamamız gerekiyor. Programda bir sonraki madde istihbarat planlama. Bu işi her zamanki gibi Dave'e veriyorum, böcek yerleştirmek veya bir sisteme kaçak girmek için ihtiyacımız olan kişi o ve ayrıca işi Nastiya'ya da veriyorum, çünkü yaşamını idame ettirmek için casusluk yapmış bu odadaki tek kişi o. O halde, Bayan O'Quinn, sence nereden başlamamız gerekiyor?"

"Potansiyel bir tehdit olduğunu bildiğimiz tek kişi olduğundan Da Cunha'dan. Ve bir kadından tavsiye almakla akıllıca davranıyorsun Hector çünkü bu iş bir kadın dokunuşu gerektiriyor."

"Ne gibi?..."

"Mesela Mateus Da Cunha'yı baştan çıkarmak gibi. Bir ülkeyi fethetmek ve idare etmek isteyen bir adam o, yani tabiatı gereği normal bir erkekten çok daha egoist. Aynı zamanda Fransa'da büyümüş, o nedenle de sadakatsizliğe Fransız usulü bir yaklaşımı olacaktır."

"Ne kadar hoş bir tutum," dedi O'Quinn neşeyle. "Baştan çıkarıcı rolünü kendine biçmediğini ümit ediyorum."

"Böyle düşünmemiştim hayatım. Ama şimdi sen söyleyince... yağmurlu bir öğleden sonrayı arkamda bırakmama yardımcı olacak," dedi Nastiya duygusuz bir şekilde.

"Kadın için iyi olan eşi için de iyidir, diye bir söz var," dedi Paddy ve karısı muzip bir biçimde ona göz kırptı.

"Kendini yorma, ev yemeği benim için yeter de artar bile."

"Muhtemelen senden daha iyi bir aşçı olduğum için!" dedi Paddy gülerek.

Nastiya, ona aldırış etmeden usulca devam etti. "Da Cunha'nın kayıtları bize oldukça zeki, kültürlü ve akademik seviyelerde başarılı olabilecek kadar disiplinli olduğunu söylüyor. Fakat ben aynı zamanda onun ne kadar muhteşem olduğu ve gelecekte ne kadar harika olacağına dair insanlara ve bilhassa da kadınlara böbürlenmekten kendini alamayan, gösterişçi, kibirli, imtiyazlı genç bir adam olduğundan şüpheleniyorum."

"Sana hak veriyorum." Hector başıyla onayladı. "Fakat Da Cunha'yla ilgili gizli bir denetime ve Nastiya için üzerinde çalışılmış bir kılıfa ihtiyacımız var Dave. Eğer Da Cunha ona seks ve para vaat eden bir kadınla tanışırsa yapacağı ilk iş şans yıldızına teşekkür etmek, ikincisiyse Google'a girip onu kontrol etmek olur. O nedenle Nastiya'nın yeni kimliği için çevrimiçi bir destek sağla."

"Anladım," diye karşılık verdi Imbiss.

"O halde kimsenin söyleyecek bir şeyi yoksa toplantımız şimdilik sona ermiştir. Hepiniz yapmanız gerekenleri biliyorsunuz. Houston'daki işleri halletmem için bana bir saat verin, sonra gidip bir şeyler yeriz. Ben ısmarlıyorum."

Ona hayranlık duyan ve beğenen çok sayıdaki erkek arkadaşı ve hatta onların bu beğenisiyle ilgili daha dikkatli davranan kadın arkadaşları tarafından "Zhenia" olarak bilinen Yevgenia Vitalyevna Voronova, o geceki arkadaşı Sergei Burlayev'e iyi geceler öpücüğü verdikten sonra babasının Sergei'e altı ay önce bir kazada hurdaya çevirdiği arabanın yerine aldığı Ferrari 458 Italia'dan indi. On buçuk santim topuklu Chanel ayakkabılarının üzerinde hafifçe sendeleyerek otoparkın beton zemininde ilerledi. Zhenia hafif çakırkeyif insanlara has bir kendinden eminlikle ayakkabılarını Sergei'nin arabasının rengine uydurduğu için kendini tebrik etti, o sırada araç Moskova Uluslararası İş Merkezi'nin sokaklarına çıkan rampayı tırmanıyordu.

Zhenia asansöre ulaştığında şahsına özel anahtar kartını ikinci denemede bölmeye sokmayı başardı. Kapılar açıldı ve Zhenia yine sendeleyerek asansöre girdi, sırtını minnetle asansörün duvarına yasladı. Tuhaf ve gelişigüzel yapılmış Moscow Tower isimli binanın yetmişinci katına doğru hızla çıkarken doğal yollarla yakalanmış, Barguzin samurundan yapılma simsiyah mantosunu çıkarmaya çalıştı.

Zhenia babasının kısa bir süre için Avrupa'nın en yüksek yapısı olan binanın en tepesinde bir *penthouse* edindiğinde ne kadar gururlandığını, fakat hemen ardından yine Moskova Uluslararası İş Merkezi'ndeki Mercury City Tower, yükseklik olarak onun yerini aldığında gururunun öfkeye dönüşmesini hatırlayarak kıkırdadı. Babası, oturma odasını çevreleyen beş metre yüksekliğindeki pencerelerden birinin önünde durup Vladimir Putin'in imtiyazlı yandaşlarından birine kaptırdığı *penthouse* için hayıflanarak Mercury Tower'ın yukarı doğru yükselişini izleyip öfkeden deliye dönüyordu. Başkanın ofisinden gelen tek bir söz, daireyle ilgili başka hiçbir teklifin dikkate alınmaması için yeterli olmuştu.

Asansör sinyal verdi, kapılar açıldı, Zhenia, Voronov aile evinin giriş lobisine adımını attı. Buradaki tasarımdan hiçbir zaman hoşlanmamıştı. Asansörün tam karşısındaki duvar yerden tavana kadar aynayla kaplıydı, ona göre hayranlık verici bir fikirdi bu, ne var ki kendi yansımasını incelemek gibi önemli bir iş, duvarın tam ortasında duran büyük, taş şömine nedeniyle son derece zorlaşıyordu.

Ancak bu, şikâyet edilecek bir gece değildi. Sergei, onu Bolshaya Nikitskaya'da gecenin ilerleyen saatlerinde kulübe dönüşen bir restoran olan ve bir masa ayırtmanın bile yirmi beş bin rubleye mal olduğu Sibirya'ya götürmüştü. Arkadaşlarının çoğu oradaydı ve hep birlikte ihtişamlı yemekler yemiş, bolca içki içmiş, çılgınca dans etmişlerdi ve gecenin çoğunu gülüşüp flört ederek geçirmişlerdi: Genç, güzel ve zengin olmanın tadını çıkarmışlardı. Tek hayal kırıklığı Sergei'i dairesine getirememiş olmasıydı. Zhenia onu eve götürüp grinin elli tonu ve *Kama Sutra* pozisyonlarını denemek gibi şehvetli fanteziler kurmuştu.

Babası evde olmadığında ve annesi etrafını göremeyecek kadar sarhoş olduğunda mümkün olabiliyordu bu. Ne var ki bu gece, Sergei'in patlayan libidosuna ayak uydurmuş ve sonunda tek başına, çaresiz kalmamak için Ferrari'nin arka koltuğunda hızlı bir sevişmeyle yetinmek zorunda kalmıştı. Saniyeler içinde zirveye ulaşmıştı ve bu başarısından öylesine memnundu ki yatmadan önce son bir bardak daha içmeye karar verdi.

Zhenia, Bailey's Irish Cream'i ilk kez Londra'da sanat tarihi okurken denemiş ve tam anlamıyla bayılmıştı. Oturma odasındaki mermer alınlıklı, görkemli barın arkasındaki dolaplardan birinde bir şişe olmalıydı. Hizmetçilerin eşyalarını alıp özenle yerlerine kaldıracaklarını bilerek mantosunu ve portföy çantasını lobinin zeminine bıraktı ve topuklu ayakkabılarını çıkardı. Ardından, üzerinde sadece kırmızı, mini elbisesi olduğu halde oturma odasına girdi.

"Neredeydin sürtük?"

Bu sözler kin ve nefretle söylenmişti. Bunları söyleyen adam parlak gri takım elbisesinin içinde, barda oturuyordu. Devasa göbeğinin çıkıntısıyla şişmiş gömleğinin yaka kısımları öylesine dardı ki gıdısının yağ katmanları yakanın üzerine çöreklenmişti. Bir dizi pahalı saç nakline ve çeşit çeşit jöle ve sprey uygulamasına karşın kafasının turuncu-gri karışımı ince saçlarından daha çok pembe kafa derisi belirgindi.

"İyi akşamlar baba." Zhenia kasıtlı bir şekilde soruyu duymazdan gelmişti.

"Neredeydin dedim?" Vitaly Voronov ağaçları kesip onları kâğıt haline getirerek yaptığı servet nedeniyle Rusya'da Kâğıt Çarı olarak tanınıyordu. "Ama ben cevabı biliyorum: O tembel serseri Sergei Burlayev'le birlikte ateşli bir kaltak gibi kızışmakla meşguldün. İnkâr edeyim deme. Genelev gibi kokuyorsun."

"Ve sen de sevgili babacığım, göbeğini bulabildiğin en ucuz patates votkasıyla şişirmiş, zavallı, ihtiyar bir sarhoş gibi kokuyorsun," diye terslendi Zhenia cevaben. O gece, her zamanki tedbirlerini elden bırakacak kadar çok içmişti. "En pahalı markalarla dolu bir barda oturup yine de o köylü idrarına benzeyen şeyi içiyorsun. Baksana, şişeyi de gerçek bir *moujik* gibi kesekâğıdına sarmışsın! Annem sana bardak kullanmayı öğretmedi mi?"

"Bunu neden içtiğimi bilmek istiyor musun?" dedi Voronov, krem rengi deri bar taburesinden kalkıp elinde kahverengi kesekâğıdına sarılı şişeyle kızına doğru ilerledi. "Onu içiyorum, çünkü bana eski günleri hatırlatıyor, işte sebebi bu. Yoksulken bu odanın yarısı... hayır, hatta dörtte biri boyutlarında bir evde yaşadığım zamanları. Altımız oraya sıkıştığımız ve babamın yirmi yıl kömür madeninde çalıştıktan sonra ciğerleri sökülür gibi öksürdüğü zamanları. Annemin hastane çamaşırhanesinde çarşaflardaki kanları ve Tanrı bilir daha neleri temizlediği, ardından da bir somun ekmek ve şanslıysa birkaç tane de kabak alabilmek için saatlerce kuyrukta beklediği günleri."

"Evet evet, anladım babacığım. Hayatın zordu. Her şey için çalışmak ve mücadele etmek zorundaydın ve bunu yaptın vesaire vesaire..."

"Benimle bu şekilde konuşma, küçük şımarık kaltak seni," diye bağırdı havada uçan tükürüğü ve alkol kokan nefesiyle kızının irkilmesine sebep oldu. "Ve hâlâ soruma cevap vermedin."

Zhenia babasına doğru döndü. "Gerçekten bilmek istiyorsan kulüpte Sergei ve birkaç arkadaşımla birlikteydim ve sonrasında, gerçek bir beyefendi gibi beni buraya bıraktı. Ona küçük bir iyi geceler öpücüğü verdim ve yukarı çıktım."

"Yalan söylüyorsun! Onunla düzüş..."

"Hayır!" diye karşı çıktı Zhenia. Ve sonra, sanki bir şey hatırlamış gibi durdu. Babasının yüzüne baktı, dikkatle baktı ve sonra kahkahalarla gülmeye başladı. "Ah Tanrım! Şimdi anladım! Neden bütün gece oturup içtiğini, neden seks hayatımı merak ettiğini ve neden bana sürekli kaltak dediğini biliyorum. Benden ne istediğini biliyorum, canım babacığım. Ne istediğini tam olarak biliyorum, pis yaşlı köylü."

Voronov öne doğru bir adım attı, yüzü öfkeden şekil değiştirmişti, kavgaya tutuşacağı bir adamın üzerine gidiyormuş gibi göğsünü öne doğru çıkarmıştı. "Pekâlâ öyleyse, küçük kaltak," diye hırladı. "Madem o kadar akıllısın, süslü eğitiminle pek çok şey öğrendin, o halde söyle bakalım... şu anda ne düşünüyorum?"

Zhenia'nın içinde bir şeytan, nefret ettiği babasından gelen saldırgan, kavgacı bir ruh vardı ve şu anda onu ele geçirmişti.

Babasının gözlerinin içine bakarak, onu kışkırtıp dalga geçerek, gençliğinin kadınsı gücü, güzelliği, bedeni ve kokusuyla onun erkeksi varlığıyla aşık atarak hırladı. "Benim düşündüğüm şu, sevgili baba..." Zhenia sırf gerginliğe katkıda bulunmak için yeniden durdu, onun ve başka birçok kişinin hayatını sonsuza dek değiştirecek sözleri söyledi. "Bence sen Sergei'i kıskanıyorsun. Beni düzen kişi olmak istiyorsun."

Babası tüm gücünü kullanarak elinin tersiyle onun yüzüne bir tokat patlattı. Bu darbenin acısıyla Zhenia'nın gözünde şimşekler çaktı, başı vücuduyla birlikte yana doğru savrulurken boyun kasları yırtılırcasına yandı ve dönerek yere yığıldı. O yerde acıyla inlerken Voronov, onun tepesinde dikildi. Midesine şiddetli ve sarsak tekmeler atmaya, bağırarak çirkin sözler söylemeye başladı. Zhenia fetüs pozisyonu alıp büzülmüş, kendini korumaya çalışıyordu. Ne kadar zaman geçti bilmiyordu ama yarı baygınlık hissi üzerini bir pelerin gibi örterken uzaklarda acı bir çığlık duydu.

"Dur! Onu tekmelemeyi bırak seni pislik! Bırak onu!"

Belli belirsiz de olsa bağıranın annesi, Marina Voronova olduğunu anladı. Acı içinde düşünürken neredeyse gülecekti. *Annem bu kez, farklı olarak başkasının dayak yiyişini izleyecek.*

Voronov onu tekmelemeyi bırakıp karısına dönerek bağırdı. "Kes sesini! Kapa o budala çeneni! Tek kelime daha edersen botlarımın tadına sen de bakarsın!"

Annesi de ona haykırıyordu. "Senden nefret ediyorum adi herif, senden nefret ediyorum!"

Hayatta kalma içgüdüsü Zhenia'ya bunun kaçmak için bir fırsat olduğunu söyleyerek uyarıyordu. Sendeleyerek ayağa kalktı ve çaresizce kaçmaya yeltendi.

Babası bağırdı. "Gel buraya küçük fahişe! Benimle ilgili söylediklerinin bedelini ödeyeceksin!" Ama kızının peşine düşme fırsatı bulamadan Marina, onun üzerine atıldı ve kocasının ne kadar güçlü olduğunu bilse de kaçması için Zhenia'ya zaman kazandırmayı umarak uzun ve manikürlü tırnaklarıyla adamın yüzünü tırmaladı.

Zhenia tökezleyerek Filipinli hizmetçinin mantosunu, çantasını ve ayakkabılarını topladığı lobiye ulaştı.

"Ver onları bana!" diye haykırdı Zhenia.

Hizmetçi şaşkınlıktan dehşete dönüşen bakışlarla etrafına bakınırken kızın yüzünü gördü. Olduğu yerde durup dilini yutmuş gibi Zheina'nın kan fışkıran burnuna baktı.

"Ver onları bana!" diye üsteledi Zhenia, sesi çaresizlik içinde yükselirken dehşet içinde kendisine bakan hizmetçinin elindekileri kaparcasına aldı ve sonra asansörün kapısına koştu. Ayakkabılarının bilek tokalarını tuttuğu sağ yumruğunun yanıyla asansörün düğmesini yumrukladı.

"Haydi, haydi!" dedi Zhenia yakarırcasına. Oturma odasından annesinin hıçkırıklarını ve babasının bağırışlarını duyabiliyordu. "Seni yakalayacağım, Yevgenia! Benden kaçamazsın!"

Zheina arkasını dönmeye cesaret edemedi ama babasının yeri döven ayak seslerini duyabiliyordu. Bu lanet asansör de nerede kalmıştı?

"O yalancı ağzını yırtacağım. Çeneni öyle bir kıracağım ki bir daha kapanmayacak. Suratını öyle bir dağıtacağım ki bir daha hiçbir erkek sana dönüp bakmayacak bile..."

O sırada asansörün kapısı sinyal verdi, kapılar açıldı ve Zhenia kendini içeri doğru adeta fırlatıp kapıları kapatma düğmesine tekrar tekrar bastı.

Dönüp baktığında babasının sadece birkaç adım ötede olduğunu ve tüm görüş alanını kapladığını gördü.

Kapılar kapanmaya başlamıştı. Voronov araya girmeye, kapıları elleriyle ayırmaya çalıştı.

Zhenia ayakkabısının topuğuyla ona vurmaya çalıştı ve sağ elinin tersine denk getirdi. Voronov acıyla inleyerek ellerini geri çekti. Kapılar kapandı ve asansör hareket ederek Zhenia'yı güvenli bir dünyaya doğru taşıdı.

Arabasının anahtarları çantasında değildi. Herhangi bir resmi işlem yapabilmek için gerekli olan ve sadece Rusya içinde geçerli olan yerli pasaportu ve ehliyeti de yoktu: sadece ruju, birkaç kâğıt mendil, içinde on adet kalmış Marlboro Lights paketi, siyah Amex kartı, beş bin ruble nakit paranın olduğu ufak bir cüzdan ve en önemlisi cep telefonu vardı.

Zhenia çantasını kapadı, mantosunu omzuna alıp ayakkabılarını giydi. Ancak doğrulup ayağa kalktığında asansörün duvarındaki yansıması gözüne çarptı. Çirkin bir morluğun başlamak üzere olduğu sol gözü şişmişti ve sol elmacıkkemiği de morarmaya başlamıştı. Burun deliklerinden birinden kan sızıyordu. Aniden boynunun acıdığını ve başını azıcık dahi hareket ettirdiğinde kasılmış adalelerine ve bağlarına şiddetli bir ağrının saplandığını fark etti. Midesi bulanıyordu ve kendini sersem gibi hissediyordu. Asansör giriş katına ulaşıp kapılar açıldığında Zhenia'nın kendisini toparlayıp resepsiyona doğru yürüme gücünü kendisinde bulması birkaç saniye sürdü.

Sonraki birkaç saati yarı baygınlığın verdiği bir mahmurluk içinde geçirirken tekrar tekrar Sergei'i aradı ama cevap alamayınca ona gelip kendisini kurtarması için yalvaran uzun mesajlar bıraktı. Sergei nihayet ona cevap verdiğinde mesajı okudu ve neye uğradığını şaşırdı.

"Baban benimkini aramış. Bir daha asla konuşamayız. S."

Babasının neden peşinden gelmediğini veya güvenlik görevlilerini kendisini yakalamaları için göndermediğini merak ederek sokaklarda dolaştı ve yakın arkadaşları birer birer ona sırtlarını dönerken babasının kendisi için daha zalim başka bir ceza seçtiğini yavaş yavaş anladı. Kâğıt Çarı, oligarşi yöneticisi arkadaşlarına haber salmış, onlardan bir iyilik yapmalarını isteyerek veya onları tehdit ederek, ne gerekiyorsa o yöntemi kullanmış ama hepsinin aynı mesajı almasını sağlamıştı: Kızı artık değersiz biriydi ve pişman olup evine dönerek af edilmek üzere yalvarana kadar da kimsenin onunla bir ilgisi olmayacaktı.

Babasının ulaşamadığı biriyle temasa geçmek şafak vaktine dek sürdü. Andrei Ionov birlikte anaokuluna gittikleri zamanlardan itibaren daima bir asi olmuştu. On sekiz yaşındayken sonsuza dek evi terk ederek imtiyazlı yaşamını reddetmiş, çoğu zaman, bir dizi hükümet karşıtı web sitesi ve dergi için serbest gazeteci olarak para alamadığı işlerde çalışmıştı. Çıkış yolları birbiri ardına kapanırken bir şekilde cezaevinden uzak kalmayı başarmıştı. Zhenia, onu aradığında Andrei, şehrin güneydoğu köşesinde, Moskova'nın çevreyolu MKAD'nin yakınlarında sıkışıp kalmış, adı kötüye çıkmış, yasaların uğramadığı, yoksul bir bölge olan Kopotnya'da bir adres verdi.

"İnmek istediğiniz yerin burası olduğuna emin misiniz, hanımefendi?" diye sordu taksi şoförü onu eski Komünist dönemden kalma bir apartmanın önünde bırakırken. Chanel ayakkabılar, kürk manto ve diğer ayrıntılar dikkatini çekmiş olmalıydı. Etrafındakileri algılamakta güçlük çeken ve hâlâ sersemlemiş bir halde olan Zhenia, binanın ortasındaki avluya doğru ilerlerken şafak söküyordu. Yüzeyi çukurlarla kaplı, soyulmuş, kirli beyaz renkte yüksek duvarlar gördü. Bahçe, sürücülerinin bulabildikleri birkaç metrekareye park ettikleri araçların arasından büyümeye çalışan yapraksız, cılız ağaçların olduğu dökülmüş toprak ve molozlardan ibaretti. Balkon korkuluklarının aralarında çamaşırlar dalgalanıyordu: berbat renklerde ucuz kıyafetler ve yıkanmış gibi görünmeyen çarşaflar. Balkonun birinden aşağı seslenildiğini duydu. "Yukarıdayım!" ve nasıl olduysa çöplerin dört bir yana saçıldığı, leş gibi votka ve idrar kokan merdivenlerden yukarı, Andrei'nin onu beklediği kapıya ulaşmayı başardı.

Zhenia bir saatten biraz fazla bir süre uyudu ve şiddetli bir baş ağrısıyla, kendini her zamankinden daha da berbat hissederek uyandı, ardından şişmiş, solmuş yüzünü gördüğünde çaresiz ve perişan gözyaşlarına boğuldu. Vazgeçmek, teslim olmak ve dizlerinin üzerinde af dileyerek zalim ve sapkın babasına, çaresizce işlevsizleşmiş annesine dönmek için hazırlanırken aklına ona yardım edebilecek son bir kişi daha geldi: kendisinden on yaş büyük, pek tanımadığı ama pek sevilmeyen üvey kız kardeşi. Fakat sadece birbirlerine birkaç doğum günü mesajı göndermişlerdi ve Zhenia'nın kardeşinin sürekli telesekreter mesajına düşen telefonu onu her seferinde denizaşırı yeni bir telefon koduna yönlendiriyordu.

Zhenia bunun tek şansı olduğunu biliyordu. Hayatta kalmak için tek umudu.

Londra'da saat gece üçtü ve arkadaşları tarafından "Nastiya" olarak bilinen Anastasia Vitalyevna Voronova telefon çaldığında uyuyordu.

"Yevgenia?" dedi uyandığında. Üvey kardeşinin tam adını kullanmıştı, çünkü onu aile ve yakınlarının kullandığı kısa ismini bilecek kadar tanımıyordu, hattın öteki ucundan gelen, boğuk ve çaresiz sesi de zar zor tanımıştı. Yevgenia onun aklında, daima şımarık, pohpohlanan küçük bir prenses ve babasının hatırı sayılır bir servet edindikten sonra ilk kızı ve karısı da dahil yoksul yıllarının izlerinden sıyrılmak için evlendiği servet avcısı karısının kızı olarak kalmıştı.

Ne var ki Anastasia, Zhenia'nın hikâyesini dinledikçe ilk kez onun gerçek kardeşi olduğunu hissedip onun adına üzüldü. Kendisi, babasının zalimliğinin doğrudan kurbanı olmadıysa da buna yeterince tanıklık etmişti. Nastiya'nın bir erkeğin kendisini dövmesine ve zulmetmesine asla izin vermeme kararı, ilk olarak, annesinin çaresizliğini gördüğünde tomurcuklanmıştı; daha sonrasındaysa istek, gayret ve sonsuz gücü onu bugün olduğu kadın haline getirmişti. Kendi kardeşinin saldırıya uğradığını duymak çok önce gömdüğü duyguların uyanmasına ve çoktan iyileştiğini sandığı duygusal yaraların yeniden açılmasına yetmişti.

"Merak etme," dedi Zhenia'ya. "Ben icabına bakarım. Öncelikle annemin evine gitmeni istiyorum. Senin geleceğini haber vereceğim."

"Ama beni içeri alır mı? Yani... babam onu benim annem için bıraktı."

"İnan bana, sana yaptıklarını duyduğunda yardım ettiğine memnun olur. Sana bir doktor bulacağız ve beyin sarsıntısından daha ciddi bir şey olmadığından emin olmak için beyin taraması yaptıracağız."

"Parasını nasıl ödeyeceğim? Kredi kartımı kapatmıştır."

"Merak etme dedim ya. Ben hepsini öderim ve eğer istersen her şey bittiğinde, karşılığında sen de bana küçük bir hediye alırsın, pahalı bir şeye gerek yok."

"Çok isterim," dedi Yevgenia, kendisine nazik davranan biriyle iletişim kurmanın verdiği rahatlamayla neredeyse ağlayacaktı. Sonra hâlâ var olan belirsizliği hatırladı. "Ama... Peki babamla ilgili ne yapacağız?"

"Hiçbir şey," dedi Nastiya. "Onu tam manasıyla görmezden gel. Varlığını reddet. Bırak pislik biraz ter döksün. Ama gün gelir seni bir daha tehdit edecek olursa bana haber ver. Ona yapacaklarımızı asla unutmamasını sağlarım."

Zheina her nasılsa kardeşinin söylediklerinde ciddi olduğunu biliyordu. Nastiya telefonu kapattığında ve hat kesildiğinde Yevgenia bir süre telefona baktıktan sonra fısıldadı. "Seni seviyorum Nastiya daha önce kimseyi sevmediğim kadar."

Johnny Congo gibi azılı bir çete üyesi tarafından budala yerine konmak Shelby Weiss'in hiç hoşuna gitmemişti. Elbette bugünlerde zenginler arasında yaygın görülen gösteriş merakı yüzünden bile olsa, bir cenaze için iki milyon dolar ayrılmasının gülünç olduğunun farkındaydı. İki milyon dolarının D'Shonn Brown'ın her zaman iddia ettiği gibi tertemiz olmadığına bahse girebilirdi. Ayrıca Congo'nun, itirazsız ve uysalca Ölüm Hücresi'ne girecek biri gibi görünmediğini söylemek de yerinde olurdu. Ancak Congo ve Brown'ın, 190. Yol'u, Ronald Reagan Memorial Otobanı'nı Gazze Şeridi'nin Doğu Teksas versiyonuna çevireceği bir an olsun aklına gelmemişti. Ayrıca Bobby Malinga'nın ertesi gün ofisine gelip ona şüpheli bir çete üyesiymiş gibi davranması da hoşuna gitmemişti. Öte yandan, tüm bu deneyimden açık ve net bir mesaj çıkıyordu: Johnny Congo'nun parası vardı, hem de çok parası vardı. Weiss şimdi fark ediyordu ki, o paranın çoğunu Afrika'nın göbeğindeki pis kokulu çeşitli ticari girişimlerden elde etmişti, zenginliğinin asıl kaynağı ise ortağı Carl Bannock'un Henry Bannock Aile Fonu'nun mirasçısı olarak keyfini sürdüğü gelirdi. Weiss bu fon meselesinin, bir dava stratejisi oluştururken olduğu gibi bir süre zihninde süzülmesini ve düşünce dizemlerinin bir lokomotifin ardındaki vagonlar gibi sıralanıp dumanı tüten ve son hızla varış noktasına doğru yol alan uzun bir tren oluşturmasına izin vererek bilinçaltının konu üzerinde çalışmasını bekledi.

Bannock Aile Fonu, diye düşündü Weiss, bir altın madeniydi. Sadece hak sahipleri için değil, aynı zamanda sel gibi akan Bannock Petrol hazinesinde tek bir damladan ibaret olsa da fahiş ücretler ödenen tüzel idarecileri için de. Weiss'in kendisi çizgiyi hiç aşmamıştı ve aslında müşterisinden çalmamıştı; ancak daha küçük bir adamın, kimsenin öğrenmesine gerek kalmadan her yıl altı, hatta yedi rakamlı meblağların kaymağını alabileceğini düşünmüştü.

Şimdilerde fon, Bunter and Theobald firması tarafından idare ediliyordu. Yaşlı Ronnie Bunter sadece Henry Bannock'un yakın arkadaşı değildi, aynı zamanda Teksas Bar'daki (Teksas Yüksek Mahkemesi'nin idari kontrolü altında bir yargı kurumu) gelmiş geçmiş en iyi ve düzgün insan, onu tanıyanların hayranlık ve sevgiden başka bir şey beslemediği, geleneksel fikirlere sahip, Güneyli bir beyefendiydi. Karısı Betty zamanında bir Teksas Gülü'ydü(*) ve hukuk alanında çalışmayı bıraktıktan uzun süre sonra bile desteğini esirgemeyen, hukuk dünyasında büyük bir şahsiyetti; yardım kampanyaları düzenleyerek meslekte zorluk yaşayan üyelerini veya sadece kendine bakamayacak kadar yaşlı ve hasta olanları desteklemişti. Weiss'in eski eşlerinin üçü de ona tapıyorlardı. Fakat söylentiye göre zavallı Betty, demans hastasıydı ve müşfik kocası, onun için birçok şeyden vazgeçmiş olan sevdiği kadına kendini adayabilmek için tamzamanlı çalışmaktan vazgeçmişti.

(*) Efsaneye göre, Teksas'ta ihtilal dönemindeki kadın kahraman. (ç.n.)

Sonuç olarak da Bunter and Theobald'un fiili kontrolü Ronnie ve Betty'nin oğulları ve Shelby Weiss'e göre gerçek bir ucube olan Bradley'ye geçmişti. Her şeye sahip bir adamdı. Anne ve babası sadece zengin ve etkili insanlar değil, aynı zamanda sevgi dolu, kibar ve çocuklarına bağlı kimselerdi. Brad kendisi de yakışıklı, sağlıklı ve güçlüydü. Fakat tüm bu avantajlarına rağmen –zor yollardan geçen genç Shelby Weiss'in uğruna canını vereceği imtiyazlara rağmen– Brad Bunter, her nasılsa yirmi dört karatlık, gerçek bir aşağılık olmayı başarmıştı. Adam düzenbazın tekiydi, güvenilmez, açgözlü, hırslı ve hak edilmemiş bir yetkinlik duygusuyla doluydu. Dahası, hızlı kadın, yavaş at, kaybeden takımlar ve beyaz Kolombiya tozuna saplantılı bir tutkusu olan, adı çıkmış bir savurgandı. Oğullarının gerçekte nasıl biri olduğunu hayal bile edemeyecek kadar düzgün insanlar olan anne ve babası, görüntüdeki cazibesinin parlak maskesinin ötesini bir şekilde asla görmemişlerdi ve Brad daima onlarla iyi ya da olabildiğince iyi geçinecek kadar akıllı davranmıştı. Böylelikle Ronnie Bunter'ın arkadaşları ona gerçeği söylemeye çalıştıklarında Ronnie onları geçiştirmişti. Fakat Weiss'e göre meslekteki herkes, Brad Bunter'ın ikinci sınıf bir işe yaramaz olduğunu ve birilerinin çok geçmeden bu geçekten fayda sağlayacağını biliyordu.

O birisi, pekâlâ kendisi de olabilirdi.

Müşterilerinin geçmişlerini kontrol etmesi ve rakiplerine karşı kullanmak üzere suçlayıcı bilgiler bulması için birlikte çalıştığı bir özel dedektifi aradı. "Senden Bradley Bunter'ı araştırmanı istiyorum," dedi Weiss. "Babasının hukuk bürosu Bunter and Theobal'da büyük ortak vekili. Kimleri düzdüğünü, burnuna ne çektiğini, kime ne kadar borcu olduğunu ve borç faizinin ne olduğunu bilmem gerekiyor. Bir de tavsiye: büyük bir kürek al. İnan bana, bol bol pislik küreyeceksin."

Shelby Weiss bir hafta sonra tam ve bilgilendirici bir rapor alıp bu işi kolayca halledeceğine dair güçlü bir duyguya kapıldığında telefonu eline alarak Bradley Bunter'ın ofisini aradı ve şöyle dedi: "Brad uzun zaman oldu. Annenin pek iyi olmadığını duydum ve buna çok üzüldüğümü söylemek istedim. Lütfen kendisine selamlarımı ilet. Dinle, bunun iyi bir zaman olup olmadığını bilmiyorum ama bir iş teklifim var ve bunu duymak isteyeceğini düşünüyorum. Sana bir içki ısmarlayıp aklımdan geçenleri anlatayım..."

Shelby Weiss, Bunter and Theobald'un Weiss, Mendoza and Burnett'le birleşmesi karşılığında kendisine bir buçuk milyon dolar nakit para, yeni, büyümekte olan, isminde kendi adının da yer alacağı bir firmada ortaklık ve çok daha büyük yıllık gelir önerdiğinde Brad Bunter bu kadar şanslı olabildiğine inanamadı. Bradley ellerindeki mevcut kazançlara kıyasla son derece verimli anlaşmaları kendilerine aktardığında Bunter and Theobald'daki diğer küçük ortaklar çılgın bir alkış kopardılar.

"Şu Yahudi'ye içelim!" Brad, o ve çalışma arkadaşlarının karşılarına çıkan bu fırsatı kutlamak üzere geldikleri barda duble Jack Daniels'ı havaya kaldırıp başına dikti.

"Yahudi'ye!" diye bağırdı gerçekten Musevi olanlar da dahil.

Kadeh kaldırmalar devam etti. "Bu da Meksikalı göçmenlere! Ve bu da beyaz Amerikalılara!"

Ne var ki önerilen birleşme Bunterların evinde çok daha farklı karşılandı. "Çok üzgünüm Ronnie," dedi Jo Stanley ortaklar toplantısının ayrıntılarını patronuna aktarırken, "Anlaşma kabul edilecek. Hepsi hemfikirler."

"Buna inanamıyorum," diye karşılık verdi Bunter. Fiziksel bir darbe almış gibi aniden daha yaşlı, küçülmüş ve daha kırılgan görünmeye başlamıştı. "Bu imkânsız. Bunu önerenin Brad olduğuna emin misin peki? Kendi oğlum aile şirketini fırlatıp atıyor... İmkânsız."

"Ne diyeceğimi bilemiyorum Ronnie," dedi Jo, ona doğru yaklaşarak onu bir şekilde rahatlatmaya çalıştı ama ümidi yoktu. "Anladığım kadarıyla her şey çok hızlı olmuş. Shelby Weiss bir teklifle Brad'e gelmiş ve o da teklifin üzerine atlamış, eh sanırım hayır diyemeyeceği kadar bol paralı bir teklif."

"Buna karşı çıkabilirim," dedi Bunter, enerjisini az da olsa geri kazanmıştı. "Bugünlerde ofise fazla uğramıyorum ama hâlâ büyük ortak benim, bunu yapabilirim."

"Ne işe yarayacak ki?" diye sordu Jo. "Brad senden nefret eder. Diğerleriyse istifayı basar. Bunter and Theobald hâlâ sende olur ama başka da bir şey kalmaz. Mirasını korumak istiyorsan yapabileceğin en iyi şey yeni firmada ortaklık talep etmen Ronnie. Sana hayır demezler. Ayrıca Shelby Weiss'den koparabildiğini koparırsın. Madem firmanı alacak, bırak karşılığını ödesin. Ayrıca Betty'yi düşün... bu şekilde hiçbir şeyin eksikliğini çekmeyecek, sen de öyle."

"Galiba öyle," dedi Bunter kederli bir ifadeyle. "Ama her şeyin bu şekilde kayıp gittiğini görmek: Üç nesillik bir işin bir anda yok olduğunu görmek. Hazmetmek zor Jo..."

Jo bir şey demeden onun elini hafifçe sıvazladı, Ronnie'nin yüzündeki ifadeden bir şey düşündüğünü fark etmişti ve çok geçmeden kendisiyle de paylaşacağına inanıyordu.

"Bunun arkasında Weiss'in olduğunu mu söylüyorsun?"

"Aynen öyle. Bradley, Weiss'in sunduğu şartlara şahsi olarak güvence verdiği konusunda ısrarcıydı."

"Biliyorsun o adamı hiçbir zaman sevmedim. Shelby Weiss'i yani. Ah, anlattığı şu talihsiz geçmiş hikâyesini, sıfırdan kendi çabasıyla yükseldiğini biliyorum ve bunun için ona hayranlık duyuyorum. Hukuk bilgisi iyi, buna hiç şüphe yok ve mahkemede de müthiş gösteri yapıyor. Yüz yıl evvel doğsaydı kasaba panayırlarında faydasız şeyler satar, yine ekmeğini taştan çıkarırdı, emin ol."

Jo güldü. "Gel! Gel! Bunlar kaçmaz! Şişesi sadece bir dolar!"

"Aynen öyle hayatım, şişesi bir dolar gerçekten de. Şimdi neyin satıcılığını yapıyor? Onu, şirketinin milyonlarca dolarını Bunter and Theobald gibi eski kafalı bir hukuk bürosuna akıtmak isteyecek kadar heyecanlandıran nedir? Bizde onun istediği ne var?"

"Bana bunun cevabını zaten biliyormuşsun gibi geliyor Ronnie."

Bunter güldü. "Ah Jo, beni fazlasıyla iyi tanıyorsun! Açıklamama izin ver... Weiss'in Teksas'a gelişiyle dehşet verici kaçış felaketi arasındaki dönemde Johnny Congo'yu temsil eden avukat olduğunu sana söylememe gerek yok herhalde. Şimdi, Betty bugünlerde kolayca yorgun düşüyor, dinlenmeye ihtiyacı var, bu da bana bol bol boş zaman bırakıyor. Böylece bu zamanın bir kısmını o korkunç gün olanlara biraz göz atarak geçirdim. Benim gibi moruk olmuş ama hâlâ ortalarda dolaşan birkaç eski arkadaşım da var..."

"Senin de gayet iyi bildiğin gibi, o moruklar koca eyaleti yönetiyorlar, Ronnie."

"Eskisi gibi değil ama neyse. Demek istediğim şu, Carl Bannock'un profesyonel ve şahsi partneri Congo'nun, –artık her neredeyse– Weiss'e, büyük bölümü Weiss, Mendoza and Burnett'ın banka hesabına giren büyük miktarda para, hatta milyonlarca dolar verdiğine dair güvenilir kaynaklarım var. Birkaç hafta geçiyor ve Bay Weiss gelip bizim kapımızı çalıyor ve aynı miktarda parayı kullanarak bir teklifte bulunuyor, teklif tabiri caizse hiçbir finansal anlam taşımıyor, ancak ve ancak..." Bunter cümlesini bitirmedi, onun yerine Jo'ya bunu yapmaya davet eden bir bakış attı.

"Ancak Henry Bannock Aile Fonu'ndaki parayı bilmediği sürece."

"Açgözlü ellerini ona uzatmaya kalkıyor," diyerek sonuca vardı Bunter. "Pekâlâ," diye devam etti, enerjisi tamamıyla yerine gelmiş bir halde. "Biz de şöyle yapacağız: Weiss'in bize vermeyi öngördüğü kadar parayı nakit olarak alacağım. Şirket hesaplarını görme, ortaklar toplantısına katılma ya da adıma o toplantılara bir temsilci sokma haklarıyla birlikte birleşen şirkette fahri bir ortaklık talep edeceğim. Önceden olduğu gibi bu temsilci yine sen olacaksın. Weiss'i bir şahin gibi izlemeni istiyorum. Yaptığı her şeye dikkat et ve fonun idaresine karışmaya kalkıştığına dair herhangi bir iz bulursan hemen bana haber ver. Henry Bannock benim yakın arkadaşımdı ve bütün çocuklarının yapılan işlerin meyvesini almalarını sağlayacağıma dair ona söz verdim."

Bunter, Jo'nun gözlerinin içine baktı. "Mirasımı koruyamıyor olabilirim. Fakat Henry Bannock'unkini korumak için son nefesime dek mücadele edeceğim."

Johnny Congo ve Carl Bannock'un tecrübeyle öğrendikleri birçok şey arasında şu da vardı: Politik güç ve koruma elde etmek istiyorsan daima öncelikle sosyalist hükümetlere gideceksin. Bunun herhangi bir politik ideolojinin doğruları veya yanlışlarıyla ilgisi yoktu, daha çok psikoloji meselesiydi. "Hayatta, belli oranda kişi sıradan insanlardan üstün olduğunu fark eder," diyerek görüş bildirmişti Carl, Kazundu'da sıcak, tembel ve uyuşturucuyla ateşlenmiş bir akşam.

"Kesinlikle katılıyorum kardeşim," diyerek hemfikir olmuştu Congo.

"Amerika gibi bir ülke, etrafındakilerden daha fazlasını hak ettiğini bilen ve budala insanların, kesimhaneye gittiğini bilemeyecek kadar aptal olan şişko sığırlar gibi ortalarda dolaştıklarını görüp kandırılmayı, düzülmeyi ve ayaklar altına alınmayı hak ettiklerini anlayan biri için fırsatlarla dolu."

"Başlarına gelecek olan bu, ona şüphe yok."

"Diyelim ki, sen insan topluluğunun acınası durumunun sağladığı fırsattan faydalanmak isteyen birisin. Güzel, zengin bir evden geliyorsun, iyi derecelerin var, kendini düzgün bir şekilde ifade etmeyi biliyorsun, o zaman Wall Street'e gidip voliyi vurursun. Wall Street bankacılarının yüzde onunun hastalık derecesinde psikopat olduğunu biliyor muydun?"

"Bunu bilmek için *Amerikan Sapığı* filmini izlemek yeterli bebeğim." Congo güldü. "Christian Bale bütün zengin, beyaz kızları kesiyordu. Heyoo! Batman sonunda kötü oluyor."

Carl gülümsemişti. "Ha! Hollywood'ta da kötü olup yakayı kurtarmak için çok fırsat var! Ama senin gibi bir adam farklı bir rota seçti. Bankacı olan o adamlar gibi avantajların olmadı. Sen sokaklardan geldin. Böylece hukukun suç dediği şeyler işledin. Ama gerçekçi olalım, uyuşturucu satan biriyle işe yaramaz süprüntüler oldukları ortaya çıkan güvenlik görevlisi satan biri arasında ahlaki yönden bir fark yok. Ona bakarsan her ikisi de yanlış yapıyor. Sadece bunlardan biri takım elbise giyiyor, süslü bir ofiste oturuyor; diğeriyse sokak köşesinde duruyor, atlet ve kirli kot pantolon giyiyor."

"Biri beyaz, diğeri siyah dostum, lanet fark orada."

"Ben beyazım. Ve benim geldiğim yere bak."

Congo gülmüştü. "Benimle tanıştığın için o, tatlım. Dün gibi hatırlıyorum, yeni gelen tatlı ve masum çocuk, hapishane terbiyesi almak için benim hücreme getiriliyor. Ama seni iyi eğittim. Seni adam ettim."

"Beni hapishane sanatoryumuna gönderdin. İç kanamam vardı, kıçım paramparça olmuştu." Carl muzipçe gülümsemişti. "Bunun güzel bir arkadaşlığın başlangıcı olduğuna inanmak zor."

"Bir yerden başlaması lazım. Ee, bu bankacılar ve çete üyeleriyle varmak istediğin nedir?"

"Varmak istediğim nokta şu," demişti Carl, yerel olarak yetiştirilen ottan derin bir nefes çekip ciğerlerini doldurarak. "Amerika'da ya da onun gibi yerlerde başarılı olmak için milyonlarca yol var. Fakat halk cumhuriyeti falan gibi komünist ülkelerde devlet her şeyi kontrol ediyor. Böylece üstün insanların başkalarını düzmek için tek şansı onları yönetmek, politikacı olmak oluyor. Bu nedenle bizim gibi insanların sonu oralar oluyor. Ve bu yüzden böyle yerlerde daima iyi anlaşmalar bağlayabiliyoruz."

"Ayrıca ABD'den nefret ediyorlar. Ve Sam Amca'dan kaçtığımızı öğrendiklerinde düşmanımın düşmanı dostumdur diyorlar."

"Ayrıca düşmanımın düşmanı düşmanımın milyonlarca dolarına sahipse o zaman daha da hoşlarına gidiyor."

Venezuela bunun kanıtıydı. Carl ve Congo buraya gelmiş, iyi yerlerdekilerin arka ceplerine birkaç kuruş sıkıştırmışlardı ve sonuç bir çift Venezuela pasaportu olmuştu. Ayrıca bir de, Venezuela ve Birleşik Devletler arasında 1923'ten beri süregelen bir suçlu iade anlaşması olsa da Sosyalist Parti iktidarda olduğu sürece asla *gringolara* teslim edilmeyeceklerinin teminatı. Ve daha uzun süre iktidarda kalmaya niyetliydiler.

Ve böylece Congo, ABD'den Kazundu hükümdarı olarak ayrıldıktan sonra Venezuela vatandaşı Juan Tumbo olarak Karakas'a gelmişti. Şimdi oradaydı ve dişlerinin arasında bir Montecristo No. 2 Küba purosu, yerdeki buz kovasında büyük şişe bir Cristal ve yanındaki sehpada duran aynalı tepside tepeleme kokainle bir yatar koltuğa yayılmıştı. Ve bir de koca bir tüp kayganlaştırıcıyla tabii.Congo, Teksas'taki kahrolası ölüm hücresinde üç hafta geçirmişti. Ölüme, rahat yüzü görmeyecek kadar yakındı. Şimdi gününü gün etmek istiyordu. Müzik setinde R. Kelly çalıyordu, modası geçmiş RnB şarkısında adam, kadının bedeninin onu nasıl da çağırdığını anlatıyordu. Congo müziğin içine çekilip yavaş ve seksi ritmi özümserken onu da çağıran iki beden vardı: sütlü kahve rengindeki pürüzsüz tenleri ve dalgalanan koyu, tatlı bal rengi saçlarıyla kusursuz genç vücutlar. Congo onların, birbirlerine uyumlu hareketlerle, müzikle birlikte dans edişlerini izledi. Yüz hatları sanki Tanrı, "İnsanoğlunun böyle görünmesini istiyorum," demiş gibi özenle yaratılmıştı. Onları daha da olağanüstü yapan birbirlerinin aynısı olmalarıydı. Birinden diğerine göz gezdiren Congo, tek bir kusur dahi bulamıyordu. Birini diğerinden ayıracak tek bir leke ya da kafalarında farklı boyda kesilmiş ya da farklı renkte bir saç teli dahi yoktu.

Houston'da saat akşam dokuzu geçiyordu ve Tom Nocerino onay almak için yukarı kata göndermeden önce haber bültenine son dokunuşlarını yapıyordu. *Angola'daki Magna Grande petrol sahasından bahseden bölüm şimdi iyi görünüyor,* diye düşündü. Yazısını Hector Cross'un sözleriyle bitirmişti, üç kısa ve canlı cümleyle her şeyi özetlemişti: bam bam bam: "Zor olacak. Çok çalışmayı gerektirecek. Ama bu işi bitireceğiz."

Hiçbir şey eski moda bir üçlünün yerini tutamaz, diye düşündü Nocerino, kahvesinden bir yudum alarak taslağı son kez gözden geçirirken. Onu endişelendiren tek bölüm, Bannock'un devraldığı yeni işle ilgiliydi. Yine denizde yer alan bir petrol sahasıydı bu, ama Alaska'nın kuzey kıyılarındaki Beaufort Denizi'nin Arktik sularındaydı: Angola'dan hem mesafe hem de ortam bakımından neredeyse en uzak yerdi. Bannock yönetim kurulu, çift gövdeli yapısı Arktik buzullarının basıncına dayanmak üzere tasarlanmış sondaj mavnası *Noatak*'ın satın almasını onaylamıştı. Basınç direnci aynı zamanda yetmiş beş metre genişliğinde çelikten dev bir çorba kâsesi şeklinde olmasını gerektiriyordu. *Noatak,* kendi motoru olmadığı için suda bir çorba kâsesi gibi hareket ediyordu. Bannock Petrol yönetim kurulu, mavnaya hareket ve manevra gücü sağlayacak çok yönlü iticiler takmanın fazla pahalı olacağına karar vermişti. Zaten bu gereksiz bir savurganlık olurdu. Çünkü halihazırda Bannock, yüzen, dev sondaj kulelerini Alaska'nın kuzeyindeki sulara çekmek, onları yerlerine sabitlemek ve sondaj platformuyla gemideki adamların ihtiyaç duyacağı her şeyi, her türlü şartta tedarik etmek amacıyla inşa edilmiş, yüz metre uzunluğunda ve yaklaşık on üç bin ton ağırlığındaki, dört Caterpillar motoru yirmi binden fazla beygir gücü üreten, iki yüz milyon dolarlık, buz kıran, ikmal römorkörü *Glenallen*'a sahipti. Bu canavar varken daha fazla makineye ne gerek vardı?

Tom Nocerino'nun tuhaf ama harika sondaj mavnası ve son teknoloji ürünü buz kıran römorkörün hikâyesini yatırımcı haber bülteninin gerektirdiği neşeli bir hikâyeye dönüştürmesine engel olan tek bir şey vardı: Bannock Petrol'ün gemileri ve personeli, keşifle geçen bir yazın ve ilkbaharın ardından, Beaufort Denizi'nin belli noktalarında henüz petrol bulamamışlardı. Jeologların raporlarında tartışmaya yer yoktu. Aşağıda bir yerlerde milyarlarca varil petrol vardı, sadece delecek doğru yeri henüz bulamamışlardı. Fakat şimdi, *Noatak*'ın tüm varoluş sebebi kış boyunca çalışmaya devam edebilmek olsa da *Glenallen* onu Alaska'nın kuzeybatısına, birkaç ayını geçireceği Seattle'a demir atmaya doğru çekiyordu.

Bu küçültücü geri çekilme, Alaska eyaletinin herhangi bir yılın 1 Ocak'ında topraklarında veya sularında mevcut olan bir petrol sondaj operasyonuna uyguladığı vergilerden kaçmak için yapılıyordu. Tom Nocerino, "Milyonlarca dolar harcadık ve hiç petrol bulamadık, o yüzden şimdi onlar bize vergi uygulamadan önce çekilmek zorundayız," cümlesini "Alaska harika gidiyor!" cümlesine çevirmenin bir yolunu bulmalıydı.

Kolay olmayacaktı ama son birkaç haftadır son derece seksi bir vergi avukatıyla görüşüyordu ve bu gece onu kendisiyle sevişmeye ikna edeceğine emindi. Böylece doğru kelimeleri bulacak, Bigelow'a onaylatacak ve işyerinden çıkmadan önce haber bülteninin dağıtımı için "gönder" tuşuna basacak ya da bu uğurda ölecekti.

Glenallen, Kuzey Kutup Dairesi'nde, Beaufort Denizi ile Bering Boğazı arasında uzanan ve Amerika Birleşik Devletleri'nin en batı noktasını Rusya'nın uzak doğu ucundan ayıran Çukçi Denizi üzerinde *Noatak*'ı çekiyordu. İki gemi şişman bir adamın belinden daha kalın, büyük, sağlam çelik zincirlerle *Glenallen*'ın içine tutturulmuş halatlarla birbirine bağlanmıştı. Sakin sulardaki yavaş ve istikrarlı ilerleyişlerini şimdiye dek korumuşlardı, bu ilerleyiş sırasında mavnanın onu çeken römorkörden iki katı ağır gelmesi sorun olmamıştı. Ama şimdi barometrik basınç düşüyordu, rüzgâr artıyor ve okyanus kabarıyordu. *Glenallen*'ın mürettebatının bir fırtınanın yaklaştığını anlaması için hava tahminine ihtiyacı yoktu: Bu çok açıktı. Ancak bilmedikleri şey, fırtına gelip çattığında neler olacağıydı. *Glenallen* kendi başına olduğunda okyanusun karşısına çıkarabileceği her durumla baş edecek hacme, güce ve kuvvete sahipti. Ama şimdi hemen arkasındaki kocaman, hantal, güçsüz bir gemi ona engel teşkil ediyordu. Her iki gemideki adamların bu engelin öldürücü olmaması için dua etmekten başka çareleri yoktu.

Fırtına, Kuzey Kutbu'ndan bir rüzgâr ve buz hiddetiyle kükreyerek geldi ve Çukçi Denizi'nin sularını bir girdaba çevirdi. Dalgalar birbirinin üzerine biniyor, gökyüzüne doğru, kar yüklü bulutları yakalamak ve onları geldikleri derinliklere geri götürmek istermiş gibi gitgide daha fazla yükseliyordu. Bunlar, doğa güçlerine hükmetmek bir yana, insanlığın hayatta kalma çabalarıyla alay eden şartlardı. Hava soğuktu, sıcaklık donma noktasının altında yirmi derecedeydi. Fakat saatte yüz otuz kilometre hızla esen rüzgâr, hava sıcaklığını sıfırın altında eksi elli derece gibi hissettiriyordu. Gözleri püre haline getirip deriyi parçalayacak, kurşun kadar sert olan, donmuş su damlacıklarıyla yüklü dondurucu hava nedeniyle, kimse böyle bir rüzgârla maskesiz baş edip hayatta kalamazdı. Yükselip alçalan kapkara sularda başarı olasılığı olmayan iki gemi, heyelanda ilerleyen iki dağcı gibi birbirine bağlanmış, gök gürültüleri arasında yavaş ve çaresizlik içinde yolunu bulmaya çalışıyordu.

Glenallen olmadan, *Noatak* tamamen altındaki okyanusun ve yukarıdaki havanın insafına kalmıştı, fakat boyutları ve güçsüzlüğüyle kendi hayatta kalışının bağlı olduğu gemiye zarar verme riski vardı. *Glenallen* bir sonraki şiddetli dalganın üzerine çıkarken *Noatak*'ın ağırlığı onu çekerek kıçını öyle alçak bir seviyeye indiriyordu ki su geminin üzerine çıkıyor, gövdeye doğru şelale gibi akıyordu. Sonra, römorkör köpüren her su duvarının uzak yanlarından aşağıya inerken mavna, karla dolu karanlıktan kaçak bir ekspres tren gibi belirerek peşinden koşuyordu.

Glenallen'ın kaptanı gemisiyle *Noatak* arasındaki göbek bağını kesemezdi, çünkü o zaman mavna dalgalarda sürüklenip uzaklaşacak, on beş adamlık çekirdek kadrosuyla birlikte yok olacaktı. Fakat bağlantı korunursa *Glenallen* de aşağı inebilirdi, çünkü mavnanın tam ortasındaki yüksek, üçgen delme kulesi bir yelken ve metronom kombinasyonu görevi görüyordu. Kulenin alttan üçte birini saran yassı, metal paneller rüzgârı yakaladı ve önce mavnayı itti. *Noatak* öne doğru hızla ilerlerken, rüzgârın ve suyun uyguladığı kuvvet, kulenin gövdesini de alarak gittikçe artan bir yay çizip mavnanın ileri geri sallanmasına neden oldu. Bu sırada, kulenin metal iskeletine vuran kar ve deniz serpintisi katman katman donarak kalın bir buz tabakası oluşturmuştu, bu buz tabakası gitgide ağırlaşarak metronomun her bir sallanışının etkisini artırıyor, mavnanın güvertesini çalkalanan suya batırıyordu. Fazladan her hareketle birlikte kulenin tepesi su yüzeyine daha fazla yaklaşıyor, *Noatak*'a çarpan her bir su duvarının ardından tekrar yüzeye çıkışını hızlandırıyordu. Mavna batarsa *Glenallen*'ı da yanında mezara götürürdü.

İki gemiyi birbirine bağlayan halatın ani, sarsıcı bir titremeyle birden gerilmesine, sonra römorkör ve mavna birbirine doğru çekilirken tekrar gevşemesine ve tam ayrılacakları sırada yeniden gerilmesine sebep olan bir dizi çalkantılı dalgayla Gordian Düğümü'nü koparmak Tabiat Ana'ya kalmıştı. Bu ilk kez olduğunda, zincir mavnanın sarf ettiği inanılmaz güce karşı sağlam durdu. Fakat takip eden her sıkılaşmayla zincirin üzerindeki baskı arttı ve onu *Glenallen*'ın kıç güvertesine bağlayan dayanaklar sarsılıp önce milimetrik olarak gevşedi ama sonra koptu.

Zincir –yüz yirmi ton çelik– güvertede önüne geleni ezerek ilerledi ve arkasında hasar bırakarak sonunda römorkörün kıç tarafından uçup Çukçi Denizi'nin derin sularına gömüldü.

Mavna akıntıda giden bir mantar gibi sürüklendi, dalgayla birlikte havalandı ve kuzeybatı rüzgârının onu götürdüğü istikamete, Alaska kıyılarına doğru ilerledi. *Noatak*'taki on beş adamın dalgalarla mücadele etmek ya da geminin yönünü kıyıdan başka tarafa çevirmek için yapabileceği hiçbir şey yoktu. Sadece, bir mucize gerçekleşmezse sonlarının kötü olacağını bilerek dua edebilirlerdi.

Glenallen'ın güvertesindeki zincir, onu sondaj mavnası *Noatak'a* bağlayan halatlarla birlikte koptuğunda römorkörün kaptanı imdat çağrısı göndermişti. Yaklaşık iki yüz kırk iki kilometre kuzeydoğuda devriye gezen Amerikan Sahil Koruma botu *Munro* çağrıyı aldı. *Munro*'nun zamanında yetişip üzerindeki on beş kişilik mürettebatıyla mavnayı kurtarmasının bir yolu yoktu. Ama bunu yapabilecek Dolphin arama ve kurtarma helikopteri vardı. Helikopterin dört kişilik ekibi, bu boyutlarda bir fırtınanın içinde uçmaya çalışmanın getireceği tehlikeye aldırış etmeden hava araçlarına koşup vahşi ve acımasız geceye doğru havalandılar.

Dolphin, karanlıktan ve karın içinden çıkıp, sallanan mavnanın üzerinde kırılgan, metal bir ejderha gibi havada süzülerek pozisyon alırken *Noatak* kıyıya sekiz kilometreden daha kısa bir mesafedeydi. Dolphin ekibinin umut edebileceği en iyi şey, bir adamını *Noatak*'ın pistine indirmekti. Ve ardından, mürettebatın tutunduğu küpeşte parmaklıklarını bırakarak üst güvertenin en ucunda yer alan kulenin etrafında uğuldayan rüzgârdan kaçacak bir yerin olmadığı, dengesiz durumdaki piste ulaşabilmeleri ve onları teker teker yakalamayı başarması için dua edebilirlerdi. Mürettebattan biri helikopterden sarkıtılan halata güvenli bir şekilde bağlanmadan kayarsa, boğularak olmasa bile soğuktan donarak öleceği sıfırın altındaki soğuk suya gömülmeden önce onu tutacak olan tek şey ince küpeşte parmaklıklarıydı.

Sekiz adam birer birer mavnanın cehenneminden çıkıp helikopterin cennet ortamına yükseldiler. Fakat pilot, Dolphin'in daha fazla kişi alamayacağına dair uyarı sinyali verdi ve helikopter yoluna devam ederek geceye karıştı. Hâlâ *Noatak*'ta bulunan yedi adam olanları anlamıştı. Dolphin bir buçuk kilometre yaklaşan *Glenallen*'a doğru gidiyordu ve işlem tersine tekrarlanacaktı:

Noatak'ın mürettebatı bu kez römorkörün iniş pistine indirilerek oradaki mürettebat tarafından yakalanıp aşağı alınacaktı. Helikopterin geri dönmeyi deneyeceği kesindi ama kıyı gitgide yaklaşırken bunu yapabileceğine inanmak güçtü. Dolphin bir kez daha iniş pistinin üzerindeki pozisyonunu alabilse dahi gerilim biraz olsun azalmadı. Sallanan sondaj kulesi her an helikopterin pervanelerine, bir bisiklet tekerinin tellerine sokulan bir çomak gibi çarpabilir, çok daha öldürücü bir sonuca sebebiyet verebilirdi. Sahil, koyu gecenin içinde bir yerlerdeydi ve gitgide yakınlaşıyordu, fakat Dolphin ekibi acele edemezdi, çünkü telaş ancak hata getirirdi. Son yedi adam sıralarını beklemek zorundaydılar; zihinlerini ve bedenlerini ele geçiren korkuyu yenmek, kurtarılma sıraları kendisininkinden önce gelen adamlarla savaşma arzularına direnmek mecburiyetindeydiler. Birer birer gökyüzüne yükseldiler. Mavna dalga dalga kıyıya yaklaşıyordu. Sonunda *Noatak*'ta sadece kaptan kaldı, hâlâ yarı yolda, havada asılıyken Dolphin'in kokpitinin önündeki kar perdesi bir an için aralandı ve helikopterin ışığı, öncekinden daha kalın görünen karanlığı aydınlattı. Gördüklerini hesaplaması pilotun birkaç saniyesini aldı ve sonra Dolphin'i yukarı ve uzağa doğru yönlendirerek hem helikopterin hem de altında sallanan adamın aniden ortaya çıkan ve onları ön camdaki bir sinek gibi ezmeye hazır görünen sarp kayalığı teğet geçmeleri için dua etti.

Çok geçmeden *Noatak* dik çıkıntıya çarptı. Gövdesi, Arktik buzullarının ezici pençelerine karşı koyacak şekilde, özel olarak tasarlanmış, iki kalın çelik katmandan oluşuyordu. Fakat o çelik dahi, sert ve eğilmez kayaya karşı bir savunması olmadığını kanıtlamıştı. Gövde parçalanıp su aldı ve sondaj mavnası *Noatak* çalkalanan dalgaların altında batarken sadece sondaj kulesi yerini belli etmek ister gibi suyun yüzeyinde kaldı.

Bannock Petrol'ün Houston'daki başkanı John Bigelow uyumamış, bütün geceyi Kuzey Wastes'teki gelişmeleri evdeki ofisinden takip ederek geçirmişti. Korktuğu telefon, saat sabah üçe doğru Bannock'un Alaska, Anchorage'deki ofisinden geldi.

"Üzgünüm Bay Bigelow ama *Noatak*'ı kaybettik. Elimizden geleni yaptığımıza dair sizi temin ederim efendim, Sahil Koruma da öyle, ama korkunç bir fırtınaydı. Yılın bu zamanında, bulunduğumuz yüzyıl içinde daha önce böyle bir şey görmemiştik."

Bigelow sonraki birkaç dakika boyunca, insan ve malzeme kayıpları sırasında sergilediği soğukkanlı komutan edasını korudu. Mavnanın enkazının ötesinde çok az çevresel hasar vardı ve en azından bu da sevinilecek bir şeydi. Fakat görüşme bittiğinde sendeleyerek içki dolabına yöneldi ve kendine bol miktarda viski doldurdu. Bir yudum alarak bitmemiş bardağı bir kenara bıraktı ve bir sandalyeye çöktü, başını ellerinin arasına alarak yüksek sesle konuştu. "Tanrım, ne yaptım ben?"

Sabahın erken saatlerindeki güneş, yatak odasının panjurlarının arasından sızıyordu ve Congo yatakta oturmuş, televizyon izliyordu. Yanında, buruşmuş çarşafların arasında genç bir kız yatıyordu. Kız, başı Congo'nun çıplak kasıklarıyla aynı hizaya gelecek şekilde uykusunda döndü. Sonra refleks olarak bir elini uzatıp onun cinsel organını tuttu.

"Şimdi olmaz." Congo kızın elini itti. "Tanrı aşkına! Konsantre olmaya çalışıyorum burada!"

Kız eski pozisyonunu alarak yeniden derin bir uykuya daldı. Johnny Congo bütün gece uyumamıştı, burnuna çektiği kokainlerden dolayı uyuyamayacak kadar enerjikti. Şimdi kaçışının hâlâ etki yaratıp yaratmadığını merak ediyordu, bu nedenle de akıllı telefonunda CNN'i açtı ve yanındaki küçük fahişenin uyanıp parasını almak üzere mızmızlanmaya başlamasını istemediği için sesini kıstı. Ardından kendisinin ve Carl'ın e-posta hesaplarını kontrol etmek üzere televizyon ekranının içinde bir başka ekran açtığında onu uyanık tutan artık sadece uyuşturucu değildi.

Her şey, Henry Bannock'un vakıf fonunun kalan tek yetişkin mirasçısı olarak Carl'a gönderilen Bannock Petrol haber bültenini görmesiyle başladı. "Hector Cross" kelimeleri Hollywood tabelasına neon harflerle yazılmış gibi ekrandan Congo'ya doğru adeta sıçradı. İşte İngiliz pislik, Bannock'un Angola'daki tesisini nasıl güvende tutacağıyla ilgili atıp tutuyordu ve Congo, en büyük düşmanının kendisini onun avuçlarının içine bırakışına yüksek sesle güldü.

"Şimdi seni nerede bulacağımı iyi biliyorum, beyaz çocuk," diye mırıldandı Congo, mutlu bir edayla. Hâlâ uyuşturucunun etkisinde olan zihni Henry Cross'dan alacağı intikamla alakalı yarım yamalak ve rasgele fikirlerle öylesine doluydu ki ilk başta Alaska kıyılarında batan petrol sondaj mavnasıyla ilgili flaş habere fazla dikkat etmedi. Fakat sonra birinin "Bannock Petrol" dediğini işitti ve bunun üzerine haberi tam ekrana alarak sesi net duyabileceği kadar açtı. Her bir muhabir ve program sunucusu, hâlâ tamamlanmaktan çok uzak olan bulmacaya bir parça ekledikçe yavaş yavaş şekillenen hikâyeye odaklandı.

Batma olayında Congo'nun en fazla canını sıkan, Bannock hisselerine muhtemel etkisiydi. Cross'un, Kazundu'da Carl'la birlikte kendileri için inşa ettikleri saray yavrusuna yaptığı saldırı Carl'ın ölmesiyle sonuçlanmış ve binalarını yerle bir etmişti. Congo yakalanıp hapse atıldığında Carl'la yürüttükleri çeşitli suç teşebbüsleri darmadağın olmuştu. Ayrıca Bannock Güven Fonu tek nakit kaynağı olarak kalmıştı, fakat fon büyük ölçüde, sermaye değerinin büyük bir kısmını oluşturan şirket hisselerinin kazandığı temettülerle finanse ediliyordu. Bannock Petrol güçlük çekerse güven fonu ve dolayısıyla Congo da sıkıntı yaşardı.

Congo kendini mağdur bir paranoyak gibi hissediyordu. Alaska'da, tam olarak anlayamadığı bir şekilde batan mavnanın, onun hakkı olan bir parayı elinden almak için hazırlanmış bir komplo olduğundan emindi. Bu iş parayla alakalıydı, böylece kanalları tarayarak sadece parayla ilgili olan bir kanal buldu: Bloomberg.

O sırada saat sabahın altısı olmuştu. Günlük *Bloomberg Surveillance* programı henüz başlıyordu ve fırtınayla savrulan suları tarayan bir helikopter çekimiyle açılıyordu. Bu batış anı olmalıydı. Congo yatakta doğruldu ve programı izlemeye hazırlandı.

Londra'da saat on birdi. Hector Cross o sabah üçüncü kahvesini bitirirken ihtiyaç fazlası askeri bir gemi satın almak için Bannock Petrol yönetim kuruluna yapacağı sunumun üzerinde çalışıyordu. Cross tatlı ama pek de işbirlikçi olmayan küçük kızının ağzına kahvaltılık bir şeyler tıkıştırırken yakaladığı çocuk kanalı haricinde tüm basın ve iletişim araçlarından özellikle uzak durmuştu. Bannock Petrol'den birkaç milyon dolarlık bir talepte bulunmak üzereydi ve bunu ilk seferinde doğru yapması gerekiyordu, bu nedenle de hiçbir şeyin dikkatini dağıtmasını islemiyordu. O sırada iPhone'u sinyal vererek gelen mesajdan onu haberdar etti. Cross mesaja aldırmadı ama bir dakika sonra, mesaj kontrol edilmediğinde tekrar sinyal vermeye göre ayarlandığından, sinyal sesi yeniden duyulunca ekrana bakmaktan kendini alamadı. Mesajı gönderen kişi, telefonunda "JB Ofis" adıyla kayıtlıydı ve bu da mesaj sahibinin Bigelow ya da başasistanı Jessica olduğu anlamına geliyordu. Mesaj o kadar kısaydı ki ekrandaki özet bölümünde tüm yazanları görebiliyordu. "Acil. *Bloomberg Surveillance* programını aç. HEMEN. Noatak hakkında CEO röportajı."

Cross sıkıntıyla kaşlarını çattı. "*Noatak*" kelimesi ona bir şeyler çağrıştırıyordu ama ne olduğunu hatırlayamadı. Ancak olanlar, Bigelow'un ofisini, Houston saatiyle sabahın beşinde kendisiyle iletişime geçirecek kadar önemliyse bu telaşın sebebini öğrense iyi ederdi. Çalışma odasındaki televizyonu açtı, Sky'da *Bloomberg*'i buldu ve seyrelmiş beyaz saçları, kemik çerçeveli gözlükleri ve ona bir haber sunucusundan ziyade üniversite profesörü havası veren papyonuyla orta yaşlı bir adam gördü.

"Bu durumda," diyordu adam. "Piyasa düzenleyiciler bu sabah Dow(*)'da erken işlemde önemli etkisi olabilecek iki büyük olaya uyanıyorlar. Bunlardan biri olan Bannock Petrol'ün Alaska petrol sondaj mavnası *Noatak*'ın kaybedilmesi haberine birazdan döneceğiz."

(*) Bir grup büyük Amerikan şirketinin hisse fiyatlarının günlük ortalaması. (ç.n.)

Cross yüksek sesle nefes verdi. Şimdi mesajın neden o kadar ısrarcı olduğunu anlıyordu. İnternete girip daha fazla bilgi aradı, bu sırada sunucu konuşmaya devam ediyordu. "Ama ondan önce, Slindon Sigorta Şirketi Başkanı Thornton Carpenter şüphesiz bu sabah posta kutusunu açtığına pek sevinmemiş olmalı, çünkü Seventh Wave Yatırım Şirketi'nin kurucusu Aram Bendick'in efsanevi saldırılarından biriyle karşılaştı."

Cross saçları dökülmüş, hırçın görünüşlü, takım elbiseli beyaz erkek fotoğrafının ekranı doldurduğunu belli belirsiz fark etti, bu sırada sunucu konuşmaya devam ediyordu. "Bendick, şirket patronlarına aynı zamanda çevrimiçi olarak yayınladığı, e-posta formundaki aşırı agresif, son derece kişisel saldırılar sayesinde milyonlarca teşekkür topluyor. Stratejisi, şirketlerin yönetim kurullarını, mevcut stratejilerini terk etmeye ve işlerini uygun gördüğü şekilde yürütmeye zorlamayı ve bu da kısa dönem kârları ve hisse senedi fiyatlarını artıran agresif maliyet düşürme önlemlerini içeriyor. Fakat Bendick'in kurbanlarının da dahil olduğu eleştirmenler, daha önce sağlıklı olan işleri, içi boşaltılmış halde bıraktığını ve rakipler için kolay av haline getirdiğini söylüyor."

Şimdi ekranda, birkaç satırının çok daha büyük puntolarla verildiği bir belgenin görseli belirmişti. Cross, BBC haberlerinin sitesine girmiş, batma olayıyla ilgili daha önce yayınlanmış haberler arasında dolaşıyordu. Cross daha dikkatli seyircileri bilgilendiren ekrandaki sesin sadece rasgele bir kısmını yakalayabildi. "Bendick'in mektubu Carpenter'ı şu sözlerle suçluyor: 'Hissedarlar yerine kendisi ve üst düzey yöneticilerinin yararına çalıştırmak... Yönetim kurulu üyelerine büyük golf oyuncuları ve golf taraftarlarıyla takılma fırsatı veren golf turnuvası sponsorlukları için milyonlarca dolar harcayıp Slindon Sigorta markası için hiçbir şey yapmamak' ve 'üst düzey karar vericiler için stratejik planlama toplantıları adı altında aşırı yenen, aşırı içilen ve belirgin şekilde aşırı harcama yapılan aktivitelerde gönül eğlendirmek.'Bay Carpenter bu ithamlara henüz bir karşılık vermedi ama şimdi Aram Bendick bizlere New York'taki dairesinden katılıyor... Günaydın, Bay Bendick."

"Günaydın, Tom."

Cross şimdi sunucunun en azından ismini biliyordu. "Slindon Sigorta'nın kârı geçen yıl yüzde üç arttı, şirket hissedarlara rekor kâr payları ödedi ve bunların hepsi Thornton Carpenter görev başındayken oldu. O halde ona şimdi saldırmak ve başkan olarak performansıyla hiçbir alakası olmayan suçlamalar yapmak niye?"

Bendick'in cevabı en az görüntüsü kadar çelişkiliydi. Alaycı bir biçimde dudak bükerek rahatsız edici "Noo Yoik" aksanıyla konuştu. "Çünkü hepsi, onun tembel, faydasız ve yönetmesi gereken işin geleceği için net bir vizyondan yoksun performansıyla ilgili de ondan."

"Peki bunun sebebi, Slindon'ın –birçok büyük şirketin yaptığı gibi– bir PGA turnuvasına sponsorluk yapması mı?"

"Evet öyle. Bakın, şirket kârının yüzde üç arttığını söylediniz. Onların en yakın üç rakibi ortalama olarak yüzde beş kâr yaptı. Niye mi? Çünkü onların başkanları, yönetim kurulları ve yöneticileri pazarlarını büyütmek ve maliyetlerini azaltmak üzerinde düşünüyorlardı, Hawaii'de, 'kalıpların dışında düşünme fırsatı' kisvesi altında, tüm harcamaların dahil olduğu, beş günlük, lüks bir tatil için Bermuda şort ve güneş kremi satın almayı değil, lisanımı mazur görün, fakat böyle bir yozlaşma beni çok kızdırıyor."

"O halde raporunuzdaki tüm yorumlarınızın arkasında mısınız?"

"Arkasında olmasam yazmazdım."

"Peki, bundan sonra ne olmasını istiyorsunuz?"

"Slindon'da hisse sahibi olan arkadaşlarımızın kurumsal idarede büyük değişiklikler talep etmelerini –ve almalarını– istiyorum ve bu gerekli. Şayet bu, personel değişikliğini içeriyorsa o da olmalı."

"Peki, şu an için göz koyduğunuz başka kurumlar var mı?"

"Her zaman Tom... Her zaman."

"Aram Bendick her zaman yaptığı gibi açık ve net konuşuyor. Slindon çalışanlarından bilgi alacak ve bu hikâyenin gelişmelerini takip edip size aktaracağız. Şimdi dün gece yerel saatle on birde Bannock Petrol sondaj mavnasının battığı Alaska'ya gidiyoruz."

Şimdi Cross'un tüm dikkati Tom'un üzerindeydi, sunucu devam etti. "Bu olay, hem Bannock hem de Alaska'nın kuzeyinde, Beaufort ve Çukçi Denizi'nde petrol sahası oluşturmaya çalışan başka petrol şirketleri için bir dizi aksamayı işaret ediyor. Onlar, gezegenimizdeki en vahşi ortamlardan birinde çalışmanın zorluğu, sürekli eleştirilme ve Alaska'daki petrol sahalarının daha fazla araştırılmasına karşı olan çevrecilerin saldırgan lobi çalışmalarına maruz kalıyorlar. Şu anda yanımda, tanınmış Wall Street petrokimya analizcisi ve *Daily Gas* blogunun ve gazetesinin kurucusu Maggie Kim var. Maggie, bu felaketin Bannock Petrol'ün geleceğindeki etkilerini nasıl görüyorsun?"

Maggie Kim, Cross'un o sert "beni ciddiye alın" ifadesini yüzünden silse ve ara sıra gülümseme riskini alsa son derece güzel olabileceğini düşündüğü Avrasyalı bir kadındı. Ancak kadın konuşmaya başladığında Cross onun görüntüsüyle ilgili detayları unutuverdi. Bu kadın neyden bahsettiğini kesinlikle iyi biliyordu ve söyledikleri Bannock Petrol için hiç de iyi haber değildi.

"Senin de söylediğin gibi Tom," diye söze başladı Kim. "*Noatak*, Alaska sularında kaybedilen ilk sondaj mavnası değil. 2012'nin yılbaşında Shell mavnası *Kulluk* kayaya oturmuş ve hurdaya çıkmıştı. Bir yıl gibi kısa bir zaman sonra Shell, Alaska kutup bölgesindeki bütün sondaj programını durdurmuştu, bu da o ana kadar beş milyar dolar maliyet getirmiş ve hemen ardından, altı yüz seksen yedi milyon dolarlık hasar açıklamıştı. Böyle bir kayıp ciddi bir darbedir, düzenli olarak dünyanın en büyük üç kuruluşu listesine giren Shell için bile. Fakat çok daha küçük olan Bannock gibi bir işletmenin böyle bir şoka dayanması daha zor."

"O halde Bannock, Alaska'daki kutup bölgesine giderek çiğneyebileceğinden büyük lokma mı yedi?"

Kim, düşünceli bir tavırla başını salladı. "Bu kesinlikle yerinde bir soru. Bannock'un geçtiğimiz birkaç yıldır, önce şirketin kurucusu Henry Bannock'un dul eşi Hazel Bannock'un, daha sonra işi devralan Yönetici ve İcra Kurulu Başkanı John Bigelow'un liderliğinde agresif, yüksek riskli bir genişleme politikası vardı. Ve kabul etmeliyiz ki bu, şu ana dek işe yaradı. Hazel Bannock, Abu Zara Arap Emirliği'nde sektörün uzmanlarının işe yaramaz olduğuna inandığı bir petrol sahasına yatırım yaptı ve beş milyar galon verimli ve hafif ham petrolle dolu, delinmemiş yeraltı hücresine denk geldi. Şimdi Bigelow ve Bannock yönetimi ya iki katı ya hiç diyor, çünkü Batı Afrika ülkesi Angola'da da bir saha açıyorlar. Şirket Alaska ve Afrika'daki yatırımları için tam rakamları açıklamıyor ama on milyar dolara yakın olmalı."

"Eh, dün gece o mavna battığında Bigelow, bahislerinin yarısını kaybetti. Her iki bahis de kaybedilirse o ve Bannock buna dayanabilir mi?"

"Bilirsin, tam rakamları bilmeden kesin bir evet ya da hayır demekte tereddüt ederim. Ama şunu kesinlikle söyleyebilirim: John Bigelow, Angola'da hiçbir şeyin ters gitmemesi için dua ediyor olmalı. Ve Batı Afrika'daki petrol endüstrisini bezdiren güvenlik sorunlarını düşününce -bombalar, haraçlar, hatta kaçırılan gemiler- Bannock'un dün geceki gibi bir felaketten sağ çıkmasının mümkün olup olmayacağını merak ediyorum."

"Teşekkür ederim Maggie ve değindiğin meseleye istinaden hattımızda John Bigelow var. Günaydın, Senatör. Sanırım öncelikle Noatak mürettebatının tümünün güvenli bir şekilde kurtarılıp kurtarılmadığını sormalıyım?"

"Günaydın Tom," dedi Bigelow, gemilerinden birinin az önce battığını söylemek üzere sabahın erken saatlerinde yatağından kaldırılan altmış iki yaşında yaşlı her adam gibi bitkin, endişeli ve gergin görünüyordu. "Sahil Koruma'nın güzel insanlarının sıkı çalışması ve cesareti sayesinde, on beş kişilik mürettebatın hepsinin, batmadan önce *Noatak*'tan çıkarıldıklarını, güvende ve iyi olduklarını söylemekten mutluluk duyuyorum. Ve bu soruyu sorduğunuz için de ne kadar memnunum anlatamam, çünkü şu anda şirket olarak endişemiz kâr hanemiz değil, insanlarımızdır. Böyle zamanlarda insan hayatı dolarlardan daha fazla önem taşıyor."

"Bu çok doğru senatör, fakat hoşumuza gitsin ya da gitmesin dolarlar da pek yakında ana mevzu halini alacaktır. Maggie Kim az önce bizlere sizin, 'ya iki katı ya hiç' tarzını benimsediğinizle, aynı anda iki farklı saha inşa etmeye çalıştığınızla ilgili görüşlerini aktarıyordu..."

"Evet dinledim."

"Haklı mı peki?"

Bigelow gülümsüyormuş gibi yaptı ve Cross'un yüzünü ekşitmesine neden olacak şekilde sahte ve keyifsiz bir şekilde güldü: Bir insanın gülüşü ikna edici olmadığında sözleri inandırıcı olabilir miydi? "Eh, bilirsin, Tom, ben yıllardır Maggie'yi dinlemeyi severim. Her zaman söyleyecek bir şeyi vardır, ona şüphe yok. Fakat o da bizim gibi işini yapıyor ve onun işi insanların dikkatini çeken şeyler söylemek. Benimkiyse petrokimya alanında kârlı, sağlam, başarılı bir iş yönetmek ve bunu yapmaya devam etmeyi planlıyorum."

"Saygısızlık etmek istemem senatör ama soruma cevap vermediniz: Bannock'un iddialı gelişim programı onu aşırı büyümeye mi zorladı?"

"Buna cevabım çok basit bir hayır. Alaska operasyonlarımızdan bahsedecek olursak, Noatak tamamen sigortalıdır, yenisini devreye sokabileceğiz, operasyonlar yeniden başladığında petrol orada bizi bekliyor olacak. Angola'ya gelince, senin de bildiğine eminim Tom, Senato Dış İlişkiler Komitesi'nde uzun yıllar görev yaptım, o nedenle küresel ilişkilerle ilgili biraz bir şeyler biliyorum ve tavsiye için arayabileceğim birçok bağlantım da var. Bana söylenenlerden anladığım kadarıyla seni, Maggie Kim'i ve seyircilerimizi temin ederim ki, Angola'daki durum, hükümetin İslamcı militanlardan ciddi bir tehditle karşı karşıya olduğu Nijerya'daki durumdan farklı. Angola'da böyle kimseler yok. Hükümet sağlam, halk huzurlu ve alarma geçmek için bir sebep yok."

"Eh, bu düpedüz belaya davetiye çıkarmak," diye mırıldandı Hector Cross kendi kendine.

"O halde Alaska ve Angola'daki bahislerinizin başarılı olacağından eminsiniz, öyle mi?"

"Bunlar bahis değil Tom, bu kadarını söyleyebilirim," diye cevap verdi Bigelow. "Bunlar, bilinen petrol ve gaz rezervleri temeline dayandırılarak yapılmış mantıklı, pragmatik yatırımlar. Ve evet, bu yatırımlar Bannock Petrol ve hissedarlarına sermayelerinde uzun yıllar önemli getiriler sağlayacak."

Röportaj sona erdi ve Cross televizyonu kapadı. Şu anda kaynak talebiyle ilgili bir şeyler yazmanın anlamlı olup olmayacağını merak etti. John Bigelow güçlü bir savunma için elinden geleni yapmıştı. Ne var ki Cross, senatörü neyi gerçekten inandığı için, neyi sadece kendinden beklendiği için söylediğini bilecek kadar iyi tanıyordu.

Bu sırada Karakas'ta, Johnny Congo, bir piyango çekilişini izliyormuş ve biletindeki numaralar teker teker ekranda beliriyormuş gibi hissediyordu kendini: Cross'un, Bannock'un Angola projesinde çalıştığı haberi, ardından şirket patronlarına gününü gösteren portföy yöneticisi, ardından Bannock sondaj kulesinin batışı. Bunların içinde, Cross'u kesin olarak ele geçirmenin yolları yatıyordu. Bunu nasıl yapacağını tam olarak bulamamıştı ama yine de bir yol olduğuna şüphesi yoktu. Şimdi bilinçaltı, sorunun üzerinde çalışıp bir cevap ararken; onun ihtiyacı olan, kafasını dağıtacak şey yanı başında uzanmış yatıyordu.

Sağ kolunu uzattı ve yanında uyuyan kızı iki kez sertçe sarstı. Kız uyandı, tek dirseğinin üzerinde doğruldu ve odaklanamayan, mahmur gözlerle ona baktı. Congo, örtüyü açarak dizlerine kadar sıyırdı.

"Tekrar işe koyulma zamanın geldi."

"Pekâlâ baylar, sizinle paylaşmak istediğim sıcak haber şu: Mateus Da Cunha, resmi olarak kurduğu bir vakfı lanse etmek, resmi anlamda Cabinda adına farkındalık yaratmak ve ülkedeki bağımsızlık hedefini desteklemek için ikisi de Fransız olan büyükanne ve büyükbabasının Paris'teki dairesinde bir davet düzenliyor. Bunun gayriresmi olarak, Cabinda'nın kontrolünü zorla ele geçirme planı için kullandığı bir paravan olduğunu düşünüyorum." Nastiya O'Quinn, Hector Cross'un da katılmasını istediği, Cross Bow Güvenlik üst düzey toplantısında konuşuyordu. Hector'un çalışma masasında oturuyordu ve takımın geri kalanı odanın içine dağılmış, rahat pozisyonda, etrafta bulunan mobilyaların üzerine yerleşmişlerdi. Nastiya'nın üzerinde, dar bir etek vardı. Ekip bu manzarayla ne kadar sık karşılaşırsa karşılaşsın yine de dikkatleri üzerinde topluyordu. Fakat şimdi hep birlikte başlarını kaldırmış, yüzüne bakıyorlardı.

"Öyleyse kemerlerinizi bağlayın baylar ve bayanlar, havalanmak üzereyiz," diyerek araya girdi Hector. "Önceki tartışmalarımızdan anımsayacağınız gibi Cabinda bölgesindeki petrol rezervleri iki ya da üç yüz milyar dolar değerinde olabilir." İlgi ve heyecan dolu bir mırıldanma oldu. Seyirciler oturdukları yerde doğruldular.

Nastiya onaylar gibi başını salladı. "Bazı tahminlere göre bu miktar daha da fazla, bilhassa da varili yüz dolara alıcı bulursa. Da Cunha'nın davetine Nastiya O'Quinn olarak değil ama müşterileri eski Sovyetler Birliği'nden Rus yöneticiler ve diğer üst düzey kimseler olan yatırım danışmanı Maria Denisova olarak davet edildim. Duchêne ailesi liberal, hatta radikal fikirlere sahip olma geleneğiyle bilinmesine rağmen, Fransa'nın en eski ve en zengin ailelerinden biri. O nedenle bu, Paris sosyetesinin kaymak tabakasını, aynı zamanda da Avrupa, hatta Amerika Birleşik Devletleri'nden birçok konuğu cezbeden çok akıllıca bir fırsat. Öte yandan bu, bir para toplama etkinliği olacak. Şimdi müsaade ederseniz daha fazla ayrıntı için sizi Dave Imbiss'e teslim ediyorum. David sahne senin." Odanın karşısında duran David'e meşhur tebessümüyle gülümsedi.

"Bayan Denisova'yla ilgili hikâyeyi toparlayıp bir araya getirdim," dedi Dave Imbiss. "Gazete makaleleri, sosyal medya sayfaları ve Nastiya ile Da Cunha'nın muhakkak tanıyacağı adamlarla çekilmiş fotoğraflarla birlikte şirket web sitesini de oluşturdum. Moskova'da bir ofis, Nastiya'nın eski irtibatlarıyla dolu bir e-posta adresi ve telefon numarası üzerinde çalışıyoruz."

"Gelecek birkaç gün içinde, her şeyi yerli yerine oturtmak için Moskova'ya gitmeyi planlıyorum. Herhangi birisi ofisi arayacak ya da ziyaret edecek olursa resepsiyon görevlisi olarak hareket edecek bir asistan da tutacağım."

"Güvenlik konusunda endişeliyim," diyerek araya girdi Hector. "Senin bu bağlantıların güvenilir mi? Ayrıca, Da Cunha temasa geçerse, cicili biçili bir resepsiyon görevlisi yeterince ikna edici olacak mı ve hepsi ağızlarını sıkı tutacaklar mı?"

"Bu arkadaşlarımla, casusluk eğitimi sırasında tanıştım, o yüzden evet, eğer bana güveniyorsan onlara da güvenebilirsin. Resepsiyon görevlisine gelince "cicili bicili" kelimesinin anlamını bilmiyorum ama aklımda biri var ve evet, onun da güvenilir olduğuna eminim," dedi Nastiya net bir şekilde.

"Gayet makul. Peki bu partiye davetiye bulabilecek misin?"

"Zaten davetiyem var. Maria Denisova olarak Da Cunha'nın ofisini aradım. Kim olduğumu, ne yaptığımı ve müşterilerimin ortalamanın üzerinde getirisi olan yatırımlara para harcadığını anlattım. Beni hemen listeye eklediler."

"Dave'in Moskova'ya ya da Paris'e seninle gelmesini ister misin?"

"Yol boyunca izlenmeni sağlayabilirim, böylece bir şeyler ters giderse seni o durumdan kurtarırım," diyerek güvence verdi Imbiss.

"Hayır, gerek yok Dave. Moskova problem değil ve senin de burada Karakas işine hazırlanırken Hector'a yardım etmek gibi aynı derecede önemli işlerin var. Paris'e gelince, orada da kendi başımın çaresine bakabilirim. Sadece bana mümkün olan en küçük kamerayı bulup nasıl kuracağımı gösterirsen tamamdır."

"Seks kaydı falan yapmayacaksın, değil mi?" dedi O'Quinn, her ne kadar denese de söylediğinin bir espri gibi görünmesini sağlayamamıştı.

"Merak etme hayatım," dedi Nastiya, bir seferliğine de olsa sert bir profesyonel yerine, sevgi dolu bir eş gibi konuşmayı başararak. "Nasıldır bilirsin: Da Cunha'ya şantaj yapmak zorunda kalabilirim. Bunu yapmanın en iyi yolu, yayınlanmasını asla arzu etmeyeceği, zarar verici bir malzeme elde etmek. Beyaz bir kadınla seviştiğinin görülmesi onu utandırır mı? Hayır. Ama o kadın, içkisine Rohypnol katıp onu bayıltırsa, sonra da bağlanmış ve kırbaçlanır halde göründüğü bir çekim yaparsa, sanırım o zaman, dünyanın onu böyle aşağılanmış halde görmesini engellemek için ona hemen hemen her şeyi anlatır."

"Ah, şu eski kırbaç olayı," dedi O'Quinn, anladığını belli etmek için başını sallarken. "Her zaman işe yarar. Adam her şeyi anlatır. Mesela sen bana aynısını yaptığında ben. 'Benimle evlenir misin?' demiştim."

Nastiya, Moskova'ya vardığında havaalanından dünyanın en ünlü tasarımcılarının mağazalarının bulunduğu Tverskaya Caddesi'ne birkaç yüz metre mesafedeki Sadoyava Plaza ofis binasına gitti. Kısa dönem kiralanan ofislerin olduğu dördüncü katta bir ofis kiraladı ve burayı üst düzey müşterilere hizmet veren bir işyerine uygun ekipman, dekoratif aksesuvar ve mobilyalarla döşedi.

Göstermelik mekânını organize ettikten sonra, Yevgenia'nın da kaldığı annesinin evine gitti. Üç kadın kucaklaşıp öpüştüler, gülüşüp ağlaştılar. Nastiya, kız kardeşinin yüzündeki şişliklerin indiğini, kalan yaraların da makyajla kapatılabilir durumda olduğunu gördüğünde memnun oldu. İkisi günün geri kalanını birlikte geçirip konuştular, ayrı geçirdikleri yılların acısını çıkararak rahatsızlık hissetmeden, birbirlerine kısa isimleri Nastiya ve Zhenia diye hitap edebilecekleri bir noktaya ulaştılar. Zhenia henüz bilmiyordu ama Maria Denisova'nın asistanı rolü için test ediliyor, daha doğrusu sınava tabi tutuluyordu.

"Ah! İlk gerçek işim!" dedi Zhenia ertesi sabah coşkuyla, Nastiya, Da Cunha operasyonunda ona da bir rol ayırdığını söylediğinde.

"Eh, ilk gerçek sahte işin diyelim," diye düzeltti Nastiya. "Fakat bu çok önemli bir rol. İşle ilgili birisi ulaşmak istediğinde bana güvenmelerini sağlayacak, inandırıcı bulacakları birine ihtiyacım var. Eski günlerden birkaç iş arkadaşımı da..."

"Casus arkadaşlarını mı demek istiyorsun? Babam bir seferinde senin casus olduğunu söylemişti."

"Sen onu boş ver, bilmen gereken tek şey iyi insanlar oldukları, tamamen güvenilir ve senin güvenliğini sağlayacak kadar sağlam oldukları. Maria Denisova'nın hikâyesini layığıyla öğrenmen gerek: Kimdir, ne iş yapar, müşterileri kimlerdir... her şeyi."

"Bunu yapabilirim," dedi Zhenia. "Ama ne giyeceğim? Yani bir asistan, ne bileyim... iş kıyafetleriyle dolaşmaz mı? Benim bu tür şeylerim yok."

"O halde biz de senin için alışveriş yaparız."

"Ah, harika! Ama hâlâ beni endişelendiren bir şey var. Maria Denisova'nın müşterileriyle ilgili her şeyi bilmem gerektiğini söyledin."

"Doğru. Ve onlarla konuşmak isteyen biri olursa aradaki iletişimi kurman gerekiyor."

"Ama kim onlar? Aslında bu gerçek bir iş değil. Nasıl müşterilerin olabilir?"

"Çünkü sevgili babamız verecek onları bana."

"Bundan emin misin?" diye sordu Zhenia şüphe içinde. "Sana bir şey vermek isteyeceğini sanmıyorum."

"Ve ben de bu konuda bir seçim şansı olacağını sanmıyorum. Bana numarasını versene. Bunca yılın ardından ona bir merhaba demenin vakti geldi."

Gerçekten de uzun zamandır ortalarda olmayan kızıyla buluşmak Voronov'un ilgisini çekmişti ve hâlâ kayıp olan küçük kardeşini nerede bulabileceğini söylediğinde ise daha da ilgilenmişti. Onu, Moskova'nın hemen dışında, işi nedeniyle şehirde olması gerekmediği zamanlarda kaldığı kır evine çağırdı.

Nastiya'nın, babasının Zhenia'ya yağdırdığı hakaretlere benzer şeylerle onurunu kırmasına izin vermeye hiç niyeti yoktu, ayrıca Zhenia'yla olduğu gibi, ona karşı da ensest duygular geliştirmesine sebep olacak cesareti vermek de istemiyordu. Bu nedenle saçlarını rasgele bir topuz yaparak kruvaze bir erkek ceketi gibi duran, ama onu biraz olsun erkeksi göstermeyen bir ceket ve dar kesim pantolonuyla Jil Sander imzalı bir takım elbise giydi. Kıyafetini, şık olmakla kalmayıp ustalıklı bir şekilde gizlenmiş metal uçları olan kahverengi bir çift erkek ayakkabısıyla tamamladı. Üzerindekiler bir dövüş kıyafeti olarak ona hareket kabiliyeti ve gizli bir savunma sağlıyordu. Saçlarını toplayarak mükemmel kemik yapısını ortaya çıkarmıştı ve takım elbisesi öylesine ustalıkla dikilmişti ki saklamaya çalıştığı tüm vücut hatlarını daha da belirginleştiriyordu.

Otelin önünde onu siyah bir Maybach limuzin ve bir şoför karşıladı. Şoförün üniformasının altında, omzuna asılmış bir tabanca kılıfının olduğunu hemen fark etmişti.

Bunu kolaylıkla anlamış olması onu bir bakıma rahatlatmıştı. Bu, adamın birinci sınıf olmadığını ve ihtiyaç halinde nispeten kolaylıkla alt edilebileceğini gösteriyordu. Adam kapısını açarken Nastiya güzel bir kadın rolünü oynamaya karar vererek ona tatlı tatlı gülümsedi: Hayattaki en büyük keyiflerinden biri, geç de olsa göründüğü gibi olmadığını anladıklarında budala erkeklerin suratlarının aldığı şaşkınlık ifadesini izlemekti. Şehirden çıkıp yıllar içinde parti kodamanlarının *docha* veya kır evleri inşa ettiği orman yoluna girdiler. Bugün, nispeten mütevazı görünümlü tüm binalar yıkılmıştı. Yerlerini ise içinde yaşayanlar sanki mülk sahipleri değil de devlet suçlularıymış gibi güvenlik kameralarıyla izlenen, kilometrelerce yüksek duvarın ardına gizlenmiş, gülünç derecede büyük malikâneleri, hak edilmemiş servetleri olan adamların zevksiz tapınakları almıştı. Maybach yoldan ayrılıp bir güvenlik kulübesinin olduğu süslü demir bir kapıya doğru yöneldi. Limuzin kulübenin önünde durdu, sürücü bekçiyle konuştu ve demir kapı ardına kadar açıldı. İki yanı ağaçlıklı yol kıvrılıp bükülerek onları, ağaçlar, süs binaları ve hatta bir kenarında Rus tarzını yansıtmayan, üzerinde eski zamanlardan kalma taş bir köprü olan bir de gölün bulunduğu bir manzarayla buluşturdu. Ardından da Vitaly Voronov'un kır evi göründü ve Nastiya kıkırdamasını bastırmak için bir eliyle ağzını kapadı. Karşısındaki bina, milyonlarca insanın hemen tanıyabileceği, televizyon dizisi Downton Abbey sayesinde daha da ünlü hale gelmiş, İngiltere Berkshire'daki Highclere Şatosu'nun kusursuz bir taklidiydi.

"Aman Tanrım," diye fısıldadı Nastiya kendi kendine. "Bu sarhoş sapık kendini Grantham Kontu sanıyor."

Araç çakıltaşlı yolda çatırdayarak yoluna devam edip ana girişin önüne geldiğinde durdu. Şoför yolcu kapısını açtı ve Nastiya, yaklaştığında sihirli bir biçimde açılan ağır, iri ahşap kapılara çıkan merdivenleri tırmandı. O ve babasının, on beş yılın ardından ilk kez göz göze gelecekleri an için kendini hazırladı. Fakat büyük lobiye adımını attığında ilk karşılaştığı üvey annesi Marina oldu. Marina son derece güzel bir kadındı... Nastiya, Yevgenia'nın kime benzediğini anlamıştı. Ancak o kadar kusursuz bir şekilde giyinip süslenmiş ve boyanmıştı ki yaşayan bir canlıdan ziyade değerli bir süs eşyası gibi görünüyordu. Fakat gözlerinde uzun yıllar önce annesinin yüzünde de gördüğü için ona hemen tanıdık gelen bir ifade vardı. Yaşam sevinci dövülerek alınmış, ruhu gördüğü şiddet ve istismardan dolayı yerle bir olmuş bir kadının çaresiz ve umudunu yitirmiş bakışlarıydı bunlar. Nastiya'nın babasını annesinden kopartan, ayartıcı kadına karşı hissedebileceği şüphe ve saldırganlık anında kayboluverdi ve yerini savunmasız bir kadını koruma azmi aldı.

Marina merhaba demedi. Onun yerine, ona yaklaşıp Nastiya'nın elini kendi ellerinin arasına alarak kederli bir fısıltıyı andıran bir sesle sordu. "O nasıl?"

"İyi ve güvende," diye karşılık verdi Nastiya ve Marina'nın yanağını öpmek için eğildi. Başları birbirine yaklaştığında fısıldayarak konuştu. "Sen de iyi olacaksın. Söz veriyorum." Ardından birbirlerinden ayrıldılar ve Marina sesini bir kadının diğerini selamlayacağı normal tona yükselterek konuştu. "Çok şık görünüyorsun canım. Bu harika takımı nereden aldığını bana da söylemelisin. Çok hoş görünmüyor mu, hayatım?"

Vitaly Voronov anlaşılmaz bir şeyler homurdanarak lobiye girmişti. Üzerinde tüvit bir avcı ceketi ve bir Savile Row terzisinin elinden çıkma olduğu belli olan bir golf pantolonu vardı. Ama onu kesen ve diken zanaatkârın becerisi dahi Voronov'un seçtiği hardal renkli ekose motiflerin bayağılığını veya içindeki adamın zalim, kaba ve kültürsüz bir hödük olduğu gerçeğini gizleyememişti.

"Anastasia'nın bu kadar güzel olduğunu bana söylememiştin," diye ekledi Marina. "Onunla gurur duyuyor olmalısın."

Voronov, karısını duymazdan geldi ve büyük kızına küçümsemenin sınırlarında dolaşan bir kayıtsızlıkla baktı. Nastiya içindeki babasının sesindeki sevgi yoksunluğundan incinen küçük kızdan utanıyordu. Nastiya asla onun gibi bir domuzdan baba şefkatinin zerresini dahi bekleyecek kadar budala olmayacağını söyledi kendi kendine.

"Sen git," dedi Voronov karısına, elini sallayarak onu gönderirken.

Ondan nefret etmek için bir sebep daha, diye düşündü Nastiya, üvey annesinin itaatkâr bir biçimde kocaman evin içine doğru gözden kayboluşunu izlerken.

"Beni takip et," dedi Voronov, Nastiya'yı koridorun sonundaki bekleme odalarından birine götürdü. Mimarlar, Highclere'in dış görünüşüne sadık kalmış olsalar da iç dekorasyona aynı özeni göstermemişlerdi. Aile portrelerinin, antika mobilyaların ve deri kapaklı ciltlerle dolu kocaman kütüphanenin sade ihtişamı yerini; siyah mermer, parlak aynalar, pırıl pırıl krom ve altın biblolar ile bir ailenin kır evinden ziyade bir şeyhin Riyad'daki randevu evine veya Kolombiyalı kokain baronunun bekâr evine daha uygun görünen beyaz deri mobilyaların zevksiz bolluğuna bırakmıştı.

Voronov geniş bir kanepeye oturdu ve karşısına oturması için Nastiya'ya işaret etti, sonra sehpada duran telefonun ahizesini eline aldı. "İçki ister misin?" diye sordu.

"Hayır, teşekkür ederim."

"Nasıl istersen. Bana bir şişe votka getir. Hayır, o kalitesizlerden değil, iyilerden." Voronov telefonu bırakıp büyük kızına baktı. "Ee ne istiyorsun? Çünkü eğer istediğin paraysa cehenneme kadar yolun var. Benden beş kuruş alamazsın."

"Hayır, baba, para istemiyorum."

"Güzel. Nedir o halde?"

Beyaz ceketli bir garson –onun da bir silah taşıdığı Nastiya'nın gözünden kaçmamıştı– Voronov'un yanındaki sehpaya bir tepsi yerleştirdi. Nastiya tepside ağır kristalden, uzun bir bardak ve içinden bir votka şişesinin göründüğü gümüş bir buz kovası gördü. Ardından garson şişeye uzandı, onu alıp bembeyaz bir kumaş peçeteyle sarmaladı ve kristal bardağı ağzına kadar doldurduktan sonra şişeyi buz kovasına geri koydu. Sonra tek kelime etmeden ortadan kayboldu.

Nastiya bu kısa performansı izledi ve konuşmadan önce babasının içkisinden uzun ve büyük bir yudum almasını bekledi. "Senden istediğim birkaç şey var, baba. Sana tek bir rubleye bile mal olmayacak şeyler. Fakat senden ne istediğimi tam anlamıyla açıklamadan önce sormam gereken bir soru var: Ölmek istiyor musun?"

Voronov bardağını bırakıp ona anlaşılmaz bir şey söylemiş gibi baktı. "Ne biçim bir soru bu? Elbette ölmek istemiyorum."

"Güzel, çünkü söylediğimi yapmazsan öleceksin ve seni öldüren ben olacağım."

Voronov gülmeye başladı. "Sen mi? Beni öldürmek mi? Beni güldür..." Ama cümlesini asla bitiremedi. Her nasıl olduysa –çünkü muhtemelen Voronov bunu nasıl becerdiğini açıklayamazdı–

o daha yerinden kıpırdayamadan Nastiya aralarındaki mesafeyi bir saniyede kapatıvermiş, babasını boğazından sıkıca yakalayıp olduğu yere mıhlamıştı.

"Güvenlik görevlilerinin kapalı televizyon sisteminden bizi izlediklerini tahmin edebiliyorum," dedi.

Voronov ciyaklar gibi bir ses çıkardı ve güçsüz bir şekilde ellerini çırptı.

"Seni öldürdükten sonra, onlar sana ulaşamadan evden çıkıp gitmiş olacağım konusunda hemfikiriz. Görüyorsun ya, canım babacığım, Spetsnaz tarafından eğitildim ben." Babasının boğazını bıraktı ve zarif bir şekilde yerine döndü. "İşe yaramaz soytarıların geldiğinde onlara endişelenecek bir şey olmadığını söyle. Baba kız arasında küçük bir ağız dalışı sadece. Eğer başka bir şey dersen bir dahaki sefere o kadar nazik olmam ve inan bana, bekçilerin ne seni ne de kendilerini kurtarabilirler. İşte, geliyorlar, duyuyorum..."

Korumalar odaya daldıklarında Nastiya mahcup bir ifadeyle bacak bacak üstüne atmış, oturuyordu, adamları görünce gülerek konuştu. "Ah baba çok eğlencelisin!"

Korumaların lideri kapıya geldiğinde durdu. "Her şey yolunda mı, efendim?"

Voronov konuşmak için ağzını açtığında sert ve acılı, boğuk bir sesten başka bir şey çıkmadığını fark ederek elini sallayıp çaresiz bir sırıtışla onları gönderdi.

"Bana daha fazla ilgi göstermeliydin baba," dedi Nastiya, kapı son çıkan korumanın ardından kapanırken. "O zaman yaptığım işi ve yıllar içinde edindiğim becerileri bilirdin. Ama şimdi neler yapabileceğimi tecrübe ettiğine göre benim için ne yapacağını söyleyeyim."

Yerinden kalkıp Voronov'a doğru yürüdü ve yaklaşırken babasının korkuyla sindiğini görmek hoşuna gitti. "Al bakalım," dedi. "Uslu bir çocuk olayım da sana biraz daha içki doldurayım. Bununla kendini daha iyi hissedersin."

Babası ilk yudumda boğazını acıtan içkiden dolayı zorlukla solurken Nastiya taleplerini sıraladı. "Öncelikle Yevgenia'nın yerel ve uluslararası pasaportunu, ehliyetini, arabasının anahtarını –arabanın Moscow Tower'ın altındaki garajda, bıraktığı yerde durduğunu varsayıyorum– bilgisayarı, tableti ve eşyalarının olduğu üç büyük valiz de dahil, hayatına devam etmek için ihtiyaç duyacağı her şeyi vereceksin bana. İhtiyaçlarının olduğu liste bende. Onu personeline verirsin ve biz de eşyaları bu akşam arabasını almaya geldiğimizde alırız."

"Unut bunu," diye hırladı Voronov. "O nankör kaltağa ayakkabımın altındaki köpek pisliğini bile vermem."

Nastiya hoşgörüyle gülümsedi. "Hayır, ona her şeyi vereceksin. Yoksa yapabileceklerimi bir kez daha göstermemi mi istersin?"

Voronov ona baktı. Belki de tehditlerinin gerçek olup olmadığını anlamaya çalışıyordu. Ya da belki yirmi yıldan uzun bir zaman önce arkasında bıraktığı küçük kızın nasıl olup da eğitimli bir katile dönüştüğünü merak ediyordu. Hangisini düşündüğünün Nastiya için mahsuru yoktu. Vazgeçirene kadar ona dik dik bakmaya devam etti. "Başka ne istiyorsun?"

"Tanıdığın en zengin ve güçlü iki kişiyi arayacaksın. Nerede yaşadıkları umurumda değil. Moskova, St. Petersburg, Londra, New York, Paris fark etmez. Sadece zengin, güvenilir ve sana bir iyilik yapmaya istekli olsunlar yeter. Onlara yeni bir metresin olduğunu söyleyeceksin. İsmi Maria Denisova. Bu kadın bir bankada çalışıyordu ve şimdi finansal danışman olarak kendi işini kurmak istiyor, potansiyel olarak büyük oranlarda getiriler sunan, azımsanmış şirketlerden büyük bir çıkış yapmaya hazırlanan yeni sanatçılara kadar benzersiz yatırım fırsatları buluyor. Sen de onun bu budalaca hırsını destekliyorsun, çünkü sen onu ne kadar mutlu edersen o da seni aynı şekilde mutlu edecek ve hepimiz onun bunu yapabileceğini biliyoruz.

Ve şimdi bu metres yatırım potansiyeli olan bir adam buldu. İsmi Da Cunha. Ona başka üst düzey kişilerle de çalıştığını söylemek istiyor. Arkadaşlarının tek yapması gereken Da Cunha'nın telefonlarına cevap vererek Maria Denisova'nın güvenilir biri olduğunu söylemeleri. Eğer onlara bir şey söyleyeceklerse her şeyin Bayan Denisova'dan geçmesini tercih ettiklerini söylememeliler."

"Bu Da Cunha kim?" diye sordu Voronov.

"Batı Afrika'da büyük kalkınma planları olan ve Afrikalı bir babadan doğma bir Portekizli."

Voronov aniden canlandı. "Gerçekten mi? Ben de yatırım yapmalı mıyım?"

Nastiya onun sorusunu başka bir soruyla cevapladı. "Nijerya'dan para talep eden bir e-posta aldığında onlara nakit gönderiyor musun?"

Voronov başını salladı. "Tamam anladım. O halde sen bu Da Cunha'yla neden ilgileniyorsun?"

"Mesleki sebeplerden. Bundan daha fazlasını söyleyemem. Eğer söylersem seni öldürmek için bir sebebim daha olur."

Voronov güldü. "Çok komik!"

"Hayır... değil. Ve açık konuşmak gerekirse Da Cunha'ya senin ismin de verildi, o yüzden şayet seninle irtibata geçerse sana söylediğim şekilde konuş. O halde şimdi yapman gereken iki görüşme var. Tuşlamaya başla."

Voronov'un Nastiya'nın istediği tipte insanlara ulaşması için beş kez girişimde bulunması gerekti. Yevgenia'yı Moskova sosyetesinden çıkarmak için itibarını fazlasıyla kullanması gerekmişti. Fakat sonunda, hayali metresi için referans görevi yapacak Londra'daki bir gazete patronunu ve şimdilerde Kıbrıs'taki saray yavrusu malikânesinde rahatına bakan emekli bir petrol kralını ikna etmeyi başardı. "Senden bıkacak olursa Vitaly," dedi petrol kralı. "Beni aramasını söyle. Küçük finans işini unutup gündüzleri güneşte yatabilir ve geceleri de beni düzebilir. O zaman gerçek bir erkeğin nasıl olduğunu da öğrenir!" Voronov zoraki bir kahkahanın ardından telefonu kapadı. "İşte oldu!" dedi Nastiya'ya dönerek. "Tamam mıyız? Şimdi hayatıma devam etmek istiyorum. İçinde sen olmadan."

Nastiya ona hemen cevap vermedi. Derin ve sabit bir şekilde babasının gözlerinin içine baktı ve orada başından beri onunla ilgili bildiği şeylerin onayını gördü. Vitaly Voronov kibirli ve erkeksi duruşunun ardında namert bir korkaktı. Onun, annesinin ve üvey kardeşinin bundan böyle ondan korkmasına gerek yoktu.

"Evet, tamamız," diye karşılık verdi nihayet. "Fakat bilmen gereken bir şey daha var. Eğer bir daha Yevgenia, Marina ya da senin hayatına girecek kadar talihsiz olan bir başka kadına elini sürecek olursan seni bulup öldürürüm. Dünyanın neresinde olursan ol, seni koruması için kaç tane adam tutarsan tut senin o sefil hayatını sona erdiririm. Şimdi şoförüne Maybach'i çıkarmasını söyler misin? Moskova'ya geri dönmem gerekiyor."

Dave Imbiss ve Nastiya O'Quinn, Da Cunha operasyonuyla ilgilenirken Hector Cross programındaki başka meselelerle meşgul oluyordu. Noatak'ın batması sorun yaratırken, bir başkasını çözdüğünü fark etmesi uzun sürmedi. Sonuçta şimdi artık kutup bölgesiyle ilgisi olmayan, mükemmel durumda bir açık deniz gemisi vardı. O halde neden onu Magna Grande sahasındaki yüzen merkez ofisi olarak kullanılmak üzere Cabinda'ya götürmüyordu?

Hector Cross bir sabah, Nastiya'nın Londra'ya dönüşünden bir hafta sonra, takımını çağırıp onlarla konuştu. "Dün gece Karakas'taki araştırma görevlimizden bir rapor aldım... Bu arada ismi Valencia. Guillermo Valencia. O ve adamları son iki haftadır Villa Kazundu'da ya da benim söylemeyi sevdiğim ismiyle "Şato Congo"da gözlem yapıyor ve çok iyi bir iş çıkardı. O nedenle şu kadarını biliyoruz..."

Cross bilgisayarındaki bir tuşa bastı ve büyük bir evin tepeden görüntüsü belirdi. "Villa, Karakas'a bakan tepede inşa edilmiş özel bir arazinin parçası. Ev tepenin yamacında ve kısmen içine gömülmüş: bodrum katında kayaya gömülü olan dev garajdan en üst kattaki yatak odalarına kadar. En yüksekte oluşu akıllıca düşünülmüş. Tepenin üstü boyunca devam eden düz alana ulaşmadan önce üzeri çalılarla örtülü kısa ve dik bir alan var. Bu görüntü o alandan çekilmiş ve gördüğünüz gibi faydalanmanız gereken kullanışlı bir seyir noktası." Cross tuşa bir kez daha bastı ve yakınlaştırılmış kumlu bir görüntü daha belirdi: Üzerinde bir şort mayo ve önü açık havlu bir bornoz olan, havuz kenarındaki bir şezlongda, kulağıyla omzu arasına bir telefon sıkıştırmış, bacaklarının arasındaki yastığın üzerinde bir iPad bulunan, sere serpe oturmuş iri bir Afro-Amerikan adamın görüntüsüydü bu.

"Bunun kim olduğunu söylememe gerek yok," dedi Cross. "Valencia'nın bunu bana göndermesinin sebebi, Congo'nun telefonunda ya da iPad'inde çok fazla zaman geçirdiğini göstermek. Diğer bir deyişle, dış dünyadan insanlarla temas halinde ve onlarla konuşmasının bir sebebi var."

"Sanırım o sebep sensin Heck," dedi Dave Imbiss.

"Evet, bu bir olasılık."

Şimdi de, birbirine benzeyen siyah takım elbiseler içindeki adamların olduğu üç fotoğraf tek bir görüntü halinde ekranda belirmişti. "Congo bu mülkü üç grup insanla paylaşıyor," diye devam etti Cross. "İlki korumaları. Üçlü vardiyalar halinde çalışıyorlar: birisi kapıdaki kulübede, diğer ikisi devriye geziyor. Bu adamlar bir güvenlik şirketi için çalışıyor, yani Congo'ya karşı şahsi bir bağlılıkları yok. Congo'nun orada olmamasına alışkınlar, o nedenle de işlerinde biraz gevşemiş durumdalar. Valencia, Congo geri döndüğünden beri pek de bilenmediklerini söylüyor. Sonuçta bir sıkıntı olmasını beklemiyorlar. Mülk sakinlerinin çoğu Venezuela hükümetiyle bağlantılı, böylelikle bu mülkte kaldıkları sırada başlarına bir şey gelirse fazlasıyla ciddiye alınır. Muhtemelen, 1969'dan beri katı sağcı ya da aşırı solcu olsun, Venezuela hükümetinin pis işlerini yapan siyasi polis SEBIN'e –*Servicio Bolivariano de Inteligencia Nacional*'in kısaltması– götürülürler. Ve aklı başında hiçbir küçük çaplı dolandırıcı onlara bulaşmak istemez.

"Korumalarla ilgili son bir önemli nokta daha: Silahlılar, ama tam otomatik silahlar yerine yalnızca tabancaları var. Anlaşılan silah kontrol yasaları Venezuela'da şaşırtıcı derecede sıkıymış. Lisanslı avcılık silahlarının dışındaki bütün silahlar vatandaşlara yasak. O nedenle korumalar tabanca taşıyor ve onları iyice gizliyorlar, yerel polis de görmezden geliyor. Şimdi de evdeki ikinci grup insanlara gelelim, yani ev hizmetlilerine."

Cross tuşa birbiri ardına birkaç kez bastı ve farklı üniformalarda adam ve kadınların görüntüleri ekrana yansıdı. "Toplamda on-on iki kişi kadarlar: kâhya, şoför, muhtelif hizmetçiler, aşçılar, bahçıvanlar ve araba tamircileri. Bazıları mülkte konaklıyor, diğerleri yarızamanlı gelip gidiyor. Onlarla tek alakamız yolumuza çıkmamalarını sağlamak olacak."

"Peki bunu nasıl yapacağız?" diye sordu Paddy O'Quinn.

"Büyük bir dikkatle," diye cevapladı Hector. "Bu, Afrika'ya dalmak, kamyonlar ve ağır silahlarla dolu lanet koca bir uçağı dağ başına indirip hareket eden her şeyi havaya uçurmak gibi bir şey değil. Nispeten varlıklı, gelişmiş bir Batı ülkesinin başkentinde, şık bir semtte, korunan bir evde operasyon yapacağız. O nedenle de başlangıç olarak ülkeye silah sokamayız. Aslına bakılırsa alan güvenliğini kırarken tamamen silahsız olacağız... Bu da bana daha evvel söylemeyi unuttuğum bir şeyi hatırlattı: Bir alarm sistemi var, iyi bir sistem: kameralar, harekete duyarlı algılayıcılar, basınç duyarlı pedler, panik butonları, güçlendirilmiş parçalar. Kapalı devre kamera yayını kapıdaki bekçi kulübesine gidiyor. Alarmlar yerel acil servislere bağlı. Ve son bir şey daha: Evin kendi kapılarının tuş kilitleri var, hepsinin şifresi ayrı ve bu farklı şifreleri Congo'dan başka kimse bilmiyor."

"Tekrar ettiğim için kusura bakmayın," dedi O'Quinn, "Ama bir kez daha soruyorum: Nasıl yapacağız?"

Cross sırıttı. "Çok kolay. Öyleyse toplanın çocuklar, size nasıl olacağını anlatayım..."

Karakas işi için Hector'un üç adama ihtiyacı vardı, bu nedenle Cross Bow'un ana hareket üssünün bulunduğu Abu Zara'ya kısa bir seyahat düzenleyerek yirmi dört saat içinde gidip döndü. En iyi adamlarından altı kişiyle konuştu, onlara kayıt dışı bir görev için gönüllüler aradığını söyledi ve birinin veya hepsinin hapishaneyi ya da mezarı boylayabileceği kadar yüksek riskli bir iş olduğunu da ekledi. Birçok kişi ona aynı şeyi sordu, "Congo'nun peşine mi düşeceksin?" Sorulara cevap vermedi ve adamların bilmesi gereken de buydu. Hepsi hazır olduklarını söyleyince Cross kura çekerek sırasıyla Hava İndirme Tugayı, SAS Komandosu ve Amerikan Ordu Komandosu olan Tommy Jones, Ric Nolan ve Carl Schrager'i seçti. Karakas'ta üç farklı noktaya giden farklı uçaklarda adlarına yerler ayrıldı. Hepsi farklı otellerde kalıyordu, Tıpkı Paddy O'Quinn ve Hector'un da yapacağı gibi.

Cross, Londra'ya dönmeden önce aklındakileri tam olarak özetleyen kapsamlı talimatlar verdi. Valencia o arada Şato Congo'nun orijinal planlarını edinmeyi başarmıştı, adamlara bu planların PDF kopyaları verildi ve Abu Zara'dan ayrılmadan önce bu dosyaları ezberlemeleri söylendi, çünkü onları o araziyle ilişkilendirebilecek hiçbir şeyi yanlarına almayacaklardı. Operasyonun olacağı gece yanlarında hiçbir şekilde kimlik de taşımayacaklardı.

"Eğer herhangi biri görev sırasında öldürülürse isimsiz bir mezara konması gerekecek," dedi Cross açık açık. "Ama ben bileceğim ve sevdiklerine göz kulak olunmasını sağlayacağım."

Onlara verdiği son talimat, operasyon için baştan aşağı siyah giyinmeleri oldu. "Malumu ilan etmek oluyor biraz ama uçuş sırasında öyle giyinmeyin ya da hepsini aynı valize koymayın. Karakas'ta havalimanı güvenliğinden geçerken lanet bir SWAT timi gibi görünmenizi istemiyorum. Siyah bir tişört giyin, siyah pantolonu valize koyun... sana ayrıca belirtiyorum, Schrager, şort değil, pantolon."

"Evet, bacaklarını görmesek de olur," diye espri yaptı Jones.

"Maskeler uçağa alınan valizlere gidecek. Onları iyice katlayın ki çorap gibi gözüksünler. Pekâlâ, sorusu olan?"

Cross, Karakas'a yapılacak yolculuğun ayrıntılarıyla ve oraya vardıklarında nasıl iletişim kuracaklarıyla ilgili birkaç soruyu cevapladı. Operasyon gecesinde kullanılmak üzere getirilecek birkaç sivil ekipmanı listeledi. "Pekâlâ baylar," diye sonlandırdı. "Sizi bir dahaki görüşüm, Karakas'taki görev gecesinde olacak. İyi şanslar... ve iyi avlar."

Duchênelerin evi, Eyfel Kulesi ve Invalides'e iki adım mesafede Avenue de Breteuil'de şık bir apartmanın birinci ve ikinci katında yer alıyordu. Paris şıklığının ve zarafetinin bir örneğiydi. Bina, sokak boyunca devam eden ağaçlarla çevrili, gümüş renkli bir park alanının –kusursuz çimenler, yavaş ve romantik yürüyüşler için yapılmış patikalar– olduğu geniş bir meydana bakıyordu. Nastiya meydanın kenarında, ağaçların gölgesinde oturup birkaç dakika boyunca davetlileri indiren dizi dizi limuzinleri seyretti. Erkeklerin çoğu, imzasız takım elbiseler giymiş, kravat takmıştı. İçlerinden bazılarının saçları, entelektüel eğilimlerini belli edecek şekilde biraz daha uzundu ve alınlarından geriye, kulak arkasına doğru özenle taranmıştı. Gömleklerinin düğmeleri cesur bir biçimde göğüslerine dek açık bırakılmıştı ve kadife kumaştan atkıları, orta yaşa gelmiş bedenlerinin göğüs kafeslerini kışın soğuğundan korumak için rasgele omuzlarına atılmıştı. Kadınlar ise elbette, en asortik şehirlerden biri olan Paris'in gerektirdiği gibi, çılgınca perhiz yapmış, bakımlı, şapkalı ve özel tasarımlar içindeydiler.

Nastiya bilhassa kadınları inceledi. Rekabetin izlerini aradı: Sürgündeki zengin, yakışıklı Afrikalı lideri baştan çıkarmak için bu bekâr ve yırtıcı dişilerin kendilerine has sebepleri vardı. Değerlendirmesini tamamladıktan sonra ağaçların arasından çıkıp yolun karşısına geçerek binanın ana girişine giden yolda, iç bahçeye çıkan, alevli meşalelerle aydınlatılmış kavisli geçitten ilerledi. Salona kabul bekleyen misafirler, her ikisi de açık olan çift kapılara çıkan geniş taş merdivenlerde sıralanmıştı. Nastiya kapıların iki yanında siyah takım elbiseli ve ceketlerinin altında tabanca kılıfları olan, kulaklıklı korumaların durduğunu fark etti. Arada sırada bir misafirden, üst araması için yana geçmesi isteniyordu. Kapıların hemen gerisinde iki kadın görevli bütün kadın misafirlerin çantalarına bakıyordu. Son olarak da onlardan daha genç ve alımlı, benzer kokteyl elbiseleri içindeki iki kadın, misafirlerin isimlerini alarak önlerindeki listeden kontrol ediyordu. Fazlasıyla görünür olan bu güvenlik önlemleri davete ayrıcalık katıyordu. Gerçekten tehlikeli bir şeyin varlığını ima ediyordu: Bir hükümeti tehdit edebilecek ve ona karşı harekete geçebilecek bir özgürlük fikri. Ve Nastiya, bunun sadece misafirlerin gururunu okşayacağını ve katılımları için onları cesaretlendirmeye yarayacağını biliyordu.

Nastiya tüm kontrollerden geçip zarif desenleri olan İran halılarının serili olduğu beyaz mermer zeminli koridora girdi. Orta avludan birinci kata çıkan görkemli merdivenler de mermerdi ve demir parmaklıklarındaki altın renkli motifler göze çarpıyordu. Elektrikli şamdanlarla aydınlatılmış aile portreleri, sanki eve giren herkese, Duchênelerin asırlarca geriye uzanan ve muhakkak gelecek yüzyıllarda da devam edecek bir aile olduğunu hatırlatmak ister gibi duvarlara sıralanmıştı. Merdivenlerin tepesinde garsonlar, ellerinde içleri davetkâr şekilde köpükler saçan şampanyaların olduğu gümüş tepsilerle hazır bekliyordu. Nastiya bir tane alıp ana salona yöneldi. Birkaç antika mobilya haricinde tüm mobilyalar, misafirlerin kaynaşıp konuşmasına ve boydan boya devam eden, tahta panellere gömülü aynalarda kendilerini incelemesine veya taş parmaklıklarla çevrili, sobalarla ısıtılmış terasa çıkan üç dizi Fransız penceresinin arasında dolaşmasına müsaade edecek alan oluşturmak amacıyla kaldırılmıştı.

Odanın karşı tarafında, şimdi iki yanında ayaklı hoparlörler bulunan büyük mermer şöminenin önüne mikrofonlu küçük bir kürsü yerleştirilmişti. Nastiya salonda bir tam turu tamamladıktan sonra seksen yaşlarına yaklaştığını bildiği bir adamın kürsüye doğru yürüdüğünü gördü. Bu, ailenin reisi Jérome Duchêne'di. *Artık Da Cunha'nın kime çektiğini biliyorum,* diye düşündü Nastiya, çünkü Duchêne kolaylıkla altmışlarında, yakışıklı bir adam olarak sayılabilirdi. Hiç dökülmemiş, gümüş renkli saçları vardı; yakaları saten, mavi kadife bir smokin ceketi, beyaz ipek gömlek ve dar kesim pantolonla birlikte son derece güzel taşıyacak kadar ince yapılıydı. Kürsüye çıkarak açık olup olmadığını kontrol etmek için mikrofona birkaç kez hafifçe vurdu ve Fransızca konuşmaya başladı. "Bayanlar ve baylar, büyük bir zevkle ve bir babanın gururuyla size torunum Mateus Da Cunha'yı takdim etmek istiyorum!"

Kibar bir alkış furyası odada dalgalandı, onu ev sahibini gören kadınlardan çıkan iç çekme sesleri izledi. Da Cunha akıcı ve atletik bir edayla kürsüye doğru yürüdü. Hem takım elbisesi hem de gömleği siyahtı ama teni mükemmel ve pürüzsüz bir sütlü kahve tonundaydı, hatları Afrikalıların güçlü çizgilerinin ve Nordik zarafetinin birleşimiyle kusursuz bir karışım oluşturuyordu: İnsanlığın Eritme Kazanı(*) sonrası çağlardaki tahmini görüntüsünü gözler önüne seriyor gibiydi. Uzun boyluydu ve ustalıkla dikilmiş kıyafetlerinin altından fiziksel anlamda formda olduğu anlaşılıyordu. Fakat bunun ötesinde bir şey daha vardı ve ancak salonda etrafına bakındıktan sonra konuşmaya başladığında ne olduğu anlaşıldı. Karizma ya da bir yıldız veya lider olma, hatta cazibe olarak adlandırılabilecek bir özellikti bu. Görünürde en ufak bir çaba sarf etmeden kendisini ilgi odağı haline getirirken aynı zamanda kadın ya da erkek olsun, her bir bireyi sanki doğrudan onlarla konuştuğuna, en az onların kendisinden etkilendiği kadar onlardan etkilendiğine ve mutluluklarının kendisininkinden daha kıymetli olduğuna ikna ediyordu. Da Cunha bu karizmaya sahipti. Bunun farkındaydı ve çok geçmeden salondaki herkes de bunu anladı.

(*) "The Melting Pot": Farklı unsurları "birlikte eritip" uyumlu bir bütün haline getirerek ortak bir kültürde daha homojen hale gelen heterojen bir toplum için kullanılan bir terim. (ç.n.)

Da Cunha davetteki herkese uzanmaya çalışıyormuş gibi ellerini uzattı. "Dostlarım... Sevgili dostlarım... Sözlerime affınızı isteyerek başlamalıyım. Burada, Fransa'nın başkentinde, doğduğum şehirde, sizlerle İngilizce konuşuyorum. Biliyorum, bu affedilmez bir ihanet..." Yüzünde adeta mahcup, özür dileyen bir tebessüm belirdiğinde salonda hafif bir gülüşme oldu. "Ama bu gece burada birçok ülkeden insan var ve paylaştıkları ortak lisan İngilizce."

Fransız aksanıyla seni en çekici gösteren lisan aynı zamanda, diye geçirdi Nastiya aklından.

"O nedenle," diye devam etti Da Cunha. "Bu akşam buraya gelen herkese teşekkür ederim. Sadece burada bulunarak bile Cabinda ülkesi adına bağımsızlık, refah ve huzur hayaline inandığınızı ifade etmiş oluyorsunuz. Bu hayali, özgür olmayı arzulayan insanlar için en büyük haykırışların doğduğu şehirde paylaşmamız ne kadar da muhteşem: *Liberté, égalité, fraternité!* O özgürlük, o eşitlik ve o kardeşlik, benim insanlarım için arzuladığım şeyler. Fakat bu nimetler, dış dünyanın ahlaki, siyasi ve –evet, inkâr etmeyeceğim– finansal desteği olmadan temin edilemez. Ve böylelikle bu akşam Cabinda Vakfı'nın kuruluşunu ilan ediyorum, bağımsız bir Cabinda gayesiyle mücadele verecek, kâr amacı gütmeyen bir organizasyon. Vakıf bağış toplamak ve Cabinda'daki politik durumla ilgili farkındalık yaratmak adına ama aynı zamanda ve daha da önemlisi atalarımın güzel yurdu hakkında insanları eğitmek için etkinlikler düzenleyecek.

Şu anda ne düşündüğünüzü biliyorum..." Da Cunha duraksayıp etrafına bakındı ve dudaklarına yeniden ufak bir tebessüm yerleşti. "İyi de Cabinda denen bu yer hangi cehennemde?"

Bu kez gülüşmeler daha yüksek sesliydi, Afrika uzmanları hariç herkesin düşündüğü şeyi kabul ettiği ve bunu düşündükleri için onları affettiğini duymakla gelen bir rahatlamaydı.

"Ben size söyleyeyim. Afrika'nın batı kıyısında, ekvatorun sadece beş derece güneyinde, çok daha büyük, daha güçlü ülkelerle çevrili. Bu ülkelerden biri, aslında aralarında ortak bir sınır olmamasına rağmen Cabinda'nın kendisine ait bir eyalet olduğunu iddia eden Angola. Bu coğrafi gerçek tarihi emsaller tarafından da destekleniyor. Cabinda, 1885'te Portekiz Kralı I. Louis ile Cabinda prensleri ve idarecileri arasında mutabık kalınan Simulambuco Antlaşması'nda Angola'dan ayrı, farklı bir mevcudiyet olarak tanındı. Anlaşma aynı zamanda, 'Portekiz, koruması altına aldığı toprak bütünlüğünü korumakla mükelleftir,' diyor.

Diğer bir deyişle, yeni bir şey talep etmiyoruz. Emperyalist Angola Hükümeti'nin, tüm dünya toplumuyla birlikte, bir asırdan fazla zamandır var olan Cabinda'yı tanımasını talep ediyoruz. Bu durumda, akşama kadar adını duymadığınız bu ülkenin nasıl bir yer olduğunu kendinize soruyor olabilirsiniz. *Bu ülkeyi neden önemsemeliyim*, diyor olabilirsiniz. *Cabinda projesine para yatırmamın sebebi ne olabilir*, diye sorguluyor olabilirsiniz.

"Eh, benimki küçük bir ülke ama günde yedi yüz bin varil petrol üretiyor ve ülkedeki her erkek, kadın ve çocuk için yılda yüz bin dolar gelir sağlamaya yetecek kadar kazanç yaratıyor. Bu insanlar için inşa edilebilecek evleri, okulları ve hastaneleri düşünün. İçebilecekleri temiz suyu, hem onların hem de denizaşırı ziyaretçilerin ve yatırımcıların faydası için yapılabilecek yolları, havalimanlarını düşünün."

Da Cunha tekrar durup gözleriyle salonu taradı ama bu kez bu hareketi komik bir etki yaratmak için değildi. "Bir ülke düşünün: Dört yüz bin nüfusa ve kırk milyar dolar gelire sahip bir ulus devleti, vatandaşlarından ya da bir başkasından gelir vergisi, işletme vergisi veya emlak vergisi toplamak zorunda değil. Güneşin altında serilmeyi sevenlere bu ülkenin tropik bir iklimi ve yüzlerce kilometre el değmemiş sahili olduğunu söylemeliyim ve Avrupa'dan gidenler için zaman farkından yaşanan *jetlag* da olmuyor, çünkü Cabinda Merkezi Avrupa Saati'nden sadece bir saat geride.

Dostlarım, yağmurları ve bolca yeşil ormanları olan bir Dubai'den ya da petrolü olan bir Monte Carlo'dan söz ediyorum. Cabinda ve onun geleceğinin sizin geleceğiniz olduğunu, onun refahının sizin refahınız olduğunu umut ediyor, hatta buna inanıyorum. Şimdi, baylar ve bayanlar, lütfen bana katılın ve kadehlerimizi kaldıralım... Özgür bir Cabinda'ya!"

"Özgür bir Cabinda'ya!" diye karşılık verdi insanlar koro halinde ve salonda samimi bir alkış koptu.

Da Cunha bir süre konuşmasının yarattığı etkinin tadını çıkardıktan sonra devam etti. "Bu akşam saygın birkaç basın mensubunu burada konuk etmiş olmanın şerefini yaşıyoruz. Seve seve sorularını alabilirim. Ama sadece birkaç tane, sonuçta bu sosyal bir etkinlik. O nedenle bana bir şeyler sormak isteyen varsa şimdi tam zamanı."

Bu, Nastiya için uygun bir zamandı. Eğer Da Cunha'nın ilgisini şimdi çekebilirse onu tanıma sürecini kısa yoldan çözebilirdi. Ama bunun işe yaraması için onunla konuşan son kişi ve böylece de aklında en taze kalacak kişi olmalıydı. Bu yüzden hiçbir şey yapmadan bekledi, o sırada kürsünün tam karşısında duran ve hevesli görünen bir kadın elini kaldırıp sorusunu yöneltti. "*Le Monde* gazetesinden Pascale Montmorency. Benim size sorum şu, Mösyö Da Cunha. Temsil ettiğiniz organizasyon FLEC-FAC, sizden önce babanızın yaptığı gibi, Cabinda'nın özgürlüğünü kazanmak için şiddetin kullanılmasını yıllarca destekledi. Şiddet eylemleri konusunda kişisel olarak siz nerede duruyorsunuz?"

Da Cunha soru sorulurken düşünceli ve minnettar bir ifadeyle birkaç kez başını sallamıştı. "Değişimi, barışçıl, siyasi yollarla aramak gerektiğine olan inancımın arkasındayım, yani şiddeti savunmuyorum. Fakat hayat şartları tahammül edilmez olduğunda bazı insanların bağımsızlıkları için mücadele etmelerini anlıyorum. Asırlar boyunca durum böyleydi. 1789'da Bourbon Hanedanı'na karşı ayaklandıklarında ve İkinci Dünya Savaşı'nda ülkelerini işgal eden Naziler'e karşı direndiklerinde Fransa'daki insanların durumu da buydu. O nedenle, ülkemdeki mücadele etmek isteyen insanları yargılamasam da eylemlerinin uygun şekilde olması gerektiğini ve asla masumları hedef almamalarını salık veriyorum. Buna asla göz yumamam."

Kirli sakallı, üzerinde eski, fitilli bir takım elbise ve gevşetilmiş bir kravat olan adam kendisini Londra *Daily Telegraph*'tan Peter Guilden olarak tanıttıktan sonra sorusunu yöneltti. "Ellerinizi kirletmek istemediğinizi ama bunu bir başkasının sizin için yapmasının sakıncası olmadığını söylemenin bir yolu değil mi bu da? Angola Hükümeti'ni ülkelerindeki en değerli bölgeden vazgeçmeye sadece konuşarak ikna edemezsiniz elbette."

Nastiya bu sorunun Da Cunha'yı rahatsız ettiğini görebiliyordu ama adamın gözlerindeki öfke patlaması yerini hızla keyifli bir ruh haline bıraktı ve yumuşak bir sesle karşılık verdi. "İngiltere gibi kibar bir ülkeden nasıl oluyor da İngiliz basını kadar kaba bir kurum çıkabiliyor?"

Guilden etrafındaki gülüşmelere aldırış etmeden baskıya devam etti. "Biz kaba değiliz Bay Da Cunha, sadece özgürüz. Bir özgürlük sever olarak buna kucak açacağınıza eminim."

"Belli bir noktaya kadar evet," dedi Da Cunha oldukça Fransız tarzı bir omuz silkme ve dudak bükme hareketiyle. Bu seyircilerin bir kez daha gülüşmesine sebep oldu. "Ama sorunuzu cevaplamak gerekirse, şiddet eylemlerinin rejim değişikliği veya ulusal bağımsızlık için şart olduğuna inanmıyorum. Sanırım durumun adaletsizliğinin tüm dünyada tahammül edilmez hale dönüştüğü ve değişimin tek ihtimal olduğu bir noktaya gelindi. Şiddet, Güney Afrika'daki ırk ayrımını sona erdirmedi. Berlin Duvarı tek bir el ateş edilmeden yıkıldı. Ne Güney Afrika'da ne de Doğu Almanya'da petrol vardı ve bu da hepimizin bildiği gibi, Batı'nın dikkatini çekmenin bir yoludur. Son bir soru..."

Nastiya'nın zamanı gelmişti. En çarpıcı tebessümünü takındı, elini kaldırdı, Da Cunha'nın onu fark etmesi için dua etti ve kendisinin de istediğinde hâlâ dikkat çekebildiğini anladığında rahatladı.

"Şuradaki bayan, yeşil elbiseli olan," dedi Da Cunha, doğrudan doğruya Nastiya'nın gözlerinin içine bakarak.

"Maria Denisova," dedi, karşılığında adama bakarak. "Affedin Mösyö Da Cunha, ben basın mensubu değilim ama size bir sorum var."

Da Cunha, ona cazibeli gülüşüyle karşılık verdiğinde göz kamaştırıcı beyaz dişleri göründü. Nastiya kıskançlık dolu kadınların bakışlarını üzerinde hissedebiliyordu, o sırada Da Cunha konuştu. "Cabinda kanımla gurur duyuyorum ama aynı zamanda yarı Fransızım, o nedenle güzel bir kadının ricasını asla geri çeviremem. Lütfen madam, sorunuzu sorun."

"Matmazel daha doğru olur," diye mırıldandı Nastiya, utanıp sıkılmadan onunla flört ettiği için daha fazla öfkeye sebep olduğunu biliyordu.

"O halde hayır demek benim için daha da imkânsız hale gelir."

"Pekâlâ benim sorum şöyle: Siz, Cabinda'daki siyasi özgürlük hareketinin lideri ve Cabinda Vakfı'nın kurucusunuz. O halde özgür Cabinda'nın ilk başkanı olacağınızı varsayabilir miyiz? Sonuçta Cabinda'nın yararına bir sürü sıkıntıya giriyorsunuz, böylesi çok doğal olurdu." Nastiya olabildiğince tatlı bir üslupla Da Cunha'yı bir darbe düzenlemek istemekle suçlamıştı. Odadaki ani gerginliği ve ikinci kez bastırılan öfkenin yerini esprili bir ruh hali almıştı."Ne soru ama!" dedi Da Cunha coşkuyla. "İngiliz bir gazeteci olmadığınıza emin misiniz?" Gülüşmelerin dinmesini bekledikten sonra devam etti. "Size şöyle yanıt vereyim: Ben sürgün edilmiş ve halkından alkış bekleyen bir prens değilim. Uzun süre uzak bırakıldığı vatanına bağımsızlık ve demokrasi götürme hayali kuran bir adamım. Aynı sebeple, bir gün kendilerine liderlik etmemi isterlerse Cabinda halkının isteğini kabul etmem gerekir ve bu benim için onurdur. İstemezlerse o zaman, onlara seçim hakkı verilmesi için yardımcı olduğumu bilmek benim için yeterince büyük bir ödül olur. Benjamin Franklin hiçbir zaman Amerika Birleşik Devletleri'nin başkanı olmadı ama tarihteki yeri onlarınki kadar sağlamdır. Cabinda'nın Benjamin Franklin'i olmaktan gurur duyarım."

Kendisini Amerika'nın kurucularından biriyle kıyaslaması Da Cunha'nın kibrini işaret ediyordu ve cevabının coşkulu alkışlarla karşılanması karizmasının kanıtıydı. Da Cunha başını eğerek teşekkür etti, sonra kürsüden inip Nastiya'nın yanına yaklaştı.

"Bir muhabir olmadığınıza emin misiniz?" diye sordu her kadının yüreğini hoplatmak üzere planlanmış bir başka göz kamaştırıcı tebessümle.

"Eminim," dedi Nastiya, karşı cinsi manipüle etmekte en az bu adam kadar uzman olduğunu kendisine hatırlatarak. "Ama soruyu sormamın bir sebebi olduğunu kabul etmeliyim."

"Benim dikkatimi çekmek dışında mı?"

"Olabilir." Bu kez Nastiya hafifçe omuz silkip dudak büktü.

"Peki sebebiniz neydi?"

"İş meseleleri." Bu sözleri, dolaysız ve profesyonel ses tonu, Da Cunha'nın beklediği bir şey değildi. "Ofisinize de bildirdiğim gibi çok varlıklı kimseleri temsil ediyor ve onlara danışmanlık yapıyorum. Benim işim farklı yatırım fırsatları bulmak... Yıldız olmak üzere olan genç bir sanatçının çalışmaları ya da resmi anlamda satılığa çıkmamış ama sahibi tekliflere açık bir mülk gibi... Ya da henüz var olmayan ama onu daha başından destekleyecek kadar cesur olanlara büyük paralar kazandırabilecek bir ülke."

"Ve benim güvenli bir yatırım olup olmadığımı mı öğrenmek istiyorsunuz?"

"Aynen öyle. Müşterilerimin Cabinda bağımsızlığını kazandığında vaatlerinizi yerine getirecek bir pozisyonda olup olmayacağınızı bilmeleri gerekiyor. Bir başkasının gelip, 'Üzgünüz, anlaşma bozuldu,' dediğini duymak istemiyorlar."

"Onlara hiçbir şey borçlu olmayan birinin mi demek istiyorsunuz?"

"Öyle de denebilir. Yani sorum hâlâ geçerli: Cabinda'yı bağımsızlığına kavuşturabileceğinize veya bağımsız olduğunda yeni ülkeyi idare edeceğinize dair nasıl garanti veriyorsunuz?"

"Hımmm..." Da Cunha duraksadı ve Nastiya ilk defa onun rol yapmadığını ya da belli bir etki yaratmaya çalışmadığını fark etti. Gerçek anlamda potansiyel destekçilerini ne kadar ciddiye alması gerektiğini tartıyordu. "Bunlar kesinlikle önemli sorular," dedi sonunda. "Ayrıca ciddi yanıtlar gerektiriyor. Şimdi diğer misafirlerimin arasına katılmalıyım yarın ve sonraki günlerde de potansiyel destekçilerle yapılacak toplantılarla meşgul olacağım. O nedenle belki iki gün sonra benimle yemeğe çıkarsınız ve size doğru cevapları vermeye çalışırım."

"Bu çok hoş bir fikir gibi geliyor kulağa." Nastiya ilgilendiği şeyin sadece mesleki meseleler olmadığını göstermek için gülümsedi ve Da Cunha da ona aynı şekilde karşılık verdi.

"O halde yemeğe çıkıyoruz," dedi.

Meksika'nın başkentinin Mexico City olması gibi, Cabinda'nın başkentinin –aslına bakılırsa tek büyük şehri– adı da Cabinda'dır. Bodur bir parmak misali Atlantik Okyanusu'na çıkıntı yapmış bir kara parçasında bulunur. Jack Fontineau bir aydan kısa bir süredir Cabinda'daydı ve şimdiden bu şehirden o kadar sıkılmıştı ki tek yapabildiği, boğucu ofisinden –külüstür ve eski pervane, havayı soğutmak bir yana karıştıramıyordu bile– çıkıp paslanmış konteynerler ve karaya vurmuş gemi enkazlarıyla dolu, bir tersane görevi gören ve her boyutta teknenin yanaşabildiği, köpekbalıklarının yüzdüğü denize açılan, uzun, tek bir rıhtımla biten toz toprak içindeki alanda yürümekti.

Saat gece onu gösteriyordu, yani Larose Petrol Hizmetleri Ofisi'nin, Chevy Silverado marka aracı ile karısı Megan ve üç çocuğuyla paylaştığı, sadece klimalı olmakla kalmayıp buz gibi olan evinin yer aldığı, memleketi Houma, Louisiana'da akşam dört civarıydı. Jack, patronu Bobby K. Broussard'ın hem bir terfi hem de büyük bir fırsat olacağına dair yeminler ettiği bu işi kabul edecek kadar budala olmasaydı şimdi orada, evinde olacaktı. "Afrika'ya doğru açıl, yeni hudut orası," demişti yalancı pislik. "Angola'daki yeni ofisi senin kurmanı istiyoruz."

Jack, Luanda'da çalışan adamlar tanıyordu, iyi olduğunu söylemişlerdi. Güzel oteller, plajlar ve istenilen her tür ithal içkinin olduğu barlar vardı. Elbette, fiyatlar akıl dışıydı ama masraflar ödendiği sürece ne fark ederdi? Ama Jack, Luanda'ya gönderilmemişti. B. K., Angola petrolünün çoğunun Cabinda'nın kuzeyinde olduğunu fark etmişti.

Böylelikle eğer Larose Petrol Hizmetleri, Cabinda'da sondaj platformuna hizmet veren diğer firmaların önüne geçerse iyi bir piyasa edinecekti. Jack geri kalan herkesin Luanda'da olmasının bir sebebi olduğunu ancak Cabinda'ya gittiğinde anladı. Burası bir çöplüktü. Evlerin çoğu birer barakadan ibaretti ve paslı metal pencereleri, kenarları parça parça soyulmuş badanalı pis duvarlarıyla üç katlı bir bina, yerel halk için lüks bir ofis kompleksi sayılabilirdi.

Ciddi bir açık deniz tedarik operasyonu yürütmek olanaksızdı. Devletin şehirden birkaç kilometre ileride, sahile doğru, havalı, yeni bir liman ve petrol terminali kurma planları vardı. Derin suları olan rıhtımları, yapılacak sondaj teçhizatı onarım tersanesini ve depoları gösteren haritaların yer aldığı bir web sitesi yapmışlardı. Fakat henüz tek bir çivi bile çakılmamıştı veya tek bir tuğla konmamıştı. İnsan burada, bir şeyler yapılmasını beklerken yaşlanıp ölebilirdi. Çıkmaz ayın son çarşambası bile Cabinda için fazla erkendi. Ama Jack ana ofisteki insanların Louisiana'nın altı saat ilerisinde olduğunu ve böyle olunca sırf birisi onu aradığında cevap verebilmek için iş gününe öğlen başlayıp gece on bire, hatta bazen gece yarısına kadar işyerinde kaldığını takdir etmeleri bir yana, anlamalarını dahi sağlayamamıştı. Üstelik akşamları hava nispeten daha az sıcak oluyordu ve bu da işine geliyordu.

Şu anda, yeni iş hedeflerine biraz olsun yaklaşamadığını açıklamak ve kovulmak anlamına gelecek olsa dahi yerini alacak bir başka keriz göndermelerini rica etmek üzere ana ofise yapacağı bir başka telefon görüşmesine hazırlanıyordu. Yine de bu, iskelenin sonuna doğru bir yürüyüşe çıkmaktan iyiydi.

Beş kişi eski bir Nissan Vanette'nin içinde, Cabinda'nın kıyı şeridi boyunca devam eden anayol Rua do Comércio'da ilerliyordu. Üzerlerinde kot pantolon, cepli pantolon ve diz altı şortlar vardı. Biri Real Madrid futbol tişörtü giymişti, bir diğerinin tişörtündeyse Manchester United arması bulunuyordu. Kafalarında da siperliği yana doğru çevrilmiş beyzbol şapkaları vardı. Beşi de tabanca ya da bıçak taşıyordu, gerçi silahlarını kullanmak zorunda kalacaklarını düşünmüyorlardı, çünkü bunun sembolik bir operasyon olması gerekiyordu: Yetkililerin dikkatini çekmek ve taleplerini ciddiye almalarını, aksi takdirde insanların zarar göreceğinin anlaşılmasını sağlamak için bir uyarı mahiyetindeydi. Mesaj, ön yolcu koltuğunun ayak boşluğunda, kumaş bir torbada duran basit bir el yapımı -bir blok C4 patlayıcısı, bir fünye ve bir kronometreden ibaret- patlayıcıyla verilecekti. Minivan yolun kenarına yanaşıp asfaltlanmamış, açık bir alanda ilerledi, küçük depo ve ofis kalabalığına yöneldi, ardından da sürücü aradığı tabelayı okuyabilsin diye yavaşlayıp durdu. Hedeflerini bulup bulmadıklarını anlamak üzere kısa ve hararetli bir konuşmanın ardından mutabık kaldıktan sonra işi bitirmek üzere yüreklendirme ve teşvik haykırışlarıyla birbirlerini cesaretlendirdiler. Ardından da Vanette'den inip kimsenin onları izlemediğinden emin olmak için etrafı kolaçan ettikten sonra bir deponun kapısına doğru ilerlediler.

"Dinle, B. K., istediğin kadar hedef koyabilirsin ama böyle bir yerde bir halt ifade etmiyorlar," dedi Jack Fontineau telefonda. "Burada doğru dürüst kimse yok, olanların da karar verme yetkisi yok, bu yüzden işleri buradan ziyade Luanda'da ya da bizim orada yapma şansımız daha yüksek... Evet, evet, petrolün burada olduğunu biliyorum ama... Dursana, sanırım bir şey duydum. Bir dakika bekle, olur mu? Gidip bir bakacağım..."

Beş amatör bombacı, gecenin bu saatinde deponun yan kapısının kilitli olmadığını gördüklerinde şaşırmışlardı, ama bu işlerini kolaylaştırıyordu. İçeriye girdiklerindeyse ikinci bir şok daha yaşadılar. İçlerinden biri elindeki feneri açar açmaz fark ettiler ki depo açık deniz sondaj teçhizatlarıyla dolu olmak şöyle dursun neredeyse bomboştu. Aslına bakılırsa önem taşıyan tek eşya ana giriş kapısının hemen iç kısmında duran bir Toyota Land Cruiser'dı. Adamlar bunun anlamını çözmeye çalışarak bir süre orada oyalandılar, sonra içlerinden biri deponun karşı köşesinde, yaklaşık otuz metre ilerideki ışığı yanan ofis bölmesini işaret etti. Bölmenin penceresinden, içeride telefonla konuşan beyaz bir adam görünüyordu. Sonra adam telefonu elinden bıraktı, yerinden kalkıp ofisin kapısına doğru yürüdü. Birisi fenerle adamı ikaz ettikten sonra feneri söndürdü. Şimdi deponun içindeki tek ışık ofis bölmesinden geliyordu, adam yarı karanlıkta Land Cruiser'ın iri gövdesinin ardına saklandı.

Jack Fontineau'nun da bir feneri vardı. Onu alıp ofisin kapısından çıktığında ışığını açarak deponun zeminine tuttu. Ne duyduğundan tam olarak emin değildi, sadece birtakım gürültüler işitmiş ve gözucuyla yanıp sönen bir ışık görmüştü ve binanın içinde birileri olduğu sonucuna varmıştı. İşte yine oluyordu, sanki birileri koşuşturuyormuş gibi bir patırtı vardı. Feneri görüş alanının içinde soldan sağa doğru hareket ettirdi ve bunu ikinci kez yaptığında Land Cruiser'ın arkasında hareket eden bir şey –ya da birini– gördü.

"Kim var orada?" diye seslendi Fontineau, keşke elinde fener haricinde kendini savunabileceği bir şeyler olsaydı. "Çık ortaya. Orada olduğunu biliyorum."

Yavaşça öne doğru ilerledi, daha ileri gitmek istemiyor ama sakinliğini korumak için kendini zorluyordu, düzenli nefesler alıp vererek yürümeye devam etti. *Endişelenecek bir şey yok,* dedi içinden. Burada Land Cruiser haricinde çalınacak hiçbir şey olmadığını herkes görebilirdi, isterlerse onu da alabilirlerdi. Şirket arabası için kendini tehlikeye atacak değildi.

Sonra bir başka ses daha duydu. Fontineau olduğu yerde durdu ve kaşlarını çatarak sesin nereden geldiğini anlamaya çalıştı. Işığı sol tarafa doğru tuttu ama bir şey görmedi. Sonra onu diğer tarafa, sağa doğru savurdu... ve birkaç adım ötesinde bir adam gördü. Genç zenci, Fontineau'dan bir kafa daha uzundu ve bir ağırsiklet boksörü kadar iriydi. Adam, Fontineau'nun üzerine atılmak üzereydi ve sağ kolunu havaya kaldırmıştı. Fontineau fenerin ışığında metal bir parlama gördü. Bağırmaya ve merhamet dilemeye yeltendi ama daha tek bir ses bile çıkaramadan adam kolunu hızla aşağı indirerek bıçağını Jack'in boynuna, öyle derine sapladı ki başı neredeyse bedeninden ayrılacaktı. Fontineau yere düşerken aldığı korkunç yaradan kan boşaldı ve saldırganın koluna, göğsüne, deponun beton zeminine ve Land Cruiser'ın beyaz kaportasına, boş bir tuvale atılan boya gibi sıçradı.

Şimdi bomba timinin diğer dört üyesi aracın arkasından çıkmış, heyecan ve panik karışımı el kol hareketleri yaparak bağrışıyorlardı. O sırada bombanın olduğu kumaş torbayı elinde tutan liderleri sessiz olmaları talimatını verdi. Sesler kesilirken liderleri bombayı torbadan çıkarıp Jack'in arabasının arkasına, 138 litrelik benzin deposunun yakınına yerleştirdi. Kronometreyi çalıştırdı ve ardından deponun kapısını işaret etti. Gitme zamanıydı.

Beş adam yeniden Vanette'ye binerek Rua do Comércio yolu üzerinde kasabadan ayrılırlarken bomba patladı. Eski külüstür arabanın içinde tezahüratlar yankılandı. İşlerini bitirmişlerdi ve şimdi ödemelerini alacaklardı.

Sıradan bir Afrika şehrinde, boş bir depoya yerleştirilen bir bombanın haber değeri yoktur. Ama için için yanmakta olan bir enkazın içinde bulunan kömür olmuş ve gövdesi parçalanmış bir Amerikalı haricinde hiçbir şeyin olmadığı, boş bir depoya yerleştirilen bir bomba, eh, işte o, bambaşka bir olaydır. Saldırı gerçekleştiğinde Louisiana'daki patronuyla telefonda olduğu gerçeği, Jack Fontineau'nun ölümünü daha da dramatikleştirmişti. Muhabirler çok geçmeden Bobby K. Broussard'un başına üşüştüler ve adam, yüzünde duruma uygun şekilde kederli ve duygusal anlamda sarsılmış bir ifadeyle konuştu. "Jack, 'Bana bir dakika ver, gidip bakayım,' dedi. Çünkü Jack böyle bir adamdı, tehlikeden çekinmezdi. Başkalarının onun için kendisini tehlikeye atmalarını istemezdi. Sorumluluklarıyla bir erkek gibi yüzleşti. Ama sonunda da o cesareti hayatına mal oldu. Şimdiyse kalbimiz ve dualarımız Jack'in karısı Megan ve üç güzel çocuğuyla birlikte."

Megan Fontineau, Louisiana State'te eski ponpon kızlardandı ve gözyaşlarıyla dolu, peygamber çiçeği mavisi gözlerini ortaya çıkarmak için göz alıcı marka farlarını silmiş, tüm güzelliği, sarışınlığı ve en iyi görünen haliyle kameraların karşısına geçmişti. Her iki kızı da bir tablo kadar güzeldi ve sekiz yaşındaki oğlu küçük Jack fotojenik, safkan Amerikalı, dişleri ayrık küçük bir yaramazdı. Fotoğrafları Batı dünyasının tüm televizyon kanallarında, baş sayfalarda ve haber sitelerinde boy gösteriyordu.

Çok geçmeden basın, Cabinda'yla ilgili olayları yayınlamaya başladı ve Paris'ten yarı Fransız, kültürlü, kameralarda muhteşem görünen Mateus Da Cunha adındaki asi bir liderin haberleri çıktı. Dünyaya, davetteki misafirlerine söylediği sözleri söylüyordu: Kendisi şiddet yanlısı değildi fakat insanları baskıya karşı mücadelelerinde silahlanmaya iten hayal kırıklığını anlayabiliyordu. Şöhret meraklısı bir CNN muhabiri Da Cunha'ya "yeni nesil Nelson Mandela" adını takmıştı ve bu tamlama ilgi toplayınca başka haberciler tarafından da kullanılmaya başlanarak ağızlara pelesenk edildi.

Karakas'ta, Johnny Congo bunu duyduğunda kahkahalarla gülmeye başladı. "Kıçımın kenarı Mandela!" dedi televizyon ekranına doğru. Congo bir sahtekârı nerede görse tanırdı. Da Cunha'nın şiddeti onaylamadığı filan yoktu; hatta onu seviyordu, bir budala bile bunu anlayabilirdi. Aslına bakılırsa Congo, adamın bütün her şeyi kendisinin kurguladığına bahse bile girebilirdi. Ayrıca hikâye, petrol ve Angola'yla ilgiliydi ve bunlar şu anda Congo'nun ilgisini çeken iki meseleydi, bu yüzden internete girip Da Cunha'yı araştırmıştı. Çok geçmeden Cabinda Vakfı ve Angola'nın bağımsızlık mücadelesiyle ilgili bilmesi gereken her şeyi öğrenmişti. Bunun ne zamandır beklediği şey, yani Hector Cross'un tabutuna çakacağı son çivi olduğunu fark etmişti.

Congo, kirli elmas ve elektronik sektörü için büyük önem taşıyan ve altından sonra en iyi metal olan koltanın satışıyla, siyaset, suç ve cinai faaliyetlerini finanse eden Batı Afrikalı Milis Kumandanı Babacar Matemba'nın uydu telefonuna ait numarayı tuşladı. Johnny Congo ve Carl Bannock, Kazundu'da kendi özel krallıklarını idare ettikleri günlerde Matemba'nın kaçak mallarını dünya pazarına kaçırmasına yardım etmişlerdi. Şimdi onunla yeniden temasa geçmenin zamanı gelmişti.

İki adam karşılıklı hal hatır sordular. Congo, Matemba'ya Ölüm Hücresi'nden kaçışını anlatıp çok yakında piyasaya geri döneceğinin güvencesini verdi. "Aslında seni bunun için aradım. Bana birkaç adam ayırabilir misin diye merak ediyordum. Deneyimli dövüşçülere ihtiyacım var, başkalarını eğitebilecek kadar iyi ve akıllı olmalılar. En iyileri istiyorum ve iyi ödeme yapmaya da hazırım, son dönemde Carl ve benden alamadıklarının bir kısmını telafi eder belki."

"Adamlarımın ne yapmasını istiyorsun?" diye sordu Matemba. Congo'nun verdiği karşılığı dinleyip devam etti. "Bu hoşuma gitti, Johnny."

"Benim de, Babacar. Benim de."

Congo bir sonraki aramasını Cabinda Vakfı'na yaptı. "Da Cunha'yla konuşmak istiyorum," dedi.

"Mösyö Da Cunha'ya kim olduğunuzu ve ne için aradığınızı söyleyeyim?"

"Adım Juan Tumbo. Vakfınıza bağış yapmak istiyorum. Çok büyük miktarda."

Telefon hemen bağlandı. On dakika sonra Cabinda Vakfı'nın büyük ve isimsiz bir bağışçısı vardı. Johnny Congo ise Hector Cross'u nasıl mahvedeceğini ve bunu yaparak nasıl daha fazla para kazanacağını tam anlamıyla biliyordu.

Congo, eski bir deniz askeri olarak sabotaj ve imha konularında yüksek seviye eğitim almış, öğrendiklerini uygulama konusunda pratik savaş deneyimi olan birçok kişi tanıyordu. Eski bir hükümlü, azılı bir suçlu olarak da ahlak ve vicdan yoksunu, maddi hasar ve fiziksel zarara yol açmaya hazırlıklı bir sürü kişi tanıyordu. Congo'nun hepsinin içinde en üst kademe olarak değerlendirdiği, belli birkaç olayda tüm bu özellikleri üzerine toplayan tek bir kişi vardı: Chico Torres donanmada muharebe mühendisi olarak hizmet vermişti. Özel yeteneği, denizde ve karada önüne çıkan her şeyi patlatmaktı; bir yolunu bulup Chico'yu Mars'a gönderseler onu da patlatmanın bir yolunu muhakkak bulurdu.

Congo onunla temasa geçip, Angola açık deniz petrol endüstrisinde yeni bulduğu yatırımı anlatırken Chico onu can kulağıyla dinledi. Bannock'un Magna Grande sahasında oluşturduğu teçhizatın yapısı ve ölçeğiyle alakalı yerinde sorular sordu, sonra da Congo'ya şunları söyledi: "Evet, zincirdeki zayıf halkayı görebiliyorum. Sanırım onu nasıl kıracağımı da biliyorum. Sadece detaylı bir araştırma yapmam gerekiyor, durumu iyi anlamalıyım, ne demek istediğimi anlarsın. Bana birkaç gün ver dostum, sana dönüş yapacağım."

Johnny Congo, Jack Fontineau'nun ölümünün arkasından Cabinda Vakfı'nı aramakla ilgilenen tek kişi değildi. Nastiya, Da Cunha gibi birine meydan okumak, onu şaşırtmak ve oyalamak gerektiğini biliyordu. O nedenle, dünya haber kanallarındaki ihtişamlı görüntüsünü izledikten sonra ofisini arayıp sekreterine ikisi için Mandarin Oriental'deki, başşef Thierry Marx'ın yenilikçi "moleküler pişirme" ile ün salmış olan restoranı Sur Mesure'de bir rezervasyon yaptırdığı bilgisini verdi. Da Cunha randevuya zamanında geldi ama halihazırda ortama tanıdık olduğunu belli ederek kontrolü ele almaya çalıştı.

"Mösyö Marx, Japon mutfağının büyük hayranıdır," dedi Da Cunha, duvarları bir kâğıt gibi büzüştürülmüş krem rengi kumaşla, gevşekçe kaplanmış, bir kozayı andıran, olağandışı yemek odasındaki yerlerini aldıklarında. "Her yıl tatilinde orada bir Budist manastırına gider, judoda üçüncü ve ju-jitsu'da dördüncü 'dan' sahibidir."

"Öyle mi?" dedi Nastiya, yudumladığı şampanya bardağını masaya bırakırken. "O halde kendisine benimle dövüşmemesini öneririm. Aksi takdirde kaybeder."

Da Cunha güldü. "Buna eminim! Kadınlar asla adil dövüşmezler."

"Ah, ama ben çok ciddiydim. Bana karşı en ufak bir kazanma şansının olması için bundan çok ama çok daha iyi olması gerekir." Da Cunha'ya tatlı ve masum bir tebessümle gülümseyerek, adeta cilveli bir tavırla devam etti. "Masadan kalkmaya bile fırsat bulamadan hemen şimdi sizi de öldürebilirim mesela. Ama endişe etmeyin, o kadar vahşi olmam için çok kızmam gerekir. Şu anda kendimi harika hissediyorum. Bu Krug son derece lezzetli. Bence iyi şampanyalar içinde en güzeli, sizce de öyle değil mi? Ayrıca başlangıçlarla da çok iyi gidiyor."

Başlangıç olarak önlerine, ıspanak yatağında tek bir bıldırcın yumurtası ve ıspanak peltesiyle çevrelenmiş, bir parça kaz ciğeri konmuştu. Nastiya başlangıçlara büyük bir coşkuyla saldırmış ama Da Cunha tabağını didiklemekle yetinmişti.

"Umarım iştahınızı kaçırmamışımdır," dedi Nastiya.

"Hayır ama zihnimin yemeğe hak ettiği dikkati veremediğini kabul etmeliyim."

"Neden?"

"Çünkü sizin tanıştığım en etkileyici, baş döndürücü ve tehlikeli kadın mı, yoksa gelmiş geçmiş en büyük palavracı mı olduğunuzu anlamaya çalışıyorum."

Nastiya gülümsedi. "Belki de her ikisiyimdir. Belki de beni tehlikeli yapan palavracı olmamdır."

"Ha-ha! O halde şimdilik konuşmayı bırakıp yemek yiyelim."

Sonraki doksan dakika boyunca, tadım mönüsünün dokuz farklı tabağı birbiri ardına gelirken –her biri sayısız farklı form ve dokularda tatlar yakalama sanatının küçük ve kusursuz örneğiydi– birbirlerine hayatlarından bahsettiler. Nastiya en iyi göstermelik hikâyenin, içinde olabildiğince gerçek barındıran versiyonlardan oluştuğu prensibiyle ona bir FSB ajanı olduğu önceki hayatından söz etti. "Gerçi bazen sivillere, KGB tarafından eğitildiğimi söylüyorum," dedi. "Kimse 'FSB'nin ne olduğunu bilmiyor, o yüzden herkesin daha evvel duyduğu bir isim kullanmak daha kolay oluyor."

"Yani, dövüşebilmek ve öldürmekle ilgili söyledikleriniz doğru muydu?"

"Evet ama doğrusunu isterseniz..." Nastiya elini uzatıp parmaklarını dikkatle onun koluna koydu, "Bunu bu gece kanıtlamaya kalkışmayacağım."

"Çok yazık," dedi Da Cunha. "Bu, işe daha da heyecan katardı. Akşam yemeğinden sonra belki..."

"Göreceğiz..." Böylece davet imasını havada bıraktı. Da Cunha'nın yüzündeki ifade bundan bir anlam çıkardığını gösteriyordu ama fazla üstelemeyecek kadar akıllıydı. Onun yerine iş konuşmaya başladı.

"O halde sizi ilginç yatırım fırsatları aramaya yetkin kılan nedir ve varlıklı müşteriler sizin tavsiyelerinizi neden dinlemeli?"

"Bilmem... Kendinizi bağımsız bir Cabinda'nın ilk başkanı olarak göstermeye sizi yetkin kılan nedir? Lütfen, herkesin yanında o şekilde cevap vermek zorunda olduğunuzu biliyorum. Ama siz Franklin olmak istemiyorsunuz. Siz Washington olmak istiyorsunuz... Hiçbir şekilde bir seçim kaybetme ihtimali olmadan."

"Bunu ben mi dedim? Siz önce soruma cevap verin..."

"Eh, dövüş becerilerimin dışında." "Seks" kelimesini telaffuz etmemişti ama her ikisi de bunu kastettiğini biliyorlardı. "Birkaç lisanı akıcı olarak konuşabiliyorum, istihbarat toplamak ve değerlendirmesini yapmak üzere eğitim aldım, tüm dünyada muhtemel fırsatlarla ilgili bilgi verebilecek bağlantılarım var bir kadın olarak erkeklerin sahip olmadığı avantajlara sahibim. Eğer bir erkek olsaydım soru sormama müsaade etmeye o kadar da istekli, hemen ardından da benimle tanışmaya hevesli ve akşam yemeğine varacak bir davet yapmaya hazır olmazdınız."

"Bunu inkâr edemem," dedi Da Cunha bir tebessümle.

"Son olarak da, ben bir Rus'um ve insan hakları veya şiddet karşıtlığı gibi Batılılara özgü birtakım dokunaklı saplantılarım yok. O yüzden neden bana niyetinizin gerçekten ne olduğunu, bunu yapmak için ne kadar paraya ihtiyaç duyduğunuzu ve bu paranın karşılığında ne vereceğinizi söylemiyorsunuz?"

"Pekâlâ, Bayan Eğitimli Rus Ajanı, benim durumumda siz olsanız ne yapardınız?"

Tadım mönüsünden yeni bir tabak ve yanında yeni bir kadeh şarap masaya getirildiği için kısa bir sessizlik oldu. Nastiya, Da Cunha'yla yeniden baş başa kaldıklarında cevap verdi. İstikrarsızlık yaratırdım. Batılı petrol şirketlerini ve Batılı devletleri Angola'nın bir eyaleti olarak kaldığı sürece Cabinda'da güvende olamayacaklarına inandırmak için elimden geleni yapardım. Yani, mesela sondaj platformları tedarik eden bir Amerikan şirketinin ofislerine saldırmakla başlayabilirim."

"Ah evet, çok talihsiz bir kazaydı o. Sanırım kayıplar arasında Amerikalı bir yönetici de vardı. Elbette benim hiçbir şekilde müdahil olmadığımı anlamışsınızdır."

"Haydi canım!" Nastiya onun bu kurnazca laflarına kanmadığını belli etmek istermiş gibi elini salladı. "Beni dinlemiyor musunuz? Ben size ahlaki açıdan fazla titiz olmadığımı söylemiştim.

Ama galiba kendimi iyi ifade edemedim. Ben oligarşi yöneticileri için çalışıyorum, hepsinin paralarını nasıl kazandığını bilmiyor musunuz? Suçla. Elbette hepsi Rus mafyası değil, gerçi bazıları da öyle. Ama devlete ait mallar çaldıkları ya da gerçek değerinin çok altında satmaları için birine rüşvet verdikleri veya işin orijinal sahibini işten çekilmeye zorladıkları olmuştur. Bu tür adamlar, istediğinizi almak üzere savaştığınız sürece sizin kötü adam olduğunuzu düşünmezler. Ama ellerinizi ovuşturarak bir kenarda beklerseniz ve dünyaya tek bir damla kandan bile korktuğunuzu söylerseniz o zaman sizin ödlek olduğunuzu düşünürler."

Da Cunha'nın artık onunla flört ediyormuş gibi bir hali yoktu. Gözlerini onunkilere dikmişti, kararlı bir edayla ona doğru eğilip hırıltıyla konuştu. "O halde o adamlara gidip benim bir okyanus kandan dahi korkmadığımı söyleyin. Onlara, personel, silah, eğitim, konaklama ve kaynaklar için paraya ihtiyacım olduğunu söyleyin. Aynı zamanda, basındaki fikir önderlerini kazanacak, önemli politikacıların desteğini satın alacak ve hükümetleri Cabinda'yı tanımaya zorlayacak büyük çaplı, uluslararası halkla ilişkiler ve lobicilik kampanyalarına da fon sağlamak zorundayım. Ayrıca insanları ve dış dünyayı bağımsız bir Cabinda'da insan hayatının iyileşeceğine inandırmak da zorundayım."

"Peki ya Angola Hükümeti?"

"Çok basit. Cabinda'yı ellerinde tuttukları için hayatlarını cehenneme çevireceğim ve onu rahat bırakmalarının faydalarına olacağını düşündüreceğim onlara. Herkesin bir fiyatı vardır, başkanın ve onun önemli askeri ve politik müttefiklerinin banka hesaplarına bir milyon, yüz milyon ya da hatta bir milyar yatırmamız dahi gerekse bunu yapacağız, çünkü mükâfatı bundan çok daha fazlasına değer."

Nastiya, bunun gerçek Mateus Da Cunha olduğunu hissedebiliyordu: sınırsız bir hırsa, yalın bir açgözlülüğe ve kesinlikle amansız bir iradeye sahip bir adam. Profesyonel tarafı şimdi onu ciddiye alınması, hatta korkulması gereken bir düşman olarak görüyordu. Ahlaki pusulası, onun istediği şeye ulaşmak için şeytani tutumlar sergileyebilecek bir potansiyele sahip olduğunu söylüyordu.

Akşamın ondan alacağı bir tür cinsel avansla sona ereceğini tahmin ediyordu. Bu nedenle yemeğin sonunda doğrudan bir teklifte bulunduğunda onun için büyük bir sürpriz olmadı. "Benim daireme gel. Konuşmamıza daha rahat devam ederiz."

Böyle bir noktaya geldiklerinde ona şöyle karşılık vermeyi planlamıştı: "Hayır, o kadar bekleyemem. Benim odam daha yakın." Ağzına kadar dolu mini barından ona bir içki dolduracak ve içine de toz haline getirilmiş Rohypnol atacaktı. Gizli kamera yatağa çevrilmiş, aşağılayıcı pozları çekmeye hazır bulunacaktı. Ama şimdi onu odasına davet etmenin kendisi için güvenli olmadığını fark etmişti. Hayatında ilk kez herhangi bir cinsel durumun kontrolünü tamamen elinde tutma yeteneğine güvenemedi ve evliliğini, işini ve Cross'un ona duyduğu güveni riske atmaya hazır değildi. O nedenle de tebessüm ederek teklifi geri çevirdi. "Çok cezbedici bir davet ama olmaz. Belki başka bir zaman."

Da Cunha iç geçirerek başını iki yana salladı. "Demek beni kandırıp sonra da yüzüstü bırakıyorsun. Anlaşılan becerilerimi kaybediyorum." Durdu, ona baktı ve sonra yine Fransızlara özgü bir tavırla omzunu silkti. "Eh, belki ikimiz de birbirimizi aldattık. Aslında gerçek şu, benim senin yatırımcılarından gelecek paraya ihtiyacım yok, en azından şimdi yok. Kampanyamın ilk aşamasını finanse edecek bir destekçi buldum. Ama sendeki müşterilerin de ilgilerini kaybetmelerini istemem, çünkü bunlar daha sonrası için başka yatırım fırsatları yaratabilir. Bu yüzden hepsine büyük miktarda para kazandıracak bir şey söyleyeceğim sana. Bir ay süreyle hiçbir şey yapmasınlar. Sonra Bannock Petrol'de açığa satış yapsınlar. Onlara, Bannock hisseleri ne kadar düşerse düşsün yatırım yapmalarını söyleyin. Yavaş başlasınlar ama pozisyonlarını korusunlar: Hepsi Bannock'un düşüşüne bağlı, onlarca, hatta yüzlerce milyon dolar. Benim adıma onlara söyleyin, pişman olmayacaklar."

Nastiya böylesine şanslı olduğuna inanamıyordu. Az önce Da Cunha, şantajla almayı bile umamayacağı kadar değerli bir bilgiyi gönüllü olarak ona vermişti. Belki de iyi niyetin ödüllendirildiği doğruydu: Eğer öyleyse bu onun için gerçek bir sürpriz olurdu.

Birlikte restorandan çıkıp lobiye doğru yürüdüler, "Aklını çelemeyeceğime emin misin?" diye sordu Da Cunha ondan ayrılmadan önce.

"Tam tersi, aklımı çelebileceğine eminim," diye karşılık verdi Nastiya. "Ama aklımı çelen bu cazibeye dayanabileceğime de bir o kadar eminim."

Da Cunha, ona bakıp başını salladı ve dudaklarından belli belirsiz bir tebessüm geçti. "Bu gecelik öyle olabilir ama başka geceler de olacak. O zaman direncinin aslında ne kadar güçlü olduğunu göreceğiz."

Nastiya Paris'teyken Hector Cross, Cross Bow'un Magna Grande sahasındaki mevzilenme çalışmalarına kısa bir mola vererek eski bir silah arkadaşı ve dostunu ziyaret etti. Doktor Rob Noble eski bir ordu doktoruydu ve Hector onunla birlikte SAS için hizmet verirlerken tanışmıştı. Şimdilerde Rob'un Harley Caddesi'nde büyümekte olan bir kliniği vardı. Ender hastalanan ama neredeyse daima son moda reçeteli ilaçlara ihtiyaç duyan zengin hastalarına, sağlık artırıcı, yaşlanma geciktirici, cinsel yaşam iyileştirici tedaviler uyguluyordu. Hiçbir şekilde toplumsal bir faydası olmayan bir iş yaparak paraya para demiyor, ancak kazancının büyük bölümüyle tüm dünyadaki çatışma bölgelerinde bulunan çocuklar ve anneleri için ücretsiz kliniklere fon sağlıyordu.

Noble'ın hem ordudaki hem de ordu dışındaki deneyimleri, onu bu dünyada başkalarına zarar veren ve ayıklanması gereken insanlar olduğu düşüncesine götürmüştü. Hector Cross, ona Johnny Congo'nun geçmişiyle ilgili kısa bir özet geçtiğinde

Noble, bunun tablodan hızla silinmesi gerekenler listesine son derece uygun bir aday olduğunu hemen fark etti. "Yine de senin için sakıncası yoksa bunu yapacak zehri sana sağlayan kişi olmak istemem," dedi Noble. "Sonuçta ben Hipokrat yemini ettim, kimseye öldürücü bir ilaç vermeyeceğime dair ant içtim."

"Merak etme," diye rahatlattı onu Cross. "Bir insanı hızlı ve acısız bir şekilde yere devirecek ve uyandığında başına gelenlerle ilgili mümkün olduğunca az şey hatırlamasını sağlayacak bir şeyler arıyorum."

"Hımmm..." Noble konunun üzerinde düşündü. "Ama ani bir nakavta sebep olacak bir iksir falan olmadığını sen de biliyorsun... filmler hariç. Yine de senin için bir şeyler hazırlayabilirim. Birkaç güne gel, hazır ederim. Umarım, beş-altı doz senin için yeterlidir, değil mi?"

"Fazla bile. Ayrıca gereksiz yere birilerinin yaralanması ihtimaline karşı birkaç ampul morfin de iyi olur."

"Olmuş bil."

İki gün sonra Cross, Harley Caddesi'ne geri döndüğünde Noble, ona her birinde altı adet ampul olmak üzere iki küçük plastik kap verdi. Kutulardan birinin üzerinde küçük kırmızı bir haç işareti vardı, diğerinde yoktu. Her ampulün üzerindeyse içinde insülin olduğunu söyleyen ve kullanım şeklini tarif eden bir etiket bulunuyordu.

"Diyabet oldun," diye açıkladı Rob Noble, Hector'a. "Gümrükten birileri kontrol edecek olursa diye iki kutuda da ilk ampulde gerçekten insülin var. Kırmızı haçın olduğu kutudaki diğer ampuller talep edildiği üzere morfin içeriyor. Üzerinde işaret olmayan kutudakiler, komik ama partilerdeki uyuşturucuların hafif bir karışımı. GHB Suyu ya da Sıvı G olarak da bilinen ve piyasadakiler arasında en hızlı baygınlığa neden olan dört bin miligramlık gama-hidroksibütirik asit ve bu dünyadan ayrılıp hayal ürünü etkiler yaratma becerisi nedeniyle beyinlerini darmaduman etmek isteyen –LSD'nin daha hafif bir versiyonu gibi bir şey sanırım– ahmaklar tarafından rağbet gören bir sakinleştirici olan ketamini karıştırdım. Bellek kaybına da yol açıyor, o sebeple senin amacına hizmet edeceğini düşünüyorum. Maruz kalan kişiye kendisini çok tuhaf hissettirecektir fakat bu doz genel sağlık durumlarına bağlı olarak ölümcül değil."

"Teşekkürler Rob, sen bir dâhisin," dedi Cross.

"Sana tüm kalbimle katılıyorum. Ama Nobel Ödülü Komitesi beni ısrarla aramıyor."

Cross ofisine döndüğünde Nastiya'nın Paris'ten döndüğünü gördü. "Ee, Da Cunha'nın ağzından bir şeyler alabildin mi?"

Nastiya başını olumlu anlamda salladı. "Evet."

"Ve?..."

"Da Cunha, Cabinda'nın bağımsızlığına barışçıl yollarla kavuşması için çalıştığını söylüyor ama yalan. Ülkeyi ve petrol gelirini kontrol etmek için elinden ne gelirse yapacak. Ayrıca askeri ve halkla ilişkiler kampanyalarına fon sağlamak, istediğini yaptıracağı politikacılara vereceği rüşvetleri ödemek için destekçiler arıyor. İlk başlarda Rus parasını kullanabilme ihtimaliyle ilgileniyordu ama ikinci karşılaşmamızda mücadelenin ilk aşamalarını karşılamaya yetecek kadar parası olan birini bulduğunu belirtti."

"Kim olduğunu söyledi mi?"

"Hayır ama bir sonraki hedefinin kim olduğunu söyledi. Paralarını şimdi reddederse müşterilerimin kendilerini aşağılanmış hissedeceklerinden endişe ediyordu. Bu nedenle iyi niyet göstergesi olarak onlara borsada Bannock Petrol'e karşı kısa pozisyonda yüklü bir yatırım yapmaları mesajını iletmemi istedi."

"Bannock Petrol olduğuna emin misin?"

"Kesinlikle. Bannock hisselerinin değerinin düşeceğinde ısrarcıydı."

"Zamanını söyledi mi?"

"Evet. Müşterilerime bir ay hiçbir şey yapmamalarını ama sonra olabildiğince bol parayla Bannock'a saldırmalarını söylememi istedi."

"Harika iş çıkardın Nastiya. Kendinden bekleneni bir kez daha başardın. Ama işin içinde kötü bir koku olması çok yazık."

Cross, Agatha'ya Heathrow'dan Washington DC'ye giden ilk uçakta kendisine yer ayırmasını söylemişti. Bobbi Franklin'i aradı ve onu dışişleri bakanlığı binasından sadece beş dakikalık taksi mesafesindeki Pennsylvania Caddesi'nde bulunan Marcel'e akşam yemeğine davet etti.

"Bu çok ani oldu," dedi Franklin ama sesi bunun güzel bir sürpriz olduğunu söylüyordu. "İş mi yoksa keyif mi?"

"İkisi birden."

"Meraklandım. Orada görüşürüz."

Congo'nun bomba yapan arkadaşı Chico Torres söylediği kadar iyiydi. Birkaç gün içinde detaylı bir saldırı planı hazırlamıştı: Torres'in işin gerektirdiği ağır silahları toplayabilmesi için Congo'nun tedarik edeceği materyallerin sayısal bir listesi; teslimat sisteminin ve Congo'nun arzu ettiği etkiyi yaratmak için doğru paketi, doğru yere, doğru zamanda iletecek personelin ayrıntıları. "Eğer istersen dostum, planlamadan uygulamaya tüm operasyona destek olabilirim. Ben Benjaminleri alacağım, sen de çatapatları. Anlatabiliyor muyum?"

Congo ve Torres finansal pazarlıklarını memnun edici şekilde tamamladılar. Fiyatlandırma ve zamanlama oluşturuldu. Congo sonraki birkaç gün içinde, ilk başlarda tasavvur ettiğinden bile daha büyük, daha karmaşık ve potansiyel olarak çok daha yıkıcı hale gelen planda, Torres'in yanında çalışacak adamların istihdam sürecini başlattı. Babacar Matemba ve Mateus Da Cunha'yla yapılan görüşmeler, olayın onlara düşen kısmını daha elle tutulur hale getirdi. Şimdi Congo askeri faaliyetlerinin yaratacağı borçları çözmesi gerekiyordu. Böylece Aram Bendick'e telefon etti, Bendick'in önemsiz telefonları başından savmak için tuttuğu görevli ordusunu aşıp nihayet yatırımcıya ulaştı.

"Yaptığın işleri seviyorum dostum," dedi Congo kendini Juan Tumbo olarak tanıtıp. "İcra kurulu başkanlarını yerden yere vurmak, borsa fiyatlarını düşürmek, malları değerinden düşüğe almak... bunlar sevilmez mi? Bunun üzerine *Forbes*'in milyarderler listesinde seni aradım, sekiz nokta ikiyle yüz altmışıncı sırada olduğunu gördüm. Dostum, bu gerçekten can sıkıcı, değil mi? Yani bilirsin, ilk yüz ellide bile olmamak."

"O rakamlar son derece yanlış," dedi Bendick sinirli bir sesle.

"Evet, tabii, muhabirler, doğru. Onlar ne bilecek ki? Ama sana şunu sorayım: Ne kadar çok milyonum olursa olsun daha fazlası göz çıkarmaz, haksız mıyım?"

"Bununla nereye varacaksın Bay Tumbo? Şu an internetteyim, seninle aynı listeye bakıyorum; tek fark ismini hiçbir yerde göremiyor olmam. O yüzden, bana neden senin saçmalıklarını dinlemem gerektiğini söyle yoksa bu telefonu şimdi kapatıyorum."

"Beni hiçbir listede görmüyorsun, çünkü orada olmak istemiyorum. Ben işlerimi kendime saklıyorum. Ama şimdi sana söylüyorum Bay Bendick, paranı ikiye katlayabilirim. Tabii sen şimdi, 'Boş laf! Bunu nasıl yapacaksın?' diyeceksin. Görüştüğümüzde onu da anlatacağım, ama önce Seventh Wave Fonları'na girip çıkan parayı takip edebiliyorsun diye tahmin ediyorum, doğru mu?"

"Elbette."

"O halde ABD Özel Durumlar Fonu'nu kontrol et. Ekranında görüyor musun?"

"Evet, ne olmuş?"

"On saniye içinde, fona yatırılan para elli milyon dolara kadar yükselecek. Bekle..."

"Aldım!" Bendick ilk kez, konuşmanın gidişatıyla ilgileniyormuş ve hatta heyecanlanmış gibi görünüyordu.

"İşte, o bendim. Az önce sana elli milyon verdim... Hoop! Bunu fonların kanıtı olarak gör. Şimdi... ne zaman buluşuyoruz? Sana nasıl milyarlar kazanacağımızı anlatacağım."

Hector Cross başgarsonun kalabalık restorandaki masasına doğru gelirken Bobbi Franklin'e eşlik ettiğini gördüğünde ayağa kalkıp onu samimi bir tebessümle karşıladı. Yüzünün, gözlükleri olmadan çok daha zarif bir güzelliği vardı ve genel görüntüsü de buna eşlik ediyordu; işyerine küçük siyah elbiseler, topuklu ayakkabılar giyerek ve inci takılar takarak gitme alışkanlığına rağmen, akşam yemeği için kıyafetini değiştirme zahmetine de katlanmıştı. Bu son derece ümit verici bir işaretti.

Yemekleri servis edilene kadar işle ilgili mevzuları bitirmeye karar verdiler. Cross, ona Bannock'un Angola'daki operasyonunun karşı karşıya olduğu tehditlerden ve bu bilginin kendisine nasıl ulaştığından bahsetti.

"Da Cunha'nın palavra atıyor olma ihtimali var mı?" diye sordu Bobbi. "Erkeklerin çekici bir kadını etkilemek için söylemeyeceği şey yoktur."

"Yılların deneyimi konuşuyor galiba..."

Bobbi güldü. "Hey! Yemekler gelene kadar iş konuşacağımızı sanıyordum! Ama yine de iltifat için teşekkür ederim..."

"Rica ederim ama hayır, sanırım bunu gerçekten kastederek söylemiş. Da Cunha, Maria Denisova'nın ciddi anlamda varlıklı ve güçlü kişileri temsil ettiğini düşünüyor. Onlara yanlış bilgi vererek kendisine düşman etmek istemez. Soru, birilerinin bununla ilgili ne yapabileceği."

"Angola Hükümeti'yle konuşup güvenlik girişimlerini ikiye katlamalarını isteyebiliriz. Ben Langley'deki arkadaşlarımla görüşerek Mateus Da Cunha'yı daha yakından incelemelerini isteyebilirim, ama adamın Fransa vatandaşlığı var ve Avrupalı müttefiklerimiz vatandaşlarına karşı istihbarat sorgulaması yapmamız konusunda oldukça hassaslaştılar."

"Peki ya ordu? Donanma koruması alabilir miyiz?"

"Çok zor. Ortadoğu'da, Güneydoğu Asya'da, Doğu Avrupa'da çok fazla tehditle karşı karşıyayız ve bu, yıllardır süren savunma kesintilerinin ardından oluyor. Belli bir tarih ve bölgede, belli bir tehlikeden haberdarsanız Pentagon'daki bazı faaliyetleri hızlandırabilir bu. Ama herhangi bir zamanda, herhangi bir yerde bir şeyler olacağını söylüyorsanız eh, o zaman bir işe yaramaz."

"Yani aslında söylemeye çalıştığım şey, tek başımıza olduğumuz."

"Öyle görünüyor." Cross onun söylediklerini hazmetmeye çalışırken o da şarabından bir yudum alıp ekledi. "Umarım elçiye zeval olmayacağını biliyorsundur."

"Elbette, bu kadar dürüst olduğunuz için de suçlayamam sizi, elçiye insanları tehlikeden haberdar etmek için elinden geleni yapmasını söyleyeceğim. Ve sonra da şöyle diyeceğim: Cabinda'yı unut, petrolü ve şiddet tehdidini de. Bana kendinden bahset."

Yemeğin kalanında iş konuşulmadı. Bobbi Franklin zeki ve espriliydi. Cross'un ona olan ilgisi kadar o da Cross'la gerçekten ilgileniyordu.

Hector ise uzun zamandır ilk defa rahatlayabilmişti, sürekli tepesinde geziniyormuş gibi görünen şiddet ve tehlike bulutları dağılmıştı; mükemmel oranlarda güzellik, akıl ve tatlılığa sahip olan bir kadınla birlikte olmanın keyfini çıkarıyordu.

Yemek sona erdiğinde onu evine bıraktı. Kapıda keyifli ve uzun bir öpücükle ona veda etti.

"Erkeklerin, isteklerimiz aynı olduğunda dahi istediklerini elde edebilmek için biraz uğraşmaları hoşuma gider," dedi Bobbi.

"Zor işler beni korkutmaz," diye karşılık verdi Cross. "Fakat bir süre fazla ortalarda olmayacağım, en azından şu Cabinda işi öyle ya da böyle çözülene kadar."

"Anlıyorum. Ama gelecekte beni nerede bulacağını biliyorsun. Ve taşınmayı da planlamıyorum."

Ertesi sabah Cross, uçakla Washington'dan Houston'a geçti. Bannock Petrol Ofisi'nde John Bigelow'u, Bobbi Franklin'den daha ayrıntılı şekilde bilgilendirdi.

"Yüz yüze ve baş başa görüşmek istedim, çünkü size, üzerinde etraflıca düşünülmüş profesyonel fikrimi aktarmam gerekiyordu," dedi Cross ona. "*Noatak*'ın batmasının şirkete halihazırda verdiği kayıpları ve Magna Grande'de benzer bir zarara uğramamız durumunda telafisi mümkün olmayacak muhtemel kayıpları göz önünde bulundurarak, karşı karşıya kaldığımız tehditler tespit ve analiz edilene kadar küçülmeye gitmemiz, hatta Angola sularındaki operasyonları durdurmamız gerektiğine inanıyorum."

"Bu söz konusu dahi olamaz," dedi Bigelow. "Magna Grande'ye devam etmeliyiz ve o iş başarılı olmak zorunda."

"Saygısızlık etmek istemem ama hemfikir değilim," dedi Cross. "Abu Zara'nın geliri hâlâ çok sağlam. Maliyetleri genel olarak küçültür, imkânlarımız dahilinde yaşarsak ve Alaska'daki yaraların iyileşmesine izin verirsek yine de hayatta kalabiliriz."

"Peki, vaat edebileceğim tek şey daha düşük gelir ve kâr olduğunda hissedarlar buna ne diyecek? Zaten başımda beni kamuya açık bir şekilde beceriksizlikle suçlayan Bendick akbabası var."

"Bannock Petrol'ün yöneticisi ve tüm geleceği bu şirketin başarısına ve hisselerinin uzun vadeli gücüne bağlı olan bir kızın babası olarak konuşmam gerekirse lanet olası Aram Bendick'i boş verin derim. Adam tam bir kan emici ama bu şirketi yıkamaz. Mateus Da Cunha ise yıkabilir, bilhassa da Johnny Congo tarafından finanse ediliyorsa."

"Ama Congo neden Bannock'u yok etmek istesin?" diye sordu Bigelow. "O, Carl Bannock'un arkadaşı, ayrıca Carl kadar iğrenç bir serseri ve o da Bannock Petrol'ün gelirleriyle yaşıyor. O yüzden kendine neden zarar versin? Bak Heck, gelip benimle konuştuğun için minnettarım. Bir tehditle karşı karşıya olduğumuzu düşünüyorsun ve seni anlıyorum. Ama sen hayatımda tanıdığım en iyi güvenlik müdürüsün. Senin ve adamlarının harika bir iş çıkaracağınıza, Magna Grande'deki yatırımlarımızın güvenliğini sağlayacağınıza güvenim tam. Sadece Afrika'ya gidin ve en iyi yaptığınız şeyi yapın. Milyarlarca galon petrol çıkaracağız, hisseler yukarı doğru çıkacak, Bendick kıçına hak ettiği tekmeyi yiyecek ve sen dostum, minnettar bir arkadaştan bolca teşekkür alacaksın."

Eh, ben en azından denedim, diye düşündü Cross, oteline doğru giderken. Bir sonraki durağı Karakas'tı. Ve şimdi Johnny Congo'ya indirilecek darbenin sadece şahsi bir intikamdan ibaret olmadığını fark ediyordu. Bannock Petrol'ün geleceği de Congo'nun doğurduğu tehlikeyi ortadan kaldırmaya bağlıydı.

Venezuela, Karakas'ta saat gece yarısını geçerken gri bir Toyota Corolla, Villa Kazundu'nun girişinden yaklaşık beş yüz metre ötede durdu. Tommy Jones, Cross'un belirttiği gibi simsiyah giyinmiş bir halde, aracın yolcu kapısından indi. Görünürde başka bir araç yoktu ve villanın konumlandığı semtte sadece birkaç sokak lambası bulunuyordu. Anlaşılan yüksek duvarların ve kalın çitlerin ardındaki ev sahipleri, mahremiyetlerine sokak güvenliğinden daha fazla önem veriyordu: Bu meseleyle ilgilenmesi için şoförlerine para ödemeyi tercih ediyorlardı. Dolayısıyla yolun karşısına, evlerin son sırasının arkasındaki açıklığa çıkan yokuşun toprak yoluna geçmesi Jones için zor olmadı. Yokuş yukarı, yola paralel olarak koşmaya başladı. İlk önce Guillermo Valencia tarafından belirlenen ve Villa Kazundu'nun görülebildiği gözlem noktasına ulaştı. Jones ardından başı yokuş aşağı olacak şekilde yere uzandı. Bel çantasından son model bir termal görüntüleyici çıkardı. Kamerayı çalıştırdıktan sonra kemerindeki telsizle Bluetooth bağlantısının çalışıp çalışmadığını kontrol etti, kameranın dürbününü sağ gözüne tuttu ve evi taramaya başladı. Etraflarındaki yeşilliğin daha koyu fonunda beyaz ve gri renklerde iki insan silueti birbiri ardına belirdi: Güvenlik görevlileri devriye geziyorlardı. Jones fısıldayarak konuştu.

"Bunu görüyor musun, patron?"

"Gayet net," diye karşılık verdi Cross. "Peki ya sen, Dave?"

"Buradan da gayet iyi," dedi Imbiss Londra'dan, güven veren bir sesle. "Villanın kamera ve alarm sistemlerine girdim. Talimatın üzerine onları devreden çıkarmaya hazırım. Ön kapıdaki tuş takımının giriş şifresi sıfır-sıfır-sıfır-sıfır olarak değiştirildi. Basit olsun dedim."

"Ben ve benim küçük beynim, bunun için sana teşekkür borçluyuz. Evin içinden görüntü var mı, Jones?"

Kamera villanın kendisine doğru çevrildi. Basit tuğla duvarlardan içeri nüfuz edecek kadar hassastı ama ekranda beliren üç siluet belli belirsiz, gri lekelerden ibaretti. "Zannederim, burası ana yatak odası, patron," dedi Jones.

"Güzel," dedi Cross. "Umalım da adamımız burada olsun, tercihen uyur halde. Planlandığı gibi saat üçte giriyoruz. O zamana kadar bir değişiklik olursa bana haber verin."

"Tamamdır patron."

Paddy'nin direksiyonda olduğu kiralık Toyota, yoldan tekrar geçerken yavaşladı. Hector, Nolan ve Schrager araçtan inip Villa Kazundu'nun duvarından atlayacakları yere doğru koştular. Her birine bir korumayla ilgilenme görevi verilmişti ve o kişiyi tam olarak nerede bulacaklarını biliyorlardı. Hepsi siyah giyinmişti ve parmak izi bırakmamak için ellerinde lateks eldivenler vardı. Hector, Nolan ve Schrager'a Rob Noble imzalı karışımın olduğu ampulü ilgili oldukları korumanın boynuna zerk etmeleri ve bayılana dek beklemeleri talimatını vermişti. Ardından korumaların tabancalarını alacaklardı: Polisin, cinayet silahlarıyla saldırganlar arasında bağlantı kurmasına izin vermemek için Congo'yu öldürmek üzere bu silahlar kullanılacaktı. Üçüncü olarak evin girişinde buluşacaklardı.

Ardından da asıl eğlence başlayacaktı.

Jaime Palacios beş saattir kapı kontrol kulübesinde duruyordu ve daha üç saati vardı. Bu görev vardiyadaki en kıdemli çalışana ayrılmıştı: Kısmen mülke girip çıkan insanları karşılaması, kısmen de güvenlik kameralarının görüntülerinin yansıdığı mini ekranları gözlemesi gerektiği için ve biraz da bütün vardiyayı ortalıkta dolaşmak yerine oturarak geçirebileceği için. Villa ya da sakinlerine karşı, o ana dek hiçbir tehlike söz konusu olmadığından bu, bir görevlinin yapabileceği en kolay işti ve genellikle güvenlik şirketinde en uzun süre hizmet vermiş adamlara ödül mahiyetinde veriliyordu.

Palacios biraz rom içmiş, Samsung Galaxy televizyonunda porno izlemiş, burnunu karıştırmış, belini esnetmiş ve ara sıra, sözüm ona güvenlik durumuyla ilgili son durum raporu almak ama daha çok iki kelam laflamak için onunla birlikte gece vardiyasında çalışan diğer iki kişiyle bağlantı kurmuştu. Bu iki arkadaşıyla da daha evvel çalışmamıştı. Neredeyse altı yıldır aralıklı olarak Villa Kazundu'ya gelen Palacios'un aksine şirkette yeniydiler. Bu zaman zarfında orada oldukça çılgınca şeyler görmüştü. Senyör Tumbo ve *maricón* erkek arkadaşının, güç sahibi arkadaşlarının olduğunu ve onların da kadınlar, erkekler veya ikisinin arası kimselerle eğlenmeyi sevdiklerini biliyordu. O güne kadar izlediği porno yıldızlarından da vahşi görünümlü ucubelerin bu kapılardan geçtiğine çok kez şahit olmuştu. Senyör Tumbo orada yalnız yaşamaya başladığından beri yukarı çıkmamıştı ama onun gibi güvenlik görevlilerinin de davet edildiği ve istedikleri kızı seçmelerine izin verildiği vahşi grup seks partileriyle ilgili hikâyeler dinlemişti.

Palacios'un başına daha evvel böyle bir şey gelmemişti, o nedenle de internetten yüklediği düşük seviyeli rezilliklerle idare etmek zorunda kalmıştı. Şu anda da onlardan birine öylesine dalmıştı ki kapalı devre kamera sistemi ekranlarının karardığını ve siyahlara bürünmüş bir gölgenin kapısı açık kulübeye sessizce girdiğini fark etmedi. Hatta boynuna giren iğnenin batışını dahi hissetmedi.

Palacios bağırmasını önlemek için ağzını kapayan ve onu oturduğu sandalyeye bastıran güçlü ellere karşı birkaç saniye mücadele etti ama sonra zihni bulanmaya başladı ve derin bir şuur kaybına doğru kendini bıraktı.

Jones, hem termal görüntüleme cihazının vizöründeki lekelerin yoğunluğundan, hem de oturma odasından gelen müzik nedeniyle Johnny Congo'nun binadaki yerini değiştirdiğine dair Hector'a uyarıda bulunmuştu.

"Her zamanki gibi ona eşlik eden birkaç kız var gibi görünüyor."

"Başka birine zarar gelmesini istemiyorum," dedi Hector, adamlarına. "Congo'yu net olarak görmeden ateş etmek yok. Eğer mümkün olursa her biriniz bir kızı alıp ayağınıza dolanmasına engel olun. Congo'yu bana bırakın." Onların talimatı onaylamalarını bekledikten sonra ekledi. "Pekâlâ öyleyse, halledelim şu işi."

Cross, Nolan ve Schrager'ı ön bahçeye ve ön kapının merdivenlerine yönlendirdi. Dave Imbiss'in değiştirdiği şifre çalıştı. İçerideydiler.

Congo'nun kızlarla birlikte bulunduğu oda, giriş koridorunun karşısında, sağdaydı. Odanın kapısı aralıktı. Cross sessizce kapıya doğru ilerledi ve pantolonunun cebinden üzerinde teleskopik bir kol olan bir ayna çıkardı. Yere çömeldi ve ayna, kapının kenarının hemen ötesinde, yerden yaklaşık bir metre yüksekte duruncaya kadar kolu genişletti ve verdiği görüntüyü inceledi.

Deri bir kanepenin arkası ve onun ilerisinde, vücutlarını birbirine yapıştırmış, seksi hareketler yaparak pervasızca dans eden iki kız görünüyordu. Hector ilk başta Congo'yu tam seçemedi ama sonra oturduğu kanepeyle aynı, koyu kahve tonlarındaki başının tepesini gördü. Kafası kanepeden birkaç santim daha yukarıdaydı. Fakat bu açıdan Hector'un görüşü kısmen engelleniyordu.

Kızların yüzünü göremiyordu ve aynayı yukarı doğru eğmedikçe odayı bütünüyle görüntüleyemiyordu. Ama eğer bunu yaparsa aynanın tavandaki ışığı yakalaması ve avına varlığını belli etmesi muhtemeldi. Sessizce adamlarına işaret verdi: Nolan'a sağ tarafına, Schrager'a ise soluna geçmesini işaret etti. Sonra elini kaldırıp geriye doğru saymaya başladı: üç, iki, bir, şimdi!

Hector açık kapıdan odaya doğru atıldı. Ama neredeyse anında duraksadı, çünkü daha evvel görmediği bir şey görmüştü. Şöminenin üzerinde asılı olan aynaydı bu. Ve Cross aynayı gördüğü anda avı da onun aynadaki yansımasını gördü. Congo vahşi bir hayvan çevikliğiyle anında kanepeden sıçradı. Odanın ortasına doğru atıldı ve dans eden çıplak kızlardan yakın olanı yakaladı. Kızın kollarını arkasında bükerek yüzünü Hector Cross'a bakacak şekilde çevirdi ve bir kalkan gibi kendi önünde tuttu. İkinci kadın, Hector'u ve kendisine doğrulttuğu tabancayı gördüğünde çığlığı bastı; ardından da dönüp cam kapıdan dışarı fırlayarak evin karanlığında gözden kayboldu. Johnny Congo hâlâ Hector'a dönüktü, zırlayan kızı önünde tutmaya devam ederek diğer kızın geçip kayıplara karıştığı açık kapıya doğru geriledi.

"Bırak kızı!" diye hırladı Cross.

Congo başını arkaya atarak güldü. "Ah, bu sesi tanıyorum. Cehenneme kadar yolun var Cross, kimseyi bırakmaya niyetim yok. Ama siz üç pislik o elinizdekileri bıraksanız iyi olur, yoksa bu fahişenin boğazını keserim!"

"Kes o zaman," dedi Cross sahte bir umursamazlıkla. "Haydi. Bitir şu işi... Ama eğer ölürse hemen arkasından sen de ölürsün. İnan bana, bunu yaparım."

Cross kızın gözlerinin büyüdüğünü gördü. Ne söylediğini anlamıştı. Bunu beklemiyordu.

Congo yılmadı. "Sen buna cesaret edemezsin. Öyle olsaydı onu çoktan vururdun. Silahını bırak Cross." Başıyla Nolan'ı ve Schrager'i işaret etti. "Onlar da..."

"Böyle bir şey olmayacak Congo."

"O halde bir anlaşmazlık içindeyiz demektir, öyle değil mi?"

Congo geriye doğru yürüdükçe açık kapıya daha da yaklaşıyordu. Hareket ederken bir yandan da daha zor bir hedef haline gelmek için bir boksörün yumruklardan kaçarken yaptığı gibi başını iki yana sallıyor, yukarı aşağı indirip duruyordu. Fakat başı ne kadar hareketli olursa olsun Congo'nun gözleri Cross'a kilitlenmişti ve diğer iki kişiye sadece arada sırada kısa bakışlar atıyordu. Asıl tehlikelinin kim olduğunu biliyordu.

Cross ondan beş metre uzakta, onunla birlikte hareket ediyordu; kızın alnının hemen üzerinde bir noktaya nişan aldığı tabancasını iki eliyle kavramış ve öne doğru uzatmış halde Congo'nun bakışlarına karşılık veriyordu. İsabet ettirebileceği kısacık bir an bulursa ateş etmeye kararlıydı.

Ama Congo artık cam kapıya sadece bir adım mesafedeydi. Hector evle ilgili incelediği planlardan kapının, ana mutfağa ve onun ilerisinde de hizmetlilerin odalarına açıldığından neredeyse emindi. Evin o bölümünde, odalar çok daha küçük ve çok daha fazla sayıdaydı; birinci kattaki yatak odalarına ve iki hızlı araba ile bir Suzuki 500 cc motosikletin bulunduğu garaja giden bir koridor labirenti ve merdivenlerle birbirine bağlanıyordu.

Congo'nun garaj tarafına yöneldiği muhakkaktı. Olanca hızıyla oraya doğru koşacak, vardığında da bir arabaya ya da motosiklete atlayıp gidecekti ve Hector'un onu durdurmak için son şansı Paddy O'Quinn olacaktı. Ama Paddy'nin karanlığın içinde Congo'yu yakalama konusunda muhteşem bir iş çıkarması gerekecekti. Tam anlamıyla doğru zamanda tam olarak doğru yerde olması gerekiyordu.

Bu yüzden Hector, ona şimdi engel olsa iyi ederdi. Ne var ki, zamanı azalıyordu. Kendisine engel olacak ihtimalleri hesapladı. Bunu başarmanın tek bir yolu vardı: kızın bacaklarına ateş etmek. Bu mesafeden atılan 9.mm'lik bir mermi onun içinden geçerek Congo'ya ulaşabilirdi. Kızın muhteşem bacakları vardı. Onlardan birini parçalarsa çok yazık olurdu. Ama kötü bir yara ve ömür boyu topallamak boğazının kesilmesinden iyiydi. Ve yaralı bir rehine de kaçan bir katilden iyiydi.

Hector'un hedefi belliydi ama silahını kızın kavalkemiğine indireceği tam anı zihninde canlandırıyordu. Nefes aldı ve nefesini yavaşça bıraktı. Bir sonraki nefesini aldığında ateş edecekti.

Congo neredeyse kapının eşiğindeydi. Şimdi ateş etmek zorundaydı. Cross nefesini almaya başladı. O sırada Congo hiç beklenmedik bir şey yaptı: Kızı sırtından bıçakladı. Kızın acı dolu haykırışı bir an için Hector'un dikkatini dağıttı. O kısacık an içinde Congo, kızı sanki bez bir bebekmiş gibi kolayca havaya kaldırıp Hector'a doğru savurdu. Hector yana çekildi ve ateşlediği kurşun kızın vücuduna denk geldi. Ama şimdi Congo, Nolan ve Schrager'in hedef alabileceği şekilde savunmasız kalmıştı.

Ateş etmeye başladılar, ne var ki Congo hemen öncesinde geriye doğru bir takla attı ve iki adamın mermileri tepesinden geçti. İkisi de başına nişan almıştı. Congo taklasını tamamlayarak son derece dengeli bir şekilde, çömelir pozisyonda yere indi. Hemen ardından iri bacaklarının tüm gücünü kullanarak kendini yana doğru attı; büyük, vahşi bir kedinin hızı ve çevikliğiyle kapının ağır çerçevesinin öteki tarafına geçti. Nolan ve Schrager'in bir saniye geciken kurşunlarıyla tahta çerçevelerden beyaz kıymık bulutları yükseldi. Ama Johnny Congo gitmişti. Bir an için olanların hızından afallayan adamlar, onun geniş ve eski evin alt katındaki garaja inen beton basamaklardaki ayak seslerini duydular.

Hector, Congo'nun ne kadar kurnazca hareket ettiğini acı içinde fark etti. Kızı öldürseydi, Hector kıza aldırış etmeyecekti. Ama kız yaralandığında ilgisini ona verecekti.

"Nolan! Kızla ilgilen," diye bağırdı Cross. Kıza bakıp İspanyolca konuştu. "Yaşamak istiyor musun? İstiyorsan dediklerini aynen yap." Sonra Schrager'e bir bakış attı. "Schrager! Benimlesin." Haykırarak bir emir daha verirken çoktan koşmaya başlamıştı. "Jones! Paddy'nin arabasına geç. Hemen!"

Congo on saniye kadar avantajlıydı. Ama Cross, garaja ulaşmadan ona yetişebilirse on saat de olsa fark etmeyecekti. Cross mutfağa giden koridora koştu. Ortalık zifiri karanlıktı.

Telefonunu çıkarıp fener ışığını yaktı. İki saniye daha kaybetmişti. İleride bir gürültü işitti.

Şimdi koridorda koşuyordu, iki kanatlı kapıdan sola döndü ve mutfağa ulaştı. Cross dört personel gördü: iki aşçı ve odanın bir kenarına büzülmüş iki üniformalı hizmetçi. Artık duyduğu sesin ne olduğunu biliyordu. Congo tencere ve tavaların olduğu metal bir katlı raf ünitesini devirmişti. Cross dağınıklığın arasından geçip mutfaktan çıkmanın bir yolunu bulmuştu ama bu onu yavaşlatmış ve daha fazla zaman kaybettirmişti.

Cross yoluna devam etti. Ardında küfür ve homurdanmalar işitti, Schrager ters dönmüş bir tavaya basmıştı ama sonra ona aldırış etmeden yoluna devam etti. Mutfağın karşı tarafındaki çıkışta yol ikiye ayrılıyordu: Birisi sağa, hizmetlilerin odalarına; diğeri sola, garaja inen merdivenlere gidiyordu. Cross sola döndü ve tam merdivenlerin başındayken aşağıda koşuşturan ayak seslerini duydu.

Merdivenler zikzak şekilde inen üç bölümden oluşuyordu. Cross koşarak inmekle uğraşmadı, her basamak grubundan atlayarak düzlüğe inip yüz seksen derece dönüyor ve bir sonrakine geçiyordu. Basamakların sonuna geldiğinde tökezleyip garaja çıkan kapıyla merdivenlerin arasındaki küçük lobinin beton zeminine düştü.

Cross zemine çarpıp ciğerlerindeki havayı dışarı verirken başının üzerindeki kapı sağır edici, yakın menzilli bir makineli tüfek patlamasıyla paramparça oldu. Cross ayakta duruyor olsaydı tam da bulunacağı seviyede patlamıştı. Schrager çelik ve alüminyum parçaların oluşturduğu fırtınanın ortasına daldığında tüm kemikleri çatırdayarak, kol ve bacakları birer çıraya, kafası şekilsiz, suratı olmayan, pembemsi-kırmızı bir pelteye dönüşerek, cansız bir halde Cross'un yanına düştü.

Cross yanındaki cesede aldırış etmedi. Aklı cesede denk gelen kurşunlardaydı. O mermiler, cephanesi bitmeden iki saniyeden fazla ateş edemeyen bir silahtan çıkmıştı, bu da Congo'nun kesinlikle her an şarjör değiştirmesi gerekeceği anlamına geliyordu. Böylece Cross, elleriyle dizlerinin üzerinde doğrularak ayağa kalkmak, kapıya doğru atılmak, kapıdan geçip Congo'nun silahını doldurduğu anda nişan alacağı hattan yuvarlanarak uzaklaşmak için yeterli zamanı buldu.

Cross yuvarlanışını alçak seviyede çömelerek tamamladı. Silahı elindeydi ve onunla havada bir kavis çizerek Congo'yu aradı. Ama o ortalarda yoktu. Garaj çok büyüktü ve yirmi arabalık alanın çoğu doluydu. Cross'un kulakları silah patlamalarından hâlâ çınlıyordu. Her iki yanındaki araçların tavan çizgilerinin altında eğilmiş koşarken Congo'yu duyamıyordu.

O sırada aniden çalışan motor sesini işitti, parlak beyaz Xenon farlar tam karşısında açılıp gözlerini kamaştırdı ve yönünü kaybettirdi, sonra ışık daha da parlak bir hal aldığında aracın üzerine doğru geldiğini anladı. Cross kör edici ışık alevinin tam ortasına ve biraz üstüne nişan alarak hızla dört el ateş ettikten sonra yana kaçtı; iki buçuk tonluk süper şarjlı V8 Range Rover gürleyerek yanından geçip garajın yokuşunu tırmanarak dışarı çıktı.

Cross doğrularak ellerini dizlerine koyup soluklandı. Şimdi iş, gri Toyota Corolla'daki Paddy O'Quinn ve Tommy Jones'a kalmıştı.

Johnny Congo, Şato Congo'nun garajından ön bahçesine çıkan yokuşa geldiği anda Range Rover'ın ışıklarını kapadı. Hector Cross'un gözlerini kamaştırarak görevlerini yerine getirmişlerdi ama şimdi kendisini takip edenlere yerini belli etmekten başka işe yaramazlardı. Bahçe kapısından hızla çıkıp sert bir hareketle sola dönerek yokuş aşağı, şehre doğru gitmeye başladığında arka aynada iki farın belirdiğini gördü. Congo ilk sağa dönerek tekrar aynaya baktı: Hâlâ arkasındaydılar.

"Pekâlâ!" Başını yukarı aşağı salladı. Sinirlenmişti. "Biz sizinle baş etmeyi biliriz," diye mırıldandı.

Congo ve Carl Bannock, Karakas'a geldikleri ilk andan itibaren, oradan aceleyle ayrılmak zorunda kalırlarsa ne yapacaklarını planlamaya başlamışlardı. Her şey olabilirdi. Yeni, daha az sempatik bir hükümet seçilebilir ya da güç kazanabilirdi: Latin Amerikalı ülkelerin devrimler ve askeri darbelerle dolu bir tarihi vardı, o nedenle bu daima ihtimal dahilindeydi. Amerikan Hükümeti, Congo'nun daha agresif şekilde takibe alınmasını isteyebilirdi. Ya da suç dünyasından bir dostları onların icabına bakmaya karar verebilirdi, zira koltan ve kirli elmastan kazandıkları parayla ilgili bir söylenti yayılırsa bu, bir psikopatı değil, bir azizi dahi baştan çıkarmaya yeterdi.

Congo onları koruyan görevlilerin bariz yetersizliklerini gözlemleyerek ve onları rüşvetler ve tehditlerle etkili bir şekilde kontrol etmeyi öğrenerek Huntsville'de geçirdiği uzun yılların ardından, onu ve Carl'ı koruyan adamların aynı derecede güvenilmez ve akıllarının düşmanları tarafından çelinmeye meyilli olabileceği gerçeğini kabul etmişti. Bu nedenle de bir dizi komplike çıkış stratejisi oluşturmuştu. O ve Carl'ın Hector Cross'un havadan yaptığı askeri saldırıyla uyurken yakalandıkları Kazundu'daki son deneyimi, arkasından Carl'ın ölümü ve kendisinin infazdan son anda kaçışı, hiçbir şeyi şansa bırakmama kararını daha da körüklemişti. Planlarının üzerinden ayrıntılı bir şekilde geçerek, evin içinde ve ötesinde tüm kaçış yollarının işler durumda olduğundan ve binanın her yerine silahlar saklandığından, böylece şartlar ne kadar olağanüstü olursa olsun ihtiyaç duyduğu her şeye ulaşabileceğinden emin olmuştu.

Buna rağmen Congo, koçun oyun stili ne kadar iyi olursa olsun veya bir görev ne kadar kapsamlı şekilde planlanırsa planlansın beklenmedik şeylerin gerçekleşebileceğini, yepyeni bir sıkıntının ayağına dolanıp oyunu bozabileceğini ve beladan kurtulmanın yolunu eldeki kaynaklarla bulmak zorunda kalabileceğini bilecek kadar futbol oynamış ve donanmada savaşarak yeterince zaman geçirmişti. O yüzden de ulaşabileceği bir yerde bir silahı olmadan hazırlıksız yakalandığında bir eline bıçağı diğerine kızı alıp spontane bir hareket planı geliştirebilmişti. Kızı öldürmemesi akıllıca bir hamleydi. Cross'un sesini tanımasa ve fahişeyi kurtarmak için hiçbir şey yapmadan onu ölüme terk edemeyecek kadar ödlek olduğunu bilmese bunu düşünemezdi. Kısaca bu, Cross'un kendi yumuşaklığının bedelini ikinci kez ödeyişiydi: Demek ki beyaz pislik dersini henüz almamıştı. Ama bu onu öldürmüş müydü? Congo'nun bilmek istediği buydu. Peşinden gelen iki çift ayak sesi duymuştu ama kapıdan garaja tek bir kişi gelmişti. Birisi, kapının hemen yanında kendisini bekleyen FN P90 Kişisel Savunma Silahı'nın iki saniye süren patlamasıyla paramparça olmuştu ve ne kadar çok sayıda çelik yelek giymiş olursa olsun kimse o patlamadan sağ çıkamazdı. Congo, aslında Cross'un hayatta kalmış olmasını istiyordu. Kapının ardından, onu göremeden öldürmek ona yeterli tatmini vermezdi. Cross'un gözlerinin önünde ölmesini tercih ederdi ve süreci mümkün olduğunca yavaş ve acılı şekilde gerçekleştirmeyi arzu ederdi. Ne var ki Congo şu an için kendi canını kurtarmakla meşgul olmalıydı.

Şato Congo arazisinden çıkar çıkmaz krom parçaları çıkarılmış siyah tekerlekleri, çamurluğu, ön ızgarası ve yan basamaklarıyla övündüğü siyah Range Rover'ı karanlığın içinde adeta görünmez olmuştu. Congo, yolları çok iyi bildiği için ışığa dahi ihtiyacı olmadan ayağı gazda ilerleyebiliyor, onu takip edenleri frene basmak zorunda bırakmak için dönüşleri geç alarak hız kaybetmelerine ve epey arkasında kalmalarına neden oluyordu. Böylece anayoldan çıkıp bir çift bahçe kapısına giden ve anayol görünmeyen bir başka yola sapacak vakti bulmayı başardı. Motoru kapattı ve peşindeki aracın geçip gitmesini izledi, aracın bir sonraki dönemecin ardında gözden kaybolması için on beş saniye bekledi ve sonra tekrar yola çıkarak ters istikamete doğru yöneldi.

Congo şimdi, güvenli evine, şehrin işçi sınıfının yaşadığı bölgede yer alan, bir kızarmış tavuk restoranının üst katındaki apartman dairesine doğru gidiyordu. Ev, dünyanın geri kalanına pis, bakımsız, yıkık dökük bir pire yuvası gibi görünebilirdi ama Congo evin görüntüsünü değiştirmek için hiçbir şey yapmamış olsa da demir kapılar ve kurşun geçirmez pencereler yaptırmayı ihmal etmemişti. Binanın tepesindeki televizyon anteni karmaşasının ortasına ona uydu telefonu ve internet girişi sağlayacak çanaklar yerleştirtmişti. Önden, arkadan, hatta komşu çatılardan kaçış rotaları üzerinde çalışmıştı. Ayrıca karnı acıkacak olursa dilediği kadar kızarmış tavuk da yiyebilirdi.

Congo, Range Rover'ı merkezde kendisine ayrılmış bir park alanına bıraktı. Sürücü koltuğunun kapısındaki paneli açıp gizli bir bölmeye ulaştı ve su geçirmez plastik bir poşet çıkardı. Poşette, Zürih'teki kasasında duran kimlikleri ve parası, ayrıca tahvilleri ve villada kendisini bekleyen bazı evrakları vardı. Congo şimdi, dünyanın her yerine gitmek için ihtiyacı olan her şeyi yanına almış halde, bir otobüse bindi ve güvenli evine bir kilometre kala inerek yolun geri kalanını yürüdü. Sonraki yirmi dört saat içinde onu karaya üç yüz kilometre mesafedeki Karayip sularından Hollanda Batı Hint Adaları'ndaki Curaçao Adası'na ya da komşusuna, kısa bir mesafe uzaklıktaki Aruba'ya götürecek bir uçak ve tekne kombinasyonlarından birini seçecekti. Her iki adada da tarifeli ve özel uçuşlara açık, uluslararası havalimanları vardı, dolayısıyla bu adalar yolculuğunun en uzun aşaması için ideal başlangıç noktalarıydı. Congo nereye gideceğini ve oraya vardığında ne yapacağını gayet iyi biliyordu. Karar vermesi gereken tek mesele, bu seyahati nasıl yapacağı ve yol boyunca hangi kimliğe bürüneceğiydi.

Bu sırada villada, Cross, tam ayağa kalktığı anda, Schrager'i öldüren FN'nin patlamasından dolayı oluşan kulak çınlamasının içinde Dave Imbiss'in telsizden gelen sesini işitti.

"Karakas polisi mahalleden silah sesleri geldiğine dair ihbar almış. Bunu fazla ciddiye aldıklarını sanmıyorum ama evi kontrol etmesi için bir ekip arabası gönderilmiş. Oradan çıkın ya da durumu inkâr edin, seçenekleriniz bunlar," dedi Dave.

"Ne kadar zamanımız var?"

"En fazla beş dakika. Ama güvende olmanız açısından dört dakika diyelim."

Cross hemen harekete geçip koşarak garajdan çıktı ve geldiği yoldan geri dönerek Schrager'in kalıntılarının yanından geçti. Bunlar duvara sıçramış kan lekeleri, maske kalıntıları, yere ve merdivenlere bulaşmış saç, kafatası ve beyin parçalarıydı. Cross bunları görmezden geldi, ölenleri unutmalıydı, şimdi önemli olan yaşayanlardı. Bir kez daha mikrofonuna doğru konuştu: "Nolan, kız nasıl?"

"Ona bir morfin ampulü verdim, sakinleşti. Şu anda yaralarını sarıyorum ama yine de çok kanaması var. Doktora ihtiyacı olduğu kesin. Adi herifi yakaladın mı?"

"Hayır. Biz yolunu kesemeden garaja ulaşmayı başardı. Schrager öldü. Şimdi yoldayım, yanına geliyorum."

Mutfağa geldiğinde boş olduğunu gördü. Hizmetçiler silah seslerini duyup sıvışmış olmalıydılar. Nolan oturma odasında, bıçaklanmış kızın sırtındaki yarayı bandajla sarıyordu. "Burası senin için güvenli değil, anlıyor musun?" dedi kıza İspanyolca. Kız sesini çıkarmadan başıyla onayladı.

Cross, Nolan'a döndü. "Onu garaja götür. Bulabildiğin en güçlü motoru olan araca atla. Bir yerlerde anahtarları olmalı. Eğer yoksa eski usul hallet. Arka koltuğa otursun. Onu istediği yere bırakacağız. Schrager olduğu yerde kalacak. Anladın mı?"

"Evet patron."

Cross saatindeki kronometreye baktı. Ne kadar zaman kullandığını saniyesine kadar bilmek istiyordu. Çıkmadan önce yapması gereken tek bir şey vardı. Congo'yu ele geçiremeyecekse bağlantı cihazlarından birini istiyordu. Çoktan oturma odasını gözden geçirip Congo'nun orada bilgisayar, tablet veya telefon bırakıp bırakmadığını kontrol etmiş ama bir şey bulamamıştı. Planda, koridorun en sonunda işaretlenmiş bir çalışma odası bulunuyordu. Cross oraya doğru ilerlerken Imbiss yeniden konuştu. "Polisler yaklaşıyor. Üç dakika kaldı. Çıkmanız gerekiyor."

"Anlaşıldı."

Cross çalışma odasına girip ışığı açtı. Odada bir çalışma masası vardı ama üzeri boştu. Congo'nun bir bilgisayarı ya da bir iPad'i olmalıydı; herkesin vardı. Ama onu nerede kullanıyor olabilirdi? Cross kendi rutinini düşündü. Tek başına yaşadığı için gece kapattığı son şey bilgisayarı oluyordu, eskiden son kapattığı şeyin yatağın başucundaki gece lambası olması gibi. Belki Congo da aynısını yapıyor olabilirdi, yatak odası yukarı kattaydı. Cross saatine baktı, otuz sekiz saniye geçmişti.

Her an yaklaşan siren sesleri duymayı bekleyerek merdivenleri koşar adım tırmandı. Congo'nun yatak odasına vardığında ışığın açık olduğunu gördü. Cross bununla ilgili bir şey düşünmedi. Congo her yerdeki ışıkları açık bırakabilecek türden bir adamdı. Elektrik faturasını kolayca karşılayabilirdi ve küresel ısınmayı dert ederek uykuları kaçacak biri olmadığı da kesindi. Cross gözleriyle odayı taradı. Dağılmış ve buruşmuş çarşafların arasında kan lekeleri fark etti. Fakat aradığı şeyi göremiyordu. Dolapları ve çekmeceleri kontrol edecek vakit yoktu. Tam çıkacağı sırada odanın karşı köşesinden gelen bir ses işitti. Giyinme odası gibi görünen yerin kapıları açıktı ve Cross içeride birinin olduğuna emindi. Silahını kaldırıp ses çıkarmadan giyinme odasına doğru yürüdü, kapılardan birinin önünde duraksadı ve sonra içeriye doğru bir adım attı.

Kız oradaydı. Üzerine bir tişört giymişti –muhtemelen Congo'ya ait bir tişörttü, çünkü kıza o kadar büyük geliyordu ki elbise gibi duruyordu– fakat üzerinde başka da bir şey yoktu; kız elinde bir çanta tutuyordu ama içini kıyafetle doldurmuyordu. Onun yerine, elinde bir avuç dolusu altın ve pırlanta mücevher vardı: Kolyeler, bilezikler, saatler; erkek ve kadın takıları. Arkasında, kapağı açık bir duvar kasası vardı. Arkasını dönüp Cross'un kendisine bir silah doğrulttuğunu gördüğünde yerinden sıçrayarak küçük bir çığlık attı ama sonra dikleşti, omuzlarını geriye atarak cüretkâr bir edayla ona baktı.

"Bize yaptıklarından sonra bunları hak ettik." Durup Cross'un ne tepki vereceğini görmek için bekledi.

Cross başıyla onayladı. "Tamam." Silahını indirip saatine baktı.

Bir dakika on dokuz saniye. Kulağındaki ses yeniden konuştu.

"Gelmelerine bir dakika kaldı."

"Bir bilgisayarı, telefonu veya ona benzer bir şeyi var mıydı?" diye sordu.

Kız başını olumlu anlamda salladı. "Bir iPad'i vardı. Yatağın yanına bak."

"Sen garaja git. Orada bekle. Seni şehre bırakacağız... Nereye gitmek istersen." Kız tekrar başını salladı ve çantayı alarak kapıya yöneldi.

Hector, iPad'i kızın söylediği yerde buldu. Koşarak garaja indiğinde tam karşısındaki araba korna çalarak farlarını yakıp söndürdü. Nolan bir başka siyah Range Rover bulmuş ve çalıştırmayı başarmıştı. Hector, ona doğru koştu ve kızın arabanın yanında beklediğini gördü. "Arkaya bin!" diye emretti Cross ona. Sonra yeniden telsizden Dave Imbiss'le konuştu. "Polisler ne taraftan geliyor Dave?"

"Yokuşu çıktılar, eve soldan yaklaşıyorlar. O yüzden kapıya geldiğinizde sağa dönün ve onlar ulaşmadan gözden kaybolabilmek için dua edin."

"Kapıya," dedi Cross, Nolan'a.

"Kapıyı geçebilirsek tabii," diye mırıldandı Nolan.

Karşılarına çelikten ikiz bir kapı çıktı. Cross aracın kapıları otomatik olarak açacak bir alıcı cihazı olması için dua etti ama gitgide yaklaşıyorlardı ve hiçbir şey olmuyordu. Nolan'ın frene basmasıyla birlikte Range Rover yavaşladı.

"Devam et!" diye bağırdı Cross.

"Ama patron..."

"Gazı kökle dedim, kahrolası!"

Nolan ayağını frenden çekerek kuvvetli bir nefes verdi. "Tanrı yardımcımız olsun," diye mırıldanarak gaza bastı. Range Rover öne doğru fırladı. Kapıların görüntüsü ön camı dolduruyor, parlayan metal gitgide yaklaşıyordu.

Ve sonra, Cross dahi çarpma için kendini hazırlarken kapılar açılıverdi ve Range Rover, gövdesinin her iki yanında kalan çıplak metale sürtüp boyasını kazıyarak hızla açılan kapıların arasından geçti. Nolan direksiyonu sağa kırdı ve araç hızla rampayı çıkıp dönemeci döndü. Cross tüm yol boyunca arka aynayı kontrol etti ama polis aracının yanıp sönen ışıklarından bir iz görmedi. Rahatlayarak yolcu koltuğunda arkasına yaslanıp gevşedi ve ancak o zaman Paddy O'Quinn'den haber alamadığını fark etti.

"Paddy, orada mısın? Congo'yu takip ediyor musun?"

"Üzgünüm Heck, aşağılık herif siyah bir araç kullanıyordu ve yolda ışıklarını açmadan ilerledi. Onu takip ediyorduk ama sonra..." O'Quinn iç geçirdi. "Onu kaybettik."

"Lanet olsun! Pekâlâ, aramaya devam edin ve kokusunu bile duyarsanız bana bilgi verin."

Cross gözlerini kapayarak kafasını toparlamaya çalıştı. Görev başarısız olmuştu ve en iyi adamlarından birini kaybetmişti. Hem de evde karısı ve çocukları olan birini; bu, durumu daha da kötüleştiriyordu. Congo kaçmıştı ve Cross'un gece operasyonundan tek kazancı Congo'nun tabletiydi.

Yaralı kızı şehrin dışında bir yere bıraktıklarında kız tek kelime etmeden ve arkasına bile bakmadan aksayarak uzaklaşıp gözden kayboldu.

Polis, Juan Tumbo'ya ait mülke yeraltındaki garajın çelik kapılarının tekrar kapanmasına birkaç santimetre kala ulaştı. Eve giremediler veya güvenlik görevlilerini ya da başka çalışanları uyandıramadılar. Ancak, evden gelen dans müziğinin sesini duydular. Şefleriyle temasa geçtiklerinde onlara, ev her ne kadar mahalledeki diğer evler gibi güvenlik kameraları, alarm sistemleri ve panik butonlarıyla donatılmış olsa da hiçbirinin faaliyete geçmediği söylendi. Başka silah sesi de rapor edilmemişti. Eğer bir silah kullanıldıysa bile muhtemelen ev sahibine aitti ve kendi kendine eğleniyor ya da bir kadın arkadaşını etkilemeye çalışıyor olmalıydı.

"Boş verin," dendi ekip arabasındaki memurlara, "Yarın birisi suç ihbarında bulunacak olursa o zaman araştırırız."

Sabah olduğunda villa personeli bir toplantı düzenledi. Korumalardan hiçbirinin neler olduğuyla ilgili bir fikri yoktu. Hepsi, hâlâ, ketamin kullanıcıların "K-Çukuru" diye adlandırdıkları derinliklerde, insanın zaman, yer, kimlik ve gerçeklik mefhumunu yitirdiği, hafızalarının silindiği ve zihinlerinin halüsinasyonlarla kuşatıldığı bir yerde geziniyorlardı. Personelin geri kalanı, Senyör Tumbo'nun oradan ayrılırken sağ ve iyi durumda olduğunda hemfikirdi, o nedenle eğer geri gelmek isterse gelirdi. Bu arada, kurtulmaları gereken, bir yabancıya ait parçalanmış bir ceset vardı. Hepsi, polisi böylesi önemsiz bir meseleyle oyalamanın akıllıca olmayacağını düşünüyordu. Ve César adındaki başbahçıvana cesedi mülkün en uzak ve girilmeyen yerine, mümkün olduğunca derine gömme görevi verildi, bu arada diğerleri de ortalığı temizleme işini üstlendi.

Villa personeli aslında ideal bir durumda olduklarını fark etmişlerdi. Mahalledeki herkes Senyör Bannock ve Senyör Tumbo'nun aylarca uzakta olmasına alışkındı. Süpermarketten aldıkları yiyecekler, Amerika'da bir yerlerdeki bir banka hesabı tarafından otomatik olarak ödeniyordu. Garaj arabalarla doluydu ve benzinlerini almak için bir de kredi kartı vardı. Şayet ağızlarını kapalı tutup soran olduğunda ev sahiplerinin iş gezisinde olduğunu söylerlerse istedikleri sürece lüks içinde yaşamaya devam edebilirlerdi.

Böylece polis, villadan başka bir ihbar almadı ve geri dönüp bakmak için bir neden görmedi. Hiçbir şey olmadığı konusunda herkes hemfikirdi.

Hector, Abu Zara City'deki sarayı arayıp Emir Hazretleri'yle görüşmek istediğini söyledi ve ismini verdiğinde hemen Emir'in özel ofisine bağlandı. Çok geçmeden Abu Zara yöneticisinin sesini duydu. "Aramana çok memnun oldum Hector. Çok üzüldüm... aslına bakarsan, Amerikalıların Congo denen hayvanın kaçmasına izin vermeleri sinirimi bozdu. Ailene yaptıklarından sonra kendini nasıl hissettiğini tahmin bile edemiyorum. Yapabileceğim bir şey varsa istemen yeterli."

Böyle bir teklifle karşılaşan çoğu İngiliz, bir başkasına kendi adına sıkıntı yaratmamak için içgüdüsel olarak teklifi geri çevirirdi. Fakat İngiltere'de görgü işareti olan bu tutum, yardım teklifinin reddedilmesini hoş karşılamayacak Emir gibi bir insan için büyük bir hakaret sayılırdı. Cross bunu biliyordu, o nedenle de cevap verirken tereddüt etmedi. "Teşekkür ederim Emir Hazretleri. Alakanızın anlamı benim için büyük, gerçekten büyük yardımınız olur."

"Bunu duyduğuma sevindim. Neye ihtiyacın var?"

"Birkaç gün önce Johnny Congo'nun Karakas'ta nerede saklandığını öğrendim. Ben ve adamlarım onu yakalama girişiminde bulunduk fakat elimizden kaçtı. Kızım Catherine Cayla'nın bir kez daha tehlikede olabileceğinden endişe ediyorum. Onu hemen güvende olacağını bildiğim Abu Zara'daki daireye göndermek istiyorum. Bunu yapmak için izninizi rica edebilir miyim?"

Emir hafifçe güldü. "Söz konusu küçük hanıma karşı, nasıl diyorsunuz, oldukça hassasım. Lütfen onu bir an evvel gönderin, ülkemde misafir olsun."

"Teşekkür ederim Emir Hazretleri. Nezaketinize gerçekten minnettarım."

Catherine Cayla, bakıcısı Bonnie Hepworth ve tüm maiyeti eşliğinde ertesi sabah yola çıkarak Londra Heathrow'dan uçakla Bannock Petrol güvenlik merkez ofisinin bulunduğu küçük Körfez ülkesine gitti.

Üst düzey politikacılar ya da Abu Zara'nın geniş kraliyet ailesinin mensuplarının kaldığı bir binanın en üst katında bir daireye yerleştirildiler. Bina, sınır hatlarını koruyan dikenli tellerden, her bir katın her bir milimetrekaresini gözleyen güvenlik sistemlerine ve yerden ateşlenen bir roket bombasını veya füzeyi saptırmak için tasarlanmış çelik bölmelerine kadar her türlü güvenlik önlemiyle donatılmış bir kale gibiydi adeta.

Burası, Cross'un Catherine Cayla için endişelenmesine gerek kalmadan yaşayabileceği güvenli bir yer olarak tasarlanmıştı. Güven fonu da bakım masraflarını karşılıyordu.

Karakas operasyonunun üzerinden on gün geçmişti. Cross ve O'Quinn Londra'ya dönmüşlerdi. Magna Grande sahasındaki açık deniz göreviyle ilgili hazırlıklar tüm hızıyla devam ederken Nastiya'nın telefonu çaldı ve ekranda Yevgenia'nın isminin belirdiğini gördü.

"Az önce Da Cunha'dan bir telefon aldım," dedi kız kardeşi.

"Ona, babamın bize verdiği numaraları ilettin mi?" diye sordu Nastiya.

Yevgenia kıkırdadı. "Onlarla pek ilgileniyormuş gibi görünmedi. Daha çok senin özel numaranı merak ediyordu."

"Umarım vermedin... Gerçek olanı yani."

"Hayır, seninle iletişime geçip aradığını bildireceğimi söyledim."

"Güzel."

"Peki onu arayacak mısın?"

Nastiya, kardeşinin bu soruyu sorarken bir yandan da içinden kıs kıs güldüğünü biliyordu. Nötr ve profesyonel bir ton takınmaya çalışarak cevap verdi. "Neden arayacağım ki? Beni aradığını öğrendim. Onunla tekrar konuşmanın bana bir faydası yok."

"Sesi çok seksi geliyordu," dedi Yevgenia, ikna etmeye çalışır gibi. "Biliyorsun onun şu Fransız aksanı..."

"Bazılarına seksi geliyor olabilir."

"Eh, ben onun oldukça çekici olduğunu düşündüm."

"Evet, bir cazibesi var, bu doğru..."

"Ah, demek gerçekten de ondan hoşlanıyorsun!" dedi Yevgenia heyecanla, Nastiya'yı tuzağına düşürdüğüne memnundu.

"Ben öyle demedim."

"Haydi ama kabul et. Onu seksi buluyorsun."

Nastiya kontrolün kimde olduğunu göstermenin vaktinin geldiğine karar verdi. "Sana hatırlatayım, küçük kardeşim, ben evli bir kadınım ve kocamı seviyorum, o yüzden de diğer kadınların bir erkeği çekici bulmasını anlayabiliyor olsam da bu, benim de o kişiyi çekici bulacağım anlamına gelmiyor."

"Eh, o halde, başka kadınların Mateus Da Cunha'ya baktığında ne gördüğünü anlat."

"Hımmm..." Nastiya konuşmayı o noktada sonlandırmayı düşündü. Ama Yevgenia onun uzun zamandır ayrı olduğu kardeşiydi ve kız kardeşlerin yaptığı şeylerden biri –ya da Nastiya öyle olduğunu varsayıyordu– erkeklerle ilgili dedikodu yapmaktı. Bunun üzerine Yevgenia'nın sorusunu yanıtladı. "Pekâlâ, başka kadınlar onun bir seksen beş boyunda olduğunu görüyor olabilir..."

"Oo, bu hoşuma gitti! En yüksek topuklularımı dahi giysem onu öpmek için başımı uzatmam gerekeceği anlamına geliyor bu. Vücudu güzel mi?"

"Bence düzenli spor yaptığı belli oluyor, evet."

"Peki siyahi mi? Benim hiç siyahi bir erkek arkadaşım olmadı. Babam delirirdi herhalde!"

"Kendisi bir melez, annesi Fransız. O yüzden teni bir Batı Afrikalıdan daha açık renk ve yüz hatları da beyazlarınkine benziyor: daha dar bir burun, daha ince dudaklar gibi."

"Peki... bilirsin... sence o taraflar... Afrikalılar gibi mi? Umarım öyledir!"

Kesin öyledir, diye düşündü Nastiya ama, "Ben nereden bileyim?" demekle yetindi.

"Ah, bana masum kız rolü yapma, kardeşim! Bence tam olarak ne kadar büyük olduğunu biliyorsundur!"

"Hiçbir fikrim yok."

"O halde bizzat keşfetmem gerekecek!"

Nastiya şimdi iyice endişelenmişti. Yevgenia, Da Cunha gibi bir adamla baş etmeye hazır değildi. "Olmaz, Yevgenia, bunu yapma," dedi. "Beni dinle, bu iş ciddi. Mateus Da Cunha çok yakışıklı, akıllı, çekici ve kadınlar üzerinde nasıl bir etkisi olduğunu gayet iyi biliyor."

"Mmm... nefis!"

"Ama aynı zamanda tehlikeli, zalim ve alaycı bir pislik. Tek umursadığı şey güç ve onu almak için her şeyi yapar. Duydun mu beni?"

"Evet ve hepsi harika!"

"Hayır, hiç de değil. Babamın senin canını nasıl yaktığını biliyorsun. Ve bu, Da Cunha'nın yapabilecekleri yanında bir hiç."

"Tamam tamam, anladım," dedi Yevgenia, sesi somurtkan bir ergen gibi çıkmıştı.

Nastiya fırsattan istifade konuyu değiştirdi. "Güzel, şimdi seninle konuşmak istediğim başka bir şey var. Düşünüyordum da, belki gelip birkaç gün Londra'da benimle birlikte kalabilirsin. Paddy'yle ve çalıştığım bazı kişilerle tanışmanı isterim. Yakında Afrika'ya dönmemiz gerekiyor ama ondan önce olabilir."

"Evet, lütfen! Londra'ya gitmeyeli yüzyıllar oldu ve orada yaşayan bir sürü arkadaşım var."

"Tamam o halde anlaştık. Şimdi tek yapmamız gereken tarihi kararlaştırmak..."

Aram Bendick sıcaktan bunalmıştı ve ter içindeydi, üstelik saat farkından dolayı sersem gibiydi ve en iyi tabirle yıpratıcı olabilecek olan öfkesi volkanik bir patlamanın eşiğindeydi. New York'tan yakıt almak üzere Cape Verde'ye –burası artık hangi cehennemdeyse– uçan bir Gulfstream G500'e binmişti. "Sadece tedbir amaçlı," dedi pilot. "Gittiğimiz yere tek depoyla da gidebiliriz ama ucu ucuna olur."

"Peki, o halde hangi cehenneme gidiyoruz?" diye sordu Bendick. Pilot gülümseyerek karşılık verdi: "Üzgünüm efendim, fakat bu bilgiyi açıklama yetkim yok."

Bendick, Juan Tumbo'nun bloke bir hesaba koyduğu elli milyon doların ikinci bölümü olmasa o uçağa binmezdi, hele ki hepsi eski Mossad ajanı olan altı adamlık koruma ekibi olmadan. "Uçağın kalktıktan sonra, yetmiş iki saat içinde New York'a geri dönmezsen o para avukatlarına gönderilir. Parayla ne yapacaklarını onlara söyleyebilirsin. Uçağın bu saatten sadece bir dakika sonra inse bile parayı alacaksın," diye eklemişti Tumbo.

İlk elli milyon, tıpkı Tumbo'nun söz verdiği gibi fonuna ulaşmıştı. İkincisi avukatları tarafından kontrol edilmişti ve avukatlar paranın yasal olduğuna ikna olmuşlardı. Bendick birçok düşmanı olduğunu biliyordu, ama hiçbiri sırf onu öldürmek için yüz milyonu çöpe atacak kadar deli değildi. Böylece öğleden sonra saat üçte uçağa binmiş; Cape Verde'ye kadar gelmiş; ikinci yarının başlarında akşam yemeğini yiyip bir film izlemiş ve nihayet üç-dört saat uyumuştu. Kimsenin klima diye bir şey duymadığı ve göçmen bürosu personelinin, JFK bankolarında oturan budalaların lanet George Clooney kadar düzgün ve çekici görünmelerine neden olacak kadar zorluk çıkaran bir havalimanına, kıytırık bir bahaneyle inmeden az evvel uyandı.

Duvarlardaki saatler sabah sekizi gösteriyordu, ama ortalık şimdiden sıcak ve rutubetliydi. Fakat terminalin dışında kendisini bekleyen Range Rover'ın klimasını ve rahat koltuklarını keşfettiğinde gevşedi. Bendick fazlasıyla ihtiyaç duyduğu şekerlemeyi yapmak istiyordu ama yolda o kadar çok çukur vardı ki bu, bir trambolinde uyumaya çalışmaya benziyordu. Bu nedenle, kan çanağına dönmüş, yorgun gözlerini açık tutmaya zorladı ve pencereden dışarı, dev gecekondu mahallesine doğru baktı. Bütün binalar onlarca yıl önce tahliye edilmeleri gerekiyormuş gibi görünüyordu, yollarsa başlarında eşya taşıyan ve yapacak daha iyi bir şeyleri yokmuş gibi boş boş dolaşan insanlarla doluydu. Bendick yüz yüze bir görüşme yapmak için dahi milyonlarca dolar harcayan bir adamın neden böyle bir çöplükte yaşadığını merak etti. Bu çöplüğün nerede olduğuna gelince, herhalde burası Afrika olmalıydı, çünkü gördüğü herkes zenciydi, şehir denizin yanına kurulmuştu ve karaya deniz tarafından gelerek inmişlerdi. Bundan sonraysa gecekondular başlıyordu.

Range Rover şehrin dışından yokuş yukarı ilerledi ve yüksek, beton bir duvarın üzerine oturtulmuş, renkli çelik panellerle sağlamlaştırılmış, demir bir kapıya ulaştı. Kapılarda iki silahlı koruma vardı ama yaklaşan arabayı tanıdılar ve Bendick'in içeri girebilmesi için kapıları hemen açtılar. Yerleşim alanına girdiklerinde Bendick, yemyeşil çimlerin üzerinde dans eden fıskiyelerden ve göz kamaştırıcı çiçek tarhlarıyla ilgilenen üniformalı bahçıvanlardan oluşan farklı bir dünyayla karşılaştı. Araç, büyük, kolonyal tarzda malikânenin girişine yanaştığında beyaz eldivenli hizmetçiler koşup yolcu kapısını açarak Bendick'i tebessümle karşıladılar. Onu kapalı panjurların güneşin sıcağını engellediği ve tavandaki fanın soğuk bir esinti yarattığı serin ve havadar bir odaya götürdüler.

Duş alıp üzerini değiştirdiği ve ondan alınan talimatlarla hazırlanarak bahçeye bakan, gölgelik bir balkonda servis edilen hafif kahvaltısını yediği bir saatin sonunda Aram Bendick ev sahibiyle tanışmaya hazırdı.

Aşağı kata, sonra da lobinin olduğu yerden bir çalışma odasına yönlendirildi. Kapının karşı köşesindeki çalışma masasında siyahi bir adam oturuyordu. Sakalı ve çok kıvırcık saçları kırçıllaşmıştı, otururken geniş omuzlu ve heybetli görünmesine rağmen Bendick onun gerçek boyutlarını ancak ayağa kalktığında tam olarak algılayabildi. Adam bacakları olan bir dağı andırıyordu.

"Ben Juan Tumbo," dedi adam, Afrika kökenli Amerikan tonlamasıyla sanki dünyanın derinliklerinden geliyor gibi gürleyen bir sesi vardı. Bendick'in elini sanki kemiklerini kıracakmış gibi sıktı. "Beni ziyarete gelmen çok hoş, Ram... Umarım sana böyle hitap etmemin sakıncası yoktur, ne de olsa artık iş ortağıyız. Seninle layıkıyla ilgilendiler mi? Burası hizmetçileriyle birlikte kiralık bir yer."

"Bana gayet güzel davrandılar, Bay Tumbo ve eğer karım burada olsaydı evinizin oldukça 'sıradışı' olduğunu söylerdi ama şehri soracak olursanız gördüğüm en boktan ve sefil çöplük olmalı," diye söze başladı Bendick. "Doğu Harlem bile yanında lanet Monte Carlo gibi kalır, ne demek istediğimi anlıyor musunuz? Ayrıca kusura bakmayın ama sormak zorundayım, ben şu an neredeyim?"

Tumbo gülümsedi, Bendick'in agresif ve kötüleyen konuşma tarzından hiç rahatsız olmamıştı. "Cabinda eyaletinin başkenti Cabinda City'de. Ve evet, şehir bahsettiğin kadar kötü, ama gelip pencereden bir baksana: Şuradaki okyanusu görüyor musun? O suların altında, dünyanın en zengin petrol ve gaz tabakaları bulunuyor: milyarlarca varil." Tumbo gülümsedi. "Hatta on milyarlarca."

"Peki, beni dünyanın bir ucundan buraya sürüklemenizin sebebi bir tür petrol projesine yatırım yapmamı istemeniz mi?" diye dalga geçti Bendick. "Canınız cehenneme. Benim yatırım için seçebileceğim milyonlarca başka kişi var."

Tumbo, Bendick'e doğru yaklaşıp tepesinde dikildi. "Küstahça konuşup ne kadar büyük bir aletin olduğunu söyleyerek beni etkilemeye mi çalışacaksın yoksa ciddi paralar kazanmak istiyor musun? Senden bir petrol projesine yatırım yapmanı istemiyorum, ben senden ona karşı yatırım yapmanı istiyorum. Yani, düşüşte olan bir hisse senedinden nasıl para kazanılır biliyorsun, değil mi?"

Şimdi Bendick biraz daha ilgili görünüyordu. "Evet, Doğu Hampton'da dört bin yedi yüz metrekare malikânem, yirmi altı metrekarelik yatım, Montana'daki arazilerim ve Beşinci Cadde'de üç katlı, on altı odalı apartmanım bunu ispatlamaya yeter. Plan nedir?"

"Plan şu: Hector Cross adında bir herifle görülecek bir hesabım var. Bu pislik hayatta değer verdiğim tek adamı öldürdü, onu timsahlara yedirdi. Diri diri yedirdi."

"Benimle dalga geçiyorsunuz," dedi Bendick, bir yandan da düşünüyordu: *Bu pis çam yarması bana bir ibne olduğunu mu söyledi az önce?*

"Hayır, tamamen gerçek," dedi Tumbo. Sakin ve hoşsohbet sesi, daha sert ve zalim bir tona dönüşmüştü. "Cross benim dostumu dişleri olan bir çantaya kahvaltı niyetine yedirdi. Ve ben bu durumdan memnun değilim. İşin aslı, o pisliği öldürmek istiyorum. Ama bunu düşündükçe o herifi öldürmenin yeterli olmayacağına kanaat getiriyorum. Onun acı çekmesini istiyorum. Dibe vurmasını istiyorum. Fakir olmanın ne demek olduğunu öğrenmesini, kendini küçük düşmüş hissetmesini, kendisi ve ailesi için korkmasını, bunu iliklerine kadar hissetmesini istiyorum. Burada devreye sen giriyorsun, çünkü Cross ne kadar kaybederse sen ve ben o kadar kazanırız."

"Bunu nasıl yapmayı planlıyorsunuz tam olarak?"

"Cross'a ve çocuğuna para sağlayan kuyuyu kurutarak. Bannock Petrol'ü yani. Bu şirketle ilgili elimde çok fazla bilgi var; içeriden bilgiler, ifşa edilmemiş kirli işler. Bannock ve Cross'un canını tam olarak nasıl yakacağımı da biliyorum: Hisse bedelini yüzde seksen-doksan indirecek ve Cross'u bombası olan bir cüzamlı kadar popüler yapacağım. Bence sen, düşerken Bannock'a para sürebilirsin, sonra da kazandığın parayı o lanet işin tümünü yüzde on, hatta şanslıysan yüzde beş teklif ederek satın almakta kullanabilirsin."

"Peki neden ben? Bütün meseleyi neden kendiniz halletmiyorsunuz?"

"Eh, sadece mahremiyetime önem veriyorum diyelim. Ayrıca, seni araştırdım. Nasıl iş yaptığını gördüm, şirketleri ve yöneticileri kötülediğini, internette ve basında onlara çamur attığını ve pisliğe buladığını. Tarzını seviyorum dostum."

"Pekâlâ ama bu anlaşmanın sonunda Cross'u ezip geçmek haricinde başka ne istiyorsunuz?"

"Paranın yarısını, istediğim bu."

"Peki, ya hayır dersem?"

"O zaman karın dul kalır. Öyleyse tamam mıyız?"

"Bana reddetme hakkımın olmadığı bir teklif mi yapıyorsunuz?"

"Hayır, sana reddedersen beyin yerine bir çöp tenekesi taşıyacağın bir teklif yapıyorum."

Bendick omuzlarını silkti. "Böyle mi düşünüyorsunuz? Bana anlaşmanın ne olduğunu söylemediniz. Tek söylediğiniz, Hector Cross'un canını yakmak istediğiniz, sanki benim umurumdaymış gibi ve bir de Bannock'u indireceğinizi söylediniz ama bunu nasıl yapacağınızı açıklamadınız. Sadece söylediklerinizi dinleyerek bile, kurumsal bir iflastan nasıl kazanç elde edileceğine dair lanet bir fikriniz dahi olmadığını anlayabiliyorum. O yüzden, haydi bakalım, koca oğlan, bana gerçekten ne teklif ettiğini söyle."

Tumbo hiçbir şey söylemedi. Başını eğip Bendick'e bakmakla yetindi ve yatırımcı, bir an için fazla ileri gittiğini düşünerek korktu. Tumbo'nun sanki içindeki güçlü bir güdüyü bastırmaya çalışıyormuş gibi dişlerini gıcırdatması, evine sağ salim geri dönebilmek için Bendick'e aldığı tüm parayı unutturabilirdi.

Tumbo nihayet konuştu. "Bana bir daha asla ama asla bu şekilde saygısızlık etme, çünkü bunu yaparsan o çirkin Yahudi kafanı beyaz, sıska boynundan koparırım..." Parmaklarını ayırarak ellerini havaya kaldırdı, sonra ellerini Bendick'in aniden terlemeye başlayan suratına milimetreler kala sıkıp yumruk yaptı. "Ne kadar şanslı olduğunu bilmiyorsun dostum. Senin bu yaptığından çok daha azı için adam öldürdüm ben. Ama öfke kontrolüm üzerinde çalışıyorum, hayatımda yeni bir sayfa açmaya çalışıyorum, o nedenle derin bir nefes alıp ona kadar sayacağım ve sonra da sana ihtiyacın olan veya bilmek istediğin kadarını anlatacağım."

Bendick hiçbir şey söylemedi. Hayatında ilk kez istediğini almak için kendisine yardımı olacak bir şey söyleyemiyordu. Çenesini kapalı tutmak ve bu çok iri ve çok kızgın adamın ihtiyacı olduğu kadar oyalanmasına, kendisini iyi hissettirecekse yüze kadar bile saymasına izin vermek zorundaydı.

Neyse ki ona kadar sayması yeterli olmuş gibi görünüyordu. Tumbo yavaşça nefes verdi, tekrar nefes aldı ve konuştu. "Bannock Petrol, Kuzey Kutbu'nda bir sondaj kulesi kaybetti, doğru mu?"

"Doğru," dedi Bendick, bir seferliğine de olsa onunla hemfikir olmaktan fazlasıyla mutluydu.

"O halde bu, iki kat para kaybettikleri anlamına geliyor: Biri sondaj kulesinden ve ikincisi de artık kazamayacakları petrolden. Doğru mu?"

"Hı hı."

"Peki, ya aynısı burada, Angola sularında da olursa? Bir başka platform daha kaybeder ve Afrika'nın tatlı ham petrolünden para kazanma şansını da yitirirlerse? Yani, bir sefer olan olay yeterince kötü ama ya iki kere olduğunda? Bilirsin, işte o zaman canlarına okunur."

"Teoride evet ama Bannock yönetim kurulu karşı karşıya olduğu riski zaten biliyor ve kendilerini korumak için bazı adımlar attılar. Bigelow televizyona çıktı, *Wall Street Journal*'a konuştu, tüm üst düzey finans blog yazarlarına demeçler vererek tarihteki hiçbir açık deniz platformunun onların burada oluşturdukları savunma sistemlerine sahip olmadığı bilgisini verdi. Bakın, Bannock Petrol'le ilgili bir şeyler bilen tek kişi siz değilsiniz. Bir kuruluşun peşine düştüğümde onlarla ilgili dosyaları edinmediğimi mi sanıyorsunuz? Hector Cross tüm operasyonun başında ve ne yaptığını da iyi biliyor. Yıllarca Abu Zara'daki petrolün akmaya devam etmesini sağladı ve bazı akıllılar oradaki üretimi bozmaya kalkışırsa Cross ve adamları onları haklayacaktır. Sırf Araplar yerine Afrikalıları öldürüyor diye işi eline yüzüne bulaştıracağını size düşündüren nedir?

"Bunun için sebeplerim var diyelim," diye cevap verdi Tumbo. "Bu sebeplerin neler olduğunu anlatmak isterdim ama bunu yapmamı istemezsin."

"Neden?"

"Kendi iyiliğin için. Neler olacağını bilmezsen olanlar olduğunda bunlardan mesul ve sorumlu tutulmazsın. Mesela şöyle diyebilirsin: 'Hey, ben neler olacağını bilmiyordum, sadece Afrika'nın tehlikeli bir yer olduğunu, bir şeylerin ters gidebileceğini ve böyle olduğunda hazırlıklı olmam gerektiğini düşündüm.' Ve kimse hiçbir şey yapamaz, çünkü gerçeği söylüyor olursun. Ama talihsiz şeylerin olabileceğinden eminsen ve bunları başından beri biliyorsan o zaman bu seni suç ortağı veya bir komplocu yapabilir, buna gerek yok dostum, çünkü inan bana, hapse girdiğinde kolay lokma olursun sen."

"Demek bana inkâr etme fırsatı veriyorsunuz, öyle mi?

"Aynen öyle. Bir şey daha var: Kurumsal bir iflastan para kazanma yollarıyla ilgili cahil olduğumu öne sürmüştün. Haydi bakalım öyleyse aydınlat beni."

"Peki," dedi Bendick kendi alanına geri dönebildiği için rahatlamıştı. Tumbo'ya borçlanma ticaretinin esaslarıyla ilgili kısa bir konferans verdi. Önce hisse senedi opsiyonlarından bahsetti: Hisse senedinin o bedelin üzerine çıkacağı düşünüldüğünde belirli bir tarihte, belirli bir bedelle hisse senedi satın almak için ödeme yapmanın nasıl mümkün olduğunu veya bu bedelin altına düşeceği düşünüldüğünde de belli bir bedelle, belli bir tarihte satmak için ödeme yapmanın nasıl mümkün olacağını. Ama Tumbo pek etkilenmemişti.

"İşin özünü biliyorum dostum. 'Alım opsiyonu' ve 'satım opsiyonu' falan işte. Bunlar bahis açmak ve bahis yapmanın havalı şekilde söylenişinden başka bir şey değil. Başka neyin var?"

"Pekâlâ, CDS kısaltması sana bir şey ifade ediyor mu?

"Şu televizyon kanalıyla bir harfi farklı, orası kesin."

Bendick onu kızdırmamak için nazikçe güldü. "Evet, CBS diye bir kanal var, iyiymiş bu... ama benim dediğim o değil. CDS, yani kredi temerrüt takası, temelde bir sigorta şekli. Diyelim ki, birine bir milyon papel borç veriyorsunuz ve kendi kendinize düşünüyorsunuz: 'Yahu, ya bu adam batar da borcunu ödeyemezse?..."

"O zaman oraya gider, bana paramı ödeyene ya da ölene kadar pataklarım onları. Hangisi olduğu benim için fark etmez," dedi Tumbo rahat bir tavırla.

"Ya da... ya da bir kredi temerrüt takası alabilirsiniz," diye önerdi Bendick. "Aslında, bir borcu sigortalamak için yaratılmış bir şey. Böylece bir milyonu borç veriyorsunuz ve bir başkasına gidiyorsunuz, o da size yıllık bir prim karşılığında bir CDS satıyor, tıpkı bir sigorta poliçesi gibi. Onlara anlaşmanın tam süresi için her yıl belli bir miktar ödüyorsunuz. Borç verdiğiniz para geri ödenirse, o zaman prim parasını harcadınız demektir ama umurunuzda olmaz, çünkü muhtemelen paranızı alan adamdan daha fazla faiz edinirsiniz."

"Elbette edinirim."

"Ama paranızı alan adam yükümlülüğünü yerine getirmezse, size CDS satan kişi bir milyonunuzu size ödemek zorundadır. Tıpkı arabanız hurdaya dönerse veya eviniz yanarsa size ödeme yapmak zorunda olan bir sigorta şirketi gibi. Ama bir farkla... normal sigortalarda sahip olmadığınız bir şeyi sigortalayamazsınız. Mesela diyelim ki, yanınızda oturan bir adam var ve siz onun sigara içtiğini biliyorsunuz, ayrıca her gece çok sarhoş oluyor. Siz de er ya da geç onun evini yakacağından eminsiniz. Yani, sigorta şirketinin bilmediği bir şeyi biliyorsunuz ve o komşunun evi üzerine sigorta yapabilseniz ev yandığında bir dolu nakit para alırdınız. Anlatabiliyor muyum?"

"Kesinlikle."

"Tamam, o halde yanan eve geri dönelim... Sorun şu ki, o sigortayı yaptıramazsınız, eve sahip değilseniz bu imkânsız. Ama şöyle bir şey var, CDS alabilmek için hiçbir halta sahip olmanız gerekmiyor. Bir işin batacağını düşünüyorsanız, o iş için güvence altına alınmış bir CDS satın alabilirsiniz –tam olarak söylemek gerekirse kurumsal tahvilleriyle– ve iş battığında CDS'nin tam değerini alırsınız. Eğer üç-A dereceli bir kurumsal tahvile bakıyorsanız o zaman prim oranı gerçekten düşüktür, on baz puandan fazla değildir... Bu da yüzde biri demek. Böylece yılda bir milyon dolara bir milyar dolarlık teminat satın alabilirsiniz. Yani, bir milyar kazanmak için bir milyon riske atıyorsunuz."

"Ah, bu ihtimali sevdim."

"Evet, eh, Bannock için o kadar iyi olmayacaklar. Zor durumda olduklarını tüm dünya biliyor, o nedenle prim daha yüksek olacaktır, hatta belki yüz baz puan, yani yüzde bir, demek ki o milyarı yapmak için on milyon riske atıyorsunuz. Ama yine de bu müthiş bir ihtimal, haksız mıyım?"

"Kesinlikle."

"Ve işin asıl güzelliği şurada: Bannock'un iflas etmesi de gerekmiyor. Varsayalım ki, büyük bir darbe aldı, yani yelkenler fora yol almıyor ama kesinlikle duraksama halinde. Eh, o zaman da bir CDS'nin prim bedeli artar ve riskle aynı düzeye gelir. Demek istediğim, Yunanistan borçlarını ödeyemeyecekmiş gibi göründüğünde Yunan devlet tahvillerindeki bir CDS'nin fiyatı on bin baz puana yükseldi. Bu, her yıl ödenmesi gereken kredinin tam değerinin yüzde yüzüydü. Yani, öyleyse, gerçekten düşük primli bir milyar dolarlık Bannock CDS'niz varsa Bannock tahvilleri olan ve her kuruşunu kaybetme tehlikesiyle karşı karşıya bulunan biri, bu CDS'yi elinizden almak için size bir dolu para ödeyecektir, sırf Bannock iflas ederse risksiz olmak için. Anladınız mı?"

"Ah, evet, elbette anladım," diye mırıldandı Tumbo. "Kendi kendime düşünüyorum, belki sen de senin fonuna ve şu bloke hesaba koyduğum yüz milyonu alıp mümkün olan her bir kuruşuyla benim için ve kendi paranla da kendine, istediğin kadar Bannock Petrol üzerine kredi temerrüt takası satın almalısın."

"Hayır, bu şekilde olmayacak," dedi Bendick. "Yapacağım şey, sizin paranızı o CDS'lere yatırmak ve getirileri elli elli kırışmak."

Tumbo kaşlarını çatarak ona baktı, sonra bir kahkaha attı. "Dalga geçiyorsun, değil mi? Benimle kafa buluyorsun, çünkü sırf benim lanet aracı simsarım olmak için paramın yarısını benden almak konusunda ciddi olamazsın."

"Çok ciddiyim. Bir şahıs olarak işinizi almak isteyecek birini bulmak konusunda zorluk yaşayacağınızı tahmin ediyorum. Her şeyden evvel gerçek adınızı bilmek isteyeceklerdir. Yani ben, en başından bir risk alıyorum ve bunun telafi edilmesi gerekiyor. Buna ek olarak, ben şeffaf şekilde çalışıyorum ve eğer insanlar beni, meşhur Aram Bendick'i Bannock Petrol'e karşı kısa pozisyon alırken görürlerse olaya dahil olmaları gerektiğini düşünürler. O zaman Bannock CDS bedelleri artar, Bannock hisselerinin bedeli düşer ben de kendini doğrulayan bir kehanet yaratmış olurum. O nedenle bunun paranızın yarısına değeceğini düşünüyorum. Ayrıca kendi koyacaklarım da var."

"İki şeyi unutuyorsun," dedi Tumbo. "Öncelikle denizdeki o sondaj platformunda Bannock adına bir şeyler kötü gitmezse bunlardan hiçbiri gerçekleşmez ve senin bununla ilgili elinde hiçbir şey yok. Ve ikincisi, benimle dalaşmayı hiç istemezsin. Yani, bu konuda çoktan anlaştığımızı düşünüyorum. Ama yine de cömert olacağım. Hisselerimin yüzde onunu alabilirsin, artı kendi ekleyeceklerini. İki yüz milyon dolara varım. Biriktirdiğim sermayem hemen hemen bu kadar ama bu teklife inanıyorum ve senin de yüzümü kara çıkarmayacağını biliyorum, öyle değil mi?"

Bendick yutkundu. "Hayır, çıkarmam ama riskten yüzde yirmi beş almalıyım. Tanrım, sonuçta bu hemen hemen standart koruma fonu oranı."

"On beş ve daha da yukarı çıkmam."

Bendick bunun üzerinde düşündü. Kendisi olmaktan başka bir şey yapmadan, otuz milyon değerinde bir CDS alıyordu... Belki tek bir anlaşma üzerinden üç milyar dolarlık potansiyel kâr demekti bu. Ne tür bir budala buna hayır diyebilirdi? "Varım," dedi.

"O halde anlaştık. Şimdi seni tekrar o uçağa bindireceğim. New York'a ne kadar çabuk ulaşırsan, şu CBS, CDS ne haltsa ondan almaya o kadar erken başlayabilirsin. Sonuç olarak sen ve ben o kadar erken para kazanmaya başlarız."

Bendick beş dakika sonra yeniden Range Rover'a binmiş, havalimanına gidiyordu. Bir yandan da nasıl bir şeye bulaştığını ve bu şeyden nasıl çıkacağını merak ediyordu.

Magna Grande'deki Cross Bow Operasyonu, açık deniz sahası ile kara arasında üç hafta çalışıp üç izin kullanacak şekilde dönüşümlü çalışacak, eksiksiz iki gemi mürettebatı ve silahlı güvenlik personeli gerektiriyordu. Denizde, her iki grubu da aynı anda eğitebilecekleri yeterince yer yoktu, o nedenle Cross ve çekirdek ekibi, herkesin belli bir standarda erişmesini sağlamak için altı hafta suda kalmak zorundaydı. Bu arada, Abu Zara çoraklarındaki operasyonlarını tahliye etmeden bu operasyon için adam sağlamak adına, var olan Cross Bow personeli ve anlaşmalı çalışanlardan birinci sınıf personel seçmek için günde on altı saat çalışıyorlardı. Denizcilik işinde uzman becerilere sahip, diğer bir deyişle eski-SBS, donanma komandosu ve deniz piyadesi olan adamlar bulup yerleştirmeleri de gerekiyordu, aynı zamanda komplike lojistiği çözmek ve denizde uzun süreli görevde olacak çok sayıda insanın ihtiyacı olan tedariki de sağlamak şarttı.

Öte yandan, *Bannock A* ve petrol platformunun ayrıntılı sistemi üzerinde çalışarak, dünyanın en büyük iki yüzen bombasında meydana gelmesi muhtemel farklı krizlerle baş etmek üzere stratejiler oluşturmak zorundaydılar. Uzun menzilli bir füze saldırısından bombalı tek bir adama kadar akla gelebilecek her olası durum değerlendirilmiş ve uygun karşılıklar saptanmıştı. Suda ve tesiste giyilebilecek su geçirmez kıyafetler ve suya inen Özel Kuvvetler'in kullandığı, aerodinamik şekli ve mahyalı yüzeyiyle dev kabuklara benzeyen özel karbon fiber kasklar dahil olmak üzere yeni ekipmanlar gerekiyordu.

Cross Bow'un tüm standart silahları, başıboş bir merminin ölümcül yangına yol açabileceği bir ortamda çalışmaktan kaynaklanabilecek belirli sorunlar ışığında gözden geçirilmeliydi. Bu koşullar altında, ateşli silahların kullanımı son çare olmalıydı. O zaman bile, daha az delici mühimmat ve dolayısıyla durdurma gücü Hector'un normalde kabul edebileceğinden daha az olan cephaneler kullanılmalıydı. Dahası, sondaj platformu veya FPSO teröristlerin eline düşerse onları kurtaracak tek eylem yüzmek olabilirdi ve bu da bir insanın taşıyabileceği teçhizatın ağırlığını fazlasıyla kısıtlayacaktı.

Bu koşullarda açık ara en iyi seçenek, Ruger Mk II yarı otomatik tabancalardı. Silahın ahlaki duruşu, onu güvenilirliği ve hafif yirmi iki kalibre mermileriyle fazla karmaşa yaratmaması nedeniyle seven tetikçiler arasındaki popülerliğini azaltmış olsa da iyi adamlar da Mk II'yi severdi. Amerikan Donanması deniz komandoları onun uzun namlulu AWC TM-Amphibian "S" versiyonunu kullanıyorlardı. İçinde hazır bir susturucusu vardı ve suyu öylesine seviyordu ki yapımcıları dahi, çok daha sessiz hale gelmesi için susturucusuna bir ya da iki kaşık su dökülmesini öneriyordu. Bu Özel Kuvvetler versiyonu Mk II, bir tabanca için mükemmel bir mesafe olan yetmiş metre menzile sahipti ve bir petrol platformu veya bir geminin sınırları içinde ihtiyaç duyulabileceğinden çok daha fazlasıydı. Sadece bir iki kilogram ağırlığındaydı, bu da onu herhangi bir tüfekten daha hafif yapıyordu. Aynı zamanda yüzme hareketini engellemeyecek şekilde, vücudun herhangi bir yerinde veya bacakta, kılıfında muhafaza edilebilecek kadar küçüktü. Cross gecikmeden kolları sıvayarak susturucuların ve kılıfların siparişini verdi. Sonra silah satıcılarının dünyasından ayrılarak son bir temel gereksinimi tedarik etti: bir kutu prezervatif.

Bir düzine gebelik önleyicinin gelmesine şaşırmayacak kadar soğukkanlı olan Agatha'ya, "Bu silahın ne kadar amfibi olduğu önemli değil, bir adam daima her iki silahını da kuru tutmalı," dedi.

Geleneksel yöntemlerin yeterli olmaması ihtimaline karşı, Cross'un son bir gizli planı daha vardı ve onu nasıl uygulayacağını anlamak için çok güvendiği Rob Noble'la, Harley Sokağı'nda, uzun bir görüşme daha yapması gerekmişti. Oradan biraz daha planlama yapmak üzere ofise döndü. Gece yarısından epey sonra Hector ve Nastiya masanın üzerine dağılmış Çin yemeği kutularındaki son yiyecek artıklarını kazırken Nastiya, "Biraz ara vermelisin, tüm bunlardan kısa bir süre uzak kalmalısın," dedi.

"Hayır, bunu yapmam," diye karşılık verdi Cross hemen. "Yapılacak çok şey var."

"Ama hepsini tek başına yapamazsın. Cumartesi günü bize yemeğe gelsene. Bizim evimize hiç gelmedin ve evlendiğimizden beri aynı yerdeyiz."

"Eğer bu hafta sonu işten kopacaksam Catherine Cayla'yla olurum. Bakıcı Hepworth onu Abu Zara'dan buraya getirecek."

"O halde onu da getir! Küçük bir oğlu olan arkadaşlarımız da geliyor. Belki Catherine ilk erkek arkadaşıyla tanışmış olur."

"Cesedimi çiğner!" dedi Cross alaycı bir öfkeyle, biraz neşelenmiş görünüyordu.

"Merak etme, onlara refakat edecek bir sürü kadın olacak. Haydi ama, sana da iyi gelir. Ayrıca tanışmanı istediğim biri var... Sana büyük bir iyilik yapmış biri."

Cross o haline rağmen meraklanmıştı. "Öyle mi, kimmiş o?"

"Kız kardeşim Yevgenia. Da Cunha işinde Maria Denisova'nın asistanı rolünde. Ayrıca o olmasaydı iş ortaklarından bazılarını hayali müşterilerim gibi göstermesi için babamı ikna etmek asla aklıma gelmezdi."

"Ben de bunu nasıl yaptığını merak ediyordum."

"Eh, Yevgenia'ya tüm detayları kendin sorabilirsin ve çekici biri olursan kendisine Zhenia demene bile izin verebilir ve o zaman onunla yakın arkadaş olduğunuzu anlarsın."

"Senin kadar tehlikeli mi o da?"

Nastiya güldü. "Bir silahla veya yumruklarıyla hayır. Ama başka şekillerde... muhtemelen. Haydi ama, Bay Mızıkçı! Barnes'ta olacağız, yani çok uzağa gitmen de gerekmiyor."

"Barnes!" dedi Cross yüksek sesle, sanki güneybatı Londra'nın bu cazip banliyösü dünyanın pek de medeni olmayan, uzak bir köşesiymiş gibi. "Ama orası kilometrelerce uzakta."

Nastiya güldü. "Sadece sekiz kilometre mesafede, Hector, hepsi o kadar. Waterloo'dan bir trene atlarsın. Göz açıp kapayıncaya kadar oradasın."

"Gelecek olursam arabayı alırım."

"Arabayla gelirsen içki içemezsin ve o zaman da senin için fazla eğlenceli olmaz. Taksiyle gel."

"Bunu düşüneceğim," diyerek kaçamak bir cevap verdi Cross. Ama Nastiya reddedilmesi güç bir kadındı. Böylelikle, cumartesi günü, saat birde taksiye parasını ödeyerek indi ve O'Quinnlerin Barnes'taki evinin ön kapısına giden patikada ilerledi.

Bir elinde portatif bebek koltuğuna bağlanmış Catherine, diğerinde Bonnie Hepworth tarafından hazırlanmış, bebek bezleri, oyuncaklar ve yedek kıyafetlerin olduğu bir çanta taşıyordu. Nastiya, ona üstünkörü bir merhaba diyerek neredeyse doğduğundan beri çok sevdiği küçük kızın yanına koştu. Onu sevip okşadıktan sonra kemerini çözüp kucağına aldı ve öğle yemeğini diğer kadın misafirlere göstermek üzere oturma odasına götürdü.

"İşte şimdi başıma büyük bir iş açtın," dedi Paddy O'Quinn, üzerinde bir önlükle Cross'un yanında belirerek. Elinde, hoş geldin mahiyetinde, tam da Cross'un sevdiği gibi hazırladığı ılık ve acılı bir Bloody Mary vardı. "Bütün gece neden bebek yapmadığımızla ilgili başımın etini yiyecek. İnan bana patron, denemeyi istemediğimden değil."

"Teşekkürler Paddy ama cinsel hayatınızın detaylarını duymam gerekmiyor," dedi Cross, Bloody Mary'den bir yudum alıp gözleriyle etrafı tarayarak. O'Quinnler, yakın komşuları Parkerları iki yaşındaki oğulları Charlie'yle birlikte öğle yemeğine davet etmişlerdi. Charlie şimdi dikkat çekici şekilde akan burnuyla oynayarak Bayan Catherine Cayla Cross'un ilgi odağı olduğu yere doğru sendeleyerek yürüyordu.

"Anladığım kadarıyla tanımadığım iki kadın var ve birisi senin baldızın," dedi Cross, O'Quinn'e. "Tahminime göre, şu anda oğlunun sümüklü burnunu temizleyen kişi o değildir ve bu durumda geriye dar kot pantolonlu diğer kız kalıyor... Genel bir gözlem yapmam gerekirse Voronov ailesi güzel kız imal etme işini iyi biliyor, haksız mıyım?"

"Ah, fark ettin demek?" dedi Paddy gülümseyerek. "Şimdi müsaade edersen kontrol etmem gereken bir rosto var."

Baba Parker da ufaklığı temizleme operasyonuna katılırken Hector, Yevgenia Voronova'yı dikkatle inceliyordu. Nastiya'yla aynı aileden geldiği belliydi. Cross bunu, düz kaşların altındaki, güçlü bir karakterin göstergesi olan buz mavisi gözlerde görebiliyordu. Ama Yevgenia aynı zamanda oldukça da farklıydı. Hoş bir şekilde orantılı olan vücudu, Nastiya'nın ince ve atletik fiziğine göre daha dolgun ve yuvarlak hatlara sahipti ama bu, Cross'a bir dezavantaj gibi görünmedi. Yevgenia'nın kestane rengi, gür saçları, yüzünün bir tarafından alnına dökülüyor ve muhteşem dalgalar halinde omuzlarına değerek oradan sırtına doğru uzanıyordu. Düz ve güzel burnu, dudaklarının üzerinde yukarı doğru kıvrılıyordu. *Ah, ama ne dudaklar*, dedi Cross içinden.

O, gözlem yaparken Nastiya O'Quinn yanına gelmişti. Cross, onu gelişigüzel bir şekilde öpüp merhaba dedikten sonra başıyla kız kardeşinin olduğu tarafı işaret ederek konuştu. "Neredeyse senin kadar güzel."

Nastiya gülümsedi. "İltifat etmeyi bilen kibar bir İngiliz erkeği olduğun söylenebilir ama Yevgenia benden on yaş küçük ve Fransızların deyimiyle '*ravissante*'."

"Biz de 'enfes' deriz, aynı şey. Ve evet, gerçekten öyle. Sen bir kadınsın, söylesene... şunlar gerçek mi?"

"Ne, Zhenia'nın göğüslerini mi soruyorsun?" Nastiya bu soruya şaşırmıştı. "Ailemdeki kadınlarla ilgili sana tek bir şey söyleyebilirim Hector: O açıdan yardıma ihtiyacımız yoktur!"

"Hayır, onlar değil, dudakları."

Nastiya güldü. "Ah, evet, muhteşemler, dolgun ve yumuşak. İtiraf etmeliyim ki o dudakları kıskanıyorum. Dudaklarının hafif bir kıvrımı da var, sanki dünyayı öpüyormuş gibi."

"Bu kadar şairane olduğunu hiç bilmezdim Nastiya."

Nastiya hafifçe omuzlarını silkerek geçiştirip devam etti. "Gerçek olup olmadıklarına gelince... Annesinin dudakları da aynısı, demek ki ya aynı cerraha gitmişler ya da aynı genlerle kutsanmışlar. Neden gidip kendisine sormuyorsun?"

"Bunu yapamam!" diye itiraz etti Cross.

"Neden ki?"

"Kabalık olur da ondan."

Nastiya ona şüpheyle baktı. "Ah, peki kardeşimin arkasından böyle konuşmak kabalık değil mi? Ha! Bir erkek gibi gidip kendisine sorarsın ya da bana sorduğunu ona söylerim."

"Pekâlâ, bana başka seçenek bırakmadın," dedi Cross. "Gidip büyüleyici kız kardeşinle konuşmaktan başka çarem yok. Zor bir iş ama..."

"Bu kadar yeter," dedi Nastiya gülerek. "Yanına git!"

Yevgenia yere çömelmiş, elindeki oyuncak maymunu sallıyor, Catherine, onu her yakalamaya yeltendiğinde geri çekerek küçük kızın neşeli çığlıklar atmasına sebep oluyordu. Cross birkaç adım geride durup onları izledi ve o sırada Yevgenia, onu fark etti ve ayağa kalkıp adını söyleyerek kendisini tanıttıktan sonra ekledi. "Ama siz Nastiya'nın patronu ve en yakın, en güvendiği arkadaşlarından biri olduğunuz için, benim de arkadaşım sayılırsınız ve bana Zhenia diyebilirsiniz."

İsmini söyleyiş şekli bir kadının kürk bir mantonun üzerinde gezinen eli kadar yumuşak ve seksiydi.

"O halde sen de bana Heck demelisin," diye karşılık verdi Cross, "Kızım Catherine'le çoktan tanışmışsınız."

Zhenia'nın yüzü aydınlandı. "Ah, çok tatlı! Nastiya bana ondan bahsetmişti ve benim tahmin ettiğimden bile güzel."

"Teşekkür ederim." Cross, kızına bakıp gülümsedi ve sonra devam etti. "Onu dünyadaki herkesten çok seviyorum... annesi hariç tabii."

Zhenia'nın kaşları sempatik bir ifadeyle çatıldı. "Evet, Nastiya, bana Hazel'dan da bahsetmişti. Çok üzüldüm..." Kısa bir sessizliğin ardından tekrar canlanarak devam etti. "Nastiya'yla konuşuyordunuz ve ikiniz birden bana bakıyordunuz..."

"O kadar mı belli oluyordu?" diye sordu Cross.

"Bir kadın kendisine bakıldığını daima fark eder."

"Bu da senin başına sık geliyordur eminim."

"Sürekli," diyerek iç geçirdi. "Neyse, sanırım Nastiya, sana bir talimat verdi, kendisi bunu yapmayı pek sever!"

Cross güldü. "Evet, bazen kimin baskın olduğunu unutabiliyor."

"Baskın olan sen misin?"

"Evet," dedi Cross, sakin ve zoraki olmayan otoriter bir tonda.

"Öyle bile olsa az önce sana bir talimat verdi..."

Cross pişman bir tavırla başını sallayarak onayladı. "Doğru. Ona seninle ilgili bir şey sordum ve o da bana yanına gelip sana sormamı söyledi."

"Ee?..."

"Tam olarak şöyle sordum: Onlar gerçek mi?"

Zhenia dekoltesine doğru baktı. "Ne, bunlar mı?"

"O da hemen hemen böyle cevap verdi ama ben dudaklarını kastediyordum. Muhteşemler."

"Biliyorum," dedi ve dudaklarını aptal bir ördek yavrusu gibi görünecek şekilde büzdü. İkisi birlikte güldüler. "Demek dudaklarıma dolgu yaptırdığımı sandın? Hımmm..." Düşünceli bir şekilde dudaklarını tekrar büzdüğünde dudaklarının kıvrımı daha da belirginleşti. "Bilirsin, bundan emin olmanın tek bir yolu vardır..."

Cross soğukkanlı bir ifadeyle ona bakarak blöfünü görüp onu öpüp öpmeyeceğini merak etmesini bekledi ve bu bariz cilveleşmenin tadını çıkardı.

O sırada bakışmaları neşeli bir haykırışla bölündü. "Herkes bu tarafa!" Paddy onları küçük ama bakımlı bir bahçeye bakan limonluğa yerleştirilmiş yemek masasına çağırıyordu. Nastiya dört misafirini de teker teker rüstik mutfak masasının etrafına dizilmiş sandalyelere davet ederken Paddy de gururla mönüyü duyurdu. "Mönümüzde bugün, kaliteli İngiliz dana etinden orta-az pişmiş rostomuz var, orta kısmı pembe olan etimizden sana en kanlı olanı ayırdık patron. Yanında fırınlanmış patates, Yorkshire sosu ve dondurulmuş sebzelerden güzel bir seçki sunuyoruz. Hepinizi çok seviyorum ama tüm sabahımı havuç ve bezelye toplayarak geçiremezdim. Şayet masanın üzerinde sizleri bekleyen Şili kırmızı şarabından yeterince içerseniz zaten farkı pek de anlamayacaksınız. Şu anda fırında pişmekte olan muhteşem bir elmalı turtamız da var, kreması hazır alınmamıştır ve taze olarak yapılacaktır, bunun sözünü verebilirim. Bayanlar ve baylar, öğle yemeği servisimiz açılmıştır!"

Bell 407 helikopteri, Cabinda şehrinin beş yüz kilometre kuzeybatısında, menzilinin maksimuma eriştiği sırada pilot tek yolcusuna bilgi verdi. "İşte orada, tam karşımızda, tam da olması gerektiği yerde duruyor. Bu gemi gerçekten de çok acayip!"

Johnny Congo sakin Atlantik sularına doğru baktı ve pilotun işaret ettiği şeyi gördü: Bir dart oku ya da eskilerden kalma bir Delta kanat bombardıman uçağına benzeyen şekli ve kare şeklindeki kıçına doğru genişleyen, dar, pürüzsüz pruvasıyla bir gemiydi bu. Daha yakına geldiklerinde Congo bunun bir köprünün altındaki üç iskele gibi tek bir güverteyle birbirine bağlanmış üç gövdeli bir trimaran olduğunu gördü. Şimdi kıç kısmının hemen ilerisinde, ana güverteden yükselen uzun, üçgen a-yapıyı seçebiliyordu. Parlak sarı renkli, bir çeşit tekne, a-yapıya asılı duruyordu ve o mesafeden hâlâ birer karınca boyutunda görünen adamlar tekneyi kıç taraftan suya indirirken geriye doğru eğimli yapının etrafında kümelenmişti.

Süreç tamamlandığında helikopter, gemiye son yaklaşmasına hazırlanıyordu ve parlayan, beyaz bir Ziggurat gibi, her biri diğerinden küçük, üç güverteden yükselen üst yapıya doğru dümdüz ilerliyordu. Beyaz şort ve lacivert kolsuz tişört giyen bir mürettebat pruva güvertesinde durmuş, helikoptere iniş için kılavuzluk ediyordu. Congo şimdi iniş alanını belirten "H" harfini seçebiliyordu. Pilot, Bell'i yumuşak ve mükemmel bir şekilde indirip Allison motorunu kapatırken gemideki görevli de pervanelerin altından koşup kızakları güverteye bağladı ve iniş pisti geminin siyah gövdesinin içine doğru batmaya başladığında helikopterin yanında kaldı. Pist belli belirsiz bir ses çıkararak geniş hangarın zeminine oturdu. Ancak o zaman pilot emniyet kemerini çözdü ve Congo'dan aynısını yapmasını istedi.

Congo hangarın zeminine ayak bastığında bir asker pantolonu ve haki bir tişört giymiş, kısa ama yapılı birinin kendisine doğru yürüdüğünü gördü. "Chico! Dostum!" diyerek elini yukarı kaldırdı. Chico Torres de elini uzatarak onun havadaki eline vurdu. "Bana esaslı bir tekne yapmışsın kardeşim."

Torres güldü, dişleri kısa kesilmiş keçi sakalının ardında parlıyordu. Kafası tıraşlıydı, bronzlaşmış teni fındık kabuğu rengindeydi ve tüm bedeni yoğun ve sert kas kütleleriyle doluydu. "*Mother Goose*'a hoş geldin, şekerim," dedi gülerek. "Türünün tek örneğidir, bu onun ilk seyahati. İyi bir başlangıç yapacak, ne dersin? Haydi, seni gezdireyim..."

Congo hangarın çıkışına doğru Torres'i takip etti, birlikte tünelden geçerek koridora açılan merdivenleri tırmandılar. Lüks şekilde dekore edilmiş yatak odaları ve oturma odalarının sıralandığı koridor, bir dış mekânla sona eriyordu. Barda oturanların, bir tenis kortunun sığabileceği büyüklükteki kıç güvertesinden küçük sarı tekneyi sudan geri çıkarmakta olan a-yapıya kadar uzanan havuzu ve şezlongları görmek için bar taburelerini çevirmeleri yeterliydi.

"*Mother Goose*'un modeli Triton 196. Altmış metre, yani yüz doksan altı fit uzunluğunda olduğu için ona böyle deniyor," dedi Torres. "İlk otuz altı metresi canı sıkılmış bir milyarder, onun arkadaşları ve kız arkadaşları için tasarlanmış bildiğin bir süper yat. Bu bahsettiğim tip insanlar hayatta her türlü şeyi görmüş, her türlü şeyi tatmış kişiler, eh, geriye ne kalıyor? Cevap: geri kalan yirmi metrede olanlar. Gel de gör."

Torres aşağı inen metal bir merdivenin olduğu ambar kapağını kaldırıp açtı. Yeniden geminin gövdesine doğru indiler, bir başka kapaktan daha geçerek Bell'in şu anda bulunduğu hangardan çok daha da büyük başka bir hangara geldiler. Normal bir süper yatta burası, sahiplerinin deyimiyle "oyuncaklarını" muhafaza ettikleri yerdi: botlar, jet-skiler, küçük yelkenliler, rüzgâr sörfleri ve buna benzer şeyler. Ama *Mother Goose*'un oyuncakları biraz farklıydı.

"Asıl olay burada," dedi Torres. "İki Triton 3300/3 mini denizaltıdan biri... Sanırım geldiğin sırada diğerinin a-yapıda asılı olduğunu görmüşsündür. Onları mümkün olduğunca hızlı ve yumuşak şekilde suya daldırıp çıkarma alıştırması yapıyoruz. Havalı görünüyor, öyle değil mi?"

"Ona ne şüphe," dedi Congo, denizaltının etrafında yürüyerek.

Parlak sarı gövdesi, ekonomi sınıfında uçacak insanların uzun bir uçuş yapacakları zaman, boyunları tutulmasın diye satın aldıkları şişirilebilir yastıklar gibi, U şeklindeydi. U'nun ortasında, yolcunun boynunu yastığa yerleştirdiği yer gibi gömülü şeffaf, akrilik termo-plastikten yapılma, küre şeklinde bir kabin vardı. Denizaltı öyle küçüktü ki –sadece dokuz metre uzunluğu ve üç metre genişliği vardı– Congo, onu eline alıp hangarın karşı köşesine fırlatabilirmiş gibi duruyordu. Congo şimdi tekneye, yüzüne kazınmış bir kuşku ve hayal kırıklığıyla bakıyordu. "Hepsi bu kadar mı?" diye sordu. "Lanet bir Sarı Denizaltı mı? Gizli silahımız bu mu yani?"

Torres güldü. "İnan bana, bu gördüğün yavru bin metre derine inebiliyor, bu da üç bin üç yüz fit eder. Denizin altında hiç durmadan on iki saat gidebiliyor. Üzerindeki çalışmalarımız tamamlandığında tam da benden istediğin şeyi yapabilir hale gelecek. O yüzden küçük dostuna merhaba de, Johnny C. Ve merak etme, koca bir yumruk etkisi yaratacak."

Cross tipik İngiliz yemeğini, oldukça lezzetli bir Şili Cabernet Sauvignon şarabıyla birlikte mideye indirdi. Mike Parker nükteli, mütevazı fakat başarılı olduğu anlaşılan bir avukattı ve karısı Caro Parker bir sanat küratörüydü. Beşinci evlilik yıldönümleri için Afrika'da bir safari tatili planlıyorlardı ve Hector'un konuyla ilgili bilgi sahibi olmasının yanında tam manasıyla bir Maasai savaşçısı olduğunu da öğrendiklerine memnun olmuşlardı. Ardından Zhenia, Rusya'daki hayat ve onun tuhaf, çoğu zaman da korkutucu dış politikasıyla ilgili bitmek bilmeyen soruları sempatik, aynı zamanda zeki bir şekilde cevapladı.

Öğle yemeği toplantısı samimi, kahkahalarla dolu ve rahat bir havada devam ediyordu. Ebeveynler –Hector da dahil– tipik bir aile havasında, ara sırada yere çömelip çocuklarıyla ilgilenmek veya kucaklarında çocuklarıyla masaya oturduklarında küçük, tombul elleri şarap kadehlerinden uzak tutmaya çalışmak zorunda kalıyorlardı. Cross daha önce hayatında hiç böylesi bir normallik yaşamadığını fark etmişti. Yetişkinlik hayatının büyük bölümünü ya bir asker ya da bir güvenlik firmasının patronu olarak yaşamıştı. Çalışma hayatı askeri kışlalarda, kalabalıkların içinde ve evin rahatlığına fazla prim vermeden geçmişti. Ardından Hazel Bannock'la tanışmış ve münzevi kişiliğinden kopup özel jetler, şahsi hizmetçiler ve büyük evlerle süper zenginlerin hayatını yaşamaya başlamıştı. Fakat işin aslı, Paddy'nin, eti yerel marketten alınmış rostosu, bir dükün malikânesinde servis edilenler kadar lezzetliydi ve indirimli içki dükkânlarından yarım kasası otuz beş sterline alınabilecek şarabın içimiyse fiyatı yüz katı kadar olan bir Château Lafite kadar keyifliydi.

Cross, Zhenia'nın da ortamdan keyif aldığına emindi. Dünya kadar para, istismarcı bir babayı telafi edememişti ama burada, bu normal, sıradan ortamda, neşe ve kahkaha içinde son derece rahat görünüyordu, Nastiya'yla ilişkisi Cross'un gözlerinin önünde serpiliyordu: Uzun süredir birbirlerini kaybetmiş olan iki kardeş her ikisini de mutlu eden bir bağ kuruyordu.

Caro Parker, Thames Nehri'nin kıyısındaki, Savoy'a iki adım mesafedeki Somerset House'un bahçesinde kurulan buz pistinden bahsediyor, oraya ne kadar çok gitmek istediğini ama Charlie'nin bunun için henüz çok küçük olduğunu anlatıyordu.

"Çok mu küçük?" diye karşı çıktı Nastiya dehşet içinde. "Rusya'da çocuklar daha yürümeyi öğrenmeden paten kaymaya başlarlar. Eğer bir anne çocuğunu buzun üstüne atmak için yaşının gelmesini beklerse diğer tüm anneler şöyle der: 'Çocuğuna neden bu kadar acımasız davranıyorsun?' Haydi, şimdi hemen paten kaymaya gidelim!" dedi Zhenia coşkuyla. "Haydi Nastiya, şu İngilizlere Rusların nasıl kaydıklarını gösterelim!"

"Bu arada, ben İngiliz değilim, İrlandalıyım," dedi Paddy sahte bir kibirle.

"Ben de İngiliz değilim, Kenyalıyım," dedi Cross, bir savunma tavrı takınarak. O sırada, muhteşem bir atıcı, güçlü bir koşucu, yüzücü ve birçok dövüş sporunda usta olmasına, serbest düşüş paraşütle atlayabilmesine, kayağa binebilmesine, dağa tırmanabilmesine ve yeryüzündeki her türlü ortamda hayatta kalabilmesine karşın hayatında hiç buz pateni yapmadığını fark etti. Bu, Afrika'nın bozkırlarında büyümüş, Kenyalı çocukların meyilli olduğu bir alan değildi. Hemen ardından bir şey daha fark etti: Yevgenia Voronova'nın karşısında kendini komik duruma düşürmek istemiyordu.

Lanet olsun, dostum, komik olma, dedi Hector kendi kendine. *Kız daha yirmi beş yaşında bile değil, sen neredeyse onun babası olacak yaştasın. Onun gözünde sen bir ihtiyarsın.*

Bobbi Franklin'i düşündü. O, göz kamaştırıcıydı, zekiydi ve yaşı da onunkine uygundu. Ama burada değildi, oysa Zhenia buradaydı.

Daha Cross ne olduğunu anlayamadan Paddy aniden telefona sarılıp taksileri ayarladı ve bunun üzerine Cross, Bakıcı Hepworth'ün evden çıkmadan önce hazırladığı, Catherine'in çok sayıdaki öteberisini toparlamaya başladı.

"Brecon Beacons'u yürüyerek geçerken taşıdığım askeri teçhizat bunlardan daha hafifti," diye mırıldandı Cross kendi kendine, bir yandan da bir başka pelüş hayvanı çoktan dolup şişmiş çantaya tıkıştırmaya çalışıyordu. Zhenia ondan takside Catherine'in yanına oturması için izin istedi. "Böylece Yekaterina'mla, yani çariçem Catherine'le daha fazla vakit geçirmiş olurum!"

Şimdi yola çıkmış, hızla Batı Londra'ya doğru yol alıyorlardı, saat henüz akşam beş olmasına rağmen sokaklar karanlıktı. Bebeği, Bonnie Hepworth'ün banyosunu yaptırmak üzere onu beklediği Cross Roads'a bıraktılar. Böylece arabada ikisi kalmıştı, sonra Somerset House'a doğru yola devam ettiler.

Yolda ikisi de fazla konuşmadı. Zhenia camdan dışarı, parıltılı mağaza vitrinlerine ve Noel süslemelerine bakmakla meşguldü; Cross ise sadece onu izlemekten memnundu. Somerset House'a geldiklerinde Mike Parker, elinde bir tomar biletle onları bekliyordu. "Şanslıyız! Normal şartlarda haftalar önceden bilet ayırtmak gerekir ama bir sonraki seansta boş yerleri varmış. Diğerleri çoktan patenlerini giymeye başladılar, Charlie bile!" dedi onları patenlerin verildiği kabine doğru götürürken. Zhenia kendisininkileri alıp Nastiya'yı bulmak üzere yanlarından ayrıldı. Birazdan onu bulmuş ve Rusça derin bir muhabbete dalmışlardı, Zhenia saatte bir milyon kilometre hızla konuşuyor ve aralıklarla kıkırdıyordu.

"Sen bu işte iyi misin bari patron?" diye sordu O'Quinn, gergin bir şekilde, patenlerini giyerlerken.

"Bilmem ki, eski dostum," dedi Cross neşeli bir tavırla. "Daha önce hiç denemedim."

"Seni bilmem ama ben tam manasıyla rezil olacağım sanırım."

"Saçmalama! Biz erkeğiz. Şanlı SAS komandolarıyız. Bizim yapamayacağımız bir şey yok!"

"Kendi adına konuş..."

Cross olaya mantıksal yönden yaklaşmaya çalışıyordu. Kutup bölgesindeyken, buz olmasa da düz karda kilometrelerce kır kayağı yapmayı da içeren savaş eğitimi almıştı. Ve şimdi düşününce daha çocukken kendisine tekerlekli patenlerden verildiğini hatırlamıştı. Bu iki eylem bir araya geldiğinde ortaya buz pateni çıkıyordu.

"Kesinlikle," diye hemfikir oldu Mike Parker, Cross bu teorisinden ona bahsettiğinde. "Önemli olan patenleri yukarı aşağı kaldırıp indirmemek. Zemine pat pat vurmak yok! Öndeki ayağını buza yerleştiriyorsun, öne ve dışa doğru kaydırıyorsun, sonra arka ayağınla da aynısını yapıyorsun. Başka bir şey yok."

Parker buz pistine çıkıp sabit ve alelade bir şekilde ama rahat bir tavırla durdu. Cross, içinden bunun pek de zor görünmediğini düşündü.

Sonra Paddy O'Quinn gergin bir tavırla, parmak uçlarına basarak piste çıktı ve ürkek birkaç adım attı. Denge sağlamak için çaresizce kollarını hareket ettirerek ve kendi kendine söverek kıç üstü yere düştü.

Nihayet sıra Cross'a gelmişti. *Zemine vurma. Öne ve dışarı doğru kaydır. Şimdi öteki ayak.* Aniden hareket etmeye başlamıştı. Kış Olimpiyatları madalyası kazanacak bir performans sayılmazdı pek, ama hâlâ dik duruyor ve hareket ediyordu... *Vay canına!* Pistin sonuna yaklaşıyordu ve şimdi herkesin yaptığı gibi saatin ters yönüne doğru devam etmesi için sola dönmesi gerekiyordu. Çevresine bakmak üzere bir süre durdu. Pist, Londra'nın muhteşem binalarından birinin neoklasik cephesiyle çevrelenmişti. Fakat o sırada beklenmedik bir kriz çirkin yüzünü gösteriverdi: Nasıl dönülüyordu? Cevap: Cross bunu yapmadı. Pistin sonundaki bariyerlere doğru kaydı, onlara sıkıca tutundu, piste yüzünü döndü ve bariyerlere yaslandı, rahat bir tavır takınarak, sanki baştan beri niyeti buymuş gibi etrafı inceledi.

Acaba Zhenia nerelerdeydi? Evden çıktıklarında başında parlak kırmızı yün bir bere ve üzerinde, kalın kumaşına rağmen vücut hatlarını belli eden dar, kısa, siyah şişkin bir yelek vardı. Göz kamaştırıcı projektör ışıklarına rağmen en azından bere kolayca görülebilirdi. Cross gözleriyle kalabalığı taradı, birbiri ardına gördüğü yabancı yüzlerin ardından aniden onu fark etti: Pistte yavaşça kayanların arasına girip çıkarak hızla ilerliyordu. Nastiya da hemen arkasındaydı. Her ikisi de mutlu görünüyordu, onlar için nefes almak kadar doğal olan bir şey yapmanın katıksız sevinci içinde gülüşüyorlardı. Sonra Zhenia, onu fark etti. Cross el salladı, Zhenia da elini sallayarak yolunu değiştirip ona doğru yöneldi. Gözlerini Cross'tan ayırmadan ilerledi ve buzdan bir sağanak eşliğinde, neredeyse ona değecek kadar yakınında bir noktada durdu.

Zhenia onunla aynı yöne, kayanlara bakacak şekilde sol tarafına döndükten sonra sağ elini ona doğru uzattı. "Haydi gel, ben sana yardım ederim."

Cross genç kızlardan yardım almaya pek alışkın değildi ama gururunu bir kenara bırakarak ona karşılık verdi. "Teşekkür ederim. Buna ihtiyacım olabilir."

Onun elini tutar tutmaz bir elektrik şokuna yakalanmış gibi tüm vücudunda hissettiği güç dalgasıyla soluğu kesilir gibi oldu. Dönüp Zheina'ya baktığında genç kız sanki ona. "Evet, bunu ben de hissettim," der gibi gülümsüyordu. Ama sonra yüz ifadesi değişti ve ona seslendi. "Haydi! Beni takip et!"

Cross kendisini kalabalığa çekmesine izin verdi ve Zheina eliyle ona kılavuzluk edip onu çekerek nasıl güzel ve eşit bir ritimle ilerleneceğini gösterirken ona uyum sağladı. Bir turu ve ardından bir başkasını daha tamamladılar. Cross bir süredir patenlerin üzerinde rahat hissettiğini, dönüşlere geldiği her seferinde kendine daha fazla güvenmeye başladığını ve kendi isteğiyle yavaşlamayı becerdiğini ona söylemedi, Zheina'nın elini tutmak öylesine büyülü bir histi ki bırakmak istemiyordu. Sonra, üçüncü turda Zheina biraz uzaklaştı, artık sadece parmak uçları birbirine değiyordu. Tenlerinin ara sıra birbirine değişi daha da heyecan vericiydi. Zheina sonunda elini tamamen çekip ona döndü. "Artık tek başınasın! Beni izle!" dediğinde Cross, kendini uyuşturucusu alınmış bir bağımlı gibi hissetti. Fakat o sırada onu heyecanlandıracak yeni bir şey keşfetti: Dar kot pantolonunun sarmaladığı, önünde sağa sola hareket eden kusursuz poposunu.

Cross bir havucun ardından giden eşek gibi onun peşine takıldı, iyiden iyiye tahrik olmuştu. O kusursuz bedenini yakalamak, dudaklarını muhteşem dudaklarına bastırmak ve dalgalanan kestane rengi saçlarının kokusunu içine çekmek istiyordu. Fakat hem Nastiya hem de O'Quinn, iki iş arkadaşı birden onları izlerken Zhenia'ya nasıl yaklaşacaktı? Muhtemelen Nastiya onu öldürürdü... Yoksa aldırış etmez miydi? Sonuçta onu yemeğe davet eden ve Zhenia'yla tanışmasını isteyen oydu. Hatta gidip olayı başlatacağı belli olan bir soruyu kendisine sormasını dahi söylemişti. Yoksa Nastiya aralarını yapmaya mı çalışıyordu? Ya da küçük kardeşini baştan çıkarmaya tenezzül etmeyeceğini mi düşünmüştü?

Sonunda seans sona erip hepsi birer birer patenlerini çıkarırken teklif Zhenia'dan geldi. "Beni yürüyüşe çıkarsana Hector. Bana Londra'yı göster!"

"Nastiya onunla eve dönmeni beklemez mi?"

"Nastiya benim annem değil. Hem zaten," muzip bir şekilde gülümsedi, "onun için mahsuru olmaz. Senin fazlasıyla üzgün ve yalnız olduğunu, hayatında biraz neşe olması gerektiğini söylüyor. Gördüğün gibi biz Rusuz ve hayata daha neşeli bir bakış açımız var."

"Aslına bakarsan üzüntüden ölmüyorum," diyerek karşı çıktı Cross.

"Doğru," dedi Zhenia. "Şu anda durumun bu değil."

Strand'den aşağı, Trafalgar Meydanı'na doğru yürüdüler. Bir koro topluluğu, Norveç halkının Londra'ya hediye ettiği Noel ağacının altında durmuş, ilahiler söylüyordu.

"Ne kadar güzel," dedi Zhenia, etrafına, Nelson Anıtı, National Gallery ve St. Martin-in-the-Fields Kilisesi'ne bakarak.

"Sen de öyle," dedi Cross ve Zhenia, ona dönüp soran gözlerle baktı. Öpüşmek için mükemmel bir andı ve Hector çok kısa bir tereddütten sonra bu fırsatı değerlendirdi.

"Bir otel odası falan tutsanıza siz!" diye seslendi bir yabancı esprili bir tonda, gelip geçenlerden birkaçı bu sözlere güldü. Bu, pek de romantik bir yorum sayılmazdı ama Zhenia'nın kıkırdaması, ona daha da yaklaşması ve Cross'un da gülümsemesiyle sonuçlandı. İkisi birden, aynı şeyi istediklerini fark ettikleri bu sihirli anın neşesiyle kendilerinden geçmişlerdi.

El ele tutuşarak Piccadilly Circus'a doğru yürümeye başladıklarında Zhenia, ona döndü. "Evin buradan uzakta mı, Hector?"

"Sadece on beş dakika mesafede," diye cevap verdi Cross.

"Yatağın rahat mı peki?"

"Benimki İngiltere'nin en rahat yatağıdır."

"Tamam! O halde, senin evine senden önce varacağıma bahse girerim." Ona parlayan gözleriyle meydan okuyordu.

"Ne kadara?" diye sordu Cross. "Ne kadara bahse girersin?"

"Bir milyon."

"Bir milyon ne?"

"Ne istersen!"

"Başlangıç için bu kadarı yeter bana," dedi Cross ve koşmaya başladılar.

Shelby Weiss çalışma odasındaydı ve Teksas Üniversitesi Longhorns'un, Austin'deki Memorial Stadyumu'nda bulunan yüz bin izleyici karşısında, Oklahoma Sooners'la oynadığı maçı izliyordu; ikinci Coors birasını açmıştı ve genel anlamda keyfi yerindeydi. O sırada, yanında duran telefon çaldı ve cumartesi günü aniden kötüye doğru yön değiştirdi. "Hey, Shelby, nasılsın dostum?"

Weiss'in rengi solmuştu. Adını vermeyen adamın söylediği bu dört kelime dahi kanını, elindeki bira kadar dondurmaya ve ödünü patlatmaya yetmişti.

"Nasıl... ama sen..." diye geveledi, bir yandan da karmakarışık olmuş aklını toparlamaya çalışıyordu. "Tanrı aşkına, beni cep telefonumdan bu şekilde arayamazsın. Ulusal Güvenlik Ajansı diye bir şey duymadın mı sen hiç? O herifler her şeyi dinliyorlar... her şeyi! Ve sen aranan bir suçlusun. Ah evet, Federallerin aranan ilk on kişi listesine girmeyi de başardın. Sen suç dünyasının rock yıldızısın. Bu durumda kalkmış, bir de beni telefonla arıyorsun!"

"Hey, sakin ol, kaplan." Weiss derin ve gırtlaktan gelen, neredeyse bir bıçak görmek kadar korkutucu bir kahkaha işitti. "Beni başka biriyle karıştırdın herhalde. Çünkü benim adım Juan Tumbo, pasaportumda öyle yazıyor. Ben suç geçmişi olmayan, yasalara saygılı bir vatandaşım ve benim telefonuma cevap vermemen için hiçbir sebep yok, bilhassa da ben, yasal olarak temsil edilmeye ihtiyacı olursa diye arkadaşımın sana gönderdiği birkaç milyon doların üzerinde oturduğunu biliyorken."

"Hey, Johnny..."

"Juan. Dediğim gibi, benim ismim Juan Tumbo ve Johnny diye biriyle de alakam yok. Şimdi beni dinle, Bay Weiss, New York'ta Aram Bendick adında biriyle bir iş yapıyorum. Büyük bir yatırımcıdır, adını duymuş olabilirsin."

"Bu isim bana tanıdık geliyor, evet," dedi Weiss, konuşmanın nereye varacağını merak ediyordu.

"Tamam, şimdi, Bay Bendick ve ben bazı finansal işlere giriştik. Aslına bakılırsa, ben adama yüz milyon papel verdim."

"Seni doğru mu duydum?" diye sordu Weiss yutkunarak. "Yüz milyon dolar mı dedin?"

"Evet, eşek yüküyle para. Şimdi bazı ahmakların şöyle düşüneceklerini hayal ediyorum: 'Bu aptal zenci benim cebime yüz milyon papel koydu ve ben hepsini kendime alacağım.' Bence, Bay Bendick bu kadar deli olamaz. İtirazlarımın anlaşılmasını sağlayacağımın farkında, ne demek istediğimi anlıyorsundur."

"Evet, Jo... Bay Tumbo sanırım anlıyorum."

"Ama tedbirli olmanın da zararı olmaz, öyle değil mi?"

"Kesinlikle."

"Eh, durum böyle olunca da senin Bay Bendick'i ziyaret etmeni, durumla ilgili onunla konuşmanı ve yatırımımla tam olarak ne yapacağını ve en iyi dönüşü almamı sağlayacağını belirten bir sözleşme hazırlamanı istiyorum. Dönüş derken, gerçekten olası en iyi dönüşü kastediyorum. İdare eder bir anlaşma veya iyi bir anlaşma yeterli değil. En iyisi olmalı."

"Ben müşterilerim adına bir anlaşma düzenlediğimde bu olabileceğinin en iyisidir."

"Güzel. O halde yarın New York'a gidiyorsun ve pazartesi sabah erkenden Bendick'i görüyorsun. Aklımızdakileri sana açıklayacaktır. Tahminime göre, işten sen de biraz istersin. O yüzden, hisse satın almak istersen alabilirsin."

Shelby Weiss'in kendisiyle gurur duyduğu bir şey varsa o da paranın kokusunu alabilmesiydi ve şu an gayet iyi koku alıyordu. "Bak ne diyeceğim, ücretimden vazgeçeyim ve kârdan da yüzde alayım, ne dersin?"

Sessizlik oldu. Beş saniye geçti... ve sonra Weiss, "Alo?" dedi. "Alo? Bay Tumbo? Orada mısın?"

Nihayet bir cevap aldı. "Evet, buradayım. Sadece derin nefesler alıyorum, ona kadar sayıyorum ve sakinleşmeye çalışıyorum. Bak, hesabındaki iki milyon dolardan bahsettiğimi sanıyordum."

"Ama o para senin tarafından ödenmedi ki, öyle değil mi, Bay Tumbo?"

"Dinle beni, Bay Weiss. Dikkatle dinle, çünkü söyleyeceklerim önemli. Şimdi sana canını kurtarman için bir şans vereceğim. Tek yapman gereken New York'a gitmek ve senin de dediğin gibi, benim adıma en iyi anlaşmayı yapmak. Buna ek olarak Aram Bendick'le kendi adına da anlaşma yapmak istersen buyur yap, seni zengin eder. Bunu yaparsan herkes mutlu olur. Yapmıyorsan da geriye dönüp, neydi o tarih, hah, 15 Kasım'da olanları hatırla. O tarihte ölen insanları düşün. Böyle bir operasyonu gerçekleştirmek için gereken gücü, planlamayı ve kaynakları bir düşün. Şimdi aynı güç, planlama ve kaynakların senin kafanı koparıp kıçına sokmak için kullanıldığını hayal et, aynı zamanda karına işkence etmek ve çocuklarını şişe geçirip..."

"Dur! Tanrı aşkına, dur. Yapacağım. İstediğin her şeyi yapacağım. Sadece ailemi bu işin dışında tut."

"Sorun değil Bay Weiss. Zaten ben sadece seninle kafa buluyordum, biraz abartıyordum ki ne demek istediğimi anla, anlatabiliyor muyum?"

Weiss boşalmış Coors kutusunu çöp tenekesine attı, çalışma masasından kalkıp mini barına yöneldi. Birayı boş verdi, daha güçlü bir şeye ihtiyacı vardı. "Evet," dedi Jack Daniel's şişesinin kapağını açarken. "Anladım. New York'a gideceğim, Aram Bendick'le bugüne dek yapılmış en iyi anlaşmayı yapacağım."

"İşte, benim tanıdığım Shelby Weiss! New York'a git, şu işle ilgilen, gösterini yap. İnan bana, dostum, seni aradığıma memnun olacaksın."

Hector, Zhenia'nın çıplak bedenini kollarının arasında tutarken kendi kendine gülümsedi. Beklenen an gelip çattığında Zhenia'nın kıyafetleriyle birlikte psikolojik zırhından da sıyrıldığını ve o cesur, cilveli, Moskovalı sosyetik kızın utangaç, hatta biraz da mahcup hale geldiğini gördü. Bu muhteşem kadını bile huzursuz eden güvensizlik; gençliğin, bizzat gençlerin elinde heba olduğunun en büyük kanıtıydı. Hector, ona son derece nazik davranmış, üzerindekileri sevgi dolu hareketlerle çıkarmıştı. Onu öpmeyi ve saçını okşamayı ihmal etmedi; kulağına ne kadar güzel olduğunu fısıldadı, muhteşem ve dik memelerini okşamanın nasıl bir his olduğunu anlattı. Sonra onun boynunu öptü ve kanla dolup renkleri koyulaşmış meme uçlarını emdi. Bu hassas tomurcukları nazik bir şekilde dişlerinin arasına aldığında şişip sertleştiklerini hissetti. Sonra dudaklarını göbeğinde gezdirdi. Yuvarlak kalçalarını ellerinin içine aldı, onları kendisine doğru çektiğinde Zhenia'nın bacakları iki yana açıldı. Dudakları pembe ve ıslaktı, utangaç bir davetle büzülmüşlerdi. Dilinin ucunu onların arasına, derinlere doğru daldırdığında Zhenia nefesini tutarak bir şok dalgasıyla sarsıldı, sonra ellerini boynuna dolayarak onu kendisine doğru çekti.

"Evet!" diye fısıldadı. "İşte böyle. Durma. Lütfen sakın durma!"

Uyandığında güneş perdelerin arasındaki boşluktan içeri sızıyordu, Zhenia sert ve yuvarlak kalçalarını onun göbeğine dayamış ve büzülmüş halde kollarında uyuyordu, Cross'un onun memelerini kavrayan ellerini bileklerinden sıkıca tutuyordu; nefes alışverişleri bir esinti gibi yumuşaktı ve ıslak cinsel organının kokusu Hector'un duygularını yeniden uyandırmıştı.

Karısı ve Catherine Cayla'nın annesi Hazel Bannock'un ölümünden bu yana hissetmediği bir sıcaklık ve rahatlık hissi tüm benliğini kapladı. Sonra tamamen uyandığında bu hoş hislerin yerini suçluluk duygusu aldı.

"Sübyancı!" diyerek suçladı kendini sessizce. "O daha bir bebek." Ardından bu suçlamaya karşı çıkarak kendini savunmaya geçti. "Bir çocuk değil o. Yirmilerinin ortasında yetişkin bir kadın: Araba sürecek, oy kullanacak, çalışacak, evlenecek, mücadele edecek ve çocukları olacak kadar büyük. Ben onun yaşındayken çarpışmalarda bir müfreze askere komutanlık ediyordum, çok sayıda adam vurmuş ve bıçaklamıştım; dostlarımın ve silah arkadaşlarımın gözümün önünde öldürülüp sakat bırakıldığına şahit olmuştum. Kendi kararlarını verebilecek kadar büyük ve bunu kesinlikle o da istiyordu. Jüri seni suçlu bulmadı." Memnun bir şekilde kendi kendine sırıttı. "Ve suç sebeplerinden emin olman için bir daha yapmanı önemle salık veriyor."

Karşı cinsin bu muhteşem üyesine karşı hissedilen yalın ve ateşli şehvetin suç sebeplerinden biri olduğunu inkâr edemezdi. Ama onun yatağındaki varlığıyla kendinden geçmesinin tek sebebi bu değildi. Zhenia kelimenin tam anlamıyla kardeşi kadar zeki, komik, cesur ve güzeldi. Her iki kızın da, onu bir oligark yapan azim, istek ve sınırsız hırsı babalarından miras aldığına şüphe yoktu. Ama bu düşüncesini asla onlarla paylaşamazdı.

Elbette Zhenia, Nastiya gibi eğitimli bir savaşçı değildi ama bunun için gerekli ruha ve cesarete sahipti. Cross bundan kesinlikle emindi. Ona kendisini genç hissettiriyordu, yaşam sevinci ve eğlence anlayışıyla onu canlandırıyordu. Zhenia öneride bulunmasaydı asla buz pateni kaymaya gitmez, onu teşvik etmese buzun üzerinde bir budala durumuna düşmeye asla razı olmazdı. Hem Hazel hem de Jo'yla olan ilişkileri, en başından beri korku şiddet ve tehlikeyle gölgelenmişti; ama Zhenia'yı Barnes'taki o küçük evde ilk görüşünden, orgazm dolu sevişmelerinin verdiği zevke kadar bütün gün eğlence içinde geçmişti.

Zhenia aniden kollarında dönerek ona baktı, ela gözleri çok uyuduğu için kocaman olmuştu. "Neden bu kadar ciddisin Hector," diye sordu. "Ne düşünüyorsun böyle?"

"Sadece düşünüyordum..." Sözlerine devam etmedi ama ona gizemli bir şekilde bakmayı sürdürdü. Zhenia tamamen uyanarak bir dirseğinin üzerinde doğruldu. Yüzünde alaycı bir şaşkınlık ifadesi vardı.

"Söylesene, bir sorun mu var?"

"İlk seferindeki kadar iyi olduğundan tamamen emin olmak için şunu bir kez daha yapmamız gerektiğini düşünüyordum."

"O halde, neden değerli zamanımızı boşa harcıyoruz?" diye sordu Zhenia cilveli bir edayla.

"Bu sözleşmeler..." diyerek söze başladı Shelby Weiss. Aram Bendick'in Manhattan'daki ofisinde oturmuş, hissettiğinden çok daha sakin ve çok daha soğukkanlı davranmaya çalışıyordu. "Anladığım kadarıyla hepsi, Bannock Petrol'ün hisselerinin, hatta tüm kurumun çöküşüne dayanıyor."

"Bu doğru," diyerek kabullendi Aram Bendick. "Bay Tumbo'ya da açıkladığım gibi, normal satım opsiyonu işlemleri, hisse bedeli benim satın aldığım seviyenin altına düştüğünde, –ki benim Bannock yönetim kuruluna açıkça yaptığım saldırıları takiben çoktan o yola girdiler– kârlı hale gelecek. Ve piyasa, Bannock Petrol'ün borçlarını ödeyemeyeceğine dair artan bir risk gördüğünde kredi temerrüt takasları da aynı şekilde değer kazanacak, böylece ya onları satabiliriz ya da bekleyip şirket gerçekten temerrüde düşecek mi görebiliriz. İşte o zaman kazanç bariz şekilde maksimuma ulaşır. Bay Tumbo'ya tavsiyem farklı yollardan gitmesi olur. Birazını düşerken satmak, olumsuz tarafını bertaraf edecek kadar kazanç elde etmek ama sonra Bannock Petrol gerçekten çökerse, çöktüğünde büyük paralar kazanmak için biraz dayanmak."

"Kafa karışıklığım için kusura bakmayın Bay Bendick ama Bay Tumbo'nun Bannock Petrol'le şahsi bir meselesi olduğundan haberdar mısınız?" diye karşılık verdi Weiss. "Finansal güvencesi, Bannock'unkiyle bağlantılı." *Bannock olmadan var olamayacak bir hukuk firmasını satın alarak ben ve ortaklarımın sahip oldukları her kuruşu havaya savurduğu gerçeğinden söz etmiyorum bile,* diye düşündü kendi kendine. "En büyük varlığının başarısızlığına dayanan finansal anlaşmalara girmeyi neden kabul ettiğini açıklayabilir misiniz?"

"Çünkü Bannock Petrol'ün ölüsü dirisinden çok, çok daha fazlasını getirecek."

"Buna imkân yok."

"Elbette var. Doksanlı yılların başında George Soros İngiliz sterlinine karşı bahis yaparak tek bir işlemle bir milyar dolar kazandı. John Paulson, 2007 emlak çöküşünü tahmin etti, ipotek teminatlı menkul kıymetler üzerine temerrüt takasları satın aldı ve hepsi tepetaklak olduğunda dört milyar kazandı. Bannock Petrol çökerse o kadar çok para kazanacağız ki o herifler iki paralık pazarlamacılar gibi gözükecekler."

Weiss şaşkınlıktan ağzını açmamak için kendini zor tuttu. "Yani, bu işe milyarlar kazanmak için mi girdiniz?"

"Çok milyar için."

"Peki işe yarayacağını size düşündüren nedir? Yani, Bannock'un Alaska'da büyük bir darbe aldığının farkındayım ama Houston'da, bunu telafi edecekleri ve Afrika'da fazlasını yapacakları konuşuluyor."

"Bay Tumbo, Bannock hisselerinde büyük bir düşüş olacağından çok emin, diyelim sadece. Onun için kişisel bir savaş olduğuna, bunu mümkün kılacağına dair güçlü hislerim var. Şimdi, siz adamın avukatısınız, siz söyleyin: Juan Tumbo bazı şeyleri mümkün kılabilir mi?"

Onu İnfaz Odası'*na* götüren konvoyu havaya uçurdu: *Evet, bazı şeyleri mümkün kılabilir*, diye düşündü Weiss. "Elbette, benim deneyimlerime göre, kendisi çok becerikli biridir."

"O halde Bannock Petrol çökecek ve Bay Tumbo olduğundan çok ama çok daha zengin biri olacak."

"Bu durumda sanırım, sözleşmeleri müvekkilim adına onaylamaya herhangi bir itirazım yok." Weiss kafasının içinde deliler gibi hesap yapıyordu: *Eğer evi ve Vail'deki daireyi yeniden ipotek ettirirsem ve çocukların üniversite fonlarını bozarsam belki ben de bir milyon toplayabilirim...* "Aslında bu anlaşma oldukça hoş görünüyor." Weiss yüzüne cılız bir tebessüm yerleştirmeye çalıştı. "Eh, ben de biraz satın almak isteyebilirim."

Bendick güldü. "Evet, Tumbo böyle bir şey söyleyebileceğinizden bahsetmişti. Hepimizin aynı takımda yer almamızın, diğer bir deyişle, çıkarlarımızın uyumunu sağlamanın iyi bir yolu olduğunu düşünüyordu. O yüzden, elbette, partiye katılmak isterseniz bunu ayarlayabilirim. Ama bir şartla: Bundan kimseye söz etmeyeceksiniz. Üçümüz haricinde kimse ama hiç kimse benim aklımdan geçenleri duymayacak. Anladınız mı?"

"İnanın bana, Aram –artık bu işte beraber olduğumuza göre, umarım size isminizle hitap etmemin sakıncası yoktur– bu iş son derece gizli kalacak."

"Bunu netleştirdiğimize sevindim," dedi Bendick. "O halde kutlamak için bir bardak viski ister misiniz?"

İçkileri doldurduktan sonra birini Weiss'e uzattı. Artık her ikisi de rahattı, çok yakında kazanan olacaklarından eminlerdi. "Meraktan soruyorum, bu Tumbo ne tür bir isim? Yani, tombala gibi. Çok tuhaf değil mi ama..."

"Bu soruyu neden kendisine sormuyorsunuz?" diye sordu Weiss.

Bendick güldü. "Ah olmaz! Ben o adamla tanıştım. Kendisine ne isim vermek istiyorsa benim için mahsuru yok."

Hector Cross takımıyla birlikte Angola'ya doğru yola çıkmadan önce, Zhenia Voronova'yla üç gün, üç gece geçirdi. Farnborough Havaalanı'nda onu öperek veda ederken fiziksel anlamda öylesine yorgundu ki Bannock Petrol'e ait jetin tekerleri yerden havalanmadan uyuyakalacağını biliyordu. Fakat aynı zamanda kendisini, tazelenmiş, canlanmış ve Hazel öldüğünden beri ilk kez bu kadar hayat dolu hissediyordu. Zhenia onda bir tür sihir etkisi yaratmıştı: "Bırak da senin ikinci baharın olayım," demişti Zhenia ve gerçekten de öyleydi; ruhunu ısıtmış, kışın tüm buzlarını eritmiş ve bir zamanlar ölmüş olanı yeniden canlandırmıştı.

"Lütfen bana geri dön," diye fısıldadı ayrılırlarken.

"Döneceğim, söz," diye karşılık verdi Cross tüm kalbiyle ve samimiyetle.

Catherine Cayla'yla da vedalaştı. Güvenliği için Abu Zara'ya geri götürülecekti. Cross kendi kendine onun Noel'in anlamını tam manasıyla kavrayamayacak kadar küçük olduğunu söyleyip duruyordu ama yine de bu dönemde yanından ayrılmak onu üzüyordu. *Bir daha asla böyle bir şey olmayacak,* diye yemin etti içinden. *Gelecek sefer Noel'i kızımla geçireceğim.*

Cross karada, İngiliz Ordusu'nun her bölümünde yer alabilecek kadar iyi bir savaşçı ve komutandı. Eğitimini Sandhurst Kraliyet Harp Okulu'nda almıştı. SAS'a kabul edilmişti, birçok çarpışmada Emir Hazretleri için mücadele etmişti (hepsi duyurulmamıştı) ve sonra askeri kuvvetlerden ayrılmasının ardından dünyanın her yerinde, müşterilerini ve ailesini tehdit eden adamlarla çarpışmıştı. Denizde ise, her ne kadar Somali korsanlarını alt etmiş olsa da, o denli vasıflı sayılmazdı ve bunu kendisi de biliyordu.

Bu nedenle Cross, Bannock Petrol'ün Magna Grande sahasındaki personelini ve mülkiyetini korumaktan sorumlu olacak adamların mümkün olan en iyi eğitimi almalarını istemişti ve bu eğitime kendisini de dahil etmişti. Bu yüzden de Paddy O'Quinn'den, suya ilk inen Özel Kuvvetler Birimi olmakla kalmayıp aynı zamanda SBS'de –en azından onun gözünde– en iyileri olan bazı yetenekleri takip edip bulmasını istemişti.

Böylece otuz adamlık birlik, Cross Bow'un tek seferlik Arktik tedarik gemisi *Glenallen*'daki eğitim görevi için hazır bulundu. Cross haricinde iki O'Quinn ve Dave Imbiss de oradaydı. Geri kalanların yarısı, Cross Bow'un kayıtlarındaki en zeki, en sert ve en güvenilir adamlarıydı. Yeni gelenlerden hemen ayırt edilebiliyorlardı, çünkü uzun zamandır aralarında olmasına alıştıklarından Nastiya'ya uzun ve çapkın bakışlar atmıyorlardı. Hepsi Özel Gemicilik Hizmetleri, yani SBS'nin kıdemlilerinden oluşan on kişi, Donnie "Darko" McGrain adındaki bir Glaskowlunun liderliğindeydi.

Darko, donanmada ordu astsubayına eşdeğer, en üst rütbedeki astsubaydı. Tamamen kemik, kas ve kıkırdaktan oluştuğu belli olan sıska fiziğiyle orta boylarda bir adam olduğundan fiziksel anlamda fazla etkileyici görünmüyordu. Fakat çok daha büyük, çok daha güçlü adamları titreyen enkazlara çevirebilecek amansız bir enerji, odaklanma, kararlılık ve hainlik karışımı bir hava yayıyordu. Başlangıçta, yedek parça, erzak ve kutup sondaj mavnası *Glenallen*'ı destekleyecek diğer tedarikleri taşımak üzere inşa edilmiş ambarların içine yerleştirilen uyuma, yıkanma ve dinlenme bölümleriyle birlikte yapılmış toplantı odasına girdiği anda varlığını hissettirmişti.

Adamlar, ön bilgi ve eğitim konuşmalarının yapılacağı alçak bir sahnenin karşısına yerleştirilmiş sandalyelere yayılmış, değişik pozisyonlarda oturuyorlardı. Çoğu birbiriyle gevezelik edip şakalaşıyordu. Dave Imbiss ve O'Quinnler ön sırada oturmuş, kendi aralarında derin bir sohbete dalmışlardı. O sırada Cross, yanında Darko McGrain'le birlikte içeri girdi. Bütün adamlar ve salondaki tek kadın aniden oldukları yerde dikleşerek toparlandılar ve patronlarının konuşmasını beklediler.

"Günaydın baylar... ve bayan," diyerek söze başladı Cross. "Bugünden itibaren dört hafta içinde tüm hazırlıklar sona eriyor ve Magna Grande hizmete giriyor. Siz göremiyorsunuz ama buradan birkaç kilometre ileride yarım düzine petrol kuyusu mevcut ve hepsi sondaj platformunu beslemeye ve oradan da *Bannock A* FPSO gemisine yüklenmeye hazır. Burada ham petrol, kara tabanlı bir rafineriden bekleyeceğiniz olağan ürün yelpazesine dönüştürülecek ve ardından dünya çapında dağıtılmak üzere tankerlere yüklenecek. Yani, on milyarlarca dolar kazandıracak, ayrıca sizlere gelecek yıllarda iş sağlayacak inanılmaz bir girişimle karşı karşıyayız. Fakat bunu okyanusta rahatça yol alan bir gezinti gemisi gibi düşünmeyin. Angola'dan bağımsızlıklarını isteyen Cabindalı bölücülerin bu sahayı hedef aldığına dair güvenilir istihbarat raporları aldık. Onları dünya haritasına yerleştirebilecek, El-Kaide'nin 11 Eylül'de yaptığı gibi, oldukça çarpıcı bir şeyler planlıyor olabilirler. Bizim işimiz başarılı olamamalarını sağlamak. Ve bunu sadece formda, disiplinli, iyi organize edilmiş ve iyi eğitilmiş olarak yapabiliriz. Bazılarınız okyanusta yüzme, sondaj platformlarına ve büyük gemilere çıkma, denizde terörle mücadele operasyonları yürütme konularında tecrübelisiniz. Ama çoğumuz –ve buna ben de dahilim– bunlarla ilgili çok az şey biliyoruz. O nedenle de hızlı öğrenmemiz gerekiyor. Şimdi gelecek dört hafta içinde forma girmemizi sağlayacak kişiyle tanıştırmak istiyorum sizleri: Donnie McGrain."

İsteksiz birkaç alkış arasında McGrain sahnenin önüne geldi ve kendisini izleyenlere parlayan gözlerle delici bir bakış attı. "Pekâlâ, o halde ne durumdayız, ona bir bakalım," diye bağırdı bir çuval paslanmış çivi kadar sert bir Glasgow aksanıyla. "Kaçınız Amerikan Donanması, SBS veya deniz komandoları ya da buna benzer başka silahlı kuvvetlerde hizmet verdiniz?"

Altı el havaya kalktı. McGrain başını iki yana sallayarak tükürür gibi konuştu. "Altı mı? Bir sondaj platformunu altı adamla geri alamazsınız Bay Cross, bu kadarını kesinlikle söyleyebilirim." Derin bir iç geçirdi. "Havada daha fazla el görelim... SC ehliyetine sahip olanınız var mı –SBS olmayıp yüzücü– kanocu olanlar yani?"

Havada iki el kaldı.

"Peki siz sivri akıllılar, Kuzey Denizi sahalarında hiç çalıştınız mı?" diye sordu McGrain ve iki el indi.

McGrain iç çekerek kaşlarını abartılı bir şekilde çattı. "O halde yüzemiyorsunuz, tırmanamıyorsunuz, bir petrol sahasında yolunuzu bulamıyorsunuz. Ama inanın bana, dört hafta içinde... Tanrı beni utandırmasın, bunları yapabileceksiniz. Ve eğer yapamazsanız ben bizzat kıçınıza tekmeyi basarım, lanet okyanusun dibini boylar, evinize de yüzerek gidersiniz. Anlaşıldı mı?"

Salonda anlaşılmaz ama az çok "evet" benzeri homurtular duyuldu.

McGrain etkilenmemişti. "ANLAŞILDI MI?"

Bu kez hepsi bir ağızdan bağırdı. "Evet efendim!"

McGrain başını aşağı yukarı salladı. "Bu daha iyi ama ben kıdemli bir subaydım, lanet bir askeri memur değil. O yüzden bana 'efendim' demeyeceksiniz. Bay McGrain gayet uygun olur."

Beş dakika sonra McGrain, Cross'un el koyup şahsi ofisi haline getirdiği kabindeydi. Her iki adamın elinde de kahve fincanları vardı. "Bu hiç de kolay olmayacak, Bay Cross, bu kadarını söyleyebilirim," dedi McGrain, bu kez çok daha hafif bir Glasgow aksanıyla, "Ama siz bu adamların iyi olduğunu söylüyorsunuz."

"En iyileri," diye karşılık verdi Cross.

"Eh, olsalar iyi olur. Onlara teçhizatlarını taşıyarak yüzlerce metre yüzmeyi; büyük sondaj platformuna, ardından FPSO'ya çıkmayı ardından da koca şeyi havaya uçurmadan birilerini alt etmeyi öğretmek için dört haftamız var."

"Bu adamlar sürekli petrol tesislerinde çalıştılar. Petrol tankına veya gaz borusuna bir kaza kurşunu denk gelirse neler olabileceğini benim kadar iyi biliyorlar. Zaten riski en aza indirmek için gerekli tedbirleri aldık."

"Evet ama endişelenmeniz gereken sadece arkadaşlarınız değil. Teröristler de var. Bir petrol platformunun etrafında koşuşan ve AK-47'lerini ateşleyen bir grup Afrikalı gerilla benim eğlence anlayışıma uymuyor. Bakın efendim, Bay Cross, şunu unutmamanız gerekiyor. Bir sondaj platformu yangın ve patlama risklerinin olduğu bir yerdir, bu riskler o kadar büyüktür ki üretim alanına tek bir elektrikli alet bile getiremezsiniz. Telefon, fotoğraf makinesi, hiçbir şey. Ah, elbette bu platform en son güvenlik önlemleriyle donatılmıştır, buna eminim. Üretim ve yerleşim alanları arasında çelik plakalar vardır. Bir patlama olursa şekil değiştirir ve patlamanın şiddetini bir araba tamponu gibi azaltırlar. Ve platformun metal yüzeyine uygulanmış her bir boya damlası 'reaksiyona geçirici' olacaktır. Yani, yangına açık hale gelir, alevlerle metal arasındaki ısıya dayanıklı katmanı bozar.

Hepsi iyi güzel de, sonuçta bu bir petrol platformu. Ve petrol yanıcıdır. Petrolün olduğu yerde gaz da vardır, o da patlayıcıdır. Akıllı arkadaşlardan biri platformun saldırıya uğradığını fark ederek kapama prosedürünü başlatmayı akıl etse bile, bir düğmeye basarak petrol akışını durduramazsınız. Basıncın tamamen düşmesi en az üç saat alır ve bu üç saat içinde bir şey bu lanet yeri patlatacak olursa, eh, o zaman istediğiniz kadar çelik plakanız ya da havalı boyalarınız olsun, hiçbir şey fark etmez."

G*lenallen* ikmal römorkörü, neredeyse her koşulda dünyanın herhangi bir okyanusunu geçme yeteneği olan önemli bir gemiydi, ancak işlevsel olarak tasarlanmış Magna Grande gibi azametli bir sondaj platformunun yanında küçük bir gezinti teknesi gibi kalıyordu. Sondaj platformu ise yaklaşık bir deniz mili öteye demirlemiş olan Bannock A üretim tesisine kıyasla bir cüceyi andırıyordu. Hector Cross ve ekibi, çirkin bir çift su aygırının etrafındaki küçük kuşlar gibi görev alanların etrafında vızıldayarak dolanan iki devriye teknesini kullanarak bu iki dev deniz aracını korumak zorundaydılar. Peki ama, ya düşman savunmalarını kırar ve onları hazırlıksız yakalayarak Bannock Petrol'ün iki ganimetinden birini veya ikisini birden ele geçirirse ne olacaktı?

Hector Cross, *Glenallen*'ın kuleden dört yüz metre uzakta pozisyon alması talimatını vermişti. Sonra adamlarını güverteye toplamış, hafifçe kabaran okyanusa, bu öğleden sonranın toplantı konusuna doğru bakıyordu. "Bu sondaj platformuna iyice bakın, baylar," dedi. "En kötüsünün olduğunu hayal edelim. Bir grup teröristin kontrolü ele geçirmeye ve onu patlatmaya ya da çılgınca talepleri yerine getirilmezse mürettebatı öldürmeye kalkıştıklarını düşünün. Pekâlâ, böyle bir durumda onları nasıl durdururuz?

Cevap: Kesinlikle gerekli olmadıkça durdurmayız. Büyük bir gemiyi veya sondaj platformunu geri alabilmek için, standart uygulama prosedürü, öncelikli olarak yirmi kadar Özel Kuvvet çalışanının gizlice suya girmesini gerektirir. Görevleri, helikopterle getirilen elli ila yüz havacı birliğin tam ölçekli bir saldırı için pozisyon almaların sağlamaktır. Yani bizi aşar. Ama hiçbir seçeneğimizin kalmadığı bir an gelebilir. Kendi deneyimlerinizden de bildiğiniz gibi, savunma kesintileri, neredeyse tüm Batılı silahlı kuvvetlerini Birinci Dünya Savaşı'nın başlamasından bu yana hep daha küçülmeye ve zayıflamaya mecbur bıraktı. O nedenle asker tam zamanında buraya gelemeyebilir ya da bizim yardımımıza koşacak kimse olmayabilir. O zaman işi kendimiz çözmemiz gerekir.

Bu öğleden sonra, bu platformun yeniden ele geçirilmesiyle ilgili temel konuları ele alacağız. Platformun üzerine çıktığımızda çoğumuzun çok aşina olduğu bir tür terörle mücadele operasyonuyla ilgileneceğiz. Ama önce oraya gitmeliyiz. Ve bunun nasıl yapılacağını size anlatması için sözü Bay McGrain'e bırakıyorum."

"Pekâlâ!" diye bağırdı Donnie McGrain. "Bu gördüğünüz yarı-dalgıç bir platform. Az da olsa lanet metal bir buzdağına benziyor, çünkü büyük bölümü su seviyesinin altında. Gördüğünüz gibi, platform olarak da bilinen kulenin baklava şeklinde dört adet bacağı var. Bu bacaklardan her birinin metal bir duvar gibi, denize verev olarak inen yan destekleri bulunuyor. Göremediğiniz bölümü çok büyük, yani bacaklar ve desteklerin üzerinde duran devasa bir sualtı dubası. Bu nedenle de bacaklar, destekler ve dubalar deniz suyuyla dolu, bu onları denize batırmaya yarar ve sadece bacakların ve kule yapısının üst bölümünü suyun üzerinde, görünür halde bırakır. Dubalar yaklaşık yedi yüz altmış metre altımızda –ah, evet, çok aşağıda– olan deniz yatağına demirlidir ve bütün donanımı olduğu yerde tutan da budur.

Platforma bir saldırı olursa bu, olasılıkla bizi hazırlıksız yakalamak için gece vakti gerçekleşir ve yine aynı sebepten onlara karşı bir saldırı da karanlıkta yapılacak demektir. Şimdi bu platform geceleri Las Vegas gibi aydınlık olur ve deniz ile tüm çevresini aydınlatır. Bu yüzden ilk yakınlaşmanızı karanlık taraftan yapacaksınız. Ya bulunduğumuz gemiden ya da bu gemiden hareket eden iki devriye teknesinden denize ineceksiniz ve bizim eskiden yaptığımız gibi bir denizaltından atılmadığınız için kendinizi şanslı saymalısınız.

Suya indiğiniz anda çiftler halinde yüzeceksiniz ve yolculuğun büyük bölümünde suyun altında kalacaksınız. Eğer deniz çalkantılıysa dalgalar örtü görevi görür ve platformdakilerin sizi görmesini zorlaştırır. Ama endişelenmeyin: Her çift birbirine bağlı olacak, böylece kimse fark edilmeden kapılıp okyanusa sürüklenmeyecek. Bir bacağa tırmanabilmek için öndeki kişi –şimdilik bu kişi ben ya da eski SBS askerlerinden biri olacak– bacaklarından birine kancayla bağlanacak, bağlandığı halatı sağlamlaştırdıktan sonra platforma tırmanma sürecine geçecek. Platformun yukarısına çıkan merdivenler ve yürüme yolları var, ama biz mümkünse onları kullanmaktan kaçınıyoruz, çünkü o merdivenler küçük kafalarının içinde biraz olsun beyinleri varsa her teröristin ilk gizli tuzağıdır. Bu yüzden, su seviyesinin üzerindeki ilk güverte olan örümcek güvertesine doğru ilerleyerek başlıyoruz... Orada, platformun ana güvertesinin altında, dört ayak arasında asılı olduğunu görebilirsiniz. Öndeki kişi bunu yapmak için ucuna bir halat bağlı olan borda kancası ateşler. Halattan yukarı tırmanır, güverteye sabitler ve halatı çeker. O bunu yaparken ikinci adam halata bir ip merdiven bağlar, böylece örümcek güverteye çekilir ve herkes yukarı çıkar. Ayrıca, ucunda kanca olan teleskopik merdivenimiz de var, şartlar el verirse borda kancası olmadan örümcek güverteye kadar uzayabiliyorlar.

Örümcek güverteye çıktığınızda ana güverteye çıkmak için aynı işlemleri tekrar edebilirsiniz. Peki ama, ya ana güverteye giriş engellenmişse ya da bir yanında AK-47'li bir pislik duruyorsa? O zaman takımdaki en iyi tırmanıcı Örümcek Adam rolünü üstlenir. Ana güvertenin alt tarafına asılır ve diğerlerinin kullanabileceği bir hat oluşturmak için karabina klipsleri ve bir halat kullanarak platformun kenarına doğru ilerler. Sonra platformun dışına tırmanır, küpeşteden atlar, güverteye çıkar, girişi tutan mankafayı arkadan vurur ve ıslık çalarak arkadaşlarını yanına çağırır. Ve oraya kadar tek parça halinde geldiyseniz o zaman endişe etmeyin. Yaptıklarınıza kıyasla gerisi çocuk oyuncağı. Pekâlâ sorusu olan var mı?"

McGrain birkaç soruyu yanıtladıktan sonra devam etti. "Pekâlâ, hava sıcak ve burada, güneşin altında benim zırvalarımı dinlemek sıkıcı bir iş. Şimdi yapmanız gereken güzel birkaç kulaç atmak. Haydi bakalım, şimdi suya girin, ayakkabılarınızı çıkarın ama kıyafetleriniz kalsın ve teknenin etrafında dört tur atın. Siz de, Bay Cross."

Hector'un bunu duymasına gerek yoktu. Çoktan küpeşteye tırmanmıştı ve altı metre aşağıdaki suya atlayan ilk kişi oldu. Patronları istekli olunca takımın geri kalanı fazla direnemedi ama yine de bolca şikâyet homurtusu eşliğinde hepsi birbiri ardına suya atlayıp anne ördeği takip eden yavrular gibi liderlerini izleyerek çırpınan siluetlerden bir hat oluşturdular.

Adamların en büyük derdi günde iki kez yüzmek zorunda olmaktı. *Glenallen*'ın etrafında bir tur, yaklaşık iki yüz elli metre ediyordu, bu nedenle McGrain eğitimin ilk gününe her seansta iki tur yüzme talimatı vererek başlamıştı. On kilometre yüzmenin çocuk oyuncağı olduğunu düşünen adamlar, kendilerini bunun yirmide biri yüzerken dahi zorlanır halde buldular. Ve bir de köpekbalığı meselesi vardı. Sert ve savaşlarda bilenmiş adamlar bile kim bilir hangi deniz canlısıyla dolu, derin, karanlık okyanus sularına dalma fikrinden çekiniyorlardı. Ne var ki McGrain, merhamet göstermiyordu. İstesin ya da istemesin herkesi zorla suya sokuyor, onları tur üstüne tur yüzdürtüyor, her geçen gün mesafeyi artırıyordu. Böyle olunca adamlar öylesine bitkin düşüyorlardı ki aç bir insan yiyicinin dişlerine takılıp *Glenallen*'ın etrafında dönüp durmak gibi zahmetli bir işten kurtulmayı merhamet sayıyorlardı.

Çok geçmeden günler ve haftalar ışık hızıyla geçmeye başladı. McGrain, römorkörü bir eğitim alanı gibi kullanıyordu ve onları suda olma –önceleri mayoyla– ve geminin yan tarafına sarılmış bir tırmanma ağını tutup güverteye çıkma fikrine alıştırdı. İkinci haftaya geldiklerinde koruyacakları deniz araçları üzerinde çalıştılar, Bannock A'nın gövdesine ve Magna Grande platformunun bacaklarına tırmanmayı öğrendiler. Şimdi yeni bir düşman keşfetmişlerdi: sıcak hava. Bu tip bir operasyon için giyilen kıyafet, suyun içinde ve dışında giyilebilen su geçirmez bir dalgıç giysisinden oluşuyordu ama su geçirmez kıyafetler, kullanıcılarını sıcak tutacak şekilde tasarlanmıştı ve uzak mesafe yüzmek de yarısı batık bir platformun gövdesine ya da yüzen dev bir petrol rafinerisine tırmanmak da vücut ısısını büyük oranda artıran aktivitelerdi. Kuzey Denizi'nin soğuk ortamında dahi fazla ısınmak, mücadele halindeki kişiler için büyük bir sorun yaratabilecekken Batı Afrika kıyılarındaki Ekvator sıcağında, sıcaklık faktörü potansiyel olarak ölümcül bir sorundu ve savaşçılara ihtiyaçları olan cepleri ve elastikiyeti sağlayıp, aynı zamanda sıcak çarpmasını uzak tutacak kadar hafif ve rahat nefes almaya imkân verecek teçhizatı bulmaya çok fazla zaman ve emek harcanmıştı.

Günden güne ve seanstan seansa, ister formda kalma alıştırmaları ve uygulamalı egzersizler, ister sınıf çalışmaları olsun, platformun ve FPSO'nun önemli bölgelerinin konumu ve fonksiyonunu öğrenip ezberleyen Cross Bow'un tecrübesiz denizcileri, hem karada hem denizde yaşayabilen birliklere dönüşüyordu.

Fakat son haftaya girildiğinde McGrain takımların hazırlıklarında eksikler olduğundan endişe etmeye başladı. "Fazla kolay oldu," dedi Cross'a. "Hava sakindi: Fazla rüzgâr olmadı, çok çalkantılı bir deniz de yoktu, neredeyse hiç yağmur da yağmadı. Ve henüz gece eğitimine başlamadık."

"Buna hazırlar mı?" diye sordu Cross.

"Bunu söylemek imkânsız, patron. Yani, bazı adamlar bulursun, kaya gibi sağlamdırlar ama onları gece vakti derin sulara atarsın ve üç metre derine indiklerinde, her yer simsiyah olduğunda ve yukarının ne tarafta olduğunu bilemediklerinde dökülüverirler. Hangilerinin bununla baş edebileceğini ve hangilerinin edemeyeceğini anlamanın tek bir yolu var, o da uygulama yapmak."

Cross, adamlarını gecenin ortasında bir geminin gövdesine ve bir platformun bacaklarına göndermeye başlamadan evvel onlardan sorumlu kişiyi bilgilendirmeliydi ve aklından geçenlerle ilgili onunla mutabık kalmalıydı. Uzun süre Amerikan Donanması'nda hizmet vermiş, emektar Kaptan Cy Stamford'un, Cross ve adamlarının *Bannock A*'da gece egzersizi yapmalarına itirazı yoktu. Daha önce birlikte çalışmış, Somali'nin kuzeydoğusundaki Puntland açıklarında korsanlarla savaşmış olmalarının da yardımıyla karşılıklı güçlü bir saygı geliştirmişlerdi.

"Bana iyi bir fikirmiş gibi geliyor, Heck," dedi Stamford. "Asıl mücadelelerin gece vakti verildiğini ve bu nedenle gece eğitimi de yapmanız gerektiğini bana söylemene gerek yok. Elbette adamların bir gemiye nasıl çıkacaklarını öğrendiklerinde onun üzerinde savaşmayı öğrenmek için alıştırma yapmaları gerekir."

"Planımız bu, Cy. Sanırım bu, senin mürettebatın için de iyi olacak. Savaş fikrine ne kadar alışırlarsa, gerçekleşecek olası bir sorunla baş etmeleri ve soğukkanlılıklarını korumaları da o kadar kolay olur."

"Katılıyorum. Protokol icabı Houston'a da bilgi vermem gerekiyor. Ama onlara da sana söylediklerimi söyleyeceğim. Tamamen destekliyorum. Ve gemideki tek eski donanma askeri ben değilim. Yapabileceğimiz bir şey olursa istemen yeterli."

"Teşekkürler. Öyle bir durum gerçekleşirse o zaman neredeyse kesinlikle kötü adamlar sayıca bizden daha üstün olacaklardır, o nedenle senden ve adamlarından nasıl faydalanacağımızı konuşmamız şart. Sizleri eğitime dahil etmenin bir yolunu bulabilirsek bu daha da iyi olur."

"Elbette bu hoş bir fark yaratır. Burada hayat bazen epey sıkıcı olabiliyor. Haftalarca aynı yerde oturmak için açılmadım ben denizlere."

"O halde ortamı hareketlendirmek için ne yapabileceğime bakarım," diyerek söz verdi Cross ona, hayatın gerçeklerini anlayan biriyle muhatap olduğu için minnettardı. Fakat aynı talebi daha ziyade Magna Grande platformunun "patronu" olarak bilinen Açık Deniz Tesis Müdürü Rod Barth'a ilettiğinde aldığı tepki son derece farklı oldu.

"Bakın, Bay Cross," dedi Barth, eliyle ter içindeki alnını sıvazlayarak. "Ben petrol adamıyım. Bu bebeğin para kazandırmasını sağlayan kişiyim. Ben yedi gün yirmi dört saat yerden petrolü alır boru hattına iletirim ve petrolle arama giren hiçbir şeyden de hazzetmem. Gün boyunca bazı adamların maymunlar gibi etrafa tırmanıp durmaları yeterince kötü zaten, bunu gece vakti de yapmalarına gerek yok. Karanlıkta platformumun etrafında koşturup askercilik oynamalarına göz yummamı bekliyorsanız unutun gitsin. Burada yetkili ben olduğum sürece böyle bir şey olmayacak ve yakınlarda bir yere kıpırdamaya da niyetim yok."

"Benim de," dedi Cross, Barth'ı tombul ve kat kat olmuş ensesinden tutup gemi bölmelerinden birine sokarak gemiye bir terörist girmesi durumunda karşı karşıya kalacağı bir zulme kısa ve net bir örnek sergilememek için kendini zor tuttu. "Benim işim de sizinkiyle aynı: petrolün akmasını sağlamak. Ve bir teröristin bu akışı durdurması için bu platformu, sizinle ve gemide çalışan herkesle birlikte havaya uçurup paramparça etmesinden daha etkili bir yol daha yok."

Barth küçümseyen bir homurtu çıkardı. "Saçmalamayın, Cross. Böyle bir şey olmayacağını her ikimiz de biliyoruz. Söylesenize bana, en son ne zaman bir terörist bir platformu havaya uçurdu? Ah, bir dakika, söyleyemezsiniz, çünkü bu hiç olmadı."

"11 Eylül gününden önce de, iki jet iki gökdelene dalmamıştı. Bakın, hem kendi kaynaklarımdan hem de ABD Dışişleri Bakanlığı'ndan bir saldırı olabileceğiyle ilgili güvenilir bir istihbarat aldım. Bu sahadaki insanların ve teçhizatın güvenliğinden ben sorumluyum. Size adamlarımın gece eğitimine ihtiyaçları olduğunu söylüyorum ve benimle işbirliği yaparsanız minnettar kalacağım."

"Yapacağım şey şu," dedi Barth. "Houston'ı arayıp operasyondakilere, açık deniz petrol üretiminin tehlikeleri hakkında hiçbir fikri olmayan bir grup paralı askere geceleri askeri tatbikat yaptırmanın platforma ve çalışanlarımıza getireceği güvenlik riskleriyle ilgili ne düşündüklerini soracağım."

Cross bir kez daha derin bir nefes aldıktan sonra her zamanki çelik gibi soğukkanlılığının altında kaynayan öfkeyi saklamaya gerek duymadan devam etti. "Benim adamlarım paralı asker değil. Onlar 'son derece deneyimli eski askerler', baskı altında soğukkanlı kalmak için eğitildiler ve Abu Zara'daki petrol tesislerinde çalışarak yıllarını geçirdiler."

"Evet, lanet bir çölün ortasında oturarak. Bu çok farklı bir durum. Houston'ın da benimle hemfikir olacağını düşünüyorum."

Cross iç geçirdi. "Bunu yapmak istemiyordum. Medeni bir şekilde anlaşmaya varacağımızı düşünmüştüm. Ama şimdi otoritemi kullanmak zorundayım. Ben Bannock Petrol'ün yönetim kurulu üyesiyim ve doğrudan İcra Kurulu Başkanı Senatör John Bigelow'a ulaşabilir ve planlarımı destekleyecek talimatı kendisinden alabilirim."

"Beyaz Saray'ı arasınız umurumda olmaz. Hiçbir şey de fark etmez. Sizin çocuklar benim platformuma asla gelmeyecek, söyleyeceklerim bu kadar."

Cross, Bigelow'u aradığında Bigelow onu yatıştırdı. "Merak etme Heck, anlıyorum. Adamlarının elbette her ihtimal için eğitim almaları gerekir. Bunu hemen çözüp sana geri dönüş yapacağım."

Üç saat sonra Bigelow söz verdiği gibi hattın öteki ucundaydı. Ama söyledikleri Cross'u büyük bir şaşkınlığa uğrattı. "Korkarım, sonuç olumsuz, Heck. Şimdi öfkelenmeden önce beni bir dinle. Burada yasal bir meseleyle karşı karşıyayız. Bannock Petrol, oradaki birçok yüklenici firmanın çalışanları da dahil, Magna Grande platformunda ve *Bannock A* üretim tesisindeki herkesin güvenliğinden mesul. Bu insanlardan biri, eğitim egzersizlerinizden birinde meydana gelen herhangi bir şeyin sonucu olarak ölmek bir yana yaralanırsa dahi –ki bu, işin parametreleri ve sözleşmeye bağlı olarak kabul etmek zorunda oldukları koşulların dışında kalır– şirket milyonlarca dolarlık hasardan sorumlu tutulur. Aynı şey sizin adamlarınız için de geçerli. İşyerindeki bir kazada yaralanırlarsa bundan biz mesul oluruz."

"Ama onlar benim için çalışıyor. Cross Bow tarafından çalıştırılıyorlar."

"Evet ve karın senden satın aldığından beri Cross Bow, Bannock'un bir yan kuruluşu ve bu, bir Bannock projesi, o nedenle tekrar ediyorum, sorumluluk bizde. Tehlikeli aktiviteler yapmak yok, Hector, duydun mu beni? Eğer deniz çalkantılıysa yüzmeyin. Her yerde ışık olmadığı ve emniyet kemerleri takılmadığı sürece karanlık çöktükten sonra bir şey yapmak yok."

"Tanrı aşkına, John, bu adamlar eski asker," diyerek itiraz etti Cross. "Onlar savaşa gittiler. Geçmişte Bannock'un petrol sahaları için canlarını tehlikeye attılar, onlara bunun için para ödeniyor. Bunlar, hayatlarını tehlikeye atmaktan hoşlanan insanlar. İnan bana, eğitim alıp faaliyette bulunmayı, sırf bir kısım takım elbiseli adamların acınası güvenlik saplantıları olduğu için pamuklara sarmalanmaya tercih ederler."

"Bunlar saplantı değil, hukuk departmanının, kanunları ve potansiyel riskleri değerlendirdikten sonra bana verdiği görüşler.

Bu arada, bu görüşleri görmezden gelemem, çünkü o zaman olası yasal faaliyetleri kapsayan tüm sigorta poliçelerimizi ihlal etmiş olurum."

Cross onu etkilemek için son bir girişimde bulundu. "Ama John, eğer sahaya bir saldırı olursa ve adamlarımız eğitim almamış olursa orada ya da burada bir yaralanmadan değil, çok sayıda insanın ölümünden ve tesislerinizdeki milyonlarca dolar hasardan bahsediyor oluruz. O halde ciddi anlamda dolarlardan bahsedelim. Bir terör saldırısı olduğunda eğitim tatbikatında kaybettiğinizden fazlasını kaybedersiniz."

"Seni anlıyorum, Heck, gerçekten anlıyorum," dedi Bigelow. "Ama hukuk departmanının bu olaya bakışı, eski deneyimlerimize ve diğer petrol şirketlerine bakıldığında saldırı ihtimalinin düşük olması ve rahatça bunları görmezden gelebileceğimiz yönünde. Öte yandan, mücadele eğitimi vesilesiyle yaralanma ve bir tür duygusal travma ihtimali çok daha fazla. Bu nedenle risk almamak ve talebine hayır demek zorundayız."

"Tanrı aşkına, John, bu doğru bir karar değil. Magna Grande'nin, hatta Bannock'un tüm geleceğini tehlikeye atıyorsunuz."

"Bu kadar yeter, Heck!" diye çıkıştı Bigelow. "Bannock Petrol için yaptıklarına saygım büyük ve şirketle olan şahsi bağlarını da biliyorum ama şirketin tehlikede olduğundan bahsettiğinde bu kulağa biraz korku tellallığı gibi geliyor. Sen bundan çok daha iyisin, Heck ve daha cesursun. Üzgünüm ama bu son kararımız. Karanlık çöktükten sonra platformda veya üretim tesisinde eğitim yapmak yok ve her iki yerde de gündüz ya da gece tatbikatı da yok."

Cross telefonu çarparak kapatıp sandalyesinde arkaya yaslandı. Hâlâ *Glenallen*'ın etrafında yüzme talimi yapabilirlerdi. Römorkörü yedek eğitim alanı olarak kullanabilirlerdi. Ancak herhangi bir saldırgana karşı güvendiği en büyük potansiyel avantajlardan biri, savaş alanına aşinalıktı ve bu avantaj az önce çöpe atılmıştı.

Cross, Houston'daki kurumsal ahmaklığın Atlantik Okyanusu'nda olası bir yenilgiye sebebiyet vermemesi için dua etti. "Canavar" dediği şeyle alakalı daima bir altıncı hisse sahip olmuştu. O, sürekli ona ve değer verdiği kişilere saldırmanın yollarını arayan kötü niyetli bir yaratıktı. Berbat virüsü için yeni insan taşıyıcıları bulduğunda yüzü zaman zaman değişse de temel doğası değişmeden kalıyordu. Son zamanlarda Canavarın varlığını yeniden hissetmeye başlamıştı. Yakınlardaydı ve Congo'nun Karakas'tan kaçışından beri sinsice dolandığı yerden çıkmıştı. Artık uzakta değildi, Cross buna emindi ve Bannock Petrol'deki takım elbiselilerin onun hayatını nasıl da kolaylaştırdığını bilseydi kahkahalarla gülerdi. Fakat Cross o sırada aniden zihnine engel oldu. "Sızlanmayı bırak!" dedi kendi kendine. "Çok daha az elverişli koşullarda, daha büyük zorluklarla karşılaştın sen ve lanet Johnny Congo'yu ezip geçmeyi başardın. O yüzden kendine gel, işini yap ve Congo ya da bir başkası ne yaparsa yapsın daima kazanan kişi ol."

Cross öfkesi dindiğinde ilk yapması gereken şeyin tükürdüğünü yalamak olduğunu anladı. Dişlerini sıkarak Bigelow'u bir kez daha aradı: "İtaatsiz göründüysem affınızı diliyorum, efendim. Bir emir komuta zinciri var ve benim ona riayet etmem gerekiyor."

"Sorun değil, Heck," diye karşılık verdi Bigelow, sesi tepedeki konumunu sağlamlaştırdığını bilmenin memnuniyetini ele veriyordu. "Eh, hepimiz zaman zaman bir parça öfkeleniliyoruz... Ben de benim için önemli meseleler adına mücadele verirken sık sık sinirlendiğimin farkındayım. Ayrıca, Magna Grande'deki güvenlik önlemlerini geliştirme konusunda çalışanlarımızın güvenliğinden ödün vermeden senin için yapabileceğim bir şey olursa haber ver."

"Teşekkür ederim, John, minnettarım," dedi Cross. Bigelow'un yüce gönüllüğünü ve bahşetme gücünü gösterme isteğine güveniyordu. "Platformda ya da FPSO'da eğitim veremesek de planlarına aşina olmamız gerekiyor. Adamlarım haritasız turistler gibi dolaşırlarsa faydalı olamazlar. Her iki birimi de – tabii ki güvenlik görevlilerinin gözetiminde– ayrıntılı olarak ele alabilirsek, bu, ekibime ve korumak zorunda oldukları kişi ve mallara gerçek bir fayda sağlar."

"Mantıklı görünüyor," diyerek hemfikir oldu Bigelow. "Bunun hızlı bir şekilde hallolmasını sağlayacağım."

"Bir şey daha var," diye ekledi Cross. "Adamlarım yedi-yirmi dört bir römorkörde sıkışıp kaldılar. Yiyecekler de çok vasat, idman yapmak ve uyumaktan başka yapabilecekleri fazla bir şey de yok ama platform ve FPSO'da kafeteryalar, spor salonları, bilardo masaları ve kim bilir daha neler neler var. Oraları kullanabilirsek moral açısından çok iyi olur ve güvenlik ekibiyle operasyon personeli arasında yakınlık sağlanır. İnan bana, eğer herhangi bir rehine veya savaş durumunda olursak, yüzleri tanıyabilmek ve insanların hangi tarafta olduğunu bilmek, yaşamla ölüm arasındaki farkı yaratabilir."

"Eh insanları iyi yemek ve videolardan mahrum edemeyiz, öyle değil mi?" dedi Bigelow gülerek. "Oldu bil."

"Teşekkürler, John, gerçekten minnettarım," dedi Cross. Fakat içinden düşündükleri şöyleydi: *Ama düzgün bir eğitim almadan çarpışmaya girmemiz gerekirse dünyadaki tüm rehberli geziler, iyi yemekler ve spor aktiviteleri gelse bir halta yaramaz.*

Hazırlık yapmayan kaybetmeye mahkûmdur: Bu sözün bir klişe olması doğru olmadığı anlamına gelmiyordu.

Johnny Congo, saldırının tarih ve saatiyle ilgili, şehir dışındaki eğitim üssünde olan Babacar Matemba ve Paris'teki Mateus Da Cunha'yla anlaşmıştı. Bu esnada Aram Bendick, Bannock Petrol hisselerinde devasa boyutlarda kısa pozisyonlar oluşturuyor ve iki milyon dolar değerinde Bannock kredi temerrüt takası satın alıyordu. Ve o da gerilmeye başlamıştı. "Senin şu düzenbaz avukatla yüzdelerle ilgili konuşarak lanet üç gün geçirdim, şimdi neredeyse bir ay oldu ve burada durmuş bir budala gibi bir şeyler olmasını bekliyorum. Harcadığım zamanı çok yakında telafi etsen iyi olur, dostum, çünkü burada fazla kalmayacağımdan çok eminim."

"Fazla sürmeyecek, beyaz çocuk," diye güvence verdi Congo. "O budala halinin yerini çok yakında mutlu bir surat alacak, o konuda endişelenme."

Şimdi önemli gün gelip çatmıştı ve iyi haberlerle başlamıştı. "Hava raporu batıdan gelen bir alçak basıncı haber veriyor," dedi Chico Torres ona, *Mother Goose*'da kahvaltı ederlerken. "Biraz sert olacak."

"Problem olur mu?" diye sordu Congo, giriştiği işin büyüklüğünü düşünerek gerilmişti ama korktuğunu belli etmek istemiyordu.

"Hiç de değil, dostum, tersine," diye cevap verdi Torres. "Biz dalgaların yüz metre altında olacağız ve orası bir ipek kadar pürüzsüz olacak. Başlarken biraz sorun olabilir ama zamanlamayı doğru ayarlarsak havanın önünde gideriz, fırtına tam bizim üzerimizden geçer ve hedefimize vardığımızda onlar yüzeyde sallanıp dururken biz altta rahatımıza bakıyor oluruz."

Congo başını aşağı yukarı salladı ama o sırada Torres hızlıca bir ekleme yaptı. "Beni endişelendiren tek şey hava araçları. Böyle bir havada bir denizci pilotu gözleri kapalı olarak içinden geçebilir. Ama bir yerliye güvendiğinde bununla baş edip edemeyeceğini merak ediyor insan."

"Bir Afrikalının helikopter kullanamayacağını mı öne sürüyorsun?"

Torres aniden Afrika'da doğmuş biriyle konuştuğunu fark etti. *Congo... ipucu isminde saklı, geri zekâlı,* diyerek kızdı kendine. "Hayır, dostum. Hiç olur mu? Sadece özel bir alan, anlatabiliyor muyum? Gece uçuşu, kötü hava, suyun üzeri, düşük görünürlük ve fazla rüzgâr, bu tip şeyler."

"Başaracaklar, nereden biliyorum, biliyor musun? Çünkü eğer başaramazlarsa ölürler ve kimse böyle bir şey olsun istemez."

"O halde problem yok."

Harekâtın başlama zamanından on iki saat ve yirmi dört deniz mili uzaktaydılar ve her iki Triton 3300/3 de denize indirilmişti. Şimdi a-yapı neredeyse denizaltılardan biri kadar ağırlığa sahip üç tonluk bir kargoyla yüklü, elektrikli bir dalgıç kızağını yukarı kaldırıyor, sonra onu suyun üzerinde sallıyor ve aralarındaki bir noktaya indiriyordu. Çekme halatları, kızaktan denizaltılara kadar devam ederek palamara bağlanırken Torres bineceği denizaltının gövdesinde durmuş, talimatlar veriyor ve kızağı Triton'un şeffaf kabininden kontrol etmesine imkân verecek kablonun bağlı ve işlevsel olup olmadığını kontrol ediyordu. Sonra, destek gemisinden iyi şans dilekleri yükseldi, kapaklar kapatıldı ve iki sarı denizaltı okyanus dalgalarının altına battı, bir süre sonra da yüklerini arkalarından çekerek tamamen gözden kayboldular.

Congo her ihtimale karşı zaman çizelgesini aklından geçirdi, bu son aşamada dahi gözden kaçırdığı bir şey, değerlendirilmemiş bir ayrıntı olabilirdi. Ama öyle bir şey olsa bile ne olduğunu belirleyemezdi. Denizaltılar olayın kendilerine düşen kısmına başlamadan önce, sekiz saat boyunca üç deniz mili hızla yol alıp geldikleri yoldan geri döneceklerdi.

Bu arada *Mother Goose*, dolambaçlı bir rota çizecek, Magna Grande sahasından uzaklaştıktan sonra bir kavis çizerek ona tekrar yaklaşacaktı. Hedefe dokuz deniz mili yaklaştığında –o zaman karanlık çökmüş olacaktı– ışıklarını kapatıp on dakika kadar duracak ve kararlaştırılmış randevu noktasında denizaltılarla buluşacaktı, sonra tekrar hareket edecek ve bir kez daha sahadan uzaklaşacaktı. Şayet hava hızlı bir geri çekilmeye engel olursa denizaltı mürettebatı yurtdışına çıkarılacak ve deniz araçları batırılacaktı. O noktada, deniz araçlarında ya da yakınlardaki platformda bulunanların tek düşünebildiği şey fırtına olurdu ve kimse *Goose*'un nerede olduğuna veya ne yaptığına aldırış etmezdi.

Denizaltılar eve doğru dönüş yoluna geçtiğinde Congo, Babacar Matemba'yı arayıp hava araçlarını havalandırmasını söyleyecekti. "Ve o zaman," dedi Congo kendi kendine. "Gösteri başlayacak!"

Ekvator yakınlarında güneş o kadar hızlı batar ki batarken gökyüzündeki hareketini tam olarak görebilirsiniz. Bu akşam, batıya doğru toplaşan heybetli, siyah fırtına bulutları, okyanusun üzerinde son bir göz kamaştırıcı ışık huzmesinin onları delip geçerek ufuk çizgisinde kaybolduğu ve karanlığın çöktüğü en son ana kadar bu inişin büyük bölümünü engellemişti. Ne var ki fırtına, iki Rus yapımı Mil Mi-35 "Hind" saldırı helikopterinin kalkışa hazırlandığı Angola Ulusal Hava Kuvvetleri üssünü henüz vurmamıştı. Tüm yazıları siyah boya kullanılarak kabaca silinmişti. Koşulların kötüleşeceği öngörüsüne rağmen, iki mürettebat, coşkulu el kol hareketleriyle sohbet ederek araçlarına doğru yürüdüler. Mutluydular, öyle olmaları da gerekirdi: Her birine tek gecelik iş için nakit on bin dolar vaat edilmişti. Angola'nın helikopter filosunda uçuşa elverişli olan iki Hind'in geçici olarak ortadan kaybolmasına göz yumacak üs komutanı ise iki yüz elli bin doları cebe indiriyordu. Bu arada Savunma Bakanı da beş milyon doların Londra'daki banka hesabına ulaştığını doğrulamıştı. Zürih'teki uluslararası bankerleri dahi utandıracak kadar kirli parayı görmezden gelme kapasitesi; dünyanın en güvenli yatırımlarından biri olan emlak piyasası ve yabancı suçluların insan haklarına yönelik, kendine has sapkın ve ahlaksız yöntemleriyle yabancı suçlulara karşı uyguladığı insan hakları saplantısı sayesinde Londra, gelişmekte olan ülkelerdeki yozlaşmış politikacılar için tercih edilen finansal bir çamaşırhanedir. Bir insana yöneltilen suçlamalar, hatta kanıtlanmış suçları ne kadar dehşet verici olursa olsun, Birleşik Krallık ile en ufak bir aile bağlantısı olduğunu iddia edebilen kişileri veya kendi yurdundaki hak ettiğine şüphe olmayan cezalardan korktuğunu öne süren kimseleri sınır dışı etmek neredeyse imkânsızdır. Bir darbe ya da –daha az olasılıkla– bir seçim yenilgisi durumunda, bu tür düşünceler, ilgili bakan için epey önemli olacaktır.

Johnny Congo, satın aldığı ve parasını ödediği tüm kilit oyuncularla istediğini elde edeceğini biliyordu. Elbette, çok geçmeden helikopterlerin havada, onları denize ve ardından kuzeydoğuya, Cabinda'ya doğru götürecek bir rotada olduğu haberini aldı. Ve pilotların birlik komutanından, seçtiği bu en başarılı pilotların hava şartlarıyla başa çıkabileceklerini söyleyen kişisel bir yorum da edindi.

Mother Goose kararlaştırılan randevuda yavrularıyla buluştu. Mürettebatın eğitiminin kayda değer bir seviyede olduğu anlaşılmıştı, çünkü her iki denizaltı da rüzgârın kamçıladığı dalgalara rağmen kurtarılabilmişti. Denizaltılar suyun altındayken onlarla telsiz iletişimi kurmak olanaksızdı ve Congo görevlerini planlandığı şekilde yapıp yapmadıklarını öğrenmek için sabırsızlanıyordu.

"Rahat ol, kardeşim," dedi Torres. "Zamanlayıcı ayarlandı, paket A konumunda ve hedef hiçbir yere gitmiyor. Herhangi bir sorun olup olmayacağını mı bilmek istiyorsun? Elbette olabilir. Bir şeyin ters gideceği varsa ters gider, derler. Ama biz her şeyi kontrol ettik, sonra tekrar kontrol ettik ve sırf iş olsun diye bir daha kontrol ettik. Ve her şey yolundaydı."

Babacar Matemba, Bannock Petrol'e yapılacak saldırı için eğitimde en iyi performansı gösteren on beş kişiyi seçti ve onları Angola helikopterleri tarafından alınmak üzere Cabinda sahilinden sadece birkaç kilometre uzaklıktaki bir iniş pistine getirdi. İşler ters giderse kendini platformda kapana kısılmış halde bulmamak için baskının komutasını en hırslı adamlarından birine, Matemba'nın özel ordusunda görev almadan önceki yirmi iki yıllık ömrünün on beş yılını, gezegenin dört bir yanında bir savaş lordundan diğerinin hizmetinde silah taşıyarak geçirmiş olan Théophile Bembo adında sert ve acımasız bir katile devretmişti. Hitap edilmeyi tercih ettiği ismiyle Té-Bo, Afrikalı erkeklere has bol kaslı fiziğiyle abanozdan bir Adonis'i andırıyordu. Çatışmada olmadığı zamanlarda, her yere tıraşlı başına geçirilmiş, kırmızı bir Beats by Doktor Dre kulaklıklarla gidiyor, beynine darbeler indiren rap ritimleriyle başını sallıyor ve ara sıra silah arkadaşlarının hayran bakışları altında veya geçen güzel bir kadını etkilemek için dans figürleri yapmayı seviyordu.

Adamlarından yedisinin, depoları ağzına kadar dolu olan Hindlerden birine götürüldüğü şu anda da yine aynı kulaklıkları takmış, Kanye West dinliyordu. Matemba da adamları da onun bu lakayt tavrından rahatsız olmuş görünmüyorlardı.

Mermiler havada uçuşmaya başladığında, Té-Bo'nun Beats'ini çıkararak savaş moduna geçeceğini ve düşmanlarının, rüzgârdaki tohum kabukları gibi gözlerinin önünde havada uçuşacağını biliyorlardı.

Hector Cross, *Glenallen*'da her akşam, sevgili Catherine Cayla'sına, Skype üzerinden okuduğu masalı bitirdikten sonra köprü üstüne yöneldi ve geminin hareketinin ters yönüne doğru yürümeye hazırlandı. Deniz uzaklarda dalgalanmaya başlamıştı. Afrika sularına vardıklarından beri rüzgâr ve yağmur ilk kez kendini hissettiriyordu.

"Bilmem gereken bir şey var mı?" diye sordu Cross, işini Baltık ve Kuzey Denizi'nin soğuk sularında öğrenmiş olan Magnus Bromberg adındaki İsveçli kaptana.

"Hava biraz bozacak," dedi kaptan rahat bir tavırla. "Şiddetli rüzgâr olacak. Sekizi, hatta dokuzu zorlayabilir, sizin çocuklardan bazılarını deniz tutacak kadar olur sanırım. Sorun değil, gemim ve mürettebatım yüzyılın fırtınasını zarar görmeden atlattı, bu yüzden endişelenecek bir şey yok, o kadarına söz verebilirim."

"İhtiyacı olan herkese Kwells verebilirim," dedi Cross soğuk bir sesle. "Ah, mide bulantısı demişken aşçı bu akşam ne pişiriyor?"

"Milano usulü dana eti ve domates soslu makarna," diye karşılık verdi Bromberg, ağzını şapırdatarak. "En iyi yemeklerinden biri diyebilirim ama böyle bir gecede biraz kargaşa olabilir. Tabağı sabit tutmak zor olur!"

Cross, bebek Catherine'i ve koskoca bir alanı uçuşan makarna parçalarına bulayabilme becerisini düşünerek güldü ve adamlarının bu gece bundan daha derli toplu olup olamayacaklarını merak etti. Akşam yemeği için rahatlayamadan önce hâlâ yapması gereken birkaç iş vardı. *Bannock A*'da ya da platformda idman yapmak yasak olmasına karşın en azından, şüpheli bir olayı bildirmek ve bir şeyler ters giderse mürettebatla birlikte kalmak amacıyla silahsız bir adamının nöbette olması için gerekli izni almıştı.

Magna Grande sahasındaki tüm deniz araçları geleneksel yöntemle gemiden gemiye telsiz aracılığıyla iletişim kurabiliyordu; –örneğin Cross'un Cy Stamford'la yaptığı görüşme gibi– en pratik amaçlar için bu, hâlâ konuşmanın en basit yoluydu. Buna ek olarak petrol platformu, FPSO ve römorkör, uydulara bağlı VSATlar, yani küçük çaplı antenleri olan uydu yer istasyonlarıyla donatılmıştı. Bu, hepsinin yüksek hızlı, dahili Wi-Fi'a sahip olmakla kalmayıp aynı zamanda hepsinin çevrimiçi şekilde, gerçek zamanlı olarak birbirleriyle ve Houston'daki Bannock merkez ofisiyle iletişim kurabilecekleri anlamına geliyordu.

Cross bundan faydalanarak platformda veya *Bannock A*'da görevli nöbetçilerine, *Glenallen*'daki komuta merkeziyle konuşup karşılığında mesaj alabilecekleri minyatür kulaklıklar vermişti. Kurduğu mantık çok basitti. Nöbetçilerin gerçekten önemli olacağı tek zaman, gemilerden birinin veya tümünün saldırıya uğraması olacaktı. Ve eğer bu olursa, düşmanın bilgisi olmadan iletişim kurabilmek önemliydi.

Operasyon protokolü gereği, nöbetçilerle olan tüm iletişim, kulaklıkları aracılığıyla gerçekleştiriliyordu; Cross da mesajları telefonundan alabilecekti ve şimdi her iki konumdaki adamlarla birlikte kontrollerini yapıyordu. Her ikisi de ona merak edilecek bir şey olmadığını söylediler. Görünürde hiçbir sıkıntı yoktu. "Bu havada denize açılmak için oldukça ahmak bir terörist olmak lazım," diye espri yaptı Magna Grande platformundaki eski Yeşil Ceketlilerden olan Frank Sharman.

"Eh, teröristlerin çoğu zaten ahmak, zaten bu yüzden teröristler," diye yorum yaptı Cross.

"Evet, patron ama bunun da bir sınırı var!"

"O da doğru," dedi Cross ve Sharman'ın haklı olduğunu düşünmeden edemedi. Biraz şansları varsa Milano usulü dana etini tabaklarında tutabilmekten daha büyük bir endişeleri olmayacaktı. Fakat Cross'un deneyimine göre, Bayan Talih, eğer hafife alınırsa insanın yüzüne okkalı bir tokat indirmenin bir yolunu bulurdu. Bir de düşünülmesi gereken Canavar vardı. Onun berbat kokan nefesini neredeyse ensesinde hissedebiliyordu. Artık yaklaşmıştı ve saldırmaya hazırlanıyordu, Cross bunu biliyordu.

Fırtına yaklaşıyordu, yağmuru köpüklü okyanusun sadece birkaç metre üstünde uçan helikopterlere doğru kamçılıyor, onlara çarpması için dalgalara cesaret veriyordu. Geçen gemiler ve petrol platformları arasında gezinerek onları siper olarak kullanmış ve yol boyunca telsizlerini kapatıp sessizliklerini korumuşlardı. Belki de bu yüzden Bannock Petrol tesislerinde görevli radar operatörleri, yaklaşan hava araçlarını yirmi kilometre mesafeye gelene kadar tespit edemediler. Cy Stamford, ancak o zaman, onları doğrudan gemisinin ve platformun üzerinden geçecek bir açıdan yaklaşan ve tanımlanamayan ama helikopter olduklarını düşündüğü iki hava aracı saptandığı bilgisini verdi.

"Kim olduklarını ve ne yapmaya çalıştıklarını öğrenin," diye emretti.

Saniyeler sonra öndeki Hind'in pilotu Té-Bo'ya şöyle dedi. "Bannock gemilerinden biri bizim kimliğimizi ve bu bölgede ne yaptığımızı bilmek istiyor. Ne söylememi istersiniz?"

Bir cevap alamadı. Té-Bo sevgili Beats'ini takabilmek için helikopter kulaklıklarını kullanmaktan kaçınmıştı ve kendi havasındaydı. Ancak Hind'teki ekibin hararetli el kol hareketleriyle ve adamlarından biri tarafından omzuna dokunulmasıyla bir soruya cevap vermesi gerektiğini anladı. Kulaklıkları değiştirdi ve soruyu tekrarlayan pilotu dinledikten sonra cevap verdi. "Hiçbir şey."

Stamford talebin tekrar gönderilmesini emretti, pilot bunu üçüncü kez Té-Bo'ya aktardı. Genç gerilla lideri karşılık verdi. "Ona Ulusal Hava Kuvvetleri'nden olduğunu söyle, çünkü gerçek bu. Sonra da genel eğitim uçuşunda olduğunu ekle."

"Gece vakti ve bu fırtınada mı?" diye karşı çıktı pilot. "Böyle bir uçuş olmaz! Buna kimse inanmaz."

Té-Bo dudaklarını neredeyse somurtur gibi bükerek düşündü. "O halde, kötü havalarda ve gece vakti kurtarma görevi gerçekleştirmek üzere eğitim aldığınızı söyleyin, çünkü acil durumların denizin sakin olduğu güzel bir günden ziyade, fırtınalı bir gecede olma olasılığı daha yüksektir... doğru değil mi?"

Pilot kendisine söylendiği gibi yaptı ve her nasılsa yetkili kişiymiş gibi görünen bu huysuz ve şımarık çocuğa *Bannock A*'daki adamların her nasılsa anlattığı hikâyeden memnun kaldıklarını mutlu bir şekilde iletti.

Oysa Cy Stamford hiç de ikna olmamıştı. Hector Cross'u aradı. "Angola Ulusal Hava Kuvvetleri'nden olduklarını iddia eden ve bize doğru gelen iki helikopterden haberdar mısın?"

"Evet, Bromberg az önce bana onlardan bahsetti. Şu anda köprü üstündeyim ve durumu takip ediyorum."

"Olağanüstü hava koşullarında acil durum müdahalelerini uyguladıklarını söylüyorlar. Sanırım bu mümkün, ancak biz öncesinde bununla ilgili bir bilgi almadık ve onlar da bu bilgiyi vermeye pek istekli görünmüyorlardı."

"Bana riskli görünüyor. Her iki devriye teknemi de suya indiriyorum. Saldırganlaşacak olurlarsa biz de suda onları bekliyor oluruz."

"Tamam," diye karşılık verdi Stamford. "Ama eski bir denizciden bir tavsiye: Sonraki adımını iyi düşün."

Cross telefonu yerine bırakırken tam da Stamford'ın az önce dediğini yapıyordu: Düşünüyordu. Ve emektar kaptanın belirttiği gibi, tatmin edici bir sonuca ulaşamıyordu. Onun problemi platform veya *Bannock A*'yı savunacak araçlardan yoksun olması değildi. İki devriye botu da tam askeri şartnameye göre silahlanmıştı. Her ikisi de pruvalarında, geri çekilebilir bir Kongsberg Deniz Koruyucu silah platformuna monte edilmiş 50 kalibrelik Browning M2 ağır makineli tüfek ve duman bombası fırlatıcılarıyla birlikte atış kontrol sistemi taşıyordu. Kokpitin arkasında, hem gemilere hem de hava araçlarına saldırabilen bir Thales Hafif Çok Rollü Füze fırlatıcı vardı. Kısaca, denize indikleri anda her iki helikopteri de anında imha edebilirdi. Fakat mesele şuydu: İmha ettikleri şey ne olacaktı?

İki hava aracının gerçekten Angola Hava Kuvvetleri için bir eğitim tatbikatı yaptığını ve dahası, onları açık deniz petrol projelerinin yardımına koşmaya hazırlayan bir tatbikat yaptıklarını mı varsaymalıydı? Bir petrol şirketinin teknesi, onları ve mürettebatlarını havaya uçursa siyasi sonuçları bir felaket olur ve büyük tazminat talep ederek Bannock Petrol'ün sularındaki sondaj hakkını geri çekse kimse Angola Hükümeti'ni suçlayamazdı. Helikopterdekiler terörist olsa bile bunu, onlar ve helikopterleri denizin dibinde, okyanus dalgalarının yarım kilometre altında yatarken bunu nasıl kanıtlayabilirlerdi? Bu nedenle, helikopterlerin saldırgan olduğuna dair kesin bir kanıtı olmadığı sürece onlara ateş açamazdı. Fakat bu kanıtı elde etmek, gerçekten de platforma bir saldırı düzenlerlerse mümkündü ve böyle bir noktada denizden havaya füze gönderilmesi emrini veremezdi, çünkü ancak bir deli veya şaşkın bir ahmak, doğrudan bir petrol platformunun tepesinde büyük bir patlama olmasına izin verirdi. Bu da Cross'un en nefret ettiği şeyi yapmak zorunda olduğu anlamına geliyordu: hiçbir şey yapmamak. Henüz devriye botlarını hareket ettirmeye bile değmezdi, çünkü eğer platforma baskın yapmaya hazırlananlar Cabindalı teröristlerse tam olarak neye karşı mücadele etmesi gerektiğini onlara göstermenin bir anlamı yoktu.

Aslına bakılırsa, ne kadar az şey görebilirlerse o kadar iyi olurdu. Cross, Bromberg'e döndü. "O helikopterleri izlemek istiyorum ama onların bizi görmesini istemiyorum, o yüzden karartma yapmamız gerekiyor. Harici ışık olmasın. Tüm pencereler kapansın. Gemiyi o şekilde kullanabileceksen burada da ışık olmasın."

"Tüm kumandalar ışıklı. Onları açık tutabileceksek bunu yapabilirim," diye karşılık verdi Bromberg.

"Yap o halde."

"Peki, ya devriye botlarını hazırlayan adamlar?"

"Şimdilik geri çekilebilirler. Ama onlara söylediğimde hızlı hareket etmek için hazır bulunmaları gerek."

Sağduyulu olmayan biri karşı çıkar ya da bir açıklama isterdi veya Cross'un yetkisin sorgulardı. Bromberg kedisine söyleneni dinledi, bilgiyi bir an özümsedikten sonra başıyla onaylayarak konuştu. "Tamamdır."

"Bir şey daha var," diye ekledi Cross. "Mümkün olduğunca hızlı bir şekilde helikopterleri yeniden görmem gerekiyor ama platform onlarla aramızda olduğu sürece ve parlayan ışıklar altında bu mümkün değil. Bana daha iyi bir açı bulabilir misin?"

"Elbette."

Bromberg talimatlarını verdi ve *Glenallen* hızlanarak ve rüzgârla birlikte hareket ederek yeni bir rotayla platformun doğusuna doğru yöneldi. Cross dışarı, köprü üstünün yanındaki küçük, açık hava güvertelerinden birine çıktı, şiddetli yağmura aldırış etmeden gitgide yükselen köpüklü dalgalarda yoluna devam eden römorkörün alçalıp yükselmelerine kendini hazırladı. Yanında bir termal görüntüleyici vardı, onunla kuzeydoğuya, helikopterlerin geldiği istikamete doğru baktı. Yavaşça ve özenli bir şekilde, farklı yükseklikleri görebilmek için görüntüleme cihazını hafifçe hareket ettirerek ve platformu çevreleyen göz kamaştırıcı ışık parıltısından kaçınarak bir yandan diğer yana doğru görüntüyü taradı ve bir hava aracının varlığını işaret eden hafif bir ısı parlaması olup olmadığına baktı. Saçları kafasına yapışmış, kıyafetleri sırılsıklam olmuştu ve zaman zaman birkaç saniye ara verip termal görüntüleyicinin üzerinde biriken yağmur damlalarından kurtulmak zorunda kalıyordu. Bir dakika, iki dakikaya dönüştü.

Artık çok yaklaşmış olmalıydılar. Onları neden göremiyordu?

Ve o sırada, gökyüzünü bir kez daha taradığında onları gördü, o kadar düşük bir irtifadan geliyorlardı ki, neredeyse su üzerinde kayan taşlar gibi görünüyorlardı. Cross'un gövdelerinin şeklini görebileceği kadar yakındaydılar. Askeri deneyimi olan biri için şüpheye yer yoktu.

"Bunlar Hind," dedi Cross kendi kendine.

Güney Afrikalı, paralı bir askerin sahip olup işlettiği bir Hind'den bahsedildiğini duymuştu ama çift halinde uçuyorlarsa askeri araçlar olmalıydılar. Angola'nın ulusal bayrağında Komünist orak çekicin kendilerine has bir yorumu vardı ve askeri malzemelerinin büyük kısmını Ruslardan satın alıyorlardı. Kısaca kanıtlar çok fazlaydı: Bunlar Angola Hava Kuvvetleri helikopterleri olmalıydı ve bu, gerçekten bir eğitim tatbikatı yapıyor olabilecekleri anlamına geliyordu.

Peki ama ya değilse? Cross, platformdan Frank Sharman'la konuştu. "Hind gibi görünen iki helikopter senin olduğun konuma doğru yaklaşıyor. Gözünü onlardan ayırma. Bir eğitim görevinde olduklarını iddia ediyorlar. Eğer öyleyse tamam. Şayet saldırgan bir eylem belirtisi gösterirlerse neler olduğuyla ilgili beni bilgilendir ve bir sonraki talimatları bekle."

"Tamamdır, patron."

Cross midesinde ve boğazında bir sıkışma hissediyordu. Bu, çatışmalardan önceki anlarda onu sarsan gerilimin ilk işaretiydi ve tam olarak ne anlama geldiğini biliyordu. Aklı, her ne kadar bu helikopterleri göründüğü haliyle kabul etmek için iyi ve mantıklı bir kanıt bulsa da içgüdüleri onları tehdit olarak algılıyordu. Başını kaldırıp kısa bir süre ıslak gökyüzüne baktı ve bu kez sezgilerinde yanılması için dua etti.

Té-Bo'nun çocukluk kahramanlarından biri Usain Bolt'tu ve idolünün en fazla hayranlık duyduğu taraflarından biri, Bolt'un Olimpiyat finalleri başlamadan saniyeler önce, pistte maskaralıklar yapıp başlama atışı olduğunda hemen toparlanıp yarışına odaklanabilmesi ve yaşayan her insandan daha hızlı koşmaya hazır hale gelebilmesiydi. Té-Bo da aynı şekilde bir savaşçı ve lider olarak kendi alanında, son anda odaklanabilmesinden gurur duyuyordu. O nedenle şimdi, kılavuz helikopter ve diğerindeki adamlarına emirler yağdırıyor, herkesin görevini bilmesini, hedefi yıkıma uğratmaya hazır olmasını sağlıyordu.

Hind'in mürettebatından biri gövdedeki kapıyı açarak yağmurlu havanın içeri girmesine neden oldu. Diğerleri bu harekete bağırarak itiraz ettiler ama Té-Bo farkına bile varmamıştı. Kötü hava daima onun dostu olmuştu, zira aşağı baktığında helikopter pistinin boş olduğunu gördü. Böyle bir gecede bir iniş gerçekleşmesini kimse beklemiyordu. Şimdi, diğer arkadaşı sondaj platformunun üzerinde pozisyon alırken ilk Hind iniş yapıyordu. Tekerlekleri piste değdiği anda Té-Bo, platformun düz yüzeyine atladı, elini sallayarak adamlarına arkasından gelmelerini işaret etti ve onları platformun etrafındaki görev yerlerine gönderdi. Helikopter kendi rüzgârını fırtınaya ekleyerek yeniden havalandı ve ikinci helikopter inişe geçti.

Platformun mürettebatından bir tepki gelmedi. Nasıl gelecekti ki? Silahları yoktu, tek yapabilecekleri yardım çağırmak ve yardım gelene kadar saklanacak bir yer bulmaya çalışmaktı. Ama çağrılarına cevap verecek kimse yoktu. Té-Bo'nun patronu Babacar Matemba ve diğer adam –kendisine Tumbo diyen kişi– Angola Donanması'nın kötü bir şakadan farksız olduğunun ve her yöne doğru bin kilometre içinde hiç Amerikalı olmadığının garantisini vermişlerdi. Té-Bo'ya merak etmemesini söylemişlerdi. Magna Grande platformunu ele geçirecek, yapılması gerekeni yapacak, helikoptere atlayıp sonra da kimse onları durdurmaya bile fırsat bulamadan geri dönüp hayatının en bol sıfırlı çekini alacaktı: Kongo'daki her kızın aşkını satın alabilecek kadar bol sıfırlı bir çek. Matemba, Té-Bo'ya daima doğruları söylemişti, ona bu kez neden inanmayacaktı ki?

Hind helikopterler o kadar alçaktan uçuyordu ki, kısa bir süre petrol platformunun ardında görüş alanının dışında kalmışlardı fakat ilk helikopter irtifa kazanıp görünür hale geldiğinde ve hızla iniş pistine doğru yöneldiğinde Cross, bu hava araçlarının Angola Hava Kuvvetleri'ne ait olsalar da –bundan emindi– herhangi bir eğitim görevinde olmadıklarını anlamıştı. Saniyeler sonra kılavuz hava aracı iniş pistine değdi ve içinden inen adamlar platforma ayak bastılar.

Yeni gelenler, o mesafeden ve kötü görüş şartlarında bulanık birer siluetten ibaretti. Ama Cross ne yaptıklarını bildiklerini hemen fark etmişti. Paniklemiş bir halleri yoktu, etrafta koşuşturmuyorlardı, bir hedefi nasıl vuracaklarına dair en ufak bir fikre sahip olmadan sırf gösteriş için ortalığı havaya uçurmayı seven Ortadoğulu ve Kuzey Afrikalı isyancılarda gördüğü "rasgele ateş açmak" usulüyle uzaktan yakından alakası yoktu. Onun yerine, amaçlarının gayet farkında, hızla iniş pistini terk etmişlerdi ve bu disiplinli hallerinin sebebini bulmak zor değildi. Hind'den inen ilk adam, platformda pozisyon almış, herkesi bireysel hedeflerine yönlendirmiş ve helikopter havalandığında pozisyonunu korumuştu; diğer helikopter öncekinin yerini aldığında bir başka ekip yere inmişti.

Cross, Sharman'ın iPhone kulaklıklarından gelen sesini duydu. "Patron, öncelikle, helikopterler kesinlikle Hava Kuvvetleri'nden. Veya eski Hava Kuvvetlerine ait. Birisi yazıları boyayla kapatmaya çalışmış ama tam olarak başaramamış."

"Tamam, peki şimdi ne oluyor?"

"Her helikopterde sekiz adam saydım," diye devam etti Sharman. "Platforma yayılıyorlar, üretim alanlarına, konaklama ve yönetim bloğuna doğru ilerliyorlar."

"Tesis müdürüne mümkün olduğunca yaklaşın," dedi Cross ona. "Barth kendine fazlasıyla güvenmeyi seviyor ama ateş hattında kaldığında soğukkanlılığını koruyabileceğine dair ciddi şüphelerim var. Ona dadılık yapmak zorunda kalabilirsiniz. O yüzden onu bulun, önce ofisine bakın. Budalaca kararlar almadığından emin olun. Panik olmasını engellemeye çalışın. Ve beni bilgilendirin."

"Olur, patron."

"Bir şey daha... Bu teröristler, isyancılar ya da kendilerine ne halt diyorlarsa ya platformu patlatacaklar ya da gemideki herkesi rehin alacaklar veya her ikisi de. Eğer yakalanırsanız konuşamazsınız. O yüzden kulaklıkları çıkarın ve yetkili kimse ona yakın bir yere bırakmaya çalışın. Ne kadar çok şey duyarsak neler olduğunu o kadar iyi anlar ve bir şeyler yapabiliriz. Anladın mı?"

"Evet, patron... Bir dakika..."

Cross kulağında bazı cızırtılar duydu, sonra Sharman'ın sesi geldi. "Ateş açmaya başladılar. Tam olarak nereden geldiğine emin değilim. Anlamaya çalışacağım. Bu arada mankafa Barth'la ben ilgilenirim. Umarım önce onu haklarlar."

Cross kaptan köşküne doğru döndü ve kapıdan geçerken alnındaki ve saçındaki suları sildi. Onu duvara yerleştirilmiş bir hoparlörden gelen, telaşlı ve ümitsiz bir ses karşıladı. "Saldırıya uğradık! Beni duyabiliyor musunuz? Bu bir saldırı! Ah Tanrım, buna inanmıyorum, ateş ediyorlar! Bu imkânsız! *Mayday! Mayday!* Tanrı aşkına, biri bize yardım etsin!"

"Duyduğunuz gibi," dedi Bromberg soğuk bir sesle. "Açık Deniz Tesis Müdürü krizlere karşı iyi tepki vermiyor. Bunu hoparlörlere almanın iyi olacağını düşündüm. Telsiz operatörünü her şeyi tekrar etmekten kurtarır."

Sharman'ın daha derinden gelen ve daha sakin sesi duyuldu. "Sorun değil, efendim, merak etmeyin. Güvenlik görevlileri olanları biliyor. Rahatlayın ve profesyonellerin olayla ilgilenmesine izin verin. Neden buraya oturmuyorsunuz, efendim?"

"Çek ellerini üzerimden!" diye haykırdı Barth. "Gemiyi terk edin, gemiyi terk edin! Bu bir tatbikat değil! Saldırıya uğradık..."

"Affedersiniz, efendim."

Cross çarpmaya benzer bir gürültü, bir homurtu ve arkasından ağır bir şeyin yere düşme sesini duydu.

"Bay Barth'a sakinleştirici verdim, patron," dedi Sharman. "Tanrım, insanlar etrafta koşturuyor, acil durum alanına gidiyorlar, bir dakika... Ah olamaz..."

Cross uzaktan gelen silah seslerini ve sonra Sharman'ın bağırdığını işitti. "Olduğunuz yerde kalın! Kendi güvenliğiniz için, gemiyi terk etmeye çalışmayın. İçeride kalın ve kıpırdamayın."

Sonraki birkaç dakika içinde Sharman, açıkça planlanmış, etkili bir şekilde yürütülen operasyonun bir değerlendirmesini yaptı, daha fazla Bannock çalışanı ölüyor ve hayatta kalanların çoğu, platformun en geniş iç alanı olan kafeteryaya doğru yöneliyordu. Sonra son derece sakin bir sesle devam etti.

"İnsanların geldiğini duyabiliyorum. Kapıdalar. Ah..."

Birkaç saniye sonra, Cabinda da dahil, tüm Angola'da konuşulan Avrupa dilinin Portekizce olduğunu bilmesine rağmen Cross'a Fransızca gibi gelen bazı konuşmalar duyuldu. Sharman'ın sakin ve ölçülü ses tonu araya girdi. "Anlıyorum, *comprendo*: Ben sizinle gidiyor. Bakın, ellerim de yukarıda, gördünüz mü? Teslim oluyorum. Hey! Onu bana doğrultmanıza gerek yok. Geliyorum... Karşı çıkmıyorum, tamam mı?... Geliyorum..."

Sharman götürülürken telsizin mikrofonundan uzaklaştığı için hoparlördeki ses kesildi. Ama o ve Barth kafeteryada diğerlerine katılırken Cross hâlâ onun kulaklıklarından gelen yayını alabiliyordu.

Cross'un Houston'la konuşmasının zamanı gelmişti. Kumanda yerine geri döndü. Dave Imbiss orada oturmuş, büyük bir ekrana bağlı bilgisayar klavyesine bir şeyler yazıyordu. Cross kendi dizüstü bilgisayarının karşısına oturdu ve tam John Bigelow'la bir Skype görüşmesi gerçekleştireceği sırada Imbiss'in ona seslendiğini duydu. "Hector, hemen gelip şuna bir bakmalısın! Şu anda canlı olarak yayınlanıyor."

Cross, Imbiss'in ekranını görebilmek için sandalyesini çevirdi. Ekranda çok genç bir Afrikalının yüzü belirdi. Boynunda kulaklıklarıyla Los Angeles'tan Lagos'a herhangi bir yerdeki bir sokak serserisi olabilirdi. "Bu eylem Cabinda'nın ezilen halkı için gerçekleştirilmektedir," diye söze başladı, ağır bir Fransız-Afrikalı aksanıyla İngilizce konuşuyordu. "Bizler Cabinda'nın bağımsızlığını talep ediyoruz. Birleşmiş Milletler ve Güvenlik Konseyi'nin tüm daimi üyeleri tarafından tanınmasını talep ediyoruz. Cabinda'nın doğal varlıklarının Cabinda halkına iade edilmesini talep ediyoruz. Sadece Amerika Birleşik Devletleri Başkanı ile müzakere edeceğiz. Taleplerimiz karşılanana kadar her beş dakikada bir kişiyi öldüreceğiz. Son derece ciddiyiz. *Regardez!*"

Genç adamın yüzü kayboldu ve yeşil komando kıyafeti içinde bir adamın tuttuğu Rod Barth göründü, bu arada bir ikincisi kafasına bir silah doğrulttu ve üçüncüsü gözlerini bağladı. Sharman ortalarda görünmüyordu. Şimdi dizlerinin üzerine çökmeye zorlanan Barth yalvararak merhamet diliyordu "Hayır, hayır! Lütfen yapmayın... size istediğiniz her şeyi verebilirim... Birileriyle konuşmama izin verin... lütfen!"

"Aman Tanrım, bu Tesis Müdürü Barth," dedi Cross.

Genç adam ekranda yeniden belirdi, birkaç metre ötesinde olduğu kameraya bir kez daha yüzünü döndü. "Tekrar ediyorum, son derece ciddiyiz. Talebimiz karşılanmalı, aksi takdirde beş dakika sonra bunu tekrar göreceksiniz." Genç adamın kemerinde bir silah kılıfı vardı. Kılıfı açarak Sig Sauer tabancasını çıkardı, silahın namlusunu Barth'ın şakağına doğru kaldırdı ve ateş etti, patlamayla birlikte Barth'ın kafasının yan tarafından kan, beyin ve kemikten oluşan bir karışım fışkırdı.

Cross internet yayınıyla senkronize olmayan patlayışı kulaklıklarında duydu. Sharman'ın inleyişini de. "Ah olamaz..." ve sonra: "Hayır! Delirdiniz mi siz!" Birbirine karışan itiraz sesleri ve buyurgan haykırışları birkaç el silah sesi ve yaralı bir adamın feryatları izledi. Birkaç el silah sesi daha geldi ve ardından korkunç bir sessizlik çöktü.

Ekranda, kulaklıklı çocuk tekrar kameraya doğru eğildi. "Artık direnen insanlara ne yaptığımızı biliyorsunuz. Ve unutmayın: *cinq minutes*." Sonra ekran karardı.

Cross'un John Bigelow'u aramasına gerek kalmamıştı. Bannock Petrol'ün başkanı, teröristlerin kamera yayını sona erdikten saniyeler sonra bilgisayar ekranındaydı. "Bunu gördün mü? Rod Barth'ın beynini patlattılar! En kıdemli çalışanlarımızdan birinin! Tanrı aşkına, Cross, böyle bir şey olmasına nasıl izin verebildin?"

"Saldırı Angola Hava Kuvvetleri helikopterleriyle gerçekleştirildi," diye karşılık verdi Cross. Bigelow'un suçu ona yüklemekte acele edişini görmezden gelmeye kararlıydı. "Büyük bir uluslararası risk almadan onlara ateş açamazdım."

"Ama bu imkânsız! Adamı duydun. Cabinda'nın Angola'dan bağımsız olmasını istiyorlar."

"Biliyorum, efendim. Ama bunların yazıları boyanmış Angolalı hava araçları olmaları gerçeğini değiştirmiyor bu. O nedenle ya biri onları kaçırdı..."

"Öyle olsaydı bunu duyardık," diyerek onun sözünü kesti Bigelow.

"Katılıyorum. Ya da bu durumda biri onları satın aldı ama Angola neden isyancılara satış yapsın? Ya da başka yollarla ele geçirildiler, mesela rüşvetle. Ya da Angola Hükümeti'nden biri isyancılarla birlik içinde olabilir. Cabinda'da kazanılacak parayla her şey mümkün."

"Peki şimdi ne yapacağız?"

"Bu işi en iyi şekilde çözebilecek olan Amerikan Ordusu'dur. O nedenle hemen Pentagon'la bağlantıya geçip bu yakınlarda ne tür bir mevcudiyetleri olduğunu öğrenmeliyiz. Ama fazlasıyla yakın olsalar iyi olur. Bir sonraki cinayet üç dakika sonra gerçekleştirilecek."

"Bunu bana bırak," dedi Bigelow ve ekran karardı.

Cross iPhone'unu çıkarıp bir mesaj yazdı. "Hemen kumanda odasına gelin!" Mesajı O'Quinnlere ve Donnie McGrain'e gönderdi. Altmış saniyeden kısa bir süre sonra üçü de oradaydılar. "Birlikte bir operasyon başlatmamız gerekiyor," dedi Cross. Fakat konuyu detaylandırmadan evvel Imbiss araya girdi. "Tekrar yayındalar."

Cross'un taktığı isimle Kulaklıklı Velet, taleplerini tekrarladı. Ardından da bu kez mavi tulumlu bir başka adamı öldürdü. Sonra ekledi. "Beş dakika."

Cross'un dizüstü bilgisayarı çalmaya başladı. Bigelow, Skype'dan arıyordu ama bu kez ekranı, arkasında bir ABD bayrağının net bir biçimde göründüğü, çalışma masasında oturan üniformalı bir adamın görüntüsüyle paylaşıyordu. "Heck, bu, Amerikan Donanması Piyade Komutanlığı'ndan Koramiral Theo Scholz, sana bazı bilgiler verecek."

"İyi akşamlar, Bay Cross, hemen konuya gireyim. Korkarım size kötü haberlerim var. Elbette Kuzey Atlantik'te bazı birimlerimiz mevcut. Karayip Adaları, Güney Atlantik; aynı zamanda Doğu Akdeniz ve Kızıldeniz'de de fakat bulunduğunuz yere dört günden evvel varabilecek bir deniz aracı yok ve lanet bir denizaltı da işinize yaramaz. En iyi seçenek deniz komandoları olacaktır. Bahreyn'de ve burada Little Creek'te birimlerimiz var. Mesele, onları size ulaştırmak. Batı Afrika'da akıncı hava üssümüz yok. Angolalıları bize yardım etmeye ikna edebiliriz ama o zaman bile... ah Tanrım, lojistik tam bir kâbus. En az on iki, belki de yirmi dört saatlik bir konumdan bahsediyoruz. Sanırım, söylemeye çalıştığım şey..."

"Tek başımıza olduğumuz."

"Öyle görünüyor."

"Başkan'ın yapabileceği bir şey var mı?"

Bigelow araya girdi. "Şunu bilmen gerekiyor, Heck, Amerika Birleşik Devletleri Başkanı teröristlerle pazarlık yapmaz."

"Evet, bunu anlarım," diye karşılık verdi Cross. "Ama dünyanın en güçlü adamı, bir Amerikan şirketinin tıraş olma yaşına gelmemiş bir çalışanı gibi görünen katil bir psikopatın liderliğindeki silahlı saldırganlar tarafından öldürülürken öylece oturup hiçbir şey yapmadan duramaz. Tekrar seçilmek istiyorsa bunu yapamaz. O yüzden, belki birileri bir şey yapmanın bir yolunu bulur veya bu olayı durduracak bir şeyler söyle..."

Imbiss'in ekranında bir silah sesi yankılandı. Bigelow ve Scholz da seyrediyor olmalıydılar, çünkü az evvel tanık oldukları şey karşısında dehşete düşmüş görünüyorlardı.

"Bu seferki bir kadındı, Heck," dedi Imbiss.

"Onlar herkesi öldürmeden önce bir şeyler yapmalısın, Cross," diye üsteledi Bigelow.

Scholz çaresizlik içinde başını iki yana salladı. "Bu korkunç bir şey, çok korkunç. İyi şanslar, Bay Cross. Tanrı yardımcınız olsun."

"Pekâlâ, sırayla gidelim," dedi Cross, en önemli adamları etrafında bir daire oluştururken. "Bırakın gece vaktini, gündüz dahi platforma çıkmamış, çalkantılı denizde ve karanlıkta yüzmemiş olmamız gerçeğine rağmen hemen oraya çıkmamız gerekiyor. Donnie, kaç adamına bir petrol gemisinden atlayıp o platforma kadar birkaç yüz metre yüzmesi ve doğru yere tek parça ulaşması konusunda güvenebilirsin?"

"Fazla değil elbette," diye karşılık verdi McGrain. "Ve elbette siz. Gücenmeyin, Bayan O'Quinn, genç bir kadın olmanız nedeniyle böyle durumda sizin için endişelenirim ama diğer yandan size hayır dersem yapacaklarınızdan da fena halde korkuyorum."

"Korkmalısın da," dedi Nastiya.

"Ya geri kalanlar?" diye sordu Cross.

McGrain başını kederli bir edayla iki yana salladı. "Dürüst olmam gerekirse fazla değil. İki yüz metreyi unutun. Görünmeden yaklaşmak istiyorsak platformdan en az dört yüz metre uzaktan yüzmek lazım. Eğer tekneler ışıkları kapalı şekilde yavaş geçerlerse ve durmazlarsa belki fark ettirmeden herkesi suya indirebilirsiniz. Ama bundan daha yakın olurlarsa hiç şansları olmaz."

"Dört yüz metre çok uzak," dedi Cross. "Böyle bir denizde o mesafeyi yüzmek, rüzgâr ve dalgalar arkamızda olsa bile, on ya da on iki dakika alır ve bu da iki ya da belki üç rehinenin daha ölmesi demek. Hayır... platform etrafındaki denizi aydınlatıyor. Tekneler o ışık kümesinin kenarına mümkün olduğunca yaklaşır ve biz de oradan gireriz. O halde, Donnie, sen ve SBS arkadaşların ve benle birlikte benim grup varız. Geri kalanlardan en iyiler kimler?"

"Yüzücü-kanocu rozetlerini almış olan o iki arkadaş –Flowers ve King– var elbette. Donanmada deniz komandosu olan Schottenheimer var. Diğerlerinden sadece üçüne güvenebilirsin: Keene, Thompson ve Donovan. Başaracaklarını garanti edemem ama ötekilerden daha fazla şansları var."

"Güzel, o halde suya çiftler halinde gireceğiz, çiftler halatlarla bağlanacak. Kimsenin Atlantik sularında sürüklenip gitmesini istemiyorum. Donnie, önce sen ve ben gidiyoruz. Örümcek güverteye tırmanıp diğerlerinin çıkacağı halatı atmak için ne kadar vakte ihtiyacın var?"

"Ah, ben olsam tırmanma zahmetine girmem, efendim."

"Pardon?"

"Şey, benim görüşüme göre, teröristlerin su seviyesinin çok altındaki merdivenlere ve geçişlere tuzak yerleştirmeye vakitleri olmadı. Haksız mıyım?"

"Ben buna dair bir şey görmedim," diyerek hemfikir oldu Imbiss.

"Diğer yandan, halat bağlamak ya da Örümcek Adamcılık oynamak gibi havalı şeyleri deneyecek olursak birilerinin öldürülmesi veya oradaki vahşi maviliğe sürüklenmesi ihtimali çok yüksek. O yüzden ben derim ki, platformun merdivenlerinden doğrudan ana güvertedeki son tırmanış yerine kadar çıkalım. O noktada, belki bir parça daha tedbirli davranmış oluruz."

"Merdivenlerden ilk çıkan olmak ister misin?" diye sordu Cross.

"Çıkmazsam riyakârlık etmiş olurum. O yüzden, evet, sözümün arkasında duracağım."

"Örümcek güverteye çıkıp yukarının güvenli olduğunu kontrol etmek için ne kadar zamana ihtiyacın var?"

"Maksimum üç dakika. Bir şey daha var... Arkadaşlarımdan birinin sürekli merdivenlerin başında durmasını sağlamalısınız. Başlangıç seviyesinde olanlar için birisinin yardımı olmadan o ufaklıkları yakalayıp yukarı çekmenin bir yolu yok."

"İyi tespit," diyerek hemfikir oldu Cross. "O halde ilk çiftin ardından üç dakikalık bir gecikmeden söz ediyoruz. Bundan sonra, her grup iki dakika aralarla olmak üzere, dört kişilik üç gruba ihtiyacımız var... Bu da her seferinde iki çift demek. Her grubu seçip görevlendireceğim. Ve siz sormadan söyleyeyim, evet, Londra'dan dördümüzün, Donnie'nin SBS arkadaşlarından beş ve Cross Bow'dan çocuklar altı kişi olmak üzere toplam on beş kişi ettiğini biliyorum ve on dört de yüzücü saydım ama Dave sana burada ihtiyacım var. Mücadele becerilerinle bir ilgisi yok. Yeteneklerini bana kanıtlaman gerekmiyor. Ama burada, klavyedeki sihirli becerilerini kullanmana ihtiyacım var. Platformun kapalı devre kamera sistemine girebilir misin?"

"İnternete bağlı bir bilgisayar tarafından idare ediliyorsa kesinlikle," dedi Imbiss.

"Güzel. O halde o bilgisayarın içine girip kameraları boz. Kötü adamlardan birinin monitörleri izleyip izlemediğini bilmiyorum ama izliyorlarsa bizim platforma çıkıp etrafta gezindiğimizle ilgili bir şey görmelerini istemiyorum. Ama bize gerçek yayını bul. Teröristlerin nerede olduğunu ve ne yapmaya hazırlandığını görmek istiyorum."

Imbiss başıyla onayladı. "Tamam, bu mümkün olmalı. Başka?"

"Platforma tüm giriş ve çıkışları gözlemle sadece. Bunun arkasında her kim varsa ondan talimat alıyorlar mı ya da yeni taleplerde bulunuyorlar mı, daha fazla ya da daha az insanı öldürmeye başlayacaklar mı, tüm bunları bilmek istiyorum. Ve eğer durum kritik hale gelirse ve sen daha büyük bir şeyler olacağını hissedersen bunu da bilmem gerekiyor."

"Nasıl iletişim kurmak istersin?" diye sordu Imbiss.

"Kulaklıkları kullanalım. Herkese yetecek kadar yok ama her çifte birer tane olmak üzere bölüşürüz."

"Ve eğer bir mucize olur da o platform denen lanet canavara kadar yüzüp lanet şeye tırmanabilir ve sadece sıyrıklarla atlatabilirsek ve en tepeye ulaşabilirsek sonra ne olacak?" diye sordu Paddy O'Quinn.

"O zaman bir sondaj platformunu bir grup holigandan nasıl geri alabileceğimizi planlayarak geçirdiğimiz tüm o saatler boşa gitmeyecek. McGrain, gemi mürettebatı da dahil, herkesi ikinci kattaki toplantı odasına çağır. Bilgilendirme iki dakika sonra başlıyor ve ben konuşmaya başladığımda orada olmayanlar buna pişman olur," diye karşılık verdi Hector.

"Baş üstüne, efendim."

"Paddy, birlikleri toparlamasında ona yardım et," diye devam etti Cross. "Dave, orada neler olduğunu görebilmemiz ve sen onunla meşgulken Sharman'ı bulabilmemiz için kantinden kapalı devre kamera sisteminin yayınını almanı istiyorum."

Ekranda, Rod Barth'ın öldürülmesine yardım eden, ellerinde AK-47'leriyle iki teröristin olduğu kafeteryanın pürüzlü, tek renkli bir görüntüsü belirdi. Kapının yanında konumlanmışlardı ve kulaklıklı çocuk yüzünde kocaman bir sırıtışla önlerinde duruyordu. O sırada Imbiss kamerayı çevirdi ve Cross, küçük serseriyi bu kadar eğlendirenin ne olduğunu gördü. Teröristlerden biri, yanında kendilerine engel olmaya çalışanlara karşı silahını bir sopa gibi kullanan yandaşıyla birlikte çığlıklar içindeki bir kadını kalabalığın içinde sürüklüyordu.

"Şimdiye dek beş terörist saydım ama kameranın göremediği yerlerde belki daha fazlası vardır," dedi Imbiss. "Rehinlere gelince, bence en az yetmiş kişi olmalılar. Bundan fazlası da olabilir. Şimdi, Sharman nerede?..."

Kamera sola ve sağa doğru kaydı. Imbiss ardından mırıldandı. "Yakaladım seni!" ve kafeteryanın bir bölümüne yakınlaştı.

Cross, Sharman'ın yüzünün kamerada belirdiğini gördü.

"Sharman! Ben Cross. Güvenlik kamerasından görebiliyorum seni. Beni duyuyorsan başını salla."

Sharman başını salladı.

"Güzel," diye devam etti Cross. "Biz beş terörist saydık. Bu doğru sayı mı?"

Adamın başı bu kez sağa sola sallandı.

"Demek daha fazlalar. Ne kadar daha fazla?"

Sharman sağ elini yüzüne doğru kaldırdı ve tırnaklarını kontrol ediyormuş gibi dikkatle baktı. Ancak başparmağı kıvrıktı ve serçe parmağına değiyordu. Yani üç parmağını gösteriyordu.

"Bunu üç sayarsam toplamda sekiz kişiler, doğru mu?"

Adam başını olumlu anlamda salladı.

Çok mantıklı, diye düşündü Cross. *Kulaklıklı, platform ekibinin yarısından fazlasını tek bir yerde topladı, bu yüzden asayişi sağladığından emin olmak için yeterli adama ihtiyacı var.*

"İyi iş çıkardın, Sharman," dedi. "Dayan. Gelip seni alacağız."

Sharman gizlice başparmağını göstererek tamam işareti yaptı.

"Başka teröristlerden bir iz var mı?" diye sordu Cross.

"Helikopter pistini koruyan bir tane var," dedi Imbiss. "Bazılarının kuleye doğru gittiğini gördüm, ancak nedense platformun üretim tarafından yayın gerçekten zayıf ve görüntü dağılmaya devam ediyor, bu yüzden ne yaptıklarını göremiyorum. Bunun dışında, genel konaklama alanında yürüyen gölgeler algılıyorum."

"İnsanları bir araya topladıklarını tahmin ediyorum."

"Eh, eğer öyle yapıyorlarsa onları oracıkta öldürüyorlar demektir, çünkü kafeteryaya başka birilerini götürdüklerini görmüyorum."

"Tamam, başka gelişme olursa beni haberdar et. Şu işi başlatmam gerekiyor."

Cross kumanda odasından ayrılıp toplantı odasına girdi, herkesin orada olduğunu gördü ve hemen işe koyuldu. Ekibindeki farklı kişilerden helikopter pisti, üretim alanı, konaklama, idari bölüm ve platform personelinin büyük bölümünün rehin tutulduğu kafeteryayla ilgilenmesini istedi. Sonra kafeteryaya nasıl gireceklerini ve rehineleri tehlikeye atmadan, olayı kontrol eden teröristleri oradan nasıl çıkarmayı umduğunu açıkladı. Beş dakikadan az sürmüştü –onun da acı bir şekilde farkında olduğu gibi, bir başka rehinenin canından olması için yeterli bir süreydi bu– ama bittiğinde herkes kendisinden ne beklendiğini biliyordu. Tekne personeline daha önce hiç olmadığı kadar hızlı bir şekilde devriye botlarını suya indirmeleri talimatını verdi, hava koşulları da önemli değildi.

"Dışarıda fırtına olması umurumda değil. O platformda insanlar ölüyor ve tek kurtulma ümitleri biziz. O yüzden derhal o botu suya indirin yoksa kıçınıza tekmeyi basarım ve platforma kadar yüzmek zorunda kalırsınız!"

Té-Bo iyi vakit geçiriyordu. Tıpkı Komutan Matemba ve Mösyö Tumbo'nın beklediği gibi bütün Magna Grande sahası çaresizlik içindeydi. Kimse onları kurtarmaya gelmemişti ve tek direniş hareketi, AK-47'li adamlara karşı çekiç ve İngiliz anahtarı kullanmaya çalışan birkaç petrol işçisinden gelmişti. Bu direniş uzun sürmemişti. Atılan birkaç el ateş küçük yangınları tetiklemişti, ancak platformun otomatik fıskiye sistemi bunların icabına bakmıştı. Bu iyi bir şeydi. Çünkü platformun zarar görmesinde bir mahsur olmasa da Té-Bo ve adamları hâlâ üzerindeyken olmazdı.

Telefonu çalmaya başladı. Arayan, platformda neler olduğuna bakmak üzere kontrol odasına gönderilen adamlarından Yaya Bokassa'ydı. "Tüm ekranlar kapanmış!" dedi Té-Bo'ya. "Nerede, ne olduğunu göremiyorum."

"Sabote etmişler!" dedi Té-Bo dramatik bir edayla. "Birisi bir kabloyu kesmiş ya da kameraları bozmuş olmalı."

"İmkânsız! Platformdaki tüm teknik personeli öldürdük. Ayrıca bir seferde tüm kameraları nasıl bozabilirler? Sistemde bir arıza olmalı."

"O halde yeniden çalıştır!"

"Nasıl yapılacağını bilmiyorum. Yardıma ihtiyacım var."

Té-Bo tükürür gibi karşılık verip adamı geçiştirdikten sonra görüşmeyi sonlandırdı ve rehinelere döndü. "*Écoutez!* Beni dinleyin!" diye seslendi. "Kontrol odasının nasıl çalıştığını bilenlerin öne çıkmasını istiyorum. Çıkmazsanız, siz ikinizi hemen şu anda öldürürüm. On saniyeniz var, sonra ateş etmeye başlayacağım."

Té-Bo geriye doğru saymaya başladı. "İki" dediğinde adamlardan biri bağırdı. "Ben kontrol odasının müdürüyüm. Size bilmeniz gerekenleri söyleyeceğim. Lütfen ateş etmeyin."

"Très bien," dedi Té-Bo, adam ellerini havaya kaldırmış öne çıkarken. Teröristlerden birine seri şekilde Fransızca birkaç emir savurduktan sonra karşısında duran adama döndü. "Adın ne?"

"Herschel Van Dijk," diye karşılık verdi adam ağır bir Afrikalı aksanıyla.

"Demek kontrol odasının nasıl çalıştığını biliyorsun. Çok iyi. Düzgün çalışmıyor. O yüzden onu çalıştıracaksın. Bunu yapamazsan ölürsün."

Té-Bo adamlarına başka emirler verdi ve Herschel kontrol odasına götürüldü.

Küçük bir aksilik çıkmıştı ama Té-Bo genel durumdan memnundu. Her şey plana uygun şekilde ilerliyordu. Telefonundaki kronometre fonksiyonuna göz attı. Dört dakika on beş saniyeyi gösteriyordu. Öldürecek başka bir rehine bulmanın zamanı gelmişti.

Cross iki devriye botunu platformun ters yönündeki bir rotaya yönlendirdi ve havadaki helikopterin pilotu, onların olduğu tarafa bakarsa, görünmemeleri için yeterince alan bırakarak tekneleri ışık kümesinin en kenarına doğru gönderdi. Takımın her üyesinde uzun namlulu Ruger silahlardan vardı. Çoğu ek olarak özel ekipmanların olduğu keseler taşıyordu. Nastiya'yla aynı grupta yüzen SBS askerlerinden ikisi, bir çift olarak onları birbirine bağlayan halatın yanı sıra, bellerinde fazladan bir halat taşıyordu. Halatın diğer ucu yaklaşık bir metre mesafeyle metal bir kutuya tutturulmuştu.

"Her ne olursa olsun buna göz kulak ol. Platforma tek parça halinde ulaşamazsa suya geri atlayıp yüzerek eve gitsek de olur," dedi Cross, suya dalmadan önce.

"Merak etme, patron, ulaşacak."

"Güzel. Tamam, Donnie, gece dalışımızı yapmanın zamanı geldi."

Cross, *Glenallen'*dayken platforma yüzmekle ilgili detaylardan bahsetmişti. Ne var ki gerçekten suya girdiğinde dalgalar onu kaldırıp, ileri doğru atarak çalkalanan ve köpüren bir girdaba doğru sürükleyince tek yapabildiği, çılgınca bir serbest yüzüşe benzeyen hareketler yapmak oldu. Ara sıra yüzeye çıkmaya çabalıyor, nefes alıp yeniden kol ve bacaklarıyla çırpınarak ve kendisinden daha hızlı ve deneyimli olan McGrain'e bağlandığı halatın çekişini hissederek yüzmeye çalışıyordu.

Daha da kötüsü, suyun içeri girip dışarı çıkmasını engellemek üzere özel olarak tasarlanmış, el ve ayak bilekleri kapalı olan su geçirmez kıyafet, çırpınmalarının ürettiği tüm ısıyı hapsederek kendi özel saunasına dönüştürüyordu. Kıyafetin içine tek bir damla deniz suyu girmemiş olmasına rağmen Cross, vücut ısısının yükselmesiyle birlikte kendi terinden sırılsıklam olmuştu. Artık SBS ve deniz komandolarının uzun süredir bildikleri şeyi o da anlamıştı: Sıcak çarpması bir yüzücü için en az denizin kendisi kadar tehlikeli bir şeydi. Cross ve adamları, vücut ısılarına yenik düşmeden platforma ulaşabilmek için zamana karşı yarışıyorlardı.

Bu arada, Magna Grande platformunun devasa kütlesi, üzerlerinde her zamankinden daha heybetli görünüyordu ve Cross üstesinden gelmesi gereken şeyin boyutları karşısında gitgide küçülüyor gibi hissediyordu. Yan destekleriyle platformun bacakları hareketsiz, aşılmaz birer çelik kayalık gibi görünüyor, sanki denizin, çabalayan insanları kendisine doğru savurmasını zalim bir kayıtsızlıkla bekliyordu. Bacaklara vuran dalgalar, girdaplar ve okyanus akıntıları oluşturuyordu ve okyanus Cross'u, sanki bir böcek gibi bacaklara çarpıp ezilmekle, gözü aç denize çekilerek boğulmak arasında bir seçim yapması gerekiyormuş gibi, doğrudan girdabın içine doğru itiyordu.

Önünde giden McGrain'in varlığı için Tanrı'ya şükretti. "Hiç de fena değil, efendim," demişti İskoçyalı, devriye botunun pozisyonu için manevra yaparken. "Kuzey Denizi'nde kötü bir geceye kıyasla bir değirmen havuzu gibi durgun."

Şimdi, gözleri yağmur ve serpintilerle hırpalanırken bile Cross, McGrain'in yöneldiği bacaklardan birinden aşağı inen paslı merdiveni görebiliyordu. Eski SBS askerinin başını ona doğru çevirdiğini gördü ama bakışları her ikisinin de arkasındaki başka bir şeye odaklanmıştı. McGrain'in neye baktığını görmek için Cross da başını çevirdi ve kaynama noktasına gelmek üzere olan kanı, damarlarında buz kesti.

Onlara doğru bir dalga geliyordu. Şimdiye kadar karşılaştıklarından çok daha yüksekti. Platformdan yansıyan ışıkta parıldayan, siyah bir su duvarı gibiydi ve platform kadar sağlam görünüyor, üzerlerine basmaya hazırlanan bir asker botu gibi tepelerinde yükseliyordu.

Gitgide yaklaştı ve Cross'u sarmaladı Cross kendini her iki yanı da su olan uzun bir tünele girmiş gibi hissetti. Sonra, dalga kırıldığında tünelin iki yanı çökmeye başladı ve Cross'un tek yapabildiği son bir nefes alıp dua etmek oldu.

"Aahhh, lanet olsun!" Donnie McGrain çok dalga görmüştü, ama böylesine hiç rastlamamıştı. Nereden geliyordu bu şey böyle? Büyük dalgalar bir kamyonsa bu bir tanktı. Yanan ciğerlerine ve ağrıyan kaslarına aldırış etmeden hızlı bir serbest yüzüş stiliyle kollarını öne doğru uzatıp ayaklarını tekmeler gibi çırparak vücudunda kalan son enerjiyle birlikte sürüklendi. Bakmasına gerek yoktu, platforma doğru dalgayla yarışırken üzerinde kavis yapan suyun ağırlığını hissedebiliyordu.

Merdiven artık birkaç metre ilerisindeydi. Ama sağ kolunu uzatıp yetişemediğinde merdiven sanki yakaran parmaklarıyla alay ediyordu.

Şimdi dalga, okyanus boyunca yaptığı seyahate dayanma cüretine sahip olan insanoğluna karşı var gücüyle kırılmak üzere yukarı çekilirken dip akıntısının kendisini çektiğini hissedebiliyordu.

McGrain'in sol kolu vücudunun üzerinden merdivene uzandı... Ve parmak uçları metale değdi ama tutamadı.

Dalganın tepesi üzerinde yükselen bacağa çarparken tekrar ayaklarını çırptı ve son bir umutsuz hamle yaptı, su nefesini kesip onu merdivene doğru savurduğunda elinin içinde basamaklardan birini hissedip hemen kavradı. McGrain, Cross'un bacağa doğru savrulduğunu görmekten çok hissederken ondan sadece birkaç metre uzakta nefes almaya çalışıyordu ve sanki okyanusun tüm ağırlığı onun üzerine çöküyor gibi hissediyordu, o sırada dalga aşağı düşerek onu merdivenden kopardı ve kendine doğru çekip yakaladı.

Mesele sadece kendisinin düşüşü değildi. Cross'un ağırlığı McGrain'i de aşağı çekiyordu. Başka birçok askeri disiplinde ustalaşmış olsa da gece suya ilk kez inen birinin yolunu şaşıracağını biliyordu. Eğer Cross yüzeye doğru yüzmek yerine dibe doğru giderse her ikisini birden aşağı çekecekti.

Ama sonra McGrain halatın gevşediğini hissetti ve Cross'un her ikisini de dibe sürüklememek için halatı çözüp çözmediğini merak etti. O, kendini çılgınca feda edebilecek bir adamdı. Ama sonra McGrain suyun loşluğunda daha derin, daha zifiri siyah bir şey fark etti ve içinden düşündü: *Duba!* Ve ikinci kez ham metale çarptı. Halatı çekti ve cevaben halatın çekildiğini hissetti. Demek Cross bilincini kaybetmemişti. McGrain halatı tekrar, bu kez yukarı doğru çekti. Cross'un durumu anlamış olmasını dileyerek ayaklarını dubanın üzerine yerleştirip kendini yukarı doğru itti. Cross da onunla birlikte geldi, McGrain yüzeye çıkmak için bir hamle daha yaptı.

Nefesi tükenmişti ve hâlâ yüzeyin en az on ya da belki yirmi metre altındaydılar. McGrain ciğerlerindeki acıya aldırış etmeden kafasının içinde, nefes vermesini ve vücudundaki tüm bayat gazı dışarı atıp temiz hava solumasını haykıran seslerle savaştı.

Ama hava yoktu, sadece su vardı. Nefes almak demek boğulmak ve ölmek demekti. Sahip olduğuyla yetinmek zorundaydı... Ancak nefesini vermeyi çok ama çok istiyordu.

McGrain yeniden ayaklarını çırptı ve halatın yeniden gevşediğini hissettiğinde Cross'un da aynı şeyi yaptığını anladı. McGrain oksijenden yoksun beyninin, uyumsuz bir televizyon ekranı gibi cızırdamaya başladığını duyabiliyordu. Keyifli ve acısız bilinçsizlik sadece bir an uzaktaydı. Şimdi faydalandığı şey, yüzme eğitimi değil, işkence acısına direnmek, ıstıraba karşı koymak ve en derin içgüdüleri görmezden gelmek için aldığı acımasız derslerdi.

Acı ve sudan başka hiçbir şeyin olmadığı, güneşsiz kapkara bir evrende kaybolmuş bir halde ayaklarını tekrar ve tekrar çırptı, çırptı... Ve başı aniden suyun yüzeyine çıkıverdi. Şimdi ağzını açmış, tuzlu havayı açlık içindeki ciğerlerine çekebiliyordu. Suda yükselerek etrafına bakındı ve Cross'un da arkasında aynısını yaptığını gördü, merdiven biraz ilerisindeydi, "Hangi cehennemdeydin?" der gibi, bacağın kenarına sıkışmış, ağırbaşlı bir ifadeyle ona bakıyordu.

Deniz şimdi biraz daha yatışmış gibi görünüyordu. McGrain biraz çaba sarf ederek merdiveni tuttu ve birkaç basamak çıkarak arkasından gelen Cross'a yardım etti. "Haydi," dedi. "Bu hain platformun tepesine tırmanalım artık."

Örümcek güvertede saldırganlardan bir iz ya da oraya geldiklerine dair bir işaret yoktu. Platform dikdörtgen şeklindeydi ve uzun kenarlarının her iki ucunda, koruyucu çelik ağla çevrelenmiş ama başka tehlikelere açık olan ve platformun diğer tarafına doğru zikzaklar çizerek çıkan metal basamaklar vardı. Üç alt güverteyi geçerek ana güverteye çıktılar. Konaklama ve idare bloğu, çatısında helikopter pistiyle birlikte ana güvertenin bir ucunda bulunuyordu. Üretim bloğunun çeşitli üretim fonksiyonları, güvertenin diğer ucunda, oturma alanlarından olabildiğince uzaktaydı ve kule ikisinin arasında, platformun üzerinden yukarı doğru yükseliyordu.

Cross sudan çıkar çıkmaz kulaklıklarını takmıştı ve şimdi Dave Imbiss'ten tekrar bilgi almaya başlamıştı. "İki rehine daha kaybettik," dedi Imbiss ona. "Saldırganların dağılımı önceki gibi: Çoğu kafeteryada ve konaklama alanında, birkaçı kulenin yanında... Sanırım döner platformun, sondaj tertibatının hemen yanındalar, gerçi sinyal hâlâ bozuluyor. Kimse bir başkasını beklemiyor gibi. Helikopter pistinin oradaki saldırgan, tek gözcüleri ama pek dış mekân insanı değil... Zamanının çoğunu hava şartlarından uzak durmaya çalışarak geçiriyor. İşini yapmaya başlama ihtimaline karşı ilk olarak onu halletmenizi öneririm."

"Anlaşıldı," dedi Cross. "Peki ya Hindlerin mürettebatı... Onlar bir şey görebiliyor mu?"

"Sanmıyorum. Pisttekilerin altlarında olanları kokpitten görebilecek bir görüş açıları yok. Havadaki araca gelince, birisi yan kapılardan sarkıp aşağı bakarsa açık güvertelerin üzerinde hareket eden insanlar görebilir belki. Ama görüş çok zayıf, o nedenle bizi kendi adamlarından ayırt etmeleri zor ve bu adamlar hava-deniz kurtarma konusunda eğitilmiş bir personel değilse, ki hiç sanmıyorum, böyle bir fırtınada kafalarını kabinin dışına çıkarmak istemeyeceklerdir."

"Bir patlayıcı yerleştirdiklerine dair bir işaret var mı?"

"Göremiyorum ama bu, böyle bir şey olmadığı anlamına gelmiyor."

Cross, platformu istila eden adamların bariz kayıtsızlığına sevinmişti. Karşı saldırıya geçecek birilerine zarar vermek gibi önemli bir adımı atlamış olmaları, Cross'un adamlarını gemiye alışını kolaylaştırmıştı. Ancak bu çok açık bir şekilde iyi planlanmış ve acımasızca yürütülen bir operasyondu. Öyleyse nasıl bu kadar bariz bir hata yapılmıştı? Ve kolaylıkla zarar verilebilecek olan –ve Cross bunu kanıtlamaya niyetliydi– helikopterler havada dolanıp ne yapıyorlardı? Açıkça görülüyordu ki, bu saldırıyı planlayan her kimse, bu işe uzun süre devam etmek niyetinde değildi. Aslında, birçok bakımdan bir intihar görevi gibi görünüyordu. Ama ne amaçla? Mümkün olduğunca çok petrol işçisini öldürmek ve platformu karıştırmak mıydı amaçları? Yoksa başka bir şey mi vardı?

Bu daha sonra sorulacak bir soruydu. Cross tüm dikkatini şimdiye ve mevcut duruma vermek zorundaydı. O'Quinn ve Thompson helikopter pistinin güvenliğini sağlamakla görevlendirilmişti. Cross'un hızlı bir el hareketi işe koyulmak için ihtiyaçları olan tek şeydi.

Şimdi diğer takımla merdiven boşluklarında kendi pozisyonlarını alıyorlardı. McGrain örümcek güvertenin karşı tarafındaydı ve takımını kuleye, oradaki saldırganları saf dışı bırakmak üzere yönlendirmeye hazırdı. Cross ve üç adamı, kafeteryaya giden yolu temizlemek amacıyla konaklama bloğuna doğru ilerliyordu. Cross, oraya vardığında rehineleri güvenli bir şekilde kurtarmalı ve onları tutan düşmanları yok etmeliydi. Tüm adamlara, rehineler ve platformun güvenliği için minimum risk almaları ve fazla yakın mesafeden ateş ederek mühimmat kullanımını en aza indirmeleri emri verilmişti. Fakat bu emirleri yerine getirebilmek için kafeteryaya girmeleri, saldırganların ateş açarak tüm rehineleri bir seferde öldürmelerine engel olmaları ve AK-47 saldırı tüfekli adamları yakın mesafeden öldürebilmek için onlara olabildiğince yaklaşacak bir yol bulmaları gerekiyordu.

Aklı başında hiçbir komutan, kesinlikle başka bir seçeneği kalmadığı sürece böylesi ihtimal dışı hedefler koymazdı. Ancak Cross'un içinde bulunduğu durum buydu. Planının işe yaraması için çok ufak bir şansı vardı. Ve bunun için Nastiya'ya güveniyordu.

Paddy O'Quinn denize indirileceği bir kızağın tepesine yerleştirilmiş turuncu bir filikanın kıç tarafında duruyordu. Dave Imbiss onu, helikopter iniş platformuna çıkan merdivenin dibinden on metre yükseklikte olan gözetleme yerine götürmüştü. Gözcü, güverte çıkıntısının alt kısmına sığınmıştı. Pek de saldırgan göründüğü söylemezdi, daha ziyade kimsenin istemediği bir işi almış, ıslak ve yağmurlu gecelerde gözcülük etmeye gönderilen tarihteki her gözcü gibi sefil haldeki çelimsiz bir çocuğa benziyordu. Adamın öyle kötü bir hali vardı ki O'Quinn ona hakiki anlamda acıdı ama bu, onun görev için potansiyel bir tehlike arz ettiği gerçeğini değiştirmiyordu. Ve böylece, Ruger'ın uzun fırçalanmış çelikten namlusunu filikanın gövdesine dayayarak, Ruger'ın dahili bir susturucusu olmasa bile pistte duran ve motoru rölantide çalışan helikopterden kimsenin silah sesini duymayacağından emin olarak iki el ateş etti. O'Quinn çocuğun kalbine nişan almıştı. Her iki el ateş de göğsüne isabet etmiş ve onu yere sermişti, Thompson kendi pozisyonundan çıkarak piste daha da yaklaştı ve cesedi alarak karanlıklara doğru sürükledi.

O'Quinn, etraftan görünmediğine emin olduktan sonra Thompson'ın durduğu tarafa yöneldi. Şimdi merdivene birkaç metre mesafedeydiler. Kısa bir süre sonra ikisi birden koşarak yukarı tırmanacaklardı ama henüz değil.

O'Quinn telsizini açtı. "Saldırganı indirdik. Tekrar ediyorum, saldırgan düştü. Yol temiz. Tamam."

"Mesaj alındı ve iletilecek. Tebrikler," diye karşılık verdi Imbiss.

Cross bir saniye sonra O'Quinn'in gözcünün icabına baktığı konusunda bilgilendirilmişti. Şimdi diğer üç takım, platformun yukarısına doğru yola koyulabilirlerdi ve kurtarma görevi başlayabilirdi.

Magna Grande platformunda sayısız tehlike noktası vardı ama listenin başında, yüzlerce metre alttaki deniz tabanından pompalanan petrolün nihayet gemiye çıktığı kuyu başı geliyordu. Bu yüzden antiterörist bir görev için burası ana hedef noktalarından biriydi ve açık deniz platformlarında takımdaki en deneyimli adam olduğundan bu alanı ve delme operasyonunun kontrol edildiği sondaj kabinini koruma görevi McGrain'e verilmişti. Ekibindeki diğer üç kişinin içinde, birinci sınıf bir mühimmat teknisyeni vasfına sahip, bir kraliyet donanması emektarı olan ve bu nedenle diğer birçok şeyin yanı sıra, isyancıların yol boyunca bırakmış olabileceği bubi tuzakları veya patlayıcıları devre dışı bırakmak için eğitilmiş Terry Flowers da vardı. Gazdan körleşmiş Birinci Dünya Savaşı askerleri gibi görünen dörtlü, yavaşça hedef bölgelerine doğru ilerledi. McGrain öndeydi ve başı eğik, elindeki feneri bir o yana bir bu yana savurarak yürüyordu, Flowers gözlerini fenerin ışığından ayırmadan onu takip ediyordu. Flowers'ın bir eli, fenerin ışığı bir çelme teli veya patlamaya sebep olabilecek bir basınç plakasını aydınlatacak olursa sertçe sıkmaya hazır şekilde, McGrain'in omzunda duruyordu. Diğeri arkada onları takip ediyordu ama dikkati teröristlerden bir iz arayışıyla etraflarında olanlara yoğunlaşmıştı. Kulenin dibine gelene kadar hepsi yanlış alarm sebebiyle üç kez durmuştu. McGrain durup elini kaldırarak küçük ekibini durdurdu. Sonra bir dizi el işareti daha yaparak dağılmalarını söyledi: Flowers sol tarafa ve diğer ikisi sağa. Kulenin dibinde, ağaç yerine boru ve kirişlerin olduğu çelik bir ormanın ortasındaki bir açıklık gibi görünen bir çalışma alanı vardı. Yaklaşık altı metre kadar üzerlerinde olan sondaj odası tüm alanı yukarıdan görüyordu ve bu açıklığın ortasından da platformun kalbi ve amacı olan sondaj borusu yükseliyordu.

İki saldırgan borunun alt kısmında çömelmişti. Yan tarafına C4 patlayıcı blokları yerleştiriyorlardı. Eğer bu borulardan biri patlayıp petrolle dolu bir boruyu bir alev makinesine çevirirse o zaman, Donnie McGrain'in çok iyi bildiği gibi, platforma ve üzerindeki herkese veda etmekten başka çare kalmazdı.

Herschel Van Dijk'in platformun kapalı devre kamera sistemindeki problemi anlaması için kontrol odasında üç dakika geçirmesi yeterli olmuştu: Birisi sisteme gizlice girmiş olmalıydı. Kontrol odasına yapılan yayın kesilmişti ama başka birinin neler olduğunu izlediğine kalıbını basabilirdi. Başını kaldırıp teröriste baktı, adam onu büyük bir şüphe ve güvensizlik ifadesiyle süzüyor, elindeki AK-47'yi kullanmak için bahaneye ihtiyacı olmadığını ima eder gibi sallıyordu. *Siz değildiniz, öyle değil mi, kana susamış pislik? Kardeşlerimi öldürmekle fazlasıyla meşguldünüz. O halde kimdi ha?* Gemide böyle bir işi yapacak becerilere sahip üç veya dört kişiden fazlası yoktu. Van Dijk onlardan biriydi ve diğerleri de kafeteryada öldürülme sıralarını bekliyordu. Bu, işi dışarıdan birinin yaptığı anlamına geliyordu ve bunu yapmış olmalarının en bariz sebebi platforma çıkmalarına ve fark ettirmeden üzerinde dolaşmalarına yardım etmek içindi. Demek yardım geliyordu ve hayatına devam edebilmesi, kendisini tutsak edenleri yeterince uzun süre oyalayıp yardıma gelenlere gemiye çıkacak ve günü kurtaracak zamanı kazandırma becerisine bağlıydı.

Ekrandaki bellek tablolarını kaydırarak, farklı dosyaları açıp kapayarak ve genellikle sorunun derinliklerine inen bir adam gibi görünmeye çalışarak birkaç dakika daha geçirdi. Kafeteryanın olduğu tarafta bir yerlerde silah sesleri işitti: İşte bir başka arkadaşı daha öldürülmüştü. Van Dijk numarasını bir süre daha sürdürdü ve sonra teröriste döndü. *"Você fala português?"* diye sordu.

Adam ona boş gözlerle baktı.

Eh, Portekizce tek kelime bilmiyorsan Angola'dan değilsin demektir, diye düşündü Van Dijk. *O halde Angola sularında bir platformda ne arıyorsun?*

Teröristlerin liderinin Fransızca kelimeler kullandığını duyduğuna emindi, bu da adamların Afrika'nın Fas'tan Madagaskar'a kadar Fransızca konuşulan ülkelerinden olduğu anlamına gelebilirdi. Bu yüzden bir sonraki sözünü, Afrika'nın büyük bölümünün ortak dili olan Svahili-Bantu dilinde söyledi. *"Mimi haja ya kuzungumza na bosi wako... hivi sasa!"*, yani "Liderinizle konuşmak istiyorum... hemen!"

"Kwa nini?" diye karşılık verdi terörist: "Neden?"

Böylece Van Dijk şimdi platforma saldıran adamlarla ilgili net bir şey biliyordu: Afrika'nın hem Fransızca hem de Svahili konuşulan bir bölgesinden geliyorlardı ve bu da Demokratik Kongo Cumhuriyeti'nin doğusu olabilirdi ancak. Yani Angolalı değil, Kongoluydular. Gerçekten de, burada ne işleri vardı?

Van Dijk, Svahili dilinde devam etti. "Kameraların onları kontrol eden bilgisayar bozulduğu için çalışmadığını söyle ona. Anladın mı, çocuk?"

Teröristin saydam kahverengi gözleri kısıldı. "Evet, bilgisayarın ne demek olduğunu biliyorum, *musungu.*"

Van Dijk sırıttı. Beyaz kâşifler, Afrika'ya ilk çıktığında yerli kavimler, bu tuhaf adamların topraklarında dolaştığını ve nereye gideceklerini bilemediğini görmüş ve onlara, "*mzungu*", yani "amaçsızca dolananlar" adını vermişlerdi. Zamanla bu terim, "beyaz adam" anlamında, Svahili dili konuşan on milyonlarca kişi tarafından farklı bölgesel versiyonlarda kullanılmaya başlamıştı.

"Birbirimizi anladığımıza sevindim öyleyse," dedi.

Terörist telefonuna uzanacak oldu ama sonra bir problemi olduğunu fark etti: Bir yandan adama silah doğrultup bir yandan da telefonla konuşamazdı. Kaşlarını çatarak problemini çözmeye çalıştı. Van Dijk adamın suratına gülmemek için bilgisayara dönmek zorunda kaldı. Zaten onu yeterince tahrik etmişti, daha fazlası başını belaya sokabilirdi. Sistemi düzeltmeye çalışıyormuş gibi klavyeye bir şeyler tuşluyor numarası yaptı ama aslında anlamı olmayan şeyler yazıyordu.

Van Dijk arkasında kapı tıklanmasına benzer bir ses duydu.

Bir saniye sonra teröristin başı ve omuzları Van Dijk'in oturduğu U şeklindeki masanın kenarına çarpmıştı, ardından yere düşmüştü ve açık olan ama görmeyen gözlerle ona bakıyordu. Başının arkasında küçük kırmızı bir delik vardı. Van Dijk sandalyesinde döndü. Siyah su geçirmez kıyafetlerin içinde, uzun boylu, geniş omuzlu bir adam orada duruyordu. Bir gözünün üzerinde bir yara izi vardı ve burnu ya doğuştan yamuktu ya da bir yumruk darbesiyle sonradan eğrilmişti. Sağ elinde, gereğinden fazla uzun namlulu, paslanmaz çelikten bir tabanca tutuyordu ve sol elinin işaret parmağını dudaklarına bastırmıştı: "Şşştt..."

Imbiss, Cross'a saldırganlardan ve mürettebattan birinin kontrol odasında olabileceğini söylemişti ve Cross'un bulduğu tam da buydu. Daha da iyisi adam, oturduğu yerden iki metre kadar ötede bir cesedin masaya çarptığını gördüğünde hayranlık uyandıran bir soğukkanlılıkla tepki vermişti. Cross teröriste baktı ve alçak sesle sordu. "Etrafta bunlardan başka var mı?"

"Burada yok," diye karşılık verdi Van Dijk.

Cross anladığını belirtir gibi başını salladıktan sonra telsizde Imbiss'le konuştu. "Kontrol odası temiz, bir saldırgan öldü. Yönlendirme için teşekkürler, Dave. Şimdi sayı kaç? Tamam."

"Helikopter pistinde bir saldırgan daha var. Paddy işaret bekliyor. Kuyu başında iki tane, McGrain patlayıcı yerleştirdiklerini söyledi. Sinyal kesintili ama bana kalırsa sondaj odasında da iki tane var ve mutfakta da iki tane saydım. Kafeteryanın dışında bekleyen bir gözcü daha var, yedi de içeride. Az evvel öldürdüğünü de eklersen on altı olur ve toplam sayıları o kadar."

"Pekâlâ, ben arkadaşları kafeteryaya çıkarıyorum. Nöbetçiyle biz ilgileniriz. Sonra senden işaret bekleyeceğiz. Gelişmelerden beni haberdar et. Tamam."

Cross dikkatini yeniden kontrol masasındaki adama çevirdi. "Başlamak üzere," dedi. "O yüzden burada kalın ve başınızı aşağıda tutun."

"Bir dakika," dedi Van Dijk. "Nesiniz siz? Beyaz Zimbabweli mi? Kenyalı mı? Aksanınızda Afrikalı bir şeyler duyuyorum."

Cross'un sohbet edecek vakti yoktu. "Kenya'da doğdum, ne olmuş ki?" diye sordu sabırsız bir tavırla.

"O halde söyleyeceğim şeyi anlayacaksınız. Bantulu dostum tek kelime Portekizce anlamadı ve Svahili dili konuşuyordu. Ve lideri de konuşurken Fransızcaya dönüp duruyordu. Nereye varmaya çalıştığımı anlıyor musunuz?"

Terörle mücadele haricinde bir başka konuya yoğunlaşması Cross'un sadece bir saniyesini aldı ve adamın söylediklerini değerlendirdi. "O halde Angolalı ya da Cabindalı değiller..."

"*Ja*... yani...?"

"Fransızca ve Svahili dili... Kongolu olmalılar."

"Doğru. Peki, Kongolu zencilerin bu platformda ne işleri var, ha? Bilmek istediğim bu."

Güzel soru, diye düşündü Cross. Bir kez daha iç geçirerek, "Teşekkürler," dedi ve kapıya doğru döndü. Başka bir zaman olsa böyle bir bilgi ve yaratacağı soru işaretleri çok işine yarayabilirdi, ama şimdi bunun sırası değildi. Şu anda teröristlerin nereli olduğunun bir önemi yoktu, sadece yok edilmeleri önemliydi. Ekibindeki diğer üç adam, kontrol odasının yakınlarındaki ofisleri ve toplantı odalarını kontrol ediyordu. Hiçbiri bir saldırgan bulamamış ama mürettebattan birkaç kişinin cesetlerini gördüklerini bildirmişlerdi. Cross bu keşiflerin adamlarını daha da öfkelendirdiğini görebiliyordu. "Soğukkanlılığınızı koruyun," dedi. "Duygularınızı kontrol altında tutun. Evet, şimdi kafeteryayla ilgilenelim."

Nastiya kafeteryanın bitişiğindeki mutfak alanının güvenliğini sağlamakla görevli dört kişilik bir ekibin başındaydı. Imbiss en az iki saldırganla karşılaşabileceği konusunda onu uyarmıştı. Ekibi, McGrain'in yüzme için hazır olduğunu düşündüğü, uzman olmayan iki kişiden biri olan eski paramiliter Lee Donovan ve iki SBS askeri Halsey ve Moran'dan oluşuyordu. Donovan önde, Nastiya onun arkasında ve en arkada da SBS askerleri olmak üzere, mutfağa çıkan geçitten aşağı doğru ilerlediler. Halsey yüzerken yanında taşıdığı metal kutuyu platforma çıkarmıştı. Şimdi sırtında, kutunun içinden çıkardığı ve onu bir dalgıç gibi gösteren iki metal silindir vardı. Sırada, üçüncü pozisyonda yer almıştı, burası en güvenli yerdi ama kimse onu özellikle önemsediği için değil, önemli olan silindirlerdi. Aniden silah sesleri ve karşı taraftan gelen feryatları işittiler. Nastiya hızlanarak geçitten aşağıya koştu ve döner kapıları geçerek durup sırtını kapının uzak tarafındaki bölmeye dayadı. Donovan kapının diğer tarafında onunkine benzer bir pozisyon aldı. Halsey, onu ve değerli yükünü koruyan Moran'la birlikte geri çekilerek geçidin birkaç metre aşağısında bekledi.

Kapının yanında duran Donovan bir keseden sersemletici bir el bombası çıkardı. Tüm operasyon oldukça sessiz yürütülmüştü ama mutfağın içindeki itişip kakışma bunu gereksiz bir çabaya dönüştürmüştü. Nastiya parmaklarıyla geriye doğru saydı: üç... iki... bir. Sıfıra geldiğinde kapıları işaret etti. Donovan ayağa fırlayıp kapıyı tekmeleyerek açtı ve el bombasını içeri attıktan sonra mutfaktan gelen silah patlamaları yüzünden geriye doğru kaçtı. Yarım saniye sonra el bombası, göz kamaştırıcı bir ışık ve kulakları sağır eden bir gürültüyle patladı. Nastiya ve Donovan döner kapıya birer omuz darbesi indirerek ve Rugerları iki elleriyle kavrayıp doğrultarak mutfağa daldılar.

Bu hareket sadece tedbir amaçlıydı. Patlamanın, mutfak girişinin yakınındaki herkesi sersemlemiş ve kendini savunamayacak duruma getirmiş olması gerekiyordu. Ancak el bombası, açık kapının bir tarafına, mutfağın solunda sıralanmış dört adet gömme soğutma ünitesinden birine doğru yuvarlanmıştı.

Saldırganlardan ikisi buzdolabının patlamadan korunaklı olan uzak tarafındaydılar. İçlerinden biri, yerinden çıkıp AK-47'sini kaldırarak Donovan'a doğru çaprazlamasına üç mermi boşalttı, mermiler göğsüne, kalbine ve ciğerlerine denk gelerek onu anında öldürdü.

Nastiya ateş ederek karşılık verdi ama saldırgan hemen dolabın arkasındaki yerine geri döndü. Bu kez dolabın kapağına nişan alarak iki kez daha ateş etti. Kapı, yalıtım malzemesiyle ayrılmış iki kat çelikle sağlamlaştırılmıştı ve hafif ağırlıktaki mermi, içeri giremedi. Ama Nastiya tetiği çekmeden önce bunu tahmin etmişti. Sadece düşmanlarının başlarını eğik tutmaya devam etmelerini istiyordu.

Şimdi bir çıkmazın içindeydiler. O ve saldırganların arasında sadece üç metre mesafe vardı, eğer adamlar dolabın arkasından çıkarsa ölürlerdi. Kendisi açıkta kalırsa bu kez onlar onu öldürürdü.

Nastiya gömme üniteden bir inilti geldiğini duydu. Silah sesleri daha evvel duyulmasını engellemişti. Etrafına bakındı. Önünde, buzdolabı sırasına dik açılarla yerleştirilmiş, altı gözlü ocağın yanında çelik bir çalışma yüzeyi olan bir aşçı istasyonu duruyordu. Saldırı başladığında aşçılardan biri ton balığı hazırlıyor olmalıydı, çünkü balık, yanında bir satır ve fileto bıçağıyla birlikte kesme tahtasının üzerindeydi. Nastiya her iki kesici aletin pozisyonlarını aklına not etti, düşmanlarının başlarını aşağıda tutmalarını sağlamak için silahını bir kez daha ateşledikten sonra onu omzuna astı ve tüylü bir halının üzerinde yürüyen bir kedi kadar sessizce öne doğru sıçrayarak ellerini tezgâha dayadı ve üzerinden atladı. Bunu yaparken sağ eliyle satırı kavramıştı, böylece yere inip açık dolaba doğru döndüğünde çoktan havada olan eliyle onu ileri fırlattı ve satır havada uçarak saldırganın boğazına saplandı.

Diğer adamın sırtı Nastiya'ya ve yüzü dolaba dönüktü, silahı ise gevşek bir şekilde yanında sallanıyordu. Arkadaşının yere düştüğünü görünce arkasını döndü ve o bunu yaparken Nastiya öne doğru atılıp sol elindeki fileto bıçağını sağ eline geçirdi, adam döndüğünde tam arkasına denk gelebilmek için vücudunu eğdi ve yanına ulaştığında hemen arkasından sol eliyle ağzını kapayıp başını geriye doğru çekerek bıçakla boğazını kesti.

Adam ayaklarının dibine düştüğünde Nastiya onun elinde bir akıllı telefon olduğunu fark etti. Pislik herif o ve arkadaşının yapmaya çalıştıkları şeyi filme kaydediyordu. Nastiya telefonu alıp bir keseye koyarken Rusça bir dizi küfür savurdu, sonra bakışlarını gömme dolabın içine doğru çevirdi. İçeride beş ceset vardı –hepsi Güneydoğu Asyalıydı– erzaklarsa dolu raflarda et parçaları gibi yatıyorlardı. Hepsine yakın mesafeden birçok kez ateş edilmişti. Nastiya cesetleri kontrol ederek bir yaşam belirtisi aradı ama bulamadı.

Beş mutfak personeli, yüz yirmi aç işçiye, farklı yiyecek çeşitleriyle günde üç öğün yemek hazırlamak için yeterli değildi. Mutfağa dönüp bir sonraki dolabın kapağını açtı ve biri ona bir domates konservesi fırlatınca eğildi.

"Dur!" diye bağırdı. "Ben dostum!"

Korkmuş, üşümüş ve tir tir titreyen sekiz kişilik mutfak personelinin saklandıkları yerden çıkmasını, hatta bazılarının uzandıkları raflardan inmesini sağlayan, kullandığı kelimelerden ziyade, kadın sesi ve İngilizce konuşmasıydı.

"Başka birileri var mı?" diye sordu Nastiya, onu takip ederek buzdolabı ünitesinden çıkarlarken.

"Hayır," dedi içlerinden biri. "Sadece," başıyla diğer açık kapıyı işaret etti, "şuradaki arkadaşlarımız."

"Güvende olmak istiyorsanız buradan çıkmalısınız," dedi Nastiya ve onları mutfağın dışına ve oradan da geçide doğru yönlendirdi. Moran'ı işaret etti. "Bu adam sizinle ilgilenecek. Burada kalın ve o söylemeden yerinizden kıpırdamayın."

Nastiya anlaşıldığından ve söylediklerinin yapıldığından emin olmak için bir süre orada bekledi, sonra farklı bir ses tonu takınarak Imbiss'le konuştu. "Mutfak güvenliği sağlandı. İki saldırgan öldü. Bir adamımız öldü, Donovan. Birkaç personel ölü bulundu. Sekiz personel emniyete alındı ve iyiler. Planlandığı şekilde devam ediyorum. Tamam."

Imbiss'in cevabını dinledi. "Mesaj alındı ve anlaşıldı. İyi şanslar. Tamam."

Nastiya, Halsey'e bakarak konuştu. "Tamamdır. Gidelim."

Arkasında SBS askeriyle birlikte mutfağa döndü, katliamın olduğu dolapların yanından geçerek fırınlarla ve ekmek somunlarıyla dolu tekerlekli raf ünitelerinin olduğu başka bir alana yöneldi. Alanın ortasında durup başını kaldırdı ve iki neon ışık dizisinin arasına yerleştirilmiş, çelik ağlarla örülü mazgala baktıktan sonra kıyafetine tutturulmuş su geçirmez keseye uzanıp bir gaz maskesi çıkardı.

"Çıkmam için bir destek lazım," dedi maskeyi başına geçirirken.

Halsey ızgaranın altına geçip iki elini avuç içleri yukarı gelecek şekilde birbirine kenetledi. Nastiya sağ ayağını onun ellerine yerleştirdi ve yukarı doğru yükseldi. Olabildiğince yukarı uzandı ve iterek mazgalı yerinden çıkardı. Açılan boşluğun bir kenarını iki eliyle tutup kendini yukarı, hava kanalına doğru çekerek içine girdi. Halsey oflayıp puflayarak Nastiya'nın omuzları, sonra kalçaları ve nihayet tüm bedeni deliğe girip karanlıkta kaybolana kadar ellerini yukarı kaldırdı.

Nastiya görevin bu bölümü için bilhassa seçilmişti, çünkü takımın en küçük, en hafif ve en çevik üyesiydi. Ama onun bile havalandırma kanalının içinde hareket edecek çok büyük bir alanı yoktu ve gaz maskesi, zaten sınırlı olan görünürlüğü engellemekle kalmıyor, aynı zamanda sıkışık metal bir tüpün içinde olmanın getirdiği klostrofobiyi artırıyordu. Güçlükle de olsa manevra yaparak az evvel tırmandığı havalandırma kanalından kocaman gözlü bir canavar gibi dışarı baktı. Bir tarafına yatarak kolunu dışarı, Halsey'ye uzatırken Halsey de sırtındaki silindirlerden birini çıkarıp Nastiya tutabilsin diye yukarı uzattı.

Silindirin tepesinde bir tutma yeri vardı. Nastiya parmaklarıyla tutma yerini kavradı ve tüm gücüyle yukarı çekti. Halsey alttan ona yardım ettiği sürece silindiri hava kanalının içine alma işi zor değildi, ama sonra Halsey daha fazla uzanamadı ve silindirin tüm ağırlığı Nastiya'ya kaldı. "Aman Tanrım! Ne kadar da ağır!" diye homurdandı Nastiya gaz maskesinin içinden. Sonra da silindiri milim milim havalandırma boşluğuna çekti ve uzaklarda yankılanan şiddetli metalik bir gürültüyle yanına yerleştirdi.

Nastiya olduğu yerde kalakaldı. Eğer yaklaşık yirmi metre mesafede olan kafeteryadaki teröristlerden biri bu gürültüyü duyar ve kontrol etmek için gelirse görev başarısız olabilirdi. Kalbi küt küt atarak, gerginlik ve korkudan ter dökerek bekledi. Fakat bir süre geçti ve kafeteryadan herhangi bir tepki gelmedi. Bunun üzerine, silindiri çok yavaşça ve olabildiğince sessizce sürüklemek için elinden geleni yaparak sürünmeye başladı ve klima kanalının siyah kucağına doğru ilerledi.

İleride, Nastiya'ya fener görevi gören bir ışık kümesinin olduğu iki havalandırma boşluğu vardı. Sürünerek ilkinin etrafından dolandı ve daha uzakta olana gitti, orada silindiri yanına yerleştirdi. Silindirin tepesinden kısa bir hortum çıkıyordu, Nastiya bunu aşağıyı gösterecek şekilde boşluğun tam üstüne yerleştirdi.

Sonra Halsey'nin hâlâ onu beklediği, mutfağın tepesindeki açıklığa kadar geri gitti ve tüm o acılı, sinir bozucu işlemi ikinci silindirle tekrarladı ama bu kez silindiri daha evvel geçtiği ilk boşlukta bıraktı. Silindirin tepesindeki hortumun yanında yassı, yuvarlak bir musluk vardı. Nastiya onu çevirip havalandırma kanalının derinliklerine doğru ilerlerken fısıldayarak konuştu. "Gaz açık."

"Seni duyuyorum," diye karşılık verdi Imbiss.

Bunun üzerine kanalda, daha uzaktaki boşluğa doğru sürünerek ikinci silindirin musluğunu da açtı.

Sonra boşluğun kenarına doğru eğilerek gaz maskesinin içinden yavaş ve derin nefesler aldı. Zihnini yatıştırıyor, gücünü topluyordu. Fazla zaman kalmamıştı.

Té-Bo kronometresine baktı ve beş dakikanın neredeyse dolduğunu gördü. Bir başka infazın ve odanın bir köşesinde biriken kana bulanmış yığına bir başka ceset eklemenin zamanı gelmişti. Kurbanlardan birkaçı korkudan altını kirletmişti ve dışkı kokusu küçük alana sıkışmış terli bedenlerin genel kokusunu daha beter hale getiriyordu. Té-Bo için bunun sakıncası yoktu. Büyüdüğü gecekondu mahalleleri çok daha kötü kokardı, hem nasılsa dışarı çıkmalarına fazla kalmamıştı. Bombalar kulenin dibine yerleştirildiğinde adamlarına rehinelere ateş açıp hepsini öldürmelerini emredecekti ve sonra iş, sadece helikopterlere atlayıp üsse geri dönmeye kalacaktı.

"*Alors*, zaman geldi!" diye seslendi ve adamlarından ikisine kalabalıktaki kurbanlardan birini almalarını emretti.

Rehineler artık direnmeye yeltenmiyorlardı. Té-Bo onların kendi canlarını kurtarmaktan, birisinin gelip onları kurtaracağı kadar uzun süre hayatta kalabilmekten başka bir şey düşünmediklerini görebiliyordu. *Ama o birisi asla gelmeyecek,* dedi içinden.

Adamları, soluk tenli, seyrelmiş kızıl saçlı, beyaz bir adamı yakaladılar. Adam ellerinden kurtulmak için güçsüz bir mücadele verdi ama böbreklerine silahın dipçiğiyle atılan darbe mücadele gücünü yok etti. Adam infaz alanına doğru sürüklenirken Té-Bo da silahının hâlâ kusursuz şekilde çalışıp çalışmadığını kontrol ediyordu, o sırada salonun arkasından bir adamın sesi duyuldu.

"Beni alın!" diyordu. "O adamı tanıyorum, karısı ve çocukları var. Benim yok. Benim elime bakan kimse yok. Beni alın!"

Té-Bo güldü. "Şanslısınız, *mösyö*," dedi dizlerinin üzerine zorla çöktürülmüş, tekrar tekrar, "Ölmek istemiyorum, ölmek istemiyorum..." diye inleyen kızıl saçlı adama.

"Götürün şunu," diye emretti Té-Bo ve adam tekrar ayağa kaldırıldı. Yine direndi, diğer adamın sakin ve kararlı adımlarla iki görevliye doğru yürüdüğünü görene kadar canının kurtulduğunu anlayamamıştı. Şimdi tutuklu, yeni gelenin kendi yerini alacağını fark etmişti. "Teşekkür ederim, teşekkür ederim! Tanrı seni korusun'" diye bağırarak yeniden kalabalığın içine karıştı.

Haydi, Cross, elini çabuk tut! diye düşündü Sharman, inanamaz bakışlarla kendisine bakan rehine kalabalığının içinden onu öldürmek için bekleyen teröristlere doğru yürürken. Liderlerinin yüzünde kocaman bir sırıtış vardı, birinin kendi infazı için gönüllü olacak kadar budala olması fikri belli ki hoşuna gitmişti. Arkadaşları dirsekleriyle birbirini dürtüklüyor, sırıtarak gösterinin tadını çıkarıyorlardı: Tüm dünyanın görmesi için internete yüklenecek canlı ölüm filmine eğlence katmak üzere tüm olayı kayda alan kişi hariç.

Fakat Sharman ölmeyi planlamıyordu. Havalandırma boşluklarından birinin altında duruyordu ve kanalın içinde birinin hareket ettiğini, ardından da, Imbiss'in ona haber verdiği gibi, gazın tıslamaya başladığını duymuş, tatlı kokusunu almıştı. Hatta kendini bir parça kafası karışmış ve sersemlemiş de hissediyordu. Ama aklı yine de ne yaptığını bilecek kadar iyi çalışıyordu. Silahlı adamlardan oluşan küçük gruba doğru yürürken olabildiğince oyalandı, etrafına bakındı, o zaman ilk esnemeyi ve bir kadının kendine gelmek ister gibi başını sağa sola hızla salladığını gördü. Fakat henüz teröristlere bir şey olmamıştı. Hâlâ keyifleri yerinde gibiydi. Hayır... bir dakika... şimdi içlerinden biri eliyle yüzünü ovuşturuyor ve bir diğeri ağırlaşan göz kapaklarını kırpıştırıyordu. Ama şu anda onu tutan eller enerji dolu ve güçlüydü. Teröristlerin liderine gelince, kocaman Beats kulaklıklarıyla gözleri parlayarak kameraya bağırıyordu. "İzliyor musunuz, *Monsieur le Président*? Cabinda halkının iradesinden şüpheniz mi var? Korkak olduğumuzu ya da kan görünce bayılan ihtiyarlara benzediğimizi mi düşünüyorsunuz? Hayır, hiçbiri değiliz! Bizler cesur adamlarız ve tekrar tekrar öldürmeye devam edeceğiz. Beş dakika geçti ve şimdi bir başkası..." Esnemesini bastırarak devam etti: "Bir başkası ölmek zorunda."

Sharman katilinin elinde bir silahla kendisine doğru geldiğini gördü. Silah yukarı kalktı. Kafasına doğru kalkan namlunun titrediğini gerçekten görmüş olduğunu diledi. Sonra her yer karardı ve mutlak bir hiçliğe doğru sürüklendi.

"Haydi! Haydi! Haydi!" diye bağırdı Imbiss kulaklığına doğru.

O'Quinn ve Thompson helikopter pistinin altındaki merdivende, Rugerlarını kılıflarından çıkarıp doldurdular. Sonra O'Quinn tek bir kelime söylemekle yetindi. "Şimdi!"

İki adam güverteye doğru sıçrayarak orada duran ve motoru rölantide çalışan Hind'in camla çevrelenmiş kokpitindeki mürettebata ateş etmeye başladı.

Hind, tüm askeri birlikleri imha edebilecek, 1470 mermi şarjörlü bir 12,7.mm Yakushev Borzov mitralyözle donatılmıştı. Ama şarjörü boştu, çünkü iki helikopteri gece götürmek için rüşvet kabul eden Hava Kuvvetleri subayları, aldatılabilecekleri,

Hind'in silahlarının kendilerine çevrilebileceği korkusuyla, cephanelik ve roketleri yüklemeyi reddetmişlerdi. O nedenle mürettebatın ateşe karşılık verecek ekipmanı yoktu.

Böyle bir şeye gerek de yoktu. Helikopter zırhı sağlamlığıyla meşhurdu ve hafif silahların ateşine karşı dayanıklıydı. Ne var ki, kokpitin etrafındaki pencereler sağlamlaştırılmış camdı ve mermiler başlarının bu kadar yakınına gelip camlara çarparken sakin ve kıpırdamadan durabilmek için sağlam sinirler gerekiyordu. Pilot, Cross ve O'Quinn'in beklediğini yaparak mümkün olabilecek en hızlı kalkış için motorlarını tam gaz çalıştırdı. Düşmanının aslında ateşi kestiğini fark etmeyerek Hind'i havalandırdı ve helikopteri platformdan denize doğru çevirdi. Hâlâ tepede dönüp duran ikinci helikopterin pilotu diğerinin yaptığını görerek ve –büyük bir rahatlamayla– yolcuları kaderlerine terk ettiklerini varsayarak kılavuz helikopteri takip etti.

Platformdan yaklaşık yüz metre açıldıklarında O'Quinn, "Devriye botu bir. Ateş serbest!" diye talimat verdi.

İki füze, platformun ilerisinde, devriye botlarının gizlendiği yerden çıkıp karanlığın içinde patladı ve gökyüzünde çığlıklar atarak Hindlerin egzoz çıkışlarına isabet etti. Helikopterler havaya uçtu ve yanmış enkazları yağmurun içinde Atlantik'in köpüklü sularına düştü.

O'Quinn yeniden konuştu. "İki hava aracı düştü. Saldırganlar platformda mahsur kaldılar. Tekrar ediyorum, saldırganlar mahsur kaldılar." Ardından da Thompson'a döndü. "Pekâlâ, gidip Cross'un yardıma ihtiyacı var mı bakalım."

McGrain iki adamını sondaj odasına göndermişti. Camlı cepheden dışarı bakan saldırganlar, kulenin altında bombalarını yerleştirmeyi bitirmek üzereydi, bir an sonra kulenin altındaki alana doğru net bir görüş açısına sahip olacak, dolayısıyla ateşe maruz kalacaklardı. Bu nedenle de onlarla hemen ilgilenilmesi şarttı.

Adamlar saldırı emrini alır almaz sondaj odasının kapısını tekmeleyerek açıp içeriye bir ses bombası attılar ve patlamanın odanın çelik duvarları içinde kalması için dua ettiler. Sonra hızla içeri daldılar ve iki sersemlemiş saldırganı bulup soluk borusu ve şah damarlarına ulaşarak kanamaya ve boğulmaya yol açacak şekilde, eski usul boğazlama teliyle onları öldürdüler.

McGrain döner platformun oradaki adamlara da aynısını yapmaya niyetlenmişti, fakat adamlar onun ve Flowers'ın geldiğini görünce yerde duran tüfeklerini alarak ateş etmek için döndüler. Bunun üzerine McGrain'in de ateş açmaktan başka çaresi kalmadı. 22 kalibrelik tabancadan iyi nişan alınmış birkaç merminin, yangın veya patlamaya sebebiyet vermek açısından, hareket eden bir hedefe püskürtülen iki şarjörlü, otomatik bir AK-47'ye göre çok daha az potansiyeli vardı.

İki saldırgan öldü. Flowers hemen patlayıcıların yanına koşmuştu. "Etkisiz hale getirebilir misin?" diye sordu McGrain.

Flowers sırıttı. "Çocuk oyuncağı, dostum. Çantada keklik."

Nastiya, ekip Londra'dan ayrılmadan önce Doktor Rob Noble'ın Cross için tedarik ettiği sevofluran anestetik tankının musluğunu kapadı ve diğerini de kapatmak için kanalın içinde sürünerek ilerledi. Silindiri yuvarlayarak havalandırma boşluğundan uzaklaştırdı, boşluğun mazgalını tekmeleyip açarak onu kafeteryadaki yemek masalarından birine indirdi. Kendisi de aşağı inerken Halsey ve Moran'ın mutfak kapısına gelerek servis tezgâhının ardındaki alana koştuklarını ve kafeteryaya girdiklerini gördü.

Sonra gaz maskesinin içinden etrafa bakındı. Cross orada, odanın karşı köşesinde duruyordu.

Sersemletici bombaların işe yaramadığı zamanlar olabilir. Kapalı bir alanda birbirine yakın gruplanmış birkaç kişi üzerinde çok iyi iş çıkarırlar, ancak büyük bir kafeterya gibi daha geniş alanlara yayılmış birden çok hedefe karşı çok daha az etkilidirler. Bir alternatif de bayıltma gazı olabilir ama bunun, rehine kurtarma yolu olarak daha az asil bir geçmişi vardır. Ekim 2002'de Ruslar, yaklaşık kırk silahlı Çeçen asiyi ve rehin aldıkları sekiz yüz elli seyirciyi etkisiz hale getirmek için kimyasal bir madde –ismi o zamandan beri gizli kalmıştır– yaymak üzere Moskova'daki Dubrovka Tiyatrosu'nun havalandırmasını kullandılar. Tüm asiler öldü ama yüz otuz rehine de gazın ters etkileri neticesinde hayatını kaybetti. Ruslar eylemleri için özür dilemeye gerek duymadılar, tüm rehinelerin, onları tutsak eden kişilerin üzerindeki el bombaları, mayınlar ve el yapımı patlayıcılar yüzünden ölmelerinden daha iyiydi bu.Cross bu mantığı kabul ediyordu ama şayet korktuğu gibi, platformda veya FPSO'da gaz kullanmak zorunda kaldığında, yüzden fazla insan bir yana, tek bir masum kişiyi dahi öldürdüğünü açıklamak istemiyordu.

İhtiyaç duyduğu şeyi Rob Noble'a izah etmişti. "Kurbanlarını öldürmeden, kötü adamları savaşamayacak hale getirecek bir gaza ve onu yaymanın bir yoluna ihtiyacım var."

"Bir şartının diğerini tamamen yok ettiğinin farkındasın, değil mi?" diye karşılık vermişti Noble. "Yani, ben birilerini bayıltmak istesem etorfin olarak da bilinen M99'u seçerdim. Veteriner hekimlerin büyük hayvanları sakinleştirmek için kullandıkları bir uyuşturucudur. İnsanlar söz konusu olduğunda tehlikeli bir ilaçtır, çünkü onları sadece bayıltmakla kalmaz, ölümcül de olabilir. Bir panzehir var, ama enjekte edilmesi gerekiyor ve söz konusu onlarca, hatta yüzlerce insansa umutsuz bir girişim olur bu."

"Peki ne öneriyorsun?" diye sormuştu Cross.

"Sevofluran. Etkili bir anestetiktir, ameliyatlarda sık sık kullanılır ve uygun şekilde uygulandığında oldukça güvenlidir. Eh, bayıltmak isteyeceğiniz kişilerle ilgilenecek eğitimli bir anestezi ekibiniz olmayacağına göre makul ölçülerde verir ve sonrasında ortamı havalandırırsanız sorun olmaz."

"Bu biraz zor. Çoğu geminin lombarları ve petrol platformunun pencereleri mühürlüdür."

"Eh, o halde siz de patlatırsınız onları," demişti Noble. "Senin büyük bir patlamadan çekindiğini hiç görmedim ben."

İşte Cross bu nedenle şimdi, alkol ve uyuşturucu dolu bir âlem gecesinin sabahı gibi görünen kafeteryada, sandalyelerin ve masaların arasına serilmiş veya şaşkın bir kafa karışıklığı içinde sendeleyerek dolaşan insanların arasında koşuyordu. Cross ileride Kulaklıklı Velet olarak adlandırdığı terörist liderinin silahını Sharman'ın kafasına doğrultmaya çalıştığını gördü. Fakat genç teröristin elindeki silah gitgide ağırlaşıyormuş gibi görünüyordu ve Sharman yere yığıldığında sorumlusu bir mermi değil, gazdı.

Cross, Kulaklıklı Velet'i iki darbede yere serdi. Etrafına baktığında Cross Bow ekibinin, diğer saldırganları soğuk ve tecrübeli bir netlikle birer birer temizlediğini, teröristlerin adeta ağır çekimde öldüğünü gördü. Teröristlerden birinin düşürdüğü bir AK-47'yi alarak pencereye doğrulttu. Bu, onun hafif tabancasından çok daha güçlü bir silahtı ve içeriyi biraz temiz havayla doldurmanın zamanı gelmişti.

Platformu istila eden adamların hepsi haklanmıştı. Şimdi, kendilerini çok ama çok uykulu hissetmek haricinde sevofluranın başka yan etkilerini yaşamamaları için rehineleri kafeteryadan çıkarmak gerekiyordu. Cross gaz maskesini yüzünden çıkarmaktan memnundu, Paddy O'Quinn'den rehineleri, kurtarıcıları ve teröristleri saymasını istedi. O sırada Dave Imbiss telsizden konuştu. "Yaptıklarınız için hepinize teşekkür etmek isteyen bazı insanlar var burada, o yüzden bunu herkese aynı anda yayınlıyorum, şimdi konuşabilirsiniz efendim..."

"Selam Hector, ben John Bigelow, Bannock Petrol'deki herkes adına ve eminim ki senin ve ekibinin kurtardığı insanların yakınları adına konuşuyorum: Harika bir iş çıkardınız. Bir açık deniz ortamında çalışmanın zorluklarına göğüs gereceğinize her zaman inandım, ancak bu kadar kısa sürede bu kadar korkunç bir durumla karşı karşıya kalacağınızı hayal dahi etmemiştim."

"Teşekkür ederim, John, söylediklerin hepimiz için çok şey ifade ediyor..." diye karşılık verdi Cross, bir yandan da düşünüyordu: *Gerçekten mi? Hayal etmemiş miydin? Olacakları net bir şekilde aktardığımda bile mi?*

"Sadece herkesi kurtaramadığımız için üzgünüm," diye ekledi Cross. "Ama elimizden geleni yaptık ve platforma saldıranların cezalarını ağır bir şekilde ödemelerini sağladık."

"Bunu yaptığınıza çok memnunuz," diye karşılık verdi Bigelow. "Bir petrol tesisine saldırmaya yeltenecek herkese de anında cezalarını çekecekleri mesajını verdiniz. Şimdi sözü kendisi de birkaç şey eklemek isteyen birine bırakıyorum."

"Ben Amerikan Donanması Piyade Komutanlığı'ndan Koramiral Scholz. Hatırlarsanız daha önce konuşmuştuk, Bay Cross."

"Evet, efendim bize durumunuzu çok net açıklamıştınız," diye karşılık verdi Cross.

Scholz rahatsız bir şekilde güldü. "Ve hatırladığım kadarıyla pek de iyi değildi."

"Evet, efendim."

"Eh, bu başarınızın ölçeğinin altını çizmiş oluyor. Görevinizi planlamak için neredeyse hiç vaktiniz olmadan, en zorlu hava koşullarında bir platformu kurtararak bu gece siz ve çalışanlarınızın başardıkları şeyin... bunun askeri bir mucize olduğunu söyleyebilirim. Şayet bir Amerikan askeri olsaydınız sizin ve sizi yiğitçe destekleyen insanların yakasına bir madalya takarlardı."

"Teşekkür ederim, efendim, biz sadece elimizden geldiğince işimizi yapmaya çalıştık."

"Ve hepiniz kendinizle gurur duymalısınız."

Amerika'dan gelen hat kapandı ve yerini bir düzine eski askerin, ortalığın kurumsal ve askeri at gübresi koktuğuna dair alaycı sözleri aldı.

"Ben de biraz temiz hava alsam iyi olur," dedi Cross ve ana güverteye yöneldi.

"Hey, Johnny," dedi Chico Torres, Mother Goose'un kaptan köşkünde. "Geri sayımı sen yapmak ister misin? Çünkü bebeğimiz havaya uçmak üzere... sadece birkaç dakika kaldı."

Congo güldü. "Evet, haydi biraz *Mission Control* oyunu oynayalım, direkt patlama düğmesine bas. Peki büyük gösteriyi ne taraftan görürüm?"

"Tam arkadan. Bak ne diyeceğim, neden bara gidip kendimize güzel birer içki hazırlamıyoruz, bilirsin, iyi yapılan bir işe kadeh kaldırmak için."

"Hey, iyi yapılıp yapılmadığını bilmiyoruz ki," diye karşı çıktı Congo.

"İnan bana, Johnny. Ben oradaydım ve gayet iyi yapılmıştı. O yüzden dediğim gibi bir içki alıp kıç güvertesine çıkalım... Biraz rüzgâra ve yağmura aldırmazsın, değil mi? En iyi görüşü oradan alırız."

"Şu kadarını söylemeliyim, Chico, prensip olarak ıslanmaktan hiç hazzetmem. Ama bu özel durum için bir istisna yapabilirim. Haydi, gidip şu barda neler varmış bir bakalım."

Fırtına dinmişti ve Magna Grande sahasının üzerinde hafif bir yağmur çiseliyordu. Cross ve O'Quinn platformun ana güvertesinde, küpeşte parmaklıklarına dayanmış, okyanusa, bir buçuk kilometre ötedeki *Bannock A*'ya doğru bakıyorlardı.

"Kaybettiğimiz tek kişi Donovan oldu," dedi Cross.

"Evet, başka kimse yaralanmadı bile."

"İyi bir adamdı. Bir karısı ve küçük bir çocuğu vardı değil mi? Onlarla ilgilenilmesini sağla... Yine de on dört adamda bir kişi eder: Bu değerlendirmeyi bir saat önce de yapabilirdim ben. Peki ya platform mürettebatı?"

"Yirmi dokuz ölü, kırktan fazla yaralı var ama çoğu küçük incinmeler ve yaralar. Bir düzine de kayıp var, bir sürü insan saklanacak yer bulmuş anlaşılan, o yüzden mobilyaların içinden çıkmaları biraz zaman alabilir."

"Peki, ya ciddi yaralanmaları olanlar?"

"Yedi kişiler ve hem *Glenallen* hem de *Bannock A*'dekilerin tedavileri için en iyi yolları deniyoruz. Elbette burada bir revir var, ama sağlık görevlisi vurulan rehineler arasındaymış. Beş numaraydı."

Cross içini çekerek başını sağa sola salladı. "Mürettebattan çok kişi kaybettik ama buraya daha hızlı gelebilmemizin ve daha temiz bir iş yapabilmemizin mümkün olmadığını düşünüyorum."

"Oralara hiç girme, Heck. O amirali duydun, askeri bir mucize gerçekleştirdin sen."

"Hayır, eğer bir mucize olsaydı suyun üzerinde yürüyerek gelirdim buraya."

O'Quinn güldü ve devam etti. "Ciddiyim, adam haklı... Kimseden yardım almadık, havadan destek yoktu, platformda doğru dürüst eğitim yapılmamıştı..."

"Bigelow'a bu konuda bir çift lafım var. Değerli platformu toz dumana karışmadığı için şans yıldızlarına şükretmeli."

"Kesinlikle... Bak, bu platformdaki insanların dörtte üçünü kurtardık ve yetkili kişi de sendin. Birisinin İkiz Kuleler'deki insanların dörtte üçünü kurtardığını düşünsene. Neden diğer dörtte birini kurtarmadı diye paylar mıydın onu?"

"Elbette hayır..." Cross yüzünü buruşturdu. "Ama ukala bir gazetecinin ya da üçkâğıtçı bir avukatın çıkıp daha iyisini yapabileceğimizi iddia edebileceğini ve herkesin aniden bunun bir felaket olduğunu söyleyebileceğini sen de benim kadar iyi biliyorsun, Paddy."

"Ah, boş ver onları, onlar ne biliyor ki?"

"Yapmak zorunda olduklarımız konusunda mı?" diye sordu Cross. "Hiçbir şey. Hayal dahi edemezler. Ve haklısın. Bu gece lanet olası iyi iş çıkardık. Hem de çok iyi bir iş."

Mother Goose'da Torres ve Congo, sırasıyla bir Bud ve bir Cristal şişesinden yudumlar alarak doğuya doğru bakıyorlardı. Torres telefonunun gösterdiği kronometreyi kontrol etti. "Evet, bebeğim, işte başlıyoruz," dedi. "On..."

Congo ona katılarak saymaya koyuldu. "Dokuz... sekiz... yedi... altı..."

Mini denizaltıların arkalarında çektiği dalgıç kızak, doğrudan *Bannock A*'nın sabit gövdesinin altındaki bir noktaya demirlenmişti. Üzerinde, mühürlü su geçirmez bir fünyeyle birlikte yaklaşık iki bin kiloluk patlayıcı vardı ve Chico Torres'in telefonundaki kronometreyle koordineliydi.

Ve Torres ile Congo kronometreyle birlikte saymaya devam ediyordu. "Bir... ve patla!" Devasa bomba patladı. Suyu patlamanın merkezinden uzaklaştıran şok dalgalarının gücü, *Bannock A*'nın tam altında dev bir hava kabarcığı oluşturdu. Bu, suyla desteklenen üç yüz bin tonluk gemi, rafineri ve petrolün altında hiçbir şey olmadığı anlamına geliyordu. Bütün ağırlık birdenbire havada asılı kalan omurgaya yüklendi.

Ve omurga kırıldı.

Cross ve O'Quinn oldukları yerden, inanılmaz bir hızla gerçekleşen olay dizisini gördüler, ancak tam olarak neler olduğunu anlayamadılar.

Bannock A, tıpkı petrol platformu gibi, gecenin içinde, bacasından çıkan alevli gazla birlikte endüstriyel bir Las Vegas gibi aydınlanmıştı.

Işıklar aniden havaya yükseliyormuş gibi göründü.

Ardından da denizin altından gelen boğuk patlama sesini duydular.

Bannock A'yı gökyüzüne doğru iten kabarcık kendi içine çöküp gemiyi yeniden denize çekti. Göz kamaştırıcı ışık gösterisi de şimdi yeniden aşağıya düşüyordu. İkinci ve çok daha büyük bir patlama olduğunda *Bannock A,* volkanik bir alev ve duman patlamasıyla parçalara ayrıldı. Bunu, Cross ve Quinn'i vuran ve onları çelik güverteye fırlatan süpersonik bir şok dalgası takip etti. Ardından da kulakları sağır eden bir ses duyuldu ve sonunda öfke dolu bir su ve serpintiyle birlikte kendini petrol platformuna doğru atan Cross'u neredeyse boğacak kadar büyük bir dalga geldi.

Kulakları birbirlerinin bağrışmalarını duyamayacak kadar çınlayan Cross ve O'Quinn, ayağa kalkıp sendeleyerek küpeşteye doğru yürüdüler. Acıyan gözleriyle suya doğru baktılar ama karanlıktan başka bir şey göremediler. Işık yoktu, alevler yoktu, hiçbir şey yoktu.

Bannock A ve üzerinde bulunan herkes tamamen yok olmuştu.

Cross şaşkındı, patlamanın gücüyle sersemlemişti. Gözlerini ovuşturarak bakmaya çalıştı ama yine bir şey göremedi. Fakat şimdi sanki okyanusun kendisi yanıyormuş gibi suyun üzerinde dans eden alevleri seçebiliyordu. Bunların suyun yüzeyinde ve yanmakta olan petrol birikintileri olduğunu anlaması fazla sürmedi. Cross gemideki insanları düşündü.

Bunun, hak edilmiş uzun emeklilik yıllarından önceki son bir görevden ibaret olduğunu düşünen, önce iş arkadaşı, sonra dostu Cy Stamford'ı düşündü. Gemide Cross Bow'dan bir adamı daha vardı ve Cross onun adını hatırlayamadığını fark edince utanç duydu. Gemileriyle birlikte yok olan iki yüz kişilik mürettebatın isimlerini de bilmiyordu. Ama sonra çok daha şok edici bir şey fark ettiğinde üzüntüsünü bir an için unuttu. Büyük bir olay gibi görünen o saldırı, aslında sadece bir dikkat dağıtmaydı, Cross ve adamlarının dikkatini başka yöne çekmek için yapılmış bir aldatmacaydı.

Tay Nehri'nde oltasındaki sineğe doğru çekilen bir somon balığı gibi, o da platforma doğru çekilmişti ve tıpkı sadece tüy ve iplikten ibaret olan sinek gibi o da bir aldatmacayla kandırılmıştı. Ve Cross da kanmış, kolayca oltaya gelmişti.

Bannock A'yı parçalayan bomba, karada da bir ateş fırtınası başlatmıştı. Çevreciler, FPSO battığında Atlantik'e boşalan büyük miktardaki petrol konusunda ayaklanmıştı. Bu arada Bannock Petrol, kendini Aram Bendick önderliğindeki bir spekülatör ordusunun ortak saldırısı altında buldu. Bendick, yüksek sesle kehanette bulunduğu iflastan para kazandığını gizlemiyordu ve düşüncesini öğrenmek için kendisine mikrofon tutan hiçbir muhabirden kaçmıyordu. "İnsanlar bana kâhin diyor. Ben kâhin falan değilim!" dedi Manhattan'daki ofisinin kapısında bekleyen bir grup muhabire. "John Bigelow ve yönetim kurulu budalalık ettiler. Alaska'da tüm paralarını kaybettiler, sonra Afrika'da üstelediler ve orada donlarını bile kaybettiler. Onları, hissedarların paralarıyla sorumsuzca risk aldıklarına dair defalarca uyardım. *Noatak* sondaj mavnasının Alaska kıyılarında batmasından sonra masraflarını kısmaları ve Abu Zara sahalarından gelen geliri maksimuma çıkarmaya yoğunlaşmaları gerekiyordu. Oysa onlar borçlarına borç eklediler, dünyanın en tehlikeli ve istikrarsız bölgelerinden birinde denenmemiş bir sahada çılgınca bir kumar oynadılar ve sonucu da böyle oldu. Bannock kaçınılmaz sona geldi. Hissedarları yatırımlarının her kuruşunu kaybedecekler. Bu cezai boyutta bir suiistimaldir ve toz duman yatıştıktan sonra Bigelow'a ve üst düzey yöneticilerine, özellikle de güvenlik şefi Hector Cross'a karşı suçlamalar yapılırsa şaşırmam. Tüm bunlar onun gözetiminde, burnunun dibinde gerçekleşti. Sorumlu tutulan o olmalıdır."

Basında çıkan haberler, çok geçmeden Cross ve ekibinin sözde başarısızlıklarına odaklandı. Platformun geri alınması, neredeyse yüz mürettebatın cesurca kurtarılması olarak değil, ikisi ciddi yaralanmalardan dolayı hayatını kaybeden otuzdan fazla insanın ihmalkârlık neticesindeki kaybı olarak gösterildi. Sonra Bannock Petrol'ün web sitesini inceleyen bir muhabir, iki devriye botunda deniz radarı olduğunu fark etti ve soru geldi: Cross neden platformun ve *Bannock A*'nın altındaki ve çevresindeki alanı tarama talimatı vermemişti? Cevap aşikârdı: Hiçbir petrol tesisi daha önce bir denizaltı saldırısına uğramamıştı. Öyleyse, teröristlerin bir platformu işgal etmesi ve mürettebatını öldürmesi gerçeğiyle yüz yüzeyken neden kimse bu ihtimalden endişelensindi? Ama bu tartışma, hepsi mükemmel bir görüşle donanmış ve izleyicilerine, muhakkak havadan ve sudan gelecek bir saldırı beklediklerini ve radar cihazlarını buna göre yerleştirdiklerini garanti etmeye hevesli, kendini uzman addedenler tarafından çabucak geçiştirildi. Cross üstlerinden ve askeri otoritelerden biraz destek almayı umuyorsa hayal kırıklığına uğrayacaktı. Cross'u övmekte acele eden Koramiral Scholz, anında başka meselelere gömülüp yorum yapamayacak kadar meşgul olduğunu iddia etti. Bu arada John Bigelow, Bannock Petrol'ün merkez ofisinin kapısında, yanında Kurumsal İletişim'den Tom Nocerino'yla birlikte haber kameralarının karşısına geçti. "Magna Grande sahasında yapılan hataları tam manasıyla kabul ediyoruz. Eminim sizler de takdir edersiniz ki, Houstan'dan dünyanın diğer tarafında, neredeyse on üç bin kilometre ötede gerçekleşen bir güvenlik operasyonuna karşı bir şey yapmak çok zordu. O yüzden sahadaki çalışanlarımıza güvendik ve bence onlar da ellerinden geleni yaptılar, ama belli ki bu yeterli olmadı. Neyin ters gittiğiyle ilgili bizler de kendi soruşturmamızı yürüteceğiz ve elbette her türlü resmi soruşturmayla da işbirliği içinde olacağız."

Hector Cross hiç bilmediği topraklarda bir muharebe alanına atılmıştı. O bir askerdi. Yaşayan, nefes alan bir düşmanla karşı karşıya, savaş silahlarıyla donanmış haldeyken ne yapması gerektiğini tam manasıyla biliyordu. Ama şimdi kendi canlarını kurtarmak için yalan söyleyen üstleriyle ve gerçek koşulları anlamak şöyle dursun, hiçbir alakaları olmayan muhabirlerle mücadele etmek zorunda kalıyordu. Buna bir de platformda ve batan gemide ölenler adına kendisine dava açmak isteyen üçkâğıtçı avukatlar ve hatta ona karşı ceza davaları açan bölge savcıları eklenmişti. Tıpkı Bendick'in ima ettiği gibi, Magna Grande felaketinin kötü adamını adalete teslim etmek isteyen, siyasi kariyer peşindeki hırslı savcıların sonu gelmiyordu.

Ronnie Bunter onun yasal durumunu değerlendirmek üzere aradığında Cross isyan etti.

"Benim adamlarım petrol platformundaki rehineleri kurtarmak için hayatlarını tehlikeye attılar ve dünyanın herhangi bir yerindeki herhangi bir Özel Kuvvetler birimi olsa, bir sondaj platformunun bu kadar az kayıpla kurtarılmasından gurur duyardı."

"Bunu biliyorum Heck, bu işe adil ve objektif bir gözle bakan herkes de biliyor. Ama burası Amerika. İnsanlar bazen kötü şeyler olduğunu kabul edemiyorlar. Bir günah keçisi olmalı ve işin içinde para olmalı."

"Eh, o zaman Amerika'ya gidip kendimi ifade etsem iyi olacak, çünkü birinin beni bir günah keçisi yapmasına asla müsaade etmeyeceğim."

"Hayır, bunu yapmamalısın," diye uyardı onu deneyimli avukat. "Aslına bakılırsa ülke dışında kalmanı şiddetle tavsiye ederim. ABD topraklarına ayak bastığın anda gözaltı ve tutuklama emriyle sana darbe indirmeyi bekleyen birileri olacaktır. Londra'da kal ve bulabileceğin en iyi avukatı bul, çünkü sırası geldiğinde iade emriyle mücadele edecek birine ihtiyacın olacak. Birleşik Krallık Hükümeti, ABD'nin bir suçla itham edilen herhangi bir İngiliz vatandaşını, onlara karşı açılan davanın gücüne bakılmaksızın ve İngilizlerin vatandaşları için talep edebilecekleri bir koruma olmaksızın almasına izin veren çılgın bir anlaşma imzaladı."

"Peki ama Tanrı aşkına, ben ne tür bir suç işledim ki? Bir olayla karşı karşıya kaldım ve onunla mücadele ettim. Başka yerlere bakmam gerektiğini nereden bilecektim? Yaptıklarımın nesi suç?"

"Pekâlâ, bir bakalım, bana bir dakika izin ver..." Bunter bilgisayarında bir şeyler tuşlarken Cross hattın öteki ucunda bekledi. Ardından yaşlı adamın konuştuğunu işitti. "Tamam, işte burada... Teksas ceza kanunun kusurlu ruh hali tanımlarını ele alan 6.03 numaralı bölüm, kişinin önemli bir riskin farkında olması gerektiğinde cezai anlamda ihmalkâr olduğunu kabul eder.

Okuyorum: 'böyle bir ihmalkârlığın niteliği ve derecesi, davacı açısından bakıldığında, sıradan bir kişinin her türlü şart altında uygulayacağı standart dikkatten büyük bir sapma teşkil eder."

"Sen ciddi ciddi, sıradan bir insanın teröristlerin bir platforma helikopter indirmelerini izleyip, 'Hımm, denizaltıları araştırmaya başlamalıyım,' diye düşündüğünü mü söylüyorsun?"

"Hayır, Heck, ben demiyorum ama bir savcı diyebilir bunu ve kendisine inandıracak kadar aptal on iki jüri bulabilir. Ayrıca bu, Teksaslı bir savcı da olmayabilir. Yükümlülüklerle ilgili çok daha geniş tanımları olan bir sürü eyalet var ve ölen kişilerin hangi eyaletlerden geldiğini bilmiyorum ama sayıca çok olduklarını tahmin edebiliyorum. Oradakilerden biri halkı adına bir dava açabilir."

Dave Imbiss, medyayı saldırgan bir üslupla kullanmak istiyordu. "Dinle, Heck," dedi Cross'un ofisinde yaptıkları sonu gelmeyen bir dizi toplantıdan birinde. "Amerika'ya gitmene gerek yok. Tartışmayı buradan kazanabiliriz. Her şeyin kaydı bende var: Kapalı devre kamera sistemi çekimlerinin her bir parçası, siz platforma çıkmadan önce aramızda geçen her tür iletişim ve en vurucusu da John Bigelow ile Koramiral Scholz ve senin aranda gerçekleşen görüşmenin her kelimesi. Bir paket oluşturup basına ya da sadece sosyal medyaya vermeme müsaade et, o zaman tüm suçlamalardan kurtulabiliriz. Amerikalı bir amiral senin doğru şeyi yaptığını düşündü ve sana bir madalya takmak istedi. Bunu görünce kimse senin pervasız veya sorumsuz olduğunu iddia edemez."

Fakat bu fikir, İngiliz Avukat Jolyon Capel tarafından hemen reddedildi. Cross onu Bunter'ın tavsiyesi üzere tutmuştu. "Adam bugüne kadar karşılaştığım en keskin hukuki zekâya sahip, görünüşüne aldanma, bir beyaz köpekbalığı kadar öldürücüdür," demişti Bunter. Capel'ın bir köpekbalığına benzemediği kesindi. Ufak tefek, gözlüklü, beyaz saçlı, sakin mizaçlı, çatık kaşlı bir adamdı ve eski dönem Oxford koleji profesörlerine has bir diksiyonu vardı. İlk tavsiyesi, Imbiss'in önerdiği gibi karşı saldırıya geçmek değil, hiçbir şey yapmamaktı.

"Çok üzgünüm, Bay Cross, bunun sizin için ne denli sinir bozucu olabileceğini biliyorum ama sakin olmanız gerekiyor," dedi Capel. "Bu davanın ilk olarak bir İngiliz mahkemesinde görüleceğini ve bizim halka açık olmaya yaklaşımımızın, hukuki mücadelenin hukuk mahkemesi kadar kamuoyu mahkemesinde de sürdürüldüğü Amerika'dakinden çok farklı olduğunu unutmamalısınız. Bununla birlikte, bu ülkede yargıçlar, adaletin gidişatını saptırma teşebbüsü oluşturabilecek bir şeye karşı çok belirsiz görüşlere sahip olabilirler ve bu listede medyanın tanıtımı en üst sıralarda yer alıyor."

"Ama henüz mahkemede değiliz ki," diyerek itiraz etti Cross. "O nedenle şu an endişe edilecek bir yargıç yok ortada."

"Henüz yok," dedi Capel. "Ama olacağı zamanı önceden tahmin etmeliyiz. Mahkemeden önce söyleyeceğiniz şeylerin, dava başladığında sıkıntıya davetiye çıkaracağını aklınızda tutmalısınız. Bu, diğer tarafa, tabiri caizse nişan alacağı bir hedef verir. Savunmanızın ne olacağını biliyorlar ve bunu tam olarak nasıl destekleyeceğinizi de. Şayet askeri bir savaşta çarpışıyor olsaydınız düşmanınıza güçlü yanlarınızın neler olduğunu ve onları nasıl konuşlandıracağınızı söylemezdiniz. İşte, aynısı yasal bir ihtilaf için de geçerlidir: Bazı sürpriz unsurları korumamız gerekir."

Mateus Da Cunha'nın, Magna Grande'deki olaylarla bir ilgisi olduğunu inkâr etmesi Cross'un moralini daha da bozdu. "Bu korkunç trajedinin yaşandığı suların, dünyadaki haklı yerini alıp özgür bir millet olarak yaşayacağı zaman Cabinda'ya ait olacağı doğrudur. Özgür bir Cabinda için mücadeleye liderlik ettiğim de doğru. Ama defalarca söylediğim gibi, ben siyasi ve ahlaki bir şekilde savaşıyorum: Şiddet veya terör eylemlerine karışmıyorum. Ve gerekirse, bunun Cabinda savaşçılarının bir eylemi olmadığını kanıtlayabilirim. Tüm dünyanın bildiği gibi, saldırının lideri Fransızca konuşuyordu. Her Fransız'ın anlayabileceği üzere aksanı Afrikalıydı ve muhtemelen de Kongoluydu. O kişi kesinlikle Cabinda'dan olamaz, çünkü orada insanlar Portekizce konuşuyorlar. Sözde talepleri suçları için bir kılıftan ibaretti. Bu bir hırsızlıktı, silahlı bir soygundu, gerçek özgürlük savaşçılarının eylemi değildi. Bu olayla herhangi bir bağlantıyı reddediyorum, ölenler ve yaralılar için çok üzüldüğümü de ifade etmek istiyorum."

"Seni pis yalancı," diye mırıldandı Cross. BBC *News at Ten*'de Da Cunha'nın yaptığı basın açıklamasını izliyordu. "Olanlarla çok büyük bağlantıların var, senin de, Johnny Congo'nun da. Ve bunu gayet iyi biliyorsun."

"Yatağa gel, kızgın ihtiyar," dedi Zhenia, çatılmış kaşlarını okşayarak onu tatlı bir şekilde iğneledi. "Benimle sevişmek varken neden kötü adamların televizyonda söylediği yalanları izliyorsun?"

"Güzel soru," dedi Cross, hayatına sihirli bir şekilde giren güzel kadına şaşkınlığa benzeyen bir ifadeyle bakarak. Zhenia Voronova, hayatındaki tüm olumsuzluklara rağmen ona olan inancını koruyordu. "Nastiya senin bir kahraman olduğunu söyledi ve ben de ona inanıyorum, o yüzden de başkalarının ne düşündüğü umurumda değil," dedi ona yalın, neredeyse çocuksu bir açık yüreklilikle. "Ayrıca seni tanıyorum, Hector, ancak seven bir kadının tanıyabileceği gibi. Sen iyi, cesur ve dürüst bir adamsın. Seni o yüzden seviyorum." Sonra durup kıkırdadı ve ona şehvet dolu bir muziplikle bakarak parmağını onun göğsünden aşağı doğru kaydırarak devam etti. "Eh, en azından sebeplerden biri bu..."

Jo Stanley dakika dakika, saat saat Bannock Petrol'ün canının çekildiğini görüyordu. Bunter and Theobald'un kıdemlileri için aile üyeleriyle ve güven fonuyla alakalı farklı Bannock hesapları, firmaya katıldıkları andan itibaren mesleki yaşamlarının önemli bir parçası olmuştu. Şimdi bilgisayarlarının ekranlarından Bannock Petrol hisselerinin dibe vuruşunu izliyorlardı. Bariyerler birbiri ardına kırılıp, düşüş yüzde on... yirmi... elli... hatta yüzde sekseni geçerken sesli iç çekişler duyuluyordu.

Ofis kapılarının ardındaki fısıltılar daha da çaresiz bir hal almıştı. İnsanların ikramiyeleri, maaşları, hatta işleri Bannock

Petrol'ün devam eden refahına bağlıydı ama şimdi varlığı dahi tehlikedeydi.

Gerginliğin ortak seviyesine kadar tırmandığı Weiss, Mendoza ve Burnett personeli, bu felaketin hayatlarına da zarar verebileceğini fark etmeye başlamıştı. Üç üst düzey ortak, Bunter ve Theobald için ödedikleri çok yüksek fiyatı –birçok hukuk bloğu yazarı ve medya uzmanının görüşüne göre çok yüksek– toplayabilmek için finansal anlamda zor bir durumda ve desteksiz kalmışlardı. Şimdi bu fiyatın tek gerekçesi de gözlerinin önünde yok oluyordu.

Herkesin gözü önünde meydana gelen kurumsal ve mali çöküş sürecinde rahatsız olmuş görünmeyen tek bir kişi vardı. Ah, ama Shelby Weiss bunu saklamak için elinden geleni yapıyordu. Kapıda ismi olan bir ortağa yakışacak şekilde, kıdemsiz personelin tutumunu devam ettirerek çaresiz bir girişimle endişeli ifadesini korudu. Ama Jo Stanley, Ronnie Bunter'ın önceki talimatlarını ciddiye almıştı ve rakibinin gerçek niyetini okumayı iyi bilen bir poker oyuncusu gibi, Weiss'i iki aydan beri detaylı ve hukuki bir dikkatle izliyordu.

Örneğin, rahat olduğu zamanlarda karalamaları yuvarlak ve hatta girdaplı olma eğilimindeyken endişeli veya gergin olduğunda pürüzlü düz çizgiler halini alıyordu. İşte şimdi ortaklar toplantısındaydılar ve finans müdürü, Bannock hesaplarının kuruması durumunda yıllık gelir üzerindeki etkilerinin ne olacağını acı verici ayrıntılarla açıklıyordu –kaç personelin çıkarılması gerektiği, bilhassa çok daha az prestijli bir yerde daha ucuz ofislere taşınarak maliyetleri düşürmek zorunda kalacaklarını– ve Jo'nun karşısında oturan Shelby Weiss, not defterinin bir köşesini bol kavisli ve süslü, rokoko tarzında karalamalarla dolduruyordu.

Jo bir an için bunun masum bir açıklaması olabileceğini düşündü. O sırada Weiss felaket haberlerini bölerek konuştu. "İyi tarafından bakın, millet. Eğer Bannock Petrol batarsa para musluğunu kimin kapattığını bilmek isteyecek kızgın fon sahipleri olacaktır. Ve musluğu tekrar açabilmek için önlerine kim gelirse dava edeceklerdir. Böyle bir durumda, her zamankinden daha fazla ücretlendirilebilir saat yaratmış olacağız, bekleyin ve görün."

Ama onun bu küstah iyimserlik gösterisi, ortaklardan Tina Burnett tarafından hemen itirazla karşılandı. "İyi deneme Shelby ama bu, işe yaramaz. Şu anda muhtemelen harekete geçebilecek sadece iki aile üyesi var. Onlardan biri Carl Bannock ve aylardan, hatta yıllardan beri kendisinden haber alan olmadı. Diğeriyse Catherine Cayla Cross. O ise sadece bir bebek ve babası Hector Cross, teröristlerin saldırdığı Magna Grande petrol platformunun ve havaya uçup Atlantik'in sularına gömülen geminin güvenliğinden sorumlu kişi. Şayet biri hukuki bir faaliyette bulunursa Cross hedef alınan ilk kişi olur. Ama bildiğim kadarıyla henüz yürüyemeyen ve konuşamayan küçük kızı, babasının sahip olduğu her kuruşu almak üzere bizi görevlendirir mi? Sanmıyorum. Ve Hector Cross'un parası ölen karısı Hazel Bannock Cross'tan geldiğine ve bu da şu anda bir hiç olan Bannock parası olduğuna göre onu dava etmenin anlamı da olmayacaktır, öyle değil mi?"

Bu, herkesin havasını alacak kadar ezici bir aşağılamaydı. Ne var ki Shelby Weiss, aynı çemberleri ve girdapları karalamaya devam etmekle yetindi, bu da kendini hâlâ iyi hissettiği anlamına geliyordu. Ve Jo, günün geri kalanında onu dikkatle izlemeye devam ettiğinde neredeyse sevinçten eteklerinin zil çaldığını fark etti, adam adeta dudaklarındaki tebessümü gizleyemiyordu. Shelby Weiss'in firması parçalanıyordu ve bu onun umurunda bile değildi, çünkü ona kaybettiğinden çok daha fazlasını kazandıran başka bir şeyler daha oluyordu, Bannock kriziyle bağlantılı bir şeyler. Ama neydi bu?

Jo Stanley bunu bulmaya kararlıydı.

Önce Ronnie Bunter'ı aradı ve ondan kendisine Weiss'e iletebileceği bir e-posta göndermesini istedi. "Herhangi bir şey olabilir," dedi. "Mesela, bu krizde eski personelinle ilgili endişeleniyorsun ve bunu çözmek için ne gibi planları olduğunu öğrenmek istiyorsun."

"Eh, bu doğru zaten. Hemen gönderiyorum."

Jo, e-posta silahını hazır edip yazıcıdan çıkış aldıktan sonra Weiss'in tuvalete gitmesini bekledi. Ardından da mesajı alıp Weiss'in ofisine yöneldi. Asistanı Dianne ofisin dışında oturuyordu. Kendisi de işe sekreterlik işiyle başlamış olan Jo, asistanlara karşı her zaman kibar ve arkadaşça davranmaya özen gösterirdi, bu yüzden Dianne'e merhaba dedi, hızlıca biraz sohbet ettikten sonra sordu. "Shelby içeride mi? Ronnie Bunter'dan bir mesaj getirdim ve onunla birlikte üzerinden geçmeyi umuyordum."

"O, ıı..." Dianne muzipçe sırıttı ve bir başkasının duymasını engellemek ister gibi eliyle ağzını kapatarak konuştu. "Tuvalete gitti."

"Sence notu masasına bırakmamın sakıncası olur mu?"

"Olmaz tabii ki! Sen gir, canım. İstersen içeride onu bekleyebilirsin. Eminim birazdan gelir."

Jo, Weiss'in ofisinde ne bulmayı umduğunu ya da neler olduğunu öğrenebilmek için ona ne söylemesi gerektiğini bilmiyordu. O nedenle masasındaki telefonu görmesi tamamen şans eseriydi. Jo etrafı kolaçan etti. Ofisin kapısı açıktı ama Dianne onu göremezdi. Elinden geldiğince sessiz adımlarla, kalbi küt küt atarak ve gergin bir şekilde masanın arkasına geçip telefona doğru baktı. Ekranda iki mesaj görünüyordu, birisi Aram Bendick'in aradığını diğeriyse sesli mesaj bıraktığını söylüyordu.

Ama Bendick neden Shelby Weiss'i aramıştı, üstelik telefon defterinde ismi kayıtlı olduğuna göre onu sık sık aradığı belliydi. Bağlantıları Bannock olmalıydı ama New York'taki bir yatırımcı neden bununla ilgili Houston'daki bir avukatla konuşurdu ki? Acaba Weiss, Bendick'e içeriden bilgi mi sağlıyordu? Hayır, bu mümkün değildi. Şimdi, Bunter and Theobald'un satılmasından sonra bile, Weiss'in Bannock Petrol'ün iç hesaplarına erişimi yoktu. Gerçi...

"Bayan Stanley, sizin için ne yapabilirim?"

Weiss'in sesi, Jo'nun yüzünde bir tokat gibi patladı. Kapının eşiğinde durmuş, kıstığı gözlerinde şüpheli bakışlarla ona bakıyordu. Jo suçluluğunun yüzüne yansımasına, konuşurken sesinin titremesine engel olamadı. "Sadece size bir şey bırakıyordum, efendim." E-postanın çıktısını havaya kaldırıp gösterdi. "Bay Bunter'dan bir mesaj. Personelle ilgili endişeleniyor, yani böyle bir dönemde... böyle..." Zihni boşalmış gibiydi, cümleyi bitirecek bir kelime bulamıyordu.

"Böyle geçici bir belirsizlik zamanında mı?" dedi Weiss, masasına doğru yürürken. Ona zorlu bir çapraz sorguya girmek üzere olan rakip bir tanıkmış gibi bakıyordu.

"Iı... evet, efendim... sanırım," diye geveledi Jo, Weiss'in masasına oturması için kenara çekilerek. Baskı altında kaldığında daha iyi bir cevap veremediği için kendine kızıyordu: *Topla kendini,* dedi kendi kendine.

"Peki bu soruyu bana neden kendisi sormuyor?"

"Bilmiyorum, efendim. Sanırım bunu ona sormanız gerek. Biz zaten temas halindeydik, belki de mesajı benim aracılığımla göndermek kolayına gelmiştir. Neyse, işte not burada."

Kâğıdı ona uzattı ve Weiss notu onun elinden kaptı. Metne göz gezdirdikten sonra başını kaldırıp ona baktı.

"Eh, madem dediğin gibi, sen ve Bay Bunter zaten 'temas halindesiniz', o halde e-postayı okuduğumu ve dikkate alacağımı kendisine söylersin. Gördüğün gibi, durum şu anda oldukça istikrarsız. Kimse gerçekten neler olacağını bilmiyor. Bildiğimizde ilk öğrenen Bay Bunter olacaktır."

"Evet, efendim."

"Şimdi gidebilirsin."

"Evet, efendim."

Jo masasına döndü. Bildiği tüm gerçekleri ve aralarındaki bağlantıları tutarlı ve mantıksal bir sıraya koyarak boşlukları doldurmaya çabaladı. Bitirdiğinde sessizce oturup vardığı sonucu hazmetmeye çalıştı. Çılgıncaydı ve inanılmazdı, ama yine de muhtemel başka bir açıklamadan çok daha mantıklıydı. Olanları Ronnie Bunter'a anlatmalı ve detayları onunla konuşmalıydı ama telefon edemezdi, onunla şahsen görüşmeliydi. Bu arada bunları bilmesi gereken biri daha vardı ve onunla ancak yazışarak iletişim kurabilirdi. Jo şahsi e-posta hesabını açarak yazmaya başladı.

Shelby Weiss, ofisinde Aram Bendick'le konuşuyordu. "Bir problem var, burada Jo Stanley adında bir kadın var, Bunter için çalışıyor..."

"Şirketini satın aldığın, Henry Bannock'un yakın arkadaşı olan yaşlı adam mı?" diye sordu Bendick.

"Evet, o."

"Peki, nedir bu Stanley denen kadının problemi?"

"Az önce onu ofisimde buldum. Sanırım, senin aradığını gördü."

"Ne olmuş? İnsanlar birbirini arar."

"Yani tanışıklığımızı biliyor. Henry ondan ismen bahsetmişti. Demek istediğim, durumu anlayabilir. Ne yapacağız?"

"Biz mi?" dedi Aram Bendick. "Bu olayda 'biz' diye bir şey yok. Ben New York'ta, ülkenin öteki ucundayım ve bu kadının ismini hayatımda hiç duymadım. Öte yandan sen onunla aynı ofistesin. O yüzden bu meseleyle başa çıkması gereken de sensin."

Weiss buna itiraz etmedi. Bunun üzerine bir sonraki telefon görüşmesini D'Shonn Brown'la yaptı. "Sizinle özel olarak konuşmamız gerekiyor. Bir arkadaşım için neler yaptığınızı gördüm ve benim için bir şey yapmanızı rica edeceğim."

"Öyle mi? Peki, bunu neden yapacakmışım?"

"Çünkü bir bölge savcısının ofisine gidip ceza pazarlığı yapmamı ve kıçımı kurtarmak için elimdekileri kullanmamı istemezsiniz."

"Hımmm... Anlıyorum. Nerede buluşmak istersiniz?"

Hector Cross, posta kutusunda Jo Stanley'den gelen "Bunu oku lütfen. Acil" başlıklı e-postayı gördüğünde açmaya dahi yeltenmedi. Yanında kalma cesareti gösterememiş eski bir kız arkadaşın savunmalarını okumaktan daha önemli işleri vardı. Tüm hayatı bir kurtarma operasyonuna dönüşmüştü. Bannock'un sonunun geldiği ortadaydı. En muhtemel senaryo, varlıklarının ve operasyonlarının doğranması, dilimlenmesi ve küçük parçalar halinde bir zamanlar büyük bir şirketin kemiklerinden et sıyırmayı bekleyen finans akbabalarına satılmasıydı.

Bu esnada hukuki akbabalar da onun etrafında dönüyordu. Ronnie Bunter ona neredeyse günlük olarak bilgi verirken ABD'nin dört bir yanındaki avukatlar ve savcılar, kurbanlar ve aileleri adına yürütülecek toplu hukuk davalarını ve olası bir cezai ihmalkârlık davasını yöneten kişiler olmak için yarış halindeydiler. "Benim tavsiyemi dinlersen kendini olabildiğince fakirleştir," dedi Bunter, yaptıkları telefon görüşmelerinden birinde.

Cross acı acı güldü. "Sanırım dünya zaten bunu benim için yapıyor."

"Eh, evet, senin ve kızının Bannock'la bağlantılı neyiniz varsa muhtemelen bir değeri kalmadı. Ama hâlâ değerli bazı mülkleriniz ve Hazel'ın size bıraktığı özel varlıklar var... Mücevherler ve antikalar tek başına sizi ve torunlarınızı hayat boyu rahat ettirecek kadar değerli olmalı. Her şeyin Catherine'in adına ya da bir fonda olmasını sağla... Benim gibi bir avukatın ulaşamayacağı bir yerde."

"Tabloların müzayedede satılması hakkı için çoktan Sotheby's and Christie's ile görüştüm," dedi Cross. "Sadece Catherine'nin değil. Adamlarımın da düzgün bir hayat yaşamalarını sağlamak istiyorum. Houston'daki insanlar kısa vadeli açgözlülüklerini, düzgün bir planlama ve eğitim ihtiyacına tercih ediyor diye onlar kaybetmemeli. Ve hukuki bir kan emici paramı almak istiyor diye onlar zarar görmemeli. Ben cezamı kabul ederim ama onlar finansal anlamda zarar görmemeli."

"Çok asil bir düşünce, Heck."

"Ah, hiç de değil... Doğrusunu istersen, Ronnie, üzerimde bir çatı, midemde biraz yiyecek ve yanımda bir kadın olduğu sürece para hiç umurumda olmaz. Bannock ailesine bir baksana. Henry'nin parasının onlara ne faydası oldu? Elbette hepsi inanılmaz lüks hayatlar yaşadılar. Hazel'la birlikte olmaya başladığımdan beri bir kere bile tarifeli bir uçakla uçmadım ya da trene binmedim, kendi alışverişimi yapmadım veya normal bir restoran zincirinden pizza yemedim. O tablolar mesela... Evin ya da yatın duvarlarında ya da Hazel'ın sahip olduğu Tanrı bilir nerelerdeki tabloların hepsi kopya. Gerçek olanlar banka mahzenlerinde yatıyor. Yani, Henry Bannock kimsenin göremediği bir dizi eser satın almış. Çılgınlık bu."

"Zenginlerin farklı olduğunu söylemelerinin bir sebebi var," dedi Bunter kibar bir şekilde gülerek.

"Daha da kötü, Ronnie, ben Hazel'ı kaybettim, çünkü o para, kötülüğü bir mıknatısın demiri çekmesi gibi çekiyordu. Hepsi öldü... Catherine hariç bütün Bannock ailesi. Ve inan bana o, sade, basit, sıradan bir Cross olarak yetişecek."

"Carl Bannock teknik olarak ölü sayılmaz."

"Hah!" dedi Cross. "Zaten başım yeterince dertte, o nedenle sana karşı gelmeyeceğim. Ama sana şöyle açıklayayım: Johnny Congo son birkaç aydır dünyayı kasıp kavuruyor, bela yaratıyor ve tüm bu zaman boyunca, Congo'nun şu dünyada gerçekten ilgilendiği tek kişiden en ufak bir işaret ya da bir ipucu çıkmadı. Bu sana bir şeyler ifade ediyor olmalı."

"Ben istemezsem etmez," dedi Bunter.

Cross bu konuşmadan sonra, başka kimse onun adına bunu yapmaya fırsat bulamadan kendi varlıklarından kurtulma işini halletti. Cross'un tüm ekibi adına konuşan Dave Imbiss, Cross'un onlar adına sefalete düşmek gibi bir mecburiyeti olmadığını söyledi. "Hepimiz işimizde çok iyiyiz," dedi Imbiss. "Bizi bunun için işe aldın."

"Tam tersi de olabilir," dedi Cross, yarı şaka yarı ciddi. "Ben sizi işe alıp eğittiğim için de işinizde bu kadar iyi olabilirsiniz."

"Her halükârda bizim gibiler için bu dünyada iş çok. Hiçbirimizin iş aradığı yok gerçi. Hepimiz arkandayız, Heck. Sen bizi asla yarı yolda bırakmadın. Biz de seni bırakmayacağız."

Ama Jo Stanley onu yarı yolda bırakmıştı... Ya da sadakatle ilgili düşünceleri siyah ya da beyaz olan, ya sev ya terk et mottosuna inanan Cross, kendini böyle olduğuna ikna etmişti. Öyle bile olsa Jo, daima zeki, aklı başında birisi olmuştu. Bir şeyin acil olduğunu düşünüyorsa muhtemelen öyleydi. Bunun üzerine Cross nihayet e-postayı açıp okumaya karar verdi.

Sevgili Hector,

Bir gün aramızda neyin ters gittiğini seninle konuşmayı, olayların gidişatıyla ve benim davranış şeklimle –sanırım panikledim– ilgili ne kadar üzgün olduğumu dile getirmeyi çok isterim. Ama şimdi sırası değil ve sana yazma sebebim de bu değil.

Sanırım, tüm Bannock Petrol felaketinin sebebini açıklayan bir şey buldum. Belki insanların hakkında söyledikleri o korkunç şeylere karşılık kendini savunmana yardımı olur. Senin için gerçekten üzülüyorum. Neyse...

Shelby Weiss, kaçmadan hemen önce Johnny Congo'nun avukatıydı. Sonra şirketine Bunter and Theobald'u satın aldırdı... Bana sorarsan bunu Bannock Fonu'ndan gelen paraya el koymak için yaptı.

Ve şimdi Bannock Petrol batıyor, şirketteki herkes berbat durumda ve gelecekleri için korkuyorlar.

Shelby Weiss hariç. O, kendi pisliğinin içinde yatan bir domuz kadar mutlu. Ve ben bunun sebebini merak ettim. Bunun üzerine biraz gözlem yaptım ve Bannock'un iflas edeceğine dair son kuruşuna kadar bahse giren şu koruma fonuyla ilgili kişiyle yani, Aram Bendick'le temas halinde olduğunu öğrendim.

O yüzden şimdi, acaba Bendick, Magna Grande'de işlerin ters gideceğini bildiği için mi Bannock'un sıkıntıya d üşeceğinden emindi, diye düşünüyorum.

Ya Shelby Weiss hâlâ Congo'nun avukatıysa ve bunu ona söylediği için biliyorsa?

Bilemiyorum, her şeyi tam olarak çözemediğimi düşünüyorum ama senin kullanabileceğin bir şey olmasını umuyorum, çünkü buradakilerin yaptığı gibi üstüne gelinmesini hak etmiyorsun.

Ben seni tanıyorum, Hector. Senin iyi ve cesur bir adam olduğunu ve gerçekten doğru olduğuna inanmadığın hiçbir şeyi yapmayacağını biliyorum. O yüzden sana yardım edersem belki de benim sonuçta o kadar da kötü biri olmadığımı anlarsın.

Bunların sana bir faydasının olup olmayacağını bana bildir lütfen.

Sevgiler,

Jo

"Akıllı kız," diye mırıldandı Cross kendi kendine. "Sen çok, çok akıllı bir kızsın." Sanki Jo Stanley onun zihnindeki bir elektrik devresini tamamlamıştı. Son tel de yerine yerleşmiş ve ışıklar yanıvermişti. Şimdi Cross komployu bütünüyle görebiliyordu ve Congo da onun tam merkezinde yer alıyordu.

Congo, Cabinda'nın mücadelesine giden yolda, Da Cunha'ya yetecek parayı vermişti ama bu, Bannock'a saldırmak olan gerçek amacı için sadece bir paravandı. *Ve bana saldırmak için*, dedi Cross içinden.

Bu, platformdaki, Portekizce yerine Fransızca konuşan sözde Cabindalı isyancıları da açıklıyordu. Fransızca, Kongo'nun diliydi, Carl ve Johnny'nin Kazundu'da iş yaptıkları koltan tacirlerinin lisanıydı.

Congo bir şekilde Aram Bendick'le temasa geçmişti. Acaba Weiss aracılığıyla olabilir miydi? Yoksa Congo, Bendick'in ismini basında görüp onu arayarak kendini mi tanıtmıştı? Bir şey kesindi: Eğer Weiss, Bendick'in Bannock Petrol'e karşı iddialarına katılarak para kazandıysa Congo daha fazlasını kazanmış olmalıydı.

İşin anahtarı Bendick'ti. Ne olduğunu tam manasıyla bilen oydu. Ve bu bilgi kamuoyuna açıklanırsa, komplo anlaşılırsa, o zaman hiç kimse Magna Grande'de olanlar için Hector Cross'u veya adamlarını suçlayamazdı, çünkü bu fenalığın gerçek failleri ortaya çıkar, yakalanır ve mahkûm edilerek hak ettikleri cezaya çarptırılırlardı.

Cross, Dave Imbiss'e telefon etti. "Ekibi topla," dedi. "Yapılması gereken bir iş var ve doğru şekilde yapılırsa o gece ölen herkes için adalet yerini bulacak. Ve bu işi senin yürütmeni istiyorum, Dave. Gerçekten yapabileceklerini göstermenin zamanı geldi."

"Hiç sormayacaksın sandım," dedi Imbiss gülerek. Sonra daha alçak sesle ve daha ciddi bir tonda ekledi. "Böyle konuştuğunu duymak güzel, Heck. Bana patronumuzun geri geldiğini hissettirdi."

Hector moralinin düzeldiğini hissediyordu. Oyuna geri dönmüştü ve bu kez kazanabileceğini biliyordu. Telefonu çaldı, Ronnie Bunter'ın ismini ekranda görünce neşeli bir sesle telefona cevap verdi. "Ronnie! Senden haber almak ne güzel! Sevgili Teksas'ta hayat nasıl?"

Hatta bir sessizlik oldu ve sonra Bunter duygu dolu, çatlayan bir sesle konuştu. "Bunu sana nasıl söyleyeceğimi bilemiyorum, Hector ama... Korkunç bir şey oldu."

Jo Stanley, Weiss, Mendoza, Burnett and Bunter ofisinden saat yediyi yirmi geçe çıktı. Her zamankinden erken bir saatti bu ama kendini bu denli kederli ve yalnız hissettiği nadiren olurdu, sanki her şey çürümüş, çirkinleşmişti ve dünyada rahatlamak ya da teselli bulmak için başvurabileceği biri kişi bile yokmuş gibiydi.

Kasasını kilitleyip eski kürk mantosunu giydi ve şimdi elli yıl öncede kalmış gibi görünen Marakeş'teki o muhteşem hafta sonunda Hector'un ona aldığı renkli şalı boynuna doladı.

El aynasında yüzünü incelerken bir kez daha onu hatırladı. Hector Cross'u aklından çıkarmaya çalışıyordu ama o e-postayı göndereli beş gün olmuştu ve Hector hâlâ bir cevap yazmamıştı. *Umarım başına kötü bir şey gelmemiştir... Dünyanın, onun ve Catherine Cayla'nın başına yıkıldığı yetmezmiş gibi. Benim küçük meleğim... Onu da en az Hector kadar özlüyorum.*

Jo aynadaki yansımasına baktı. *Ne zaman bu kadar yaşlandım ben? Sanki daha dün genç ve kaygısız biriydim ama şimdi yaşlı ve soluk görünüyorum... Ve son derece yalnız!*

Gözlerinde yaşlar biriktiğini fark ederek el aynasını kapadı. *Hayır! Onun için ağlamayacağım. O pisliğe rezil bir e-posta gönderdim ve o bir cevap yazma zahmetine bile katlanmadı.* Derin bir nefes alarak omuzlarını dikleştirdi. *Sert ve zalim bir adam o... Ve her şey bitti. Onu artık sevmiyorum.*

Fakat bunun bir yalan olduğunu biliyordu.

Jo örgü beresini başına geçirdi ve dışarı çıkan saçlarını berenin içine sıkıştırdıktan sona kapıya yöneldi. Koridorun sonundaki ofisinden Bunter'ın sesini duydu ama kimseyle, bilhassa da Bradley'yle konuşmak istemiyordu. Kendi ofisinin kapısını kapayarak ses çıkarmadan yürüyebilmek için ayakkabılarını çıkardı. Asansöre geldiğinde ayakkabılarını tekrar giyerek eski mavi Chevy'sini park ettiği otoparka indi. Otoparktan caddeye çıkan rampayı tırmanırken arkasında bir başka araba daha olduğunu fark etti, bununla ilgili özel bir şey düşünmedi, eve dönüş saatiydi. Binanın arkasındaki caddede bir sürü araç vardı ve trafiğe karışmak için bir süre beklemek zorunda kaldı. O sırada evindeki dolabın boş olduğunu hatırladı, bunun üzerine trafik ışıklarından sağa, Maverick Caddesi'ne dönerek Central Market'ın arkasındaki park alanına yöneldi.

Istakoz! diye karar verdi içinden. *Yarım şişe de Napa Valley Chenin Blanc. Bunlar keyfimi yerine getirir. Bütün erkeklerin canı cehenneme, gözyaşlarına da, uğurlarına acı çekmeye de değmez.* Park alanına doğru dönüp yavaşça ilerledi ve sıranın sonunda boş bir yer görerek Chevy'yi oraya park etti. Sonra arabadan inerek kapıları kilitledi ve arkasına bakmadan markete doğru yürümeye başladı.

Bunter and Theobald ofisinden beri onu takip eden Nissan'ın, bir zamanlar Moka İncisi gibi havalı bir adı olan, ancak uzun zamandan beri sıradan bir toz ve kuru gübre rengine dönüşmüş soluk bir tonu vardı. Araç, Jo'nun Chevy'sini geçerek sıranın sonuna park etti. Yolcu tarafının kapısı açıldı ve koyu renkli rüzgârlık giymiş ve beyzbol şapkası takmış, Hispanik görünümlü biri dışarı çıktı. Chevy'nin yanına geldiğinde rüzgârlığının cebinden bir tomar anahtar çıkardı. Seri hareketlerle anahtarları yolcu kapısının kilidinde birer birer denedi ve nihayet kapıyı açmayı başardı. Memnuniyetle mırıldandıktan sonra kimsenin kendisini görmediğinden emin olmak için gelişigüzel bir şekilde etrafına bakındı. Sonra arka koltuğun olduğu tarafa geçerek koltukla zemin arasında alçalıp gözden kayboldu. Arkadaşıysa araç sırasının sonuna park edilmiş Nissan'ın içinde direksiyonun önünde sinmiş halde bekliyordu.

On dakika boyunca ikisi de yerlerinden kıpırdamadılar. O sırada Jo Stanley marketin döner kapılarında yeniden göründü ve aceleyle arabasına doğru seğirtti. Elinde plastik bir torba taşıyordu. Park halindeki Nissan'ı geçerken şoför kapıyı açtı ve gelişigüzel bir şekilde peşine takıldı. Jo çantayı ayaklarının arasına yerleştirip sürücü kapısının kilidini açmakla meşgulken –Tanrım, merkezi kilit sistemi olan bir arabamın zamanı gelmişti!– ona pek bakmadan yürümeye devam etti. Jo kapıyı açıp direksiyona geçti. Elindeki torbayı yanındaki boş yolcu koltuğuna koydu, yolcu kapısındaki kilidin hâlâ açık olduğunu fark etmeden sürücü kapısını kapadı ve anahtarı kontağa sokmak için öne doğru eğildi.

Tüm dikkati arabayı çalıştırmaya odaklanmışken onun arkasında sinmiş olan adam kalktı ve sağ kolunu arkadan kadının boğazına doladı. Kadını bir boyun kilidinde tutarak tüm ağırlığıyla arkasına yaslanıp onu koltuğa sabitledi ve elleri, etkisiz bir şekilde kollarını tırmalayan Jo'nun çığlıklarını bastırdı.

Chevy'nin yanından geçen ikinci adam hızlanarak geri geldi ve yolcu kapısını açtı. Jo'nun yanındaki koltuğa otururken ceketinin önüne uzandı ve yirmi beş santimlik bir kasap bıçağı çıkardı. Serbest eliyle Jo'nun vizon ceketinin önünü yırtarcasına açtı ve diğer elini, ilk saldırganın boyun kilidiyle arkaya doğru gerdiği göğüs kafesinin altına yerleştirdi. Uzun yılların deneyiminden doğan bir beceriyle, bıçağın ucunu Jo'nun derisine, tıpkı bir cerrahın neşteriyle yaptığı gibi, yerleştirerek tek bir sert itişle Jo'nun kalbine sapladı.

Her iki adam hareketsiz ve sağlam durarak onu mücadele etmekten ve ses çıkarmaktan alıkoydu. Jo son bir kez titredi ve bedeni ölüme teslim oldu.

İki adam da bütün bu operasyon sürecinde tek kelime etmemişti, Jo ölünce adam bıçağını Jo'nun göğsünden çekti ve üzerinde kalan kanları silmek için cebinden çıkardığı küçük bir el havlusunu kullandı. Jo'nun boynunu tutan adam hızlıca onun çantasını karıştırdı ve cüzdanını buldu. On ve yirmi dolarlık banknotlardan bir tomar çıkardı ama ehliyetini bıraktı. Sonra cesedi, gelen geçenlerin göremeyeceği şekilde aracın zeminine doğru ittiler.

Ardından da acele etmeden Chevy'den inerek kapıları kilitlediler, –yine hiç acele etmeden– kendi araçlarına yürüyüp uzaklaştılar.

"Jo öldü," dedi Ronnie Bunter telefonda.

"Hayır, bu doğru olamaz." Hector Cross, bu işte bir yanlışlık olduğundan emin, son derece sakin bir sesle konuşmuşu. "Az önce bana gönderdiği e-postayı okudum."

"Üzgünüm, Hector ama doğru. Westheimer'daki Central Market'in dışında saldırıya uğramış. Akşam yemeği için alışverişten dönüyormuş ve saldırganlar arabasında onu bekliyormuş." Ronnie Bunter sakin, titiz ve geleneksel bir avukattı ama üzüntüsü onu şaşkına çevirmişti. Güçlükle konuşuyor, hıçkırıklarına engel olmakta zorluk çekiyordu, Cross da aynı şekilde hissediyordu. "Bunları söylediğime ben de inanamıyorum," diye devam etti Bunter. "Yani, iyi bir semtte oturuyor. Post Oak Bulvarı'nda oldukça güzel bir dairesi vardı... Orası güvenli bir bölgedir, Heck, orayı ona ben tavsiye etmiştim ama... ama... sanırım birkaç herif, uyuşturucu bağımlıları -ya da her neyseler işte- onu arabasında bekliyormuş. Onu bıçaklayıp cüzdanını almışlar... bir cüzdan için öldü, Heck. Dünya nasıl bir yer oldu böyle?"

"Bir cüzdan için ölmedi," dedi Cross. "Canavara çok yaklaştığı için öldü." Derin bir nefes aldı. "Bunun suçlusu benim. Ama sana tek bir şey için söz veriyorum. İntikamını alacağım. Bundan emin olabilirsin."

Ertesi sabah Dave Imbiss, Cross'a Aram Bendick'le başa çıkmak ve Jo Stanley'nin katilini adalete teslim etmek için bir plan tasarladığını söyledi. O'Quinnler hemen planın uygulamaya konulmasına yönelik nihai bir karar verilmeden önce planın tartışılacağı, analiz edileceği ve muhtemel zayıf yönlerinin inceleneceği bir toplantıya çağrıldı. "Lütfen, Dave, bana fikrinin o iğrenç adamı yatağa atmamla başladığını söyleme," diye espri yaptı Nastiya, herkes kendine taze yapılmış kahveden alırken.

"Saçmalama," dedi Paddy. "Eğer Dave'i biraz tanıyorsam, Bendick'in evine baskın yapıp o daha aracına koşarak kaçmadan adamı öldürmenin peşine düşmüştür. Benim tecrübeme göre daima işe yarayan bir plandır bu!"

"Bu kadar yeter!" diye çıkıştı Hector, ortamı toparlayarak. "Bu mesele, Jo'nun ve Magna Grande'de ölen insanların intikamını almakla ilgili. Bunu unutmayalım, tamam mı?" Üç arkadaş, öğretmenlerinin moralinin bozuk olduğunu fark eden sınıf arkadaşları gibi birbirlerine baktıktan sonra tek kelime etmeden masanın etrafına oturdular. "Pekâlâ öyleyse," diye devam etti Cross. "Bizim için neler planladın, Dave?"

"Eh, aslına bakılırsa Bendick'e şantaj yapıp onu konuşturmanın bir yolu olarak aşk tuzağını düşünmedim değil. Ayrıca

Bendick'in, Mossad tarafından eğitilmiş hem erkek hem de kadın olmak üzere en az altı korumayla dolaştığı göz önüne alındığında etkili olabilecek bir yakalama planı da düşündüm. Ama sonra her ikisinden de vazgeçtim. Şöyle bir şey var, patron. Hoşuna gitsin ya da gitmesin, Aram Bendick şu anda bir tür halk kahramanı. Medya onu olasılıkları belirleyen ve koca bir şirketi tek başına deviren finansal deha olarak gösteriyor. Sanki Davut, Golyat'ı öldürmüş ve ardından birkaç milyar dolarla yürüyüp gitmiş gibi. Ayrıca o, kendi başına zirveye tırmanmış, Bronxlu bir mavi yakalı çocuğu. Burada oturan bizler içinse masum insanların ölüleri üzerinden para kazanan bir hödük. Amerikan halkı için bir kahraman. Oysa sen..."

Cross yüzünü buruşturdu. "Tamam, anladım. Oysa ben çuvallayan ve herkesin ölümüne yol açan beceriksiz İngiliz'im."

"Korkarım öyle, Heck. Demek istediğim, olay sırasında ortalıkta görünme riskini alamazsın. Hiçbirimiz alamayız, çünkü biz zehirli maddeyiz. Bendick'e neyi itiraf ettirdiğimiz önemli değil, sadece onu zorladığımızı söyleyerek her zaman bundan sıyrılmanın bir yolunu bulacaktır ve tüm dünya kendi hatalarımızın suçunu başkasına yıkmaya çalıştığımızı düşünecektir. Ve bu, ancak operasyon yolunda giderse olur. Eğer işi berbat eder ve Bendick'e ulaşamazsak ya da daha fazla insan zarar görürse şu anda yasal problemleriniz olduğunu düşünüyoruz ya... işte o binlerce kat daha kötü bir hal alır."

"Bana bir planın olduğunu söylemiştin," dedi Cross. "Oysa şu ana kadar duyduğum tek şey işe yaramayacak ihtimaller. Bana işe yarayacak bir şey söyle."

"Çok basit. Yasaların işi senin yerine yapmasını sağlayacaksın."

"Ne demek istiyorsun?"

"Pekâlâ, hakkında bir tutuklama kararı ya da emri çıkarıldı mı?" diye sordu Imbiss.

"Bildiğim kadarıyla henüz değil."

"Ve benim hatırladığım kadarıyla Texas Rangers'ta bir bağlantın var... Hernandez ya da ona benzer biriydi."

Cross başıyla onayladı. "Doğru. Yüzbaşı Consuela Hernandez, ismi bu. Anlaşılan bayağı iyi bir polis."

"İşte, benim anımsadığım kadarıyla şimdi senin Magna Grande meselende olduğu gibi, Congo kaçtığında Rangers da basından ve politikacılardan aynı tavrı görmüştü. Şuraya varmaya çalışıyorum: Eğer Hernandez aracılığıyla patronuna ulaşırsan ve Jo Stanley cinayetini çözeceğini, Congo'nun kaçışına yardım eden kişiyi bulacağını, *Bannock A*'nın batmasına sebep olan kişiyi ortaya çıkaracağını söylesen, eh o zaman tahminime göre bu öneriyle ilgilenecektir. O, kariyerini tekrar yoluna sokarken sen de üzerine atılmış bu pislik yığınından kurtulursun ve suçlular da hak ettiklerini alırlar."

"Kulağa gerçekten çok cazip geliyor," diyerek hemfikir oldu Cross. "Ama bu sihirli numarayı tam olarak nasıl yapmayı öneriyorsun?"

"Bunu sana söylemeden önce son bir soru sormam gerekiyor: Ronald Bunter sana yardım etmek için kendini tehlikeye atar mı?"

"Nasıl bir tehlike?"

"İşler ters giderse insanları çok kızdırmış olma tehlikesi."

Cross bunu bir süre düşündü. "Sadece ben olsaydım, evet, muhtemelen bunu Hazel'ın hatırı için bile olsa yapardım. Jo'nun öcünü almak içinse her şeyi yapar."

"O halde şöyle yapacağız..."

Bir saat sonra, tam Cross toplantıyı bitirirken Paddy O'Quinn bir şey söyledi. "Tüm bunlar olduğundan beri aklımı kurcalayan bir şey var. Mesele şu ki, saldırının arkasında kim varsa, tüm düzeneğimiz hakkında çok şey biliyor gibiydi. Yani, Angola helikopterlerindeki adamlar platformun içinde sanki bir haritaları varmış gibi yollarını buldular. Ve *Bannock A*'nın altını mayınla döşeyen adamlar onu nerede bulacaklarını tam olarak biliyorlardı."

"Birinin bize ihanet ettiğini mi ima ediyorsun?"

"Bilemiyorum, sadece bu bana garip geliyor..."

Cross'un zihninde bir ışık yandı, teröristlerin liderinin helikopter iniş pistinde durup adamlarını petrol platformundaki görevlerine gönderişini hatırladı. *Adam ne yaptığının son derece farkındaydı... Çok şey biliyordu!*

"Varsayalım ki doğru," dedi Cross. "Köstebek kim peki? Tüm resmi bilen ve detaylı planlara erişimi olan yegâne kişiler, bu odada oturanlar. Bizden biri olduğuna inanmak istemiyorum. Örnek teşkil etmeyecek kimse yok burada... Benim köstebek olduğumu mu söylüyorsun, Paddy... ya da Dave'in... ya da kendi karının?"

"Hayır, elbette değil!" diye karşı çıktı O'Quinn. "Buna bir an bile inanamam. O yüzden şu ana dek bir şey demedim. Sadece bu düşünce aklımdan çıkmıyor, hepsi bu."

"Belki de sıradan bir patlamaydı," dedi Imbiss. "Dünyadaki herhangi bir platformun görüntüsünü sadece internete girerek elde etmek mümkün. Ayrıca Bannock Petrol'ün Magna Grande sahasını açtığı bir sır değildi. Bunu bilen kimse lanet olası yüzen bir rafinerinin yerini bulmakta zorlanmaz."

"Sanırım öyle..."

"Ayrıca şunu unutmayın, Carl Bannock resmi olarak ölü değil," diye devam etti Imbiss. "Muhtemelen kurumsal bilgi ona da gitmiştir ve Congo bunu görmüş olabilir."

Cross içini çekti, sonra da kederle yüzünü buruşturdu. "Elbette görmüştür... nasıl bu kadar budala olabildim?" Masadaki diğer üçünün şaşkın yüz ifadelerini fark ettiğinde açıkladı. "Bigelow'un basın danışmanı Nocerino, beni aradı... *Noatak*'ın battığı geceydi. Neyse, bana Magna Grande sahası hakkında bir yatırımcı bülteni hazırladığını söyledi. Hani şu, ne kadar büyük bir başarı olacağına dair şişirilmiş bültenlerden. Oradaki güvenlik tedbirleriyle ilgili bir şeyler söylememi istedi. Ben çok gizli bir şey ifşa etmedim ama bültende birçok bilgi vardı. Congo'ya bilmesi gereken her şeyi açıklamaya yetecek bilgiler değildi ama onu doğru yönlendirmek için yeterliydi."

Paddy başını aşağı yukarı salladı. "Ah, o halde bu her şeyi açıklıyor... Kahrolası John Bigelow ve cüceleri düşmanlarımıza bizi yok etmek için ihtiyaç duydukları bilgileri verdi, sonra da işimizi doğru şekilde yapmak için gerekli olan eğitimi yapmamızı engellediler. Sadece kendilerini bacaklarından vurmakla kalmayıp kendi boğazlarını da kestiler ve muhtemelen garanti olsun diye göğüslerine de bıçak saplamış oldular. Pislikler!"

Olay anlaşılmıştı. Ama o akşam Zhenia, geceyi Cross'la geçirmek üzere O'Quinnlerin Barnes'taki evinden ayrılırken Nastiya kapıda kardeşini durdurup sordu. "Sen Da Cunha için mi çalışıyorsun?"

Zhenia olduğu yerde donakalıp kekeleyerek karşılık verdi. "Ne... ne demek istiyorsun? Bunu neden... ben nasıl Da Cunha için çalışabilirim ki?"

"Bilmiyorum. Onun seksi olduğunu düşündüğünü hatırladım. Âşık olmuş bir okul öğrencisi gibiydin. Hector Cross'a ihanet edecek kadar seksi olduğunu düşündün mü?"

Zhenia dehşete düşmüş görünüyordu. "Hector'a ihanet etmek mi? Ama ben Hector'u seviyorum. O benim başıma gelen en güzel şey. Onu incitmektense ölmeyi tercih ederim."

Nastiya hiçbir şey söylemeden ona baktı, sonra başını aşağı yukarı salladı. "Güzel. Bunu duyduğuma sevindim. Çünkü tanıdığım birinin Hector'a ihanet ettiğini düşünürsem çok sevdiğim, damarlarında benim kanımı taşıyan biri bile olsa o kişiyi hiç tereddüt etmeden öldürürüm. Neyse... sen git şimdi! Geceyi Hector Cross'la geçir ve onu ne kadar sevdiğini göster."

Zhenia koşarak ön bahçeyi geçip kaldırımın kenarında kendisini bekleyen taksiye bindi. Nastiya kapıyı kapatıp kısa bir süre oyalandıktan sonra yemek hazırlama sırasının kendisinde olduğunu hatırlayıp lanetler okuyarak mutfağa doğru yürüdü.

Dave Imbiss planını açıkladıktan üç gün sonra, eski model, hoş bir kesimi olan ama dirsekleri hafif parlamış bir takım elbise giymiş, yaşlıca bir adam, yeni büyümekte olan Weiss, Mendoza, Burnett and Bunter ofisinin resepsiyon bankosuna doğru yürüdü. Resepsiyon görevi gören cilalı, siyah granitten büyük bankonun arkasındaki kulaklıklı genç ve güzel sarışına gülümseyerek sordu. "Affedersin canım, ortaklar toplantı odasını nerede bulabileceğimi söyleyebilir misin?

Kızın narin kaşları şaşkınlıkla çatıldı. "Üzgünüm ama orası sadece şirket ortakları içindir."

"Evet, ismini oradan aldığını tahmin edebiliyorum," dedi adam kibar bir tavırla. "Neyse ki ben de ortaklardan biriyim. Adım Ronald Bunter. Tam arkandaki duvarda yazıyor."

Resepsiyon görevlisi, her iş gününü üç buçuk metre genişliğindeki cam panele kazınmış dört ismin önünde oturarak geçirmesine rağmen dönüp arkasına bakmadan edemedi. "Ama o farklı bir Bay Bunter, efendim," dedi.

"Bay Bradley Bunter mı demek istiyorsun?"

"Evet, efendim."

"Eh, o benim oğlum oluyor ve bu tabelada belirtilen Bunter'ın hangimiz olduğu konusu bakış açısına bağlı. Sonuçta, ben ortaklardan biriyim ve bu sabah saat on birde, yani bundan beş dakika sonra bir ortaklar toplantısının planlandığını biliyorum. Hakkım olduğu üzere ben de bu toplantıya katılmayı hedefliyorum. Bu yüzden lütfen beni toplantı odasına yönlendirebilir misin?"

"Ben... şey..." Rasgele bir ihtiyarın binaya girmesine izin vermek ya da kendisini kovdurabilecek gerçek bir ortağa engel olmak ihtimalleriyle karşı karşıya kalan resepsiyon görevlisi ne yapacağını şaşırmıştı. Böylece akıllıca davranarak kararı üst kademeye bıraktı.

"Bir dakika efendim," dedi nazikçe yarı gülümseyerek ve telefona birkaç rakam tuşladı. "Merhaba, ben Brandi. Resepsiyonda isminin Bunter olduğunu ve bizim Bay Bunter'ın babası olduğunu söyleyen biri var. Ortaklar toplantısına katılmak istiyor. Onu içeri almalı mıyım?" Cevabı dinledikten sonra telefonu kapadı ve Bunter'a döndü. "Birazdan biri gelip sizinle görüşecek."

O birisinin Bradley olduğu çok geçmeden anlaşıldı.

Onun geldiğini gören resepsiyon görevlisi telaşlanmıştı. "Kusura bakmayın, efendim. Sizi rahatsız etmek istememiştim. Ben sadece..." diye cıvıldadı kız heyecanla.

Genç Bunter ona hem yırtıcı hem de sevimli olmayı başaran bir tebessümle baktı. "Endişelenme Brandi, tatlım, çok iyi yapmışsın."

Genç kız patronunun verdiği onayın sıcaklığıyla parıldarken Bradley babasına döndü. "Seni buraya getiren nedir, baba? Yani, seni görmek güzel ama biraz beklenmedik oldu bu."

"Öyle denebilir ama işte geldim, buradayım. Şimdi şu toplantıya girelim mi?"

Diğer ortaklar, o ana kadar tam manasıyla sessiz ortak olan bu adamın gelişine Bradley Bunter'dan daha az şaşırmamış veya daha fazla mutlu olmamışlardı. Böylece Ronnie, ortakların masaya yatırdıkları, neredeyse tamamı Bannock Petrol'ün ve buna bağlı olarak Henry Bannock Aile Fonu'nun çöküşünün, firmanın finansmanına feci etkilerine odaklanan çeşitli konuların tartışıldığı süre boyunca toplantıda kaldı. Güven Fonu'nun şartlarını bizzat yazmış olan ve sonra on yıllar boyunca onu en ufak bir pürüz olmaksızın –iğrenç Carl Bannock'a büyük meblağlar ödeme yükümlülüğü dışında– idare eden Ronnie, şimdi hayatının işinin gözlerinin önünde parçalara ayrıldığını kabullenmek için büyük bir çaba harcamak zorunda kalıyordu. Yine de tek kelime etmiyordu.

Ancak sekreter başka konu olup olmadığını sorduğunda elini kaldırıp konuştu. "Evet, ortaklarımızın dikkatini çekmek istediğim, her ikisi de birbiriyle ilintili iki mesele var. Sözü alabilir miyim?"

Diğer ortaklar onu konuşmaktan alıkoyamazlardı, böylece Ronnie Bunter söze başladı. "Gündeme getirmek istediğim ilk konu, ben bir şey söylemeden önce değerlendirildiğini umduğum Jo Stanley'nin trajik ölümü."

Masanın etrafında utançla karışık bir mırıldanma oldu. Avukatlar bile, kurumsal ve kişisel mali durumlarını neredeyse bir saat tartışıp bir meslektaşlarının vefatını görmezden gelmenin utanç verici bir şey olduğunu anlayabilirdi.

"Jo uzun yıllar benim için çalıştı ve ben onu yakın bir arkadaşım, hatta bir bakıma kendi kızım gibi görürdüm. Onunla kısa bir süre önce iş arkadaşı olmuş olanlarınızın onu çok daha az tanımasını anlıyorum ama Bunter and Theobald'da onunla birlikte çalışan birçok kişinin, kaybından çok etkilendiğini biliyorum. Cenazesi için ne planlar yapıldığını bilmiyorum ama bu şirketin ona saygılarını sunacağını ümit ediyor ve cenazesine katılmak isteyenlerin mesai saatleri içinde de olsa bunun için izin alabilmeleri hususunda ısrar ediyorum."

Masanın etrafındakiler başlarıyla onayladılar, meselenin halolduğu düşünüldüğü sırada Shelby Weiss atıldı. "Kusura bakma Ronnie, ama burada hayatta kalma mücadelesi veriyoruz. Her kuruş önemli. Jo'nun vefatını anmak elbette güzel olurdu ama eğer insanlar cenazesine gideceklerse bunu bizim değil, kendi özel zamanlarında yapsalar iyi olur. Ya bir anma partisi olursa ve insanlar çakırkeyif olup dans etmeye başlar ve işe dönmeyip çalışma saatlerinden çalarlarsa?"

Ronald Bunter hararetli bir avukat değildi. Jüri önünde gösteriş yapmazdı. Sesini dahi nadiren yükseltirdi. Ancak, düşmanca bir tanığı ya da yalancı bir sanığı ifşa etmenin, sessiz ve sağlam bir yolu daima vardı ve bu yol gösterişçilik kadar etkiliydi. Ve şimdi öyle bir karaktere bürünmüştü.

"Bildiğim kadarıyla, Bay Weiss, Jo Stanley İrlandalı-Amerikalı değildi ve bu nedenle anma töreni olmayacaktır. Anne ve babasıyla bir-iki kez karşılaştım ve çok hoş, mütevazı, abartısız ve inançlı insanlar. Kızlarını gerçekten çok seviyorlardı ve cenazesini, onun kişiliğini ve değerlerini yansıtacak şekilde düzenleyeceklerine eminim. O nedenle Bunter and Theobald'un eski personelinin, en azından, herhangi bir şekilde cezalandırılmadan cenazesine katılmasına izin verilmesi gerektiğinde ısrarcıyım. Ve bir oylama yapmamıza da gerek olmadığını düşünüyorum."

Weiss meseleyi zorlamaya cesaret edemeyince Ronnie devam etti. "Tartışmayı arzu ettiğim diğer konu da yine Jo Stanley'nin vefat etme şekli ve kendisine yapılan saldırının ardındaki sebeplerle ilgili."

"Hangi sebeplermiş bunlar?" diye çıkıştı Weiss, masadakilerin şaşkın bakışlarına neden olacak bir hiddetle. "O, saldırıya uğradı. Dava kapandı. Çok talihsiz bir olay ve bunun düşmanımın bile başına gelmesini istemem. Ama böyle şeyler oluyor işte."

"Teşekkür ederim, Bay Weiss," dedi Bunter, Weiss'in onun sözünü keserken kullandığı yüksek ses tonu ve heyecana ihtiyaç duymadan. "Hayatımı kolaylaştırıyorsunuz. Ortaklarımızın önüne koyacağım iddiaları açıklama konusunda biraz gergindim. Ama sizin tüm bu sözleriniz ve tavrınız beni buna ikna etmeye yarıyor. Bu yüzden izin verin de durumu özet..."

"Buraya gelip toplantıyı bu şekilde gasp edemezsiniz!" diye bağırdı Weiss.

"Kazımaya devam edin, Bay Weiss, içinde bulunduğumuz çukuru daha da derinleştiriyorsunuz sadece."

"Affedersiniz," diyerek araya girdi Tina Burnett. "Ama tüm bunlar ne demek oluyor? Ronnie, bize ne söylemeye çalışıyorsun?"

Ronald Bunter duraksadı. Kaşları çatılmıştı. Bir an için, toplantı odasının diğer sakinlerine, söylemek istediklerini unutmuş yaşlı bir adam gibi görünmüş olabilirdi. Oysa yaşlı avukat izleyicilerini koltuklarında nasıl heyecanla kıpırdatacağını gayet iyi biliyordu. Sonunda başka biri bir şey söylemeden hemen önce soruyu yanıtladı. "Size söylemeye çalıştığım şey şu, Bayan Burnett, ortağınız Shelby Weiss'in Jo Stanley'nin ölümünden kati surette sorumlu olduğunu iddia ediyorum, bunun rasgele bir soygun değil, amacı belli bir cinayet olduğunu ileri sürüyorum. Dahası suikastın sebebinin, Bayan Stanley'nin Bay Weiss ile yatırımcı Aram Bendick arasındaki bağlantıyı fark etmesi olduğunu öne sürüyorum. Bendick, sizlerin de mutlaka fark etmiş olduğunuz gibi Bannock Petrol'e karşı yaptığı iddialarla büyük bir servet kazanmasıyla böbürleniyordu. Ve daha geniş bir soruşturmanın, Bayan Stanley'nin bu keşfinin hem Bay Weiss hem de Bay Bendick için tehlikeli olduğunu ortaya koyacağına inanıyorum. Bunun sebebi, Bannock Petrol'ün çöküşünü hızlandırmanın bir yolu olarak Angola açıklarında, Magna Grande'deki Bannock sahasına bir saldırı yapmak için uluslararası bir komploya girmiş olmaları. Ve henüz kanıtlayamasam da bu komplonun başoyuncusunun, Bay Weiss'in müşterisi, çoğunuzun Johnny Congo adıyla tanıdığınız John Kikuu Tembo olduğundan eminim."

"Bu lanet bir yalan!" diye bağırdı Weiss, ortaklar toplantısı korkunç bir kargaşaya dönüşürken. Weiss, Mendoza and Burnett üçlüsünün en eski ve yetkili üyesi Jesús Mendoza'nın ortamı yatıştırması bir dakikadan fazla zamanını aldı. "Bunlar çok ciddi suçlamalar, Ronnie. Bunları destekleyecek kanıtların var mı?"

"Cezai kanıt standartlarına göre mi? Hayır, Jesús, yok. Ama ortada, senin Doğu Teksas'taki en parlak genç bölge savcısıyken iki elle sarılacağın bir dava var mı diye soruyorsan, kesinlikle evet."

"O zaman bize de anlatsan iyi olur."

Bunun üzerine Ronnie hikâyeyi anlatmaya koyuldu. Jo Stanley'nin Hector Cross'u, Johnny Congo'yu uçaktan atmak yerine onu yetkililere teslim etmeye zorlamasını, Congo'nun Cabinda'daki gizemli varlığını, Jo'nun Weiss'in son haftalarda tuhaf bir şekilde ilgisiz, hatta iyimser ruh hali hakkındaki gözlemlerini, Weiss'in telefonunda Bendick'in ismini görmesini, Cross'a gönderdiği e-postayı ve ani ölümünü aktardı.

Ardından ekledi. "Kesin bir kanıtım yok, en azından henüz yok. Ama genç, hırslı bir savcı olsaydım şu anda Bay Weiss'in tüm telefon ve e-posta kayıtlarına el koymak için mahkeme celbi alıyor olurdum. Elbette bir de banka hesaplarına. Ama benim tahminime göre kirli olanların hepsi denizaşırıdır. Bence sen adi bir pisliksin, Weiss ama aptal değilsin. Ayrıca Aram Bendick'i incelemeye almaları için FBI'ı, polisi, Menkul Kıymetler ve Borsalar Komisyonu'nu ve New York Güney Bölge Savcılığı'nı da arardım... Bunun, New York City'nin finansal merkezler üzerinde yargı yetkisine sahip mahkeme olduğunu söylememe gerek gerek yok sanırım. Bannock Petrol'e karşı finansal saldırılara başlamadan hemen önceki günlerde, Bay Bendick'in gerçekleştirdiği işlemlere ve hem Amerika Birleşik Devletleri içindeki hem de dışındaki hesap hareketlerine bakardım ve Dışişleri Bakanlığı'nı arardım, çünkü bankalarını soruşturmamıza açmaları için, İsviçre ve Cayman Adaları, ayrıca muhtemelen Panama'yla görüşmeler yapmaya başlayacaklardır."

Bu konuşmalar devam ederken yüzü bembeyaz olan Weiss sessizce oturuyordu. Jürinin yüzlerini okuyarak yıllarını geçirmişti, bu yüzden odadaki diğer avukatların suratlarına bakarak Bunter'ın hikâyesine inanıp inanmadıklarını, somut ve kesin delilleri olup olmadığını anlayabiliyordu. Şimdi karşı mücadeleye geçme zamanı gelmişti.

"Elinde hiçbir şey yok, Bunter," diye hırladı. "Kanıt yok, tanık yok, belge yok... Çaresizlik içinde terk ettiği sevgilisinin gönlünü almak isteyen ve Johnny Congo'nun yaşamasına izin verdiği için duyduğu kötü hisleri telafi etmeye çabalayan bir kadının saçma teorilerinden başka bir şeyin yok. Siz bu saçmalıkları dinlemeye devam etmek istiyorsanız tamam. Ama ben yeterince dinledim. Yapacak işlerim var. Belki senin de bir işin olsaydı, Bunter, böyle saçmalıklara zaman harcamazdın."

Weiss sandalyesini devirerek ayağa kalktı ve hızla odadan dışarı çıktı.

"Bayan Burnett, baylar, söylediklerimi dinlediğiniz için teşekkür ederim. Bence gayet iyi geçti, sizce de öyle değil mi?"

"Kesinlikle," diye karşılık verdi Texas Rangers'tan Binbaşı Bobby Malinga. Weiss, Mendoza, Burnett and Bunter ofisinin karşısında duran bir minibüsün içinde oturmuş, birkaç saat önce Bunter'ın göğsüne yerleştirdikleri mikrofondan aktarılan yayını dinliyordu.

"Haydi, Weiss, babacığını ara..." diye mırıldandı Hector Cross.

Weiss daha bir saniye geçmeden Manhattan cep telefonlarına ait alan kodu 646'yı tuşlamıştı bile. Hat çalmaya başladı. "Aç telefonu... aç," diye mırıldandı Hernandez. Sonra yumruğunu havada sallayarak, "Eveett!" diye bağırdı Aram Bendick'in sesi duyulduğunda. "Ne istiyorsun?"

"Bittik," diye karşılık verdi Weiss, panik dolu bir sesle.

"Hey! Sakin olsana! Sakinleş. Ne oldu?"

"Sana anlattığım şu kadını hatırlıyor musun, Jo Stanley, icabına bakmamı söylediğin kadın hani?"

"Hayır." Bendick'in düz ve duygusuz sesi pervasız bir inkârla çatırdadı.

"Elbette hatırlıyorsun. Bana seni ilgilendirmediğini, benim halletmem gerektiğini söylemiştin. Eh, ben de bunu yaptım."

"Neyden bahsettiğini anlamıyorum."

Weiss öfkelenmişti ve bu da sinirlerinin yatışmasına yardımcı oldu. "Dinle beni, ukala, seninle bir avukat olarak konuşuyorum ve Stanley'nin yaptıklarımızı öğrendiğini söylüyorum. Ayrıca Magna Grande olayını altüst eden eski sevgilisi Cross'a anlattı bunu."

"Offf." Cross minibüsün karanlığında yüzünü buruşturdu.

"Ve Cross da Stanley'nin eski patronu Bunter'a anlatmış, adam bir saat önce ofise gelip ortakların yanında her şeyi bir bir anlattı. Bu ortaklar dört avukat, hepsi de hukuk adamı ve her şeyin Bannock Petrol'ü yok etmek ve hissedarlarını dolandırmak için bir komplo olduğunu biliyorlar. Anlamadıysan söyleyeyim komplo kurmakla suçlanıyoruz. Üstelik daha da kötüsü var. Bunter ayrıca Magna Grande felaketinin, müşterim ve yatırımcınız Johnny Congo tarafından, özellikle ikimizin de kazanç elde ettiği Bannock hisselerinin fiyatını düşürmek amacıyla planlandığını ileri sürdü. Bu da bizi yarısından fazlası ABD vatandaşı olan iki yüzden fazla insanın ölümüne neden olan bir komploya daha da yaklaştırıyor. Duydun mu beni, Bendick?"

"Elbette duydum seni ama fark ettiysen bir şey söylemiyorum, çünkü neyden bahsettiğinle ilgili en ufak bir fikrim yok. Bazı insanların delice olduğunu düşünebileceği pozisyonlarla ilgili hükmümü destekleyen uzun bir sicilim var. Bazılarını kaybederim. Sıklıkla kazanırım. Bu da o davalardan biriydi ve aksini kanıtlamayı deneyecek olanları da görmek isterim. İyi günler, Bay Weiss."

"Lanet olsun!" Hernandez kulaklıklarını çıkarıp önündeki masaya attı. "O pislik haklı, kullanabileceğimiz hiçbir şey söylemedi."

"Söyleyeceğini mi sandınız gerçekten?" diye sordu Hector Cross. "Yani, Weiss'ten bir itiraf alabildik. Eminim, Harris County Bölge Savcılığı'ndaki meslektaşlarınız bunu, iddialarını destekleyecek kanıtlarla Bendick'i töhmet altında bırakarak ifade vermeye zorlayacak bir baskı olarak kullanabilirler. Congo'ya suç işlemesinde yardım ediyorsa o zaman avukat-müvekkil dokunulmazlığını unutabileceğini tahmin ediyorum. Ronnie Bunter'ın dediklerini duydunuz: Para, terör veya eski usul suçlarla ilgisi olan her devlet kurumuna gidin ve onları davaya dahil edin. Bendick'in telefonda soğukkanlı oluşunu unutun, artık oyunun sonuna gelindi. Bahse girerim, ufaklıklarına e-postaları sildirmeye, dosyaları çöp kutusuna attırmaya, kirli parayı denizaşırı hesaplara aktarmaya başlamıştır. Arkası da gelecektir."

"Neden bu kadar neşelendiğinizi anlamıyorum," dedi Hernandez. "Eğer bunları yaparsa onu mahkûm edebilecek tüm kanıtları imha ediyor demektir."

"Siz öyle sanıyorsunuz." Cross telefonuna birtakım numaralar tuşlayıp sesi dışarıya verdi. Hepsi birden hattın çaldığını ve ardından bir Amerikalının cevap verdiğini duydular. "Selam, patron. Senin için ne yapabilirim?"

"Çok basit, Dave, onlara son birkaç gün ve saattir neler yaptığını anlat."

"Kısaca söylemek gerekirse Virginia Fort Belvoir'daki ABD Ordusu İstihbarat ve Güvenlik Komutanlığı'ndan bazı eski arkadaşlarla beraberim. Bazıları eski asker olan bu arkadaşlarım, pek çok yurttaşın ölümünden sorumlu insanları bulmama yardım etmekten mutluluk duyacaklarını söylediler. Bu yüzden dizüstü bilgisayarlarımızı çıkardık, kafa kafaya verdik, eski güzel günlerdeki gibi bilgisayar programları yazmaya başladık ve ne oldu dersin? Aram Bendick'in kurumsal bilgisayar sistemine girmeyi başardık, böylece saklamaya çalıştığı tüm kanıtlara sahibiz ve şu anda ne yaptığını görebiliyoruz. Bu, onun saklamaya çalıştığı tüm parayı takip edebileceğimiz anlamına geliyor, ki bu şimdiye kadar iki buçuk milyar doların biraz üzerinde... hayır, pardon iki nokta yedi diyelim... Vay canına, o adamları öldürerek epey para yapmış!"

"Harika iş çıkardınız, Dave. Sana yardım eden tüm arkadaşlara teşekkürlerimi ilet. Ve sana da kocaman bir alkış. Bence yaşayan, en büyük dâhisin gerçekten de."

Imbiss güldü. "Patron sensin, Heck, o yüzden dediklerine karşı çıkamam!"

Cross görüşmeyi sonlandırıp dikkatini yeniden Malinga'ya verdi. "İşte bugün burada kanıtladıklarımız. Shelby Weiss, Jo Stanley'yi öldürttü. Soru: Bir vurgun istiyorsa kime giderdi? Cevap: Congo'nun kaçışını kim planladıysa ona. Weiss'in onun kim olduğunu bilmediğini söylemeyin bana."

"Ah merak etme, elbette biliyordu," diye karşılık verdi Malinga. "Sadece o da değil. Diğer herif, yasal işler yaptığını iddia eden bir işadamı, D'Shonn Brown."

"Aleutian Brown'la bir alakası var mı?" diye sordu Cross.

"Kardeşi. Neden sordun?"

"Ah, bir süre önce Aleutian'e rastladım."

"Nerede?"

"Merak etmeyin, sizin yetki alanınızdan çok uzaklardaydı."

Malinga alaycı bir şekilde gülümsedi. "Eh, öyleyse işlerini yapan ve yasalara uygun yaşayan insanlar için sokakları güvende tutma çabalarınızı takdir ediyorum. Hernandez, bölge savcılık ofisini aramamızın zamanı geldi. Weiss'in evi, ofisi ve telefonları için arama emrine ihtiyacımız olacak. Ve D'Shonn Brown'la ilgili herhangi bir bağlantı bulunduğunda –tek bir konuşma dahi yeterli olur– onun için de arama emri alırız."

"Almayı ihmal etmeyin," dedi Hector Cross, Malinga'ya. Bu arada Hernandez telefonda birileriyle konuşuyordu. "Jo Stanley iyi bir kadındı ve hukukun üstünlüğüne her şeyden fazla inanıyordu. En azından katilinin yakalanması, yargılanması, suçlu bulunması ve cezalandırılmasını hak ediyor."

"Demek seni o işi yapmaktan kurtardı, ha?" dedi Malinga.

"İntikamını kendi ellerimle almayacağım tek kişi o olabilir. Bunu yapmayı düşündüm... düşünmedim dersem yalan söylemiş olurum. Ama o böyle yapmamı istemezdi."

"Güzel, çünkü Weiss ve Brown'dan sonra bir de senin peşine düşmek istemiyorum."

"Ve Bendick'ten sonra. Onu da unutma."

"Ah, unutmam. Buna emin olabilirsin. Ve bahsettiğin görüşmeleri de yapacağım. ABD Gümrük Birimleri, Federal Havacılık İdaresi ve New York Liman İdaresi'nden bahsetmiyorum bile. Aram Bendick, Magna Grande olayının olduğu dönemde ülkeden çıkmak için bir uçak, tekne veya başka bir ulaşım aracına bindiyse, bunu öğreneceğim."

"Sonra ne olacak?"

"Sonra lanet olayla ilgili her şeyi federallere devredeceğim ve kendilerine pay çıkarmalarını izleyeceğim. Ben sadece Teksaslı iyi bir adamım, Bay Cross. Anladığım kadarıyla, ki anlamak zor değil, Aram Bendick, piyasaları dolandırmak için terör eylemleri gerçekleştirmek üzere uluslararası bir komploya karışmış."

"Öyle görünüyor," diyerek hemfikir oldu Hector.

"Ama federallerin işlerini yapmalarına izin vereceksiniz, değil mi? Kısa yoldan gitmeye kalkışmayacaksınız?"

Cross güldü. "Bazen yasalara uymayı becerebiliyorum. Ayrıca bu hikâyenin seyrini takip etmenin zevkini yaşamak istiyorum. Weiss ve Bendick'in kelepçeleriyle kameralara görüntü vermesini izlemek istiyorum. Avukatları tüm suçlamaları inkâr ederken açgözlü ve yalancı suratlarının aldığı ifadeyi görmek istiyorum. Tüm delillerin birer birer ortaya çıkışını izlemek istiyorum... Ve belki bir gün çok ama çok uzun bir süre için içeri tıkıldıklarını görmek istiyorum."

"Eh, o halde şu görüşmeleri yapmaya hemen başlasak iyi olacak," dedi Malinga, beyaz Stetson şapkasını havalı hareketle bir yana, sağ gözünün üstüne doğru yatırırken.

Cross'un Abu Zara'daki güvenlikli evi Seascape Mansions'ın en üst katında toplanan yalnızca yirmi üç kişi vardı. Magna Grande felaketi, Bannock Petrol'ü tam manasıyla darmaduman etmişti. John Bigelow, yönetim kurulunun geri kalanı gibi şirketin icra kurulu başkanlığından istifa etmek zorunda kalmıştı. Bannock Petrol idarenin kontrolüne girmiş ve şirketin varlıklarına el konmuştu. Şirketin Atlantik ve Hint okyanuslarındaki sondaj haklarının geri kalanı, şirket borçlarını karşılamak için vahim bir teklifle zararına satılmıştı. Ortalık durulduğunda şirketin elinde kalan tek mülk, tahmini ömrü yalnızca on beş yıl olan Zara petrol sahalarıydı. Sonuç olarak, Bannock Petrol Limited Şirketi'nin net piyasa değeri yüzde seksen gibi şaşırtıcı bir oranda düşürülmüştü.

Bir zamanlar tanınmış bir şirket için bu, berbat bir dip noktaydı. Yine de, Bannock Petrol hâlâ korumaya ihtiyaç duyuyordu ve Cross, felaketten fazla lekelenmemiş bir itibarla çıkmıştı. Bannock'un varlıklarının satışından istifade ederek Cross Bow Güvenlik Şirketi'ni, satıldığı fiyattan biraz fazlasını ödeyerek geri almıştı.

En azından Shelby Weiss ve Aram Bendick artık bir tehdit teşkil etmiyordu. Teksas Yüksek Mahkemesi tarafından, Magna Grande sondaj operasyonunun kendi çıkarları adına imha edilmesi için komplo kurmaktan ve *Bannock A*'daki, çoğu ABD vatandaşı olan iki yüzden fazla kişinin ölümüne sebebiyet vermekten suçlu bulunmuşlardı. Yargıç, onları mahkemede sırasıyla elli ve yetmiş beş yıl olmak üzere hapis cezalarına çarptırmıştı. Şartlı tahliye talebine fırsat dahi bulamadan hapishanede ölüp gitmeleri muhtemeldi. Weiss, cezasını hafifletmek için çaresizce bir girişimle –D'Shonn Brown'ı idam gününde Johnny Congo'yu kaçırma operasyonuyla ilişkilendiren– bildiği her şeyi anlatmıştı ve Brown'ın da turuncu tulumu giymesi ve hapishane yemeği yemeye başlaması an meselesiydi.

Ancak Cross ve ekibinin yapmaları gereken bir iş daha vardı ve o da Bannock Petrol'den geriye kalanları korumaktı. O nedenle şimdi Cross, her iki elini de kaldırmış, işleri masaya yatırmak üzere sessizlik talep ediyordu. "Düşmanlarımızın sonuncusuyla henüz karşılaşmadık. Onların en öldürücü ve tehlikeli olanları hâlâ dışarıda bir yerlerde, çalılıkların arasında gizleniyor, dikkatleri üzerlerine çekmeden dünyanın başka tarafa bakmasını bekliyorlar. Mateus Da Cunha ve Johnny Congo, namıdiğer Juan Tumbo, diğer adıyla da King John Kikuu Tembo, Magna Grande petrol sahasını Angola Hükümeti'nin kontrolünden almadıkça rahatlamayacaklar. Bunu, Magna Grande felaketinin başlattığı işi tamamlayarak yapmayı planlıyorlar. Yani, huzursuzluk ve anarşi yaratarak; Da Cunha'nın devreye girip kendisini ulusun kurtarıcısı olarak sunarak Angola'dan bağımsızlığını ilan edeceği noktaya kadar Cabinda'yı karıştırarak. Ve eğer binlerce masum kurban daha verecek bir kitle imhası gerçekleştirmek zorunda kalsalar bile umurlarında olmayacak. Hepsi planlarının bir parçası."

Odadaki hava, neşeli şakalaşmalardan ciddi, profesyonel bir konsantrasyona dönüşmüştü. "Zaman onların lehine işliyor, büyük kaynakları var," diye devam etti Cross. "Da Cunha için bu, safi açgözlülük meselesi. Cabinda'nın mineral zenginliklerini arzuluyor. Congo farklı. O, Carl Bannock'un ölümünün, Kazundu'daki şahsi imparatorluğunun yıkılmasının, Ölüm Hücresi'ne mahkûm edilişinin, Venezuela'dan çıkmaya zorlanışının intikamını almak istiyor. Bu yüzden bana karşı şahsi bir kan davası güdüyor. Ölmemi istiyor. Ve bu duygu tamamen karşılıklı, ben de onun ölmesini istiyorum."

Cross durup söylediklerinin hazmedilmesini bekledikten sonra devam etti.

"Bu nedenle de... planlar yapıyoruz. Çoğunuz bilmiyorsunuz ama Nastiya O'Quinn, kız kardeşi Zhenia'nın da yardımıyla, düşman kampına sızıp Da Cunha'nın güvenini kazanmayı başardı. Bu, Congo'ya çıkan yol için de bizlere bir ipucu veriyor. Her ikisi de Nastiya ve Zhenia'nın Cross Bow Güvenlik'le herhangi bir şekilde bağlantılı olduğunun farkında değil. Nastiya'nın, yasal olsun olmasın maksimum getiri sağlayacak faaliyetlere yatırım yapmak üzere ülkesinde fon toplama konusunda uzmanlaşmış bir şirketi yöneten bir Rus yatırımcı olduğuna inanıyorlar. Kabul edelim ki ortalama bir Rus oligark, yasalardan endişe edecek olsa tek bir ruble sahibi dahi olamazdı."

İzleyicilerin çoğunun yüzünde muzip tebessümler belirdi ama diğerleri şüpheci görünüyordu. O sırada Cross Bow'daki adamlardan biri elini kaldırdı.

"Bir şey mi soracaksın, Pete?" diye sordu Cross, biraz isteksizce.

"Evet, patron. Nastiya'yla ilgili. Kazundu işinde bizimle birlikteydi. Ya Congo onu gördüyse. Kızma, Nastiya ama sen bir erkeğin unutacağı bir kadın değilsin."

Bu sözler seyirciler tarafından kahkahalarla ve Nastiya tarafından da hafif bir tebessümle karşılandı. Fakat Cross düşünceli görünüyordu. "Bu doğru bir nokta. Cevabın nedir, Nastiya?"

"Evet, elbette Kazundu seyahatinde ben de vardım. Ama kocam Paddy'yle birlikte, havaalanındaki saldırıya önderlik ediyordum. Ekibin Congo'yu yakaladığı şatoya hiç gitmedim."

"Peki ya dönüş uçağı?" diye üsteledi Cross. "Seni orada görmediğine emin misin?"

"Eminim," diyerek güvence verdi Nastiya. "Ona uyuşturucu verip uyutmuştun ve yol boyunca da kargo bölümünde bir kargo ağına sarılı seyahat etti. Ben ön taraftaki yolcu kabinindeydim. Congo'nun beni görme fırsatı olmadı."

Cross, Paddy O'Quinn'e baktı. "Ben de öyle hatırlıyorum. Sen ne dersin, Paddy? Congo karını gördü mü hiç?"

"Benim karım daima haklıdır, Heck. Bunu biliyorsun ve ona yalancı diyeni öldürürüm... Tabii bunu kendisi benden önce yapmazsa."

Nastiya'nın ani öfkesini hatırlayanlardan kahkahalar yükseldi.

"Pekâlâ, o halde Nastiya'nın temiz olduğu konusunda hepimiz hemfikiriz," dedi Cross. "Johnny Congo onu hiç görmedi ve Mateus Da Cunha ise her erkek gibi onun güzelliği ve zekâsıyla büyülendi. Da Cunha onu Maria Denisova olarak biliyor ve Maria, onun Cabinda'yı Angola'dan koparıp kendi derebeyliğine çevirme planına yatırım yapacak dört gerçek oligark buldu bile."

"Affedersin, Hector ama düzeltmem gerekiyor," diyerek araya girdi Nastiya. "Da Cunha için dört oligark bulan kişi babam. Ayrıca cazibemi de kaybediyor olmalıyım, çünkü Da Cunha, Zhenia'yı ilk gördüğü anda, ilgisinin benden ona çevirdiğini bariz şekilde belli etti."

Nastiya, yanında oturan ve ablasına karşı kazandığı zaferle sırıtan Zhenia'ya alaycı bir ifadeyle baktı.

"Onu ne zaman gördü ki?" diye sordu Cross, meseleye olan şahsi ilgisini gizlemek için bir çaba sarf etmeden. "Burada bilmem gereken bir şeyler mi dönüyor?"

"Nastiya sana takılıyor, Hector," diye atıldı Zhenia, onu rahatlatmak için. "Da Cunha'yla Skype görüşmesi yaptığında yanında oturuyorum ve konuşmuyorum ama iyi bir sekreter gibi notlar alıyormuş numarası yapıyorum. Nastiya benim için yeni bir isim bile buldu. Adım Polina Salko. Bence bu da beni Bolonya sosisi gibi gösteriyor."

"Kimse seni bir sosisle karıştıramaz," dedi Cross, seyirciler ıslık çalıp alaycı yorumlar yaparken gülümsemesini bastırmaya çalıştı. Ortamın sessizleşmesini bekledikten sonra devam etti. "Pekâlâ, sizleri bugün buraya çağırdım, çünkü dün akşam şans yüzümüze güldü. Da Cunha, Nastiya'ya Cabinda'nın kontrolünü ele geçirme mücadelesi sırasında mobil üs olarak kullanmayı düşündüğü bir yat kiraladığı bilgisini verdi."

Cross bir anlığına memnun bir ifadeyle hafifçe gülümsedikten sonra devam etti. "Anlaşılan, kimsenin onun gerçek müşteri olduğunu anlamasın diye kullandığı paravan şirketlerle böbürlenmeyi ihmal etmiyor."

Seyircilerden heyecanlı mırıltılar yükseldi ama Cross onlara aldırış etmeden sakin bir sesle konuşmaya devam etti. "Johnny Congo şimdiye dek radarımızdan tamamen çıkmıştı. FPSO *Bannock A*'daki saldırıya onun liderlik ettiğinden neredeyse eminiz ama daha sonrasında hangi deliğe girdiğine dair hiçbir fikrimiz yoktu. Ne var ki, hem Congo hem de Da Cunha'nın bu yatta olacağını ve Cabinda'daki operasyonları geri teperse burayı bir sığınak olarak kullanacaklarını varsaymanın makul olduğunu düşünüyorum. Bu arada, Da Cunha hem Bayan Denisova hem de sekreterini..."

"Senyorita Sosis'i!" diyerek araya girdi arka sıradan bir boşboğaz.

Cross ona dik dik baktı ama gülümsemesini bastırmakta tam manasıyla başarılı olamadı.

"Seyahatinde ona eşlik etmeleri için davet etti. Nastiya ve Zhenia'yı ne zaman ve nereden alacağını bilmiyoruz. Tek bildiğimiz gelecek iki hafta içinde olacağı ama Cabinda'da olmayacağı. Benim tahminime göre dünyanın etrafında dolanıp Cabinda'nın özgürlüğü için asil bir mücadele olarak sunacağı şeye mali, diplomatik ve hatta askeri destek arayacak."

Cross izleyicileri arasındaki gerilimin artmasına izin vererek bir süre sessiz kaldıktan sonra devam etti. "Bu bizim için büyük bir fırsat olabilir ve Da Cunha ve Congo'yu aynı çıkmazda yakalamak için muhtemelen tek şansımız. O nedenle hemen plan yapmaya başlamalıyız. Dave?..."

Dave Imbiss, Cross'un yanına gelip hemen sunumuna başladı. "Da Cunha, Nastiya'ya yatın *Faucon d'Or* yani Fransızca bilmeyenler için *Altın Kartal* adında, yetmiş metrelik, yepyeni bir Lürssen olacağını söylemiş. *Faucon d'Or*'un kardeş gemisinin planlarının bir kopyasını edinmeyi başardım. Her iki araç da Lürssen'in Bremen-Vegesack'teki merkezinde inşa edilmiş. O yüzden beni dikkatle dinleyin. İşte bilmeniz gerekenler..."

Imbiss yaklaşık yarım saat konuştu ve muhteşem, modern bir yatın fotoğraflarını ve planlarını paylaştı. Sunumunu, yatın teknik özellikleriyle ilgili en değerli bilgileri özetleyerek bitirdi. "İşte gördünüz, bayanlar ve baylar: Beş kamarada on yolcu için tasarlanmış yetmiş metrelik lüks bir konaklama sunuyor. Seyir hızı yirmi iki deniz mili civarında ama kırk deniz mili azami hıza ulaşabiliyor. Korkarım onu kıçtan kovalayıp yakalayabilecek fazla deniz aracı bulunmuyor."

Cross toplantıyı birkaç kelimeyle noktaladı. "Şimdilik bu kadar. Hepimizin sabırlı olması ve Mateus Da Cunha'nın bir sonraki görüşmeleri için Nastiya'ya randevu detaylarını vermesini beklememiz gerekiyor. Bunun ne zaman veya nerede olacağını ya da Johnny Congo'nun *Faucon d'Or*'da olup olmayacağını tahmin etmemizin bir yolu yok. Ama Dave detayları öğrenmek üzere çalışmaya devam edecek, Paddy ve ben de nerede olabileceğine dair bir fikir edindikten sonra *Faucon d'Or*'u pusuya düşürmek için bir plan oluşturmaya çalışacağız." Karşısında oturan yüzlere bakıp omuzlarını silkti. "Pekâlâ, bir eylem planı olarak henüz yeni doğmuş bir bebek gibi. Ama ne derler bilirsiniz: İşler sadece iyiye doğru gider. Yarın, sabah, fikir üretmek üzere saat onda çatı katındaki terasta buluşacağız. Mangal ayarlayıp birkaç kasa bira da getireceğim. Sizin de iyi fikirlerle gelmenizi bekliyorum."

Ertesi gün öğle vakti olduğunda çoktan birkaç düzine birayı ve kömürde pişmiş birkaç kilo biftek ve pirzolayı mideye indirmişlerdi. Catherine Cayla mayosunu giymiş ve minyatür şişme havuzunun menziline giren herkesi kahkahalar ve çığlıklar eşliğinde sırılsıklam ediyordu. Fakat orada olup eğlenen tek kişi oydu.

"Tek bir tekneyle dört okyanusu ve yedi denizi birden kontrol altına alamayız," dedi Cross kederli bir tavırla.

"Tenke!" diye bağırdı Catherine babasını taklit ederek. Cross ona aldırış etmeden devam etti. "Bu işi yapabilmek için birkaç yüz tekne lazım."

"Yüs tenke!" Catherine dikkat çekmek için sesinin tonunu yükseltmişti.

"Senin boyutlarında biri için sis düdüğünü andıran bir sesin var," dedi ona Cross, gururla karışık. "Benim kesinlikle bir biraya daha ihtiyacım var." Terasın en ucunda, şemsiyenin altındaki servis barına doğru yöneldi.

Catherine aniden çığlıklar içinde, "Baba gidiyo!" diye bağırdı ve kendini şişme havuzdan dışarı atarak Cross'un sağ bacağına bir salyangoz gibi yapıştı. Cross durup onu kucaklayarak havaya doğru fırlattı.

Düşerken onu yeniden tuttu. "Üzgünüm, bebeğim!" dedi ona. "Baba gitmiyor. Baba seninle kalıyor."

"Baba kalıyo!" dedi Catherine neşeyle ve onun boynuna sarıldı. Cross kendine bir bira aldı ve ikisi birlikte geri dönerek Dave Imbiss'in yanındaki kumaş sandalyeye çöktüler.

"Umarım baba-kız kaynaşma seansınızı bölmemin sakıncası yoktur, Heck," dedi Dave. "Ama Faucon'a bindiklerinde Nastiya ve Zhenia'yı takip etmenin bir yolunu bulmalıyız."

"Ne öneriyorsun?"

"Eh, akıllı telefonlar bugünlerde GPS takip cihazları kadar iyiler. Nastiya'nın Maria Denisova olarak halihazırda sahte hikâyesini destekleyen ve kişiler, fotoğraflar, notlar ve uygulamalarla dolu bir telefonu var. Eğer Zhenia'ya da benzer bir şey verirsek o zaman telefonlarına yakın oldukları sürece onları 'Telefonumu Bul' uygulamasından takip edebilir ve nerede olduklarını anlayabiliriz."

Cross bu öneriyi bir süre düşündükten sonra cevap verdi. "Elbette, Da Cunha telefonları alıp pilleri çıkararak sinyal göndermelerine engel olmazsa."

"Eh, iPhoneların üniteleri mühürlü, o yüzden pilleri alamaz. Ve Voronovaların sahte kimliklerine inandığı sürece telefonları alacağını da sanmıyorum. Yani, Da Cunha'nın bildiği kadarıyla Maria Denisova en büyük yatırımcılarına olan bağlantısı, o yüzden telefonunu alarak onu küçük düşürmeyecektir. Bugünlerde bir insanın telefonunu almak bir uzvunu almaktan farksız."

"Tamam, anlaşıldı. Ama Da Cunha ondan kibarca 'Telefonumu Bul' uygulamasını silmesini isteyebilir, o zaman ne yapacağız?"

"Aynı şeyi yapan, alışveriş veya oyun ya da ona benzer bir isimle gizlenmiş başka bir uygulama bulunduracağız. Böylece problemi çözdüğünü zannedecek ama çözemeyecek."

"Okyanusun ortasında nasıl sinyal alacak?"

"Hiç sorun olmaz. *Faucon* gibi yatlar kiralayanlar dünyanın her yerinde internet erişimi talep ederler. Uydu iletişimi, telefon sinyalleri, Wi-Fi aklına ne gelirse."

Cross başını sallayarak bu mantığı kabul etti ve bir şeyler söylemeye hazırlanırken ilgi arayışıyla tiz bir çığlık atan kızının sesiyle bölündü.

"Tenke!" Catherine bir kez daha konuşmanın merkezi olabilmek için tombul eliyle babasının ağzını kapayıp onu susturuyordu.

Cross başını eğerek kızının elinden kurtularak düşüncelerini paylaşmaya devam etti. "Peki Da Cunha ve Congo nerede olacaklar? Mantıken, Batı Afrika kıyıları açıklarındaki Cabinda'ya kolayca ulaşabilecekleri bir yerde, bu da Atlantik demek. Öyle bile olsa çok büyük bir alandan söz ediyoruz. *Faucon d'Or*'un konumunu bilsek dahi hemen bir araca atlamamız lazım ve o teknenin hızını düşünürsek onu yakalamakta zorlanacağız demektir."

Catherine babasının bir tutam saçını yakalayarak başını, Arap Körfezi'ne bakacak şekilde çevirdi. "Tenke!" diye ciyakladı. "Bak, tenke!"

Cross ilk kez başının çevrili olduğu istikamete baktı. "Aman Tanrım!" dedi şaşkınlık içinde. Suyun göz kamaştıran yüzeyinde hızla gitmekte olan ve hayatında gördüğü en hızlı, en amansız, en siyah, en haşin görünümlü deniz aracını fark etmişti. "Haklı.

Şurada bir tekne var. Ne kadar akıllı bir kız bu!" Dave'e döndü. "Bunun ne olduğu ve... bundan nerede bulabileceğimiz konusunda bir fikrin var mı?"

"Vay canına!" dedi Dave nefesini tutarak ve Cross'un sorusuna aldırış etmeden. "Bu yavrulardan her yerde göremezsiniz."

Cross yardımcısına hayretle baktı. "Ee?..."

"Bu bir Interceptor. Southampton'da bir grup tarafından yapılıyor. Konsept, su üzerinde herhangi bir korsan veya uyuşturucu kaçakçısını kovalayabilecek veya bir düzine Özel Kuvvet Birliği'ni, düşman daha orada olduğunu bile fark etmeden, son derece hızlı bir şekilde indirebilecek, on beş metrelik, dişli bir sürat teknesi. Bu şeyin saatte yüz deniz mili hız yapabileceğini iddia ediyorlardı, hatta oynaması için Top Gear otomobil programı çalışanlarına bir tane verdiler. Tabii ki silah donanımı olmadan."

"Tanrı'ya şükür. Ama silah demişken... üzerinde ne var?"

"Tam askeri şartnameyle... Ah, dostum..." Imbiss memnun bir ifadeyle sırıttı. "Pruvada, içeri çekilebilir Kongsberg Deniz Koruyucu silah platformuna monte edilmiş Browning M2.50 kalibre ağır makineli tüfek ve sis bombası fırlatıcıları olan ateşleme kontrol sistemi. Kokpitin arkasında, karadan havaya ve karadan karaya kapasiteye sahip olan, böylece hava ve deniz araçlarını indirebilen Thales Çok Rollü Hafif Füze fırlatıcısı."

"Epey kullanışlı," dedi Cross. "Nereden bir tane bulabiliriz?"

"Eh, normal şartlarda bulamayız, çünkü üreteciler iflas etti."

"Gerçekten mi? Söylediklerine bakılırsa harika bir parça gibi görünüyor."

"Bilemiyorum, belki Interceptor kendine faydası olamayacak kadar iyiydi. Muhasebeciler nasıldır bilirsin, Heck. Böyle eğlenceli görünen hiçbir şeye güvenmezler. Ama bunlardan birkaçı silahsız sürat teknesi olarak üretilmişti ve bazen satışa çıktıkları oluyor. Bir de şu kıçında dalgalanan Abu Zara kraliyet bayrağını görünce..."

"Tanrım, gerçekten de öyle," dedi Cross, gözlerini ovuşturarak tekrar baktı.

"Sanırım kimde bunlardan bir tane olduğunu biliyorum."

"Hayır, söyleme. Dur, tahmin edeyim!"

"İlk seferde bildin," dedi Dave gülerek, bu sırada tekne yavaşlayıp limana doğru doksan derece çevik bir dönüş yaptı ve kıyı şeridine, doğruca onlara doğru yöneldi, "Bu, Majesteleri Emir Abdul'un son oyuncaklarından biri."

"Son hız gidişini görmek isterdim." Cross kucağında Catherine'le birlikte terasın tırabzanlarına doğru yürüdü ve açık denizde gezinen tuhaf tekneye baktı. Birden kaptan köşkünü çevreleyen siyah zırhlı cam panellerden biri kayarak açıldı ve miğferli bir kafa belirdi. Miğfer çıktığındaysa şövalye selamı yapan tanıdık bir yüz göründü.

"Kontrolde Emir Hazretleri var. Mükemmel!" dedi Cross sırıtarak. Kraliyet usulü şövalye selamına karşılık verdikten sonra ellerini boş bırakmak için Catherine'i Nastiya'ya uzattı. iPhone'unu başının üzerinde sallayarak aramasını söyleyen bir hareket yaptı.

Prensle özel bir ilişkisi olmasına rağmen telefon numarasını bilmiyordu. Prens onun mesajını hemen anlamıştı. Kabine geri girerek telefonunu aldı ve kulağına tuttu. Kısa bir süre sonra Cross'un telefonu çaldı.

"İyi günler, Binbaşı Cross," dedi Prens.

"Çok güzel bir şey bu, Emir Hazretleri! Onu tam gaz sürdüğünüzü görebilir miyim?"

"Elbette, Binbaşı. Benim için bir zevk." Emir tekrar elini salladı. Başı gözden kayboldu ve zırhlı cam panel yeniden kayarak kapandı.

Ortalık bir Boeing jet motorunun çalışmasına benzer tiz bir gürültüyle doldu. Sonra ses hızla Cross'un kafatasını delip dişlerine ulaşan bir titreşimle yükseldi. Gösterişli teknenin arka tarafı, uzunluğunun yarısı kadar sudan yükseldi. Sonra kuyruğunun üzerinde dikilerek öne doğru fırladı. Cross onu ilk gördüğünde hızlı gittiğini sanmıştı, oysa şimdi ulaştığı hıza kıyasla önceki bir mırıltı gibi kalıyordu. Teknenin ardında bıraktığı iz, gökkuşağı renkleriyle dolu, ışıltılı beyaz tuz yağmuru gibi sıçradı. Uzun, zarif, siyah gövdesi saniyeler sonra ufukta uzak bir nokta olmuştu.

"Buna inanamıyorum!" Cross başını iki yana salladı ve Catherine de onu taklit ederek kendi başını babasınınki gibi coşkuyla salladı.

"Yaramaz!" dedi Prens Abdul'u kastederek. "Yaramaz adam!"

Cross kararlı bir ifadeyle Dave Imbiss'e döndü. "Ne düşündüğümü asla tahmin edemezsin."

"Kocaman harflerle suratının ortasında yazılı zaten, patron."

"Emir Hazretleri'nin bana borcu var."

"Birden de fazla," diyerek başıyla onayladı Imbiss. "Onun değerli petrol sahalarını yıllar içinde isyancılardan ve teröristlerden kaç kez kurtardın."

"Onu ziyarete gittiğimde Nastiya ve Zhenia'yı da yanıma alacağım. Abdul nasıldır bilirsin. İki taneyi bırak, bir güzel kadına bile hayır diyemez."

Cross, O'Quinn ve Imbiss süslü üniformalar içindeydiler. Voronova kardeşler, Emir Hazretleri'ne saygıda kusur etmemek için uzun etekler giymiş ve saçlarını uzun eşarpların altına gizlemişlerdi, ancak bu geleneksel İslami kıyafetler içinde dahi şehvetli ve egzotik görünüyorlardı. Saraya bir çift Land Cruiser'la girdiler ve ana kapıda Emir'in Zheina'nın çok hoşuna giden develi birliklerinden bir ekip tarafından karşılandılar. Zheina, Moskova Sirki'ne gittiğinden beri bir deveyi ilk kez bu kadar yakından görüyordu.

Ziyaretçiler, sarayın ana kapısına çıkan yemyeşil bahçelerin içinden geçirildiler, Ekselansları onları orada bekliyordu. Bu şahsi karşılama, normalde sadece kraliyet mensuplarına verilen istisnai bir onurdu, ancak ikisi eski arkadaştılar. Birkaç yıl önce Cross, onu, Doğu Afrika'da, mutlak bir başarıya dönüşen lüks bir av partisinde ağırlamıştı. Prens Abdul hevesli bir avcıydı, garsona bahşiş veriyormuş gibi bir servet edecek para ödeyerek gerekli izinleri almış ve iki dişi doksan kilogram gelen güçlü bir fil yakalamıştı. Her şeyden önemlisi Prens'in, Cross'un merhum karısı Hazel Bannock'la harika anıları vardı. Bannock Petrol Şirketi'nin başındaki kişi olarak Hazel, petrol endüstrisindeki herkesin kuruduğunu düşündüğü Abu Zara petrol sahalarını yeniden açma kararı vermişti. Herkesin yanıldığını kanıtlamış, hem Bannock Petrol hem de Prens Abdul'a büyük paralar kazandırmıştı.

O ve Cross kucaklaştılar ve yanaktan öpüştüler. Sonra Emir Hazretleri kızlara da aynısı yaptı ama daha uzun süre oyalanarak ve daha büyük bir dikkatle. Sonunda da Paddy ve Dave'yle el sıkıştıktan sonra Cross'un kolunu tuttu ve onu iç bahçelerdeki görkemli çardaklardan birine götürdü. Diğerleri de onları takip ettiler. Çardakta daire şeklinde yerleştirilmiş, kabartmalı deri koltuklara yönlendirildiler ve oturur oturmaz bir dizi beyaz kıyafetli hizmetçi onlara tatlılar ve buzlu meyve suları ikram etti.

Arapça konuşuyorlardı, Cross akıcı bir şekilde Arapça konuşabiliyordu ve Majestelerinin onu bu kadar takdir etmesinin bir başka nedeni de buydu. Diğerleri entelektüel görünmeye çalışarak sanki söylenenleri kendileri de anlıyormuş gibi ara sıra başlarını sallayıp gülümsüyorlardı.

İki adam neredeyse bir saat boyunca sohbet ettiler, daha sonra Cross, deneyimsiz bir çaylak gibi görünmeyecek ve ev sahibini gücendirmeyecek kadar dolaylı şekilde ziyaretinin asıl nedenine yaklaştığını hissetti. O zaman bile, bunun bir iş toplantısı olduğu izlenimini vermemek için konuşmasının son derece nazik, hatta süslü olmasına özen gösterdi. "Şu kadarını söylemeliyim, Prens Abdul, dün sizi içinde gördüğüm yarış makinesine hayran kaldım. Ona sürat teknesi demekte tereddüt ediyorum, çünkü öyle olağanüstü bir araç için büyük bir yanılgı olur."

Emir Hazretleri'nin gözleri ışıldadı ama yüzündeki ifadenin kayıtsızlığını koruyarak elini küçümseyen bir hareketle salladı. "Sanırım Interceptor'dan bahsediyorsunuz. Ondan bu şekilde söz etmeniz çok hoş ama bahsetmeye bile değmez.

Sömestr sonunda, Oxford Üniversitesi'nden döndüklerinde büyük oğullarım için eğlenceli bir oyuncak olacağını düşündüm. Çocukların aralarında tartışmalarını önlemek için dört tane satın almak zorunda kaldım."

"Akıllıca bir karar olduğuna eminim. Şansım olsa öyle güzel bir alet için ölümüne savaşırdım."

Majesteleri, Cross'un bu itirafına gülümseyerek karşılık verdi ve teknenin özelliklerini sevgi dolu ayrıntılarla yücelterek konuşmaya devam etti. "Biliyorsunuz, gövde Kevlar ve karbon fiber karışımından oluşuyor, bu onu oldukça güçlü ve aynı zamanda çok hafif yapıyor. Dizel motorlar, yaklaşık bin altı yüz beygir gücü üretiyor ve bu da bugünlerde pille çalışan oyuncaklardan ibaret olan yeni nesil Formula 1 otomobillerin neredeyse iki katı." Duraksadı ve memnun bir ifadeyle güldü. "Ama lütfen beni affedin, saygıdeğer dostum, sizi böylesine önemsiz bir konuyla sıktım."

"Beni kesinlikle sıkmıyorsunuz, Prens Abdul. Aksine, çok etkilendim."

"O halde belki şeflerimin bizim için hazırladığı öğle atıştırmalıklarını yedikten sonra, sizi koyda kısa bir geziye çıkarmama izin verirsiniz," dedi Prens Hazretleri hevesle.

"Bana daha fazla zevk verecek bir şey düşünemiyorum, Emir Hazretleri."

Daha başka üniformalı hizmetçi ve yüksek şapkalı şefler tarafından kendilerine sunulan muhteşem ziyafete yeterli ilgiyi göstermeden aceleyle bir şeyler atıştırdılar. Daha sonra Emir tarafından, motorları rölantide çalışan siyah makinelerden birinin demirlediği özel iskeleye bizzat götürüldüler. Yansıma yapmayan boyasıyla şeytani, tehlikeli, kesinlikle dehşet verici ve harekete geçmeye hazır görünüyordu.

Emir, misafirlerini marina binasına yönlendirdi, orada can yeleklerini giyip kasklarını taktılar ve güvenlik bilgilerini dinlediler. Daha sonra Interceptor'a çıktılar. Emir, kaptanı kontrol kabininden gönderip tahtı andıran sürücü koltuğunda onun yerini aldı. Cross onun yanındaki ko-pilot yerine yerleşip kemerlerini bağladı. Herkes yerlerini aldığında Zhenia'nın kahkahaları ve hafif sohbet, yerini meraklı bir sessizliğe bırakmıştı. Zheina ablasının elini tuttu ve kemerleri bağlanırken ona iyice yapıştı.

"Tehlikede miyiz?" diye fısıldadı endişeyle ve Nastiya onu yatıştırıcı sesler çıkararak başını iki yana salladı.

Sonunda iskeledeki bir görevli demirleme halatlarını çıkarıp attı. Prens Abdul gaz kolunu hafifçe indirdi. Motorlar homurdandı ve Interceptor yat havuzunun girişinden körfezin açık sularına doğru sakince ilerledi.

Motorlar daha fazla güç ürettikçe Interceptor suyun üstüne yükseliyordu ve altın kumsallar önce yavaşça, sonra çabucak hızlanarak yanlarından akıp gittiler. "Hazır olun!" diye seslendi Prens ve aniden tekne kanatlanmış gibi oldu. Nastiya yüzündeki sakin ifadeyi korudu ama her iki eliyle birden koltuğun kenarlarına yapıştı, bu arada Zhenia, Coney Island Panayırı'ndaki hız trenine ilk kez binen bir genç kız gibi çığlıklar atarak iki kolunu da ablasının boynuna doladı. Kıyı şeridi, geçiş hızıyla bulanıklaşarak pencerelerin önünden geçip gidiyordu. Geçtikleri diğer tekneler suda donmuş gibi görünüyorlardı. En yüksek hızına yaklaşan Interceptor, dalgaların üzerinden sıçrayarak tek bir zıplayışta muazzam mesafeler kat eden bir martı gibi uçuyordu. Üç ya da dört dalganın tepesinden onlara değmeden geçti ve ardından ışıltılı köpüklerden bir su kulesi fışkırtarak bir sonrakinin tepesine çarpıp üzerine bindi. Teknedeki herkes şiddetle emniyet kemerlerini zorlayarak öne doğru savruldular fakat hemen ardından güçlü motorlar gövdeyi yeniden ileri sürdü ve bol yastıklı koltuklara doğru geri geldiler. Tüm kafalar şiddetle sarsıldı.

"Saatte yüz mil!" diye seslendi Prens Abdul var gücüyle ve İngilizce olarak. Cross bir kovboy çığlığı attı ve Zhenia da en az onunki kadar yüksek bir sesle Rusça haykırdı.

"Lütfen Tanrım! Biliyorum, ben kötü bir kızım. Ama yaşamama izin verirsen bir daha asla yapmayacağım."

"Ah Tanrım!" diye mırıldandı Nastiya vahşi bir sesle. "Al benden de o kadar."

Bir saat sonra Interceptor özel iskeleye geri dönüp tekne rıhtıma değdiği ve Emir Hazretleri motoru kestiği anda Zhenia emniyet kemerlerini çözüp ayağa fırladı. Her iki eliyle birden ağzını kapatarak kabinin arkasındaki tuvalete koştu. Tam zamanında yetişmişti ama çıkardığı sesler ince kapıdan dinleyicilerine ulaştı.

Zheina yeniden ortaya çıktığında Prens'in karşısında reverans yaparak günün geri kalanı için iznini istedi ve bunun üzerine Cross, her iki kız kardeşi kendilerine göz kulak olması için Paddy ve Dave Imbiss'le birlikte Seascape Mansions'a geri gönderdi. Zheina için üzülmüştü ama Prens'le yalnız kalma fırsatını kaçıramazdı. Onlar ayrılır ayrılmaz Emir Hazretleri, görünüşte bir önceki hafta, silah yapımcıları tarafından kendisine verilen Holland&Holland yapımı, on iki delikli Royal Deluxe Sidelock av tüfeğinin bir eşini göstermek üzere Cross'u silah odasına davet etti. Gerçek sebepse, ancak yalnız kalıp Prens silah odasının kapısını arkalarından kilitlediğinde ortaya çıktı.

"Şimdi eminim birer bardak buzlu çay bizi ferahlatacaktır," dedi ve Cross'un yanıtını beklemeden çelik silah kasalarından birini anahtarla açarak saygı dolu bir ihtimamla elli yıllık bir Glenfiddich Scotch viski ve iki kristal bardak çıkardı. Bardakları yarısına kadar doldurduktan sonra birini Cross'a verirken sesini alçaltarak konuştu. "Glenfiddich, yılda sadece elli şişe üretiliyor!"

"Fazla söze gerek yok!" diye fısıldadı Cross karşısındakini taklit ederek. Bardaklarını tokuşturup içtiler. Uzun ve samimi bir sessizliğin ardından Prens Abdul zevkle iç çekti ve bardağını bir kenara koydu.

"Şimdi, eski dostum, Bannock Petrol Şirketi'ni sektörün devlerinden biri olmaktan, varlığı için mücadele eden bir pigmeye çeviren şeyin aslında ne olduğunu bana anlatabilirsin. Bu ikimiz için de büyük endişe kaynağı. Ben ve ailem kadar ıstırap çekmiş olmalısın."

Cross mali durumunun Abu Zara'nın Petrol Şeyhi'ninkiyle kıyaslanması karşısında gözlerini kırpıştırdı ama çabucak toparlanarak başını aşağı yukarı salladı.

"Gerçekten de öyle, Emir Hazretleri, geçtiğimiz birkaç yıl hayatımın en trajik dönemiydi. Önce Hazel'ın öldürülmesi, ardından da şirketin çöküşü..." Durdu, derin bir nefes aldı ve sonra devam etti. "Basında söylenenleri unutun. Hapsedilenler bu olayın gerçek failleri değil."

"Hazel'ı öldüren adamlardan birinin Congo olduğunu biliyorum," dedi Prens Abdul ve Cross yine başını salladı.

"Evet, o ve Carl Bannock," diye karşılık verdi Cross. "Üvey oğlu."

"Ah, evet! Şimdi hatırladım!" dedi Emir. "Elbette Congo'yu nasıl yakaladığınızı ve onu burada, Abu Zara'daki ABD Kolluk Kuvvetleri'ne teslim ettiğinizi hatırlıyorum. Ama Carl Bannock'a ne olduğunu bilmiyorum. Ortadan kaybolmuş görünüyor?..." Emir bu sözleri soru sorar gibi söylemişti.

"Carl Bannock öldü ama cesedi asla bulunamayacak," diye cevap verdi Cross. "Ama Congo hâlâ hayatta. Magna Grande saldırısını, Mateus Da Cunha adında kendini bir Afrikalı özgürlük savaşçısı ilan eden biriyle birlikte düzenledi..."

"İsmi tanıdık geliyor..."

"Eminim öyledir. Şartlar uygun olduğunda kendi tanıtımını yapmaktan çekinmiyor. Bannock Petrol'ün neredeyse değersiz hale gelişinin sebebini bilmek istiyorsanız onlardan ötesine bakmanıza gerek yok."

"Bana neler olduğunu anlatsana," dedi Prens Abdul "Basında çıkanları değil, gerçeği."

Cross olanları anlatırken Prens sessiz kaldı ama yüz ifadesi gergindi. "Congo ve Da Cunha'nın Cabinda'nın kontrolünü ele geçirme şansı nedir?" diye sordu hikâye sona erdiğinde.

"Eh, aleyhine dava açıldığında federaller, Bendick'in tüm fonlarına el koydu, bu yüzden Congo, Bannock Petrol'ü açığa satarak kazanmayı umduğu tüm parayı kaybetti. Ama gerçek şu ki, platforma ve *Bannock A*'ya saldırarak bölgedeki diğer petrol şirketlerini korkuttular ve bu, Cabinda'yı daha da savunmasız bir hale getirdi. Tahminimce, Afrikalıların, güçlü bir ABD petrol şirketini aciz hale getirdiğini görmek pek çok insanın hoşuna gitti. Onları sokaklara döküp bağımsızlık talep etmelerini sağlamak fazla çaba gerektirmeyecektir."

"Buna inanırım," diyerek hemfikir oldu Prens. "Ama Congo ve Da Cunha ihanete uğrayacaklarından endişe etmiyorlar mı? Weiss, Congo'nun avukatıydı, Bendick onu Juan Tumbo takma adıyla tanıyordu. Otoritelerle işbirliği yapmanın çıkarlarına olacağı muhakkak."

Cross başını iki yana salladı. "Aylardır kendi aleyhlerine tanıklık etmeme hakkını kullanıyorlar ve açıkçası onları suçlamıyorum. Congo ABD hapishane sistemine, tatlı kavanozuna uzanan bir çocuk gibi ulaşabilir. "Ağızlarını açtıkları anda ölürler."

"Şimdi de Cabinda'yı ele geçirmek istiyorlar. Bir bakıma onları suçlamıyorum. Ben petrolün değerini herkesten iyi bilirim. Ama onlarınki gibi bir bağımsızlık savaşı yaratma planı para ister. Congo ve Mateus parayı nereden buluyorlar?"

"Bugün Interceptor'da gezintiye çıkardığınız o iki genç kadın, Cabinda'nın ele geçirilmesine kaynak sağlamaya istekli Rus yatırımcılar buldular."

"Adamlarının bu olaya yardımcı olmayacağını sanırdım?..."

"Congo ve Da Cunha öyle sanıyor, benim için önemli olan bu," diye açıkladı Cross. "Ama merak etmeyin. Ben dolandırıcılık yapmadım."

"Bunu duyduğuma çok sevindim, eski dostum. Peki, bu iki komplocunun şimdi nerede olduğunu biliyor musun?"

"Hem evet hem hayır. Tam yerleri kesinlikle bilinmiyor. Ama Da Cunha'nın büyük ve rahat bir yatı var: *Faucon d'Or*. Nerede olursa olsun o yatta ve Congo da onunla birlikte. Yatı, Cabinda operasyonu için komuta merkezi olarak kullandıklarına inanıyorum. Da Cunha, Voronova kardeşleri, resmi anlamda Rus yatırımcılara rapor verebilmeleri için yatına davet etti. Gayriresmi anlamdaysa, eminim, başka niyetleri var."

"Belli," dedi Prens, güçlü adamların güzel kadınları büyük, pahalı yatlarına davet etme sebeplerini tam manasıyla anlayarak.

Cross iş konusuna geri döndü. "Kadınları, akıllı telefonları aracılığıyla takip edeceğiz. *Faucon d'Or*'a bindikleri anda ne tarafa seyahat ettikleri konusunda bize kılavuzluk edecekler."

"Sonra siz de onları yakalayıp ABD yetkililerine teslim edeceksiniz, doğru mu?"

Cross dişlerini sıkıp gözlerini kırpmadan, doğrudan doğruya Prens'in gözlerinin içine baktı. "Benim tecrübeme göre, Johnny Congo'yu tutuklamak tam manasıyla bir zaman kaybı. Bir dahaki sefere, onu hemen öldürerek herkesi büyük bir dertten kurtaracağım."

Prens kaşlarını çatarak başını kısa ama kuvvetli bir biçimde salladı, sonra temizlemek istiyormuş gibi bir parmağını kulağına yerleştirdi. "Biliyor musun, biraz tuhaf ama bazen bazı şeyleri duymakta güçlük çekiyorum. Belki de fazla ava gittiğim için. Yüksek sesli silahların kulak zarına zarar verebileceğini söylüyorlar." Bir süre duraksadıktan sonra başını salladı. "Yani, birbirimizi anladık... şimdi söyle bana, Cunha'nın yatını okyanusun orta yerinde nasıl yakalamayı düşünüyorsun?"

"Avlanmaya çıkacağız, *Faucon* da avımız olacak. Saatte yüz mil hızla gideceğimizi düşünürsek onu yakalamakta zorlanmayacağız."

Prens Abdul bir süre ona anlamadan, boş gözlerle baktı ve sonra Cross'un dediklerini hazmettiğinde sesini yükselterek konuştu. "Yepyeni, güzel XSMG Interceptor saldırı botlarımdan birini vermemi gerçekten beklemiyorsun, değil mi?"

"Neden olmasın ki?" diye sordu Cross, kocaman, masum gözlerle ve Emir başını arkaya atarak kahkahayı patlattı.

Gülüşünün arasından homurdandı. "İngilizlerin dünyanın en kibirli insanları olduklarını hep söylemişimdir. Sen bu gerçeğin canlı kanıtısın."

"İyi haber şu ki, Emir Hazretleri Interceptorlarından birini bizim kullanmamız için veriyor," diye haber verdi Cross, Cross Bow Güvenlik'in asıl adamlarının katıldığı birkaç saat sonraki toplantıda. Dave Imbiss, yumruğunu havaya kaldırıp, "Evet!" diye bağırırken Paddy O'Quinn onun sırtına vurdu, "Ah, bravo sana, Hector," dedi Nastiya. Ve Zhenia ona uzaktan gizli bir öpücük gönderdi.

"Ama kötü haber, nereye mevzileneceğimizi tam olarak bilmiyoruz." Odadaki heyecan dalgası aniden değişti ve hepsi yeryüzüne geri döndü. "Ayrıca Prens teknelerini savaş için değil, zevk için satın aldı, bu yüzden tamamen silahsızlar. Ve Interceptor'un, sabit bir seyirde iki yüz seksen millik bir menzili var, ancak gazı köklediğinizde MPG mesafesi çok daha fazla düşüyor." Şimdi ekiptekilerin suratı iyice asılmıştı. "Umutsuzluğa kapılmayın, çocuklar," diyerek çıkıştı Cross onlara. "Henüz savaşı kaybetmedik. Congo ve Da Cunha'nın yeriyle ilgili fikrimiz var, bu nedenle Cabinda yakınındaki suları hedeflersek –ki hepimiz o suları iyi biliyoruz– fazla uzakta kalmamış oluruz. Ayrıca teknede makineli tüfek veya füze olmaması da çok önemli değil, zira teknede bizden iki kişi varken onu batırmak bir yana, ateş de açamayız. Ve silahları olmaması sayesinde Interceptor tüy gibi hafif olacak –aslında on ton bile değil– ve bu da onu, C-139 nakliye aracına sığabilecek kadar küçük ve hafif yapıyor."

"Tekrar merhaba, Bernie ve Nella," diyerek araya girdi Paddy.

"Doğru anladın," dedi Cross. "Bay ve Bayan Vosloo aramıza geri dönüyorlar."

Bahsettikleri çift, Afrika kıtasının ateş altındaki yerleri başta olmak üzere, tehlikeli bölgelerine insan ve kargo taşımak konusunda uzmanlaşmış, küçük bir kiralık pilot grubunun parçasıydı. Sanki dua gücüyle bir arada duruyormuş gibi görünen, hırpalanmış eski bir Lockheed C-130 Hercules'i çalıştırıyorlardı. Ancak Cross ve ekibini tahmin edebileceklerinden daha dar noktalara girip çıkarmışlardı. Uçak, pilotlar ve yolcular her nasılsa tek parça halinde kalmayı başarıyorlardı.

"Bu çok iyi, Heck," dedi Paddy, şimdi daha ciddi bir tavırla. "Ama bu Interceptor uzun süre boyunca denizde kalmak üzere tasarlanmadı, bakıma ve yakıt ikmaline ihtiyacı olacak. Dünyanın o bölgesinde böyle bir şey olduğunu varsaysak bile, bir yat havuzu işine girişmeyeceğimizi tahmin ediyorum. O tekne, süpermarket otoparkındaki bir Ferrari'den daha fazla dikkat çeker."

"Katılıyorum," diyerek başını salladı Cross. "Ama bir marinaya ihtiyacımız olmayacak. Eski dostumuz *Glenallen*, Angola Luanda'da bir rıhtımda oturmuş, Bannock Petrol'ün batan-geminin-malları-bunlar türünden satılışının bir parçası olarak satılmayı bekliyor. Petrol endüstrisinin, özellikle de açık denizlerdeki mevcut iç karartıcı durumu, çok fazla alıcı olmadığı anlamına geliyor. Bu yüzden, komisyoncu onu çok makul bir fiyatla bize kiralamaktan mutlu. Mürettebat ayarlanacak, yakıt konulacak ve birkaç gün içinde yola çıkmaya hazır olacak."

"Ama nereye doğru?" diye sordu Imbiss.

"Gabon Libreville'e. Cabinda ve Gabon sahilinin hemen yukarısında, dünyanın o bölümünde beklenebileceği kadar barışçıl ve demokratik. Ayrıca Sahraaltı Afrika'nın en zengin ülkelerinden biri. Bu da insanların çok daha makul olduğu anlamına geliyor. Doğal olarak değerli teknesinin yanlış ellere geçmesinden endişe eden –örneğin aşırı dikkatli bir gümrük görevlisi– Prens Abdul, onu Libreville'deki konsolosluğuna gidecek resmi diplomatik bir kargo olarak beyan etmeyi kabul etti."

"Libreville'de konsolosluğu mu var?"

"Biz oraya vardığımızda olacak. O yüzden, Dave, Interceptor'ın yüklenmesini ve taşınmasını denetlemek ve ardından mürettebat bulmak için –deniz tecrübesi olan iki kişi lazım– birkaç adamla birlikte burada kalman gerekiyor."

"Peki, ya teknisyen?"

"Seyisiyle gelen bir at gibi kendi mühendisiyle birlikte gelecek. Emir Hazretleri ısrar etti. En fazla gelecek kırk sekiz saat içinde havada olmasını istiyorum. Otuz altı daha bile iyi olur. Ama en iyisi yirmi dört saat."

"Anlaşıldı."

"Bu arada, Paddy, sen ve ben Libreville'e gideceğiz. *Faucon d'Or*'a üç kişilik iki ekiple saldırı öngörüyorum. Yani ikimize de ikişer adam lazım."

"Bu yeterli olacak mı?"

"Olacağını düşünüyorum. Yatın üzerinde fazla sayıda saldırgan olmayacak. Öyle tekneler en fazla on iki kişi ve mürettebat alacak şekilde tasarlanıyor. Bundan daha fazla olurlarsa ticari deniz aracı olarak değerlendiriliyorlar ve ek kurallar, düzenlemeler geçerli oluyor."

"Johnny Congo'nun sağlık ve güvenlikle ilgili fazla kaygılanacağını düşünmüyorum," diye yorum yaptı Paddy.

"Doğru ama ben de Master Mateus'un kendi rahatını ve hanımefendilere gösteriş yapmayı umursayacağını düşünüyorum. Her köşede silahlı bir adam olmasını istemeyecektir. Ayrıca, Paddy, Özel Kuvvetler'den eğitim almış, çok iyi silahlanmış ve çok deneyimli altı adam, şatafatlı bir gece kulübünü andıran *Faucon* gibi bir tekneyi alt edemiyorsa çok büyük bir problem var demektir."

"İyi bir noktaya değindin, patron."

"O halde mutabıkız. Her ihtimale karşı, her takım için yedek bir adam alacağız ve Dubai'den Libreville'e tarifeli uçakla gideceğiz. Addis Ababa aktarmasıyla bizi oraya on saatten kısa bir zamanda ulaştıracak bir Air Ethiopia uçuşu var, bir tane de Türk olan var ama o daha uzun. Hepimizi üç ayrı uçuşa bölersek, her bileti ayrı ayrı alırsak ve kimse yan yana oturmazsa hiçbir şekilde dikkat çekmeyiz. Dave, aletlerimizin C-130'a yüklenmesinden sen sorumlu olabilir misin? Seninle birlikte giderse teknenin diplomatik imtiyazından faydalanabiliriz. Şimdiye dek söylenenleri herkes anladı mı?"

Herkes başını sallayarak tasdikledi.

"Güzel," dedi Cross. "Yeterince rüzgâr ve biraz şansla, Nastiya ve Zhenia, *Faucon d'Or*'a binene kadar her şeyi yerli yerine oturtmuş oluruz. Bana kalırsa siz iki kadının teknede mümkün olduğunca az zaman geçirmeniz önceliğimiz olmalı. Çok ciddi bir tehlikeyle karşı karşıya olacaksınız, gerçek kimlikleriniz ortaya çıkarsa Tanrı yardımcımız olsun. Yani, siz ikiniz her şeyden daha önemlisiniz. İkinizi sağ görmek Congo'yu ölü görmekten daha önemli."

"Her ikisini de görmek en iyisi olur," dedi Nastiya.

"Aynen öyle. Ama bunu yapmak zorunda değilsiniz."

"Benim için endişelenme, daha kötü durumlarda da bulundum ben, bunu biliyorsun. Ama Zheina, sen benim gibi eğitimli değilsin. Benim kadar deneyimli değilsin."

"Haklı," dedi Hector tatlılıkla ve Zheina'ya baktı. "Nastiya gerekirse bunu tek başına da yapabilir. Hasta olduğunu söyleyebilir ya da başka bir bahane bulabilir. Kimse senin için kötü düşünmez."

Zhenia bir saniye bile tereddüt etmeden atıldı. "Ben gidiyorum," dedi. "Küçük şımarık bir kız olmayı bırakıp hepinizin yanında durabilecek bir kadın olmamın zamanı geldi. Pis, vahşi ve istismarcı erkekler hakkında her şeyi biliyorum. Benim babam da onlardan biri. İnanın bana, kendime bakabilirim. Bakamazsam, eh, o zaman da yanında ablam var."

Otoritesini kullanarak Zheina'yı işten almak Cross'un aklına yatıyordu. Geçirdikleri her günün ve gecenin ardından kendisine daha fazla şey ifade etmeye başlamış olan bu kadını tehlikenin içine gönderme fikrinden hoşlanmıyordu. Ama bunu yaparsa onu utandıracak ve diğerlerinden önemli olduğu algısını yaratacak ve bu da ekibin dengesini bozacaktı. Böylece koruyucu, alfa erkek içgüdülerine karşı koydu. "Aferin sana. İşte Cross Bow Güvenlik'te beklediğimiz türden bir tutum." Zhenia'nın gururlandığını fark etti, Nastiya'nın hafif baş hareketi onun da onayladığını gösteriyordu.

"Sen ve Nastiya, Da Cunha sizi arayana kadar burada kalın. Sonra o her neredeyse oraya, Moskova üzerinden gidin. Muhtemelen benim Abu Zara'yla olan bağlantımı öğrenmiştir ve Congo kesinlikle bunu biliyordur, o nedenle Körfez'den gidecek bir uçuş dikkat çeker. Hareket ettiğiniz andan itibaren fırsat buldukça bize yerinizi bildirin. Sessiz kaldığınızda biz telefonlarınızı takip edeceğiz. Dave, onlara prosedürü anlatırsın."

Imbiss, Da Cunha, Telefonumu Bul uygulamasını devre dışı bırakmaları konusunda ısrar ederse bir başka takip uygulamasının nasıl kullanacağını açıkladı. "Yani, onu halihazırda telefonunuzda bulunan bir uygulamanın içine saklamam gerekiyor. Herhangi bir tercihiniz var mı?"

"Net-a-Porter?" diyerek öneride bulundu Zhenia.

"İşte benim kız kardeşim, hep alışveriş peşinde!" dedi Nastiya gülerek.

"Başka şeyler de yapıyorum... Öyle değil mi, Hector?" diye karşılık verdi Zhenia, ona bakıp tatlı tatlı gülümseyerek.

Cross gözlerini devirdiğinde diğerleri güldü. Bu davranışları bir an önce durdurma isteği duydu. İşi ciddiyetle yürütmeleri gerekiyordu. İnsanların hayatı risk altındaydı. Sonra kendine hâkim oldu. *Evet, bu doğru. Bu insanlardan biri hafta bitmeden ölmüş olabilir. O yüzden bırak da gülsünler. Bu operasyon bitmeden ciddi olmalarını gerektirecek zamanlar olacak zaten.*

Planlama ve listeleme yaptıkları, her ayrıntıyı değerlendirdikleri, normal şartlarda haftalar alacak işleri saatlere sığdırmaya çalıştıkları bir gün geçirmişlerdi. "Tatil için hazırlanmaya benziyor," demişti Paddy O'Quinn neşeyle. "Ama silahlı versiyonu."

Şimdi yeni bir gün daha başlamıştı ve Cross yola çıkmak üzereydi. Libreville uçuşu için onu havaalanına götürecek taksiye binmeden önce durup son bir kez eve baktı. Bakıcı Bonnie, Catherine Cayla'yı Seascape Mansions'ın teraslı çatı dairesinden yola bakan pencerelerden birine doğru kaldırmıştı. Cross yüzünde büyük bir tebessümle binanın tepesine doğru baktı, hiçbir şey olmayacak ve babası her zaman geri dönecekmiş gibi neşeli görünmeye çalıştı.

Ama şimdilik, yapılması gereken zor, tehlikeli ve kanlı bir iş vardı. Cross bundan başka bir şey düşünmemeye odaklandı. Taksi kaldırımdan ayrılırken Vosloolların numarasını bir kez daha tuşlamıştı bile. Normal şartlarda, zorlanan motorlar ve uçaksavar ateşinin patlamaları arasında sesini duyurmak zorunda kalsa bile onlara ulaşmak zor olmazdı. Fakat bu kez öyle olmamıştı. İlk araması telesekretere düşmüştü. Altı saat sonraki ikinci araması da öyle. Bu, dördüncü denemesiydi ve tek duyduğu kayıtlı bir mesaj sesiydi. "Haydi ama!" diye mırıldandı kendi kendine. "Aç şu lanet telefonu!"

Hercules'i alması gerekiyordu. O olmadan bu görev daha başlamadan sona ererdi.

Bu arada, Catherine Cayla, babasından altmış metre yukarıda olmasına rağmen onu hemen tanıyarak taksiye binip gözden kaybolana kadar heyecanlı çığlıklar atmıştı. Ardından bağırmaya başladı. "Baba gidiyor!" Haykırışları acı gözyaşlarına ve Bonnie'den başkasının anlayamayacağı, Tibet ilahileri ya da belirsiz bir Amazon kabilesinin av şarkıları da olabilecek yarım yamalak kelimelerin feryadına dönüştü.

"Baba yakında geri dönecek," diyerek teselli etti onu Bonnie ve en sevdiği çizgi film Peppa Pig'i seyretmesi ve yemeğini yemesi için onu mutfağa götürdü. Onu kucaklayıp veda öpücüğü verdikten sona savaşa giden Cross'un ardından kendisinin de gözleri yaşaran Zhenia rahatlamak için kendine bir kahve yapmak üzere mutfağa geldi.

Masaya, Catherine'in mama sandalyesinin yanına oturdu.

"Nasıl hissettiğini biliyorum, ufaklık," dedi, teselli edilemez bir perişanlık içindeki üzgün çocuğa sempatik bir şekilde gülümseyerek.

Zhenia, Catherine'e bayılıyordu. Hector'la olan ilişkisinin uzun vadede hayatta kalabilmesi için Hector'un iyi arkadaş olduklarını bilmesi gerektiğinin farkındaydı. O nedenle Zheina, kendi faydası için de küçük kıza iyi davranmak için özel bir çaba gösteriyordu. Ama bundan da öte, uzun bir süre bir evlat ve kız kardeş olmasının ardından şimdi kendini, bir kardeş ya da bir üvey anne olarak değil belki ama –kendini henüz bir üvey anne olarak hayal etmeye bile hazır değildi– bir çocuğun bakımını tamamen üstlenmese de onunla ilgilenmekle yükümlü bir yetişkin olarak görmek onu etkiliyordu.

Elbette Catherine, Zhenia'nın, babasının kız arkadaşı olduğunu anlayamayacak kadar küçüktü. Ama içgüdüleri ona bu kadının babası için önemli olduğunu söylüyordu ve Zheina'nın kocaman gözleri ile tatlılıkla gülümseyen yumuşacık dudakları onu büyülüyordu. Genç kadının odak noktası olmak da küçük kızın hoşuna gidiyordu. Zheina da onun yanında olmaktan sıcacık ve yatıştırıcı bir haz alıyordu. Onlar mutlu bir şekilde birlikte olmanın tadını çıkarırken Bonnie, Catherine'in yulaf lapasını hazırladı, bir yandan da yanındaki masada serpilmekte olan güzel ilişkiye bakıp gülümsedi. Sonra kâseyi Catherine Cayla'nın mama sandalyesinin masasına bırakarak Zheina'ya döndü. "Senin yerinde olsam biraz uzaklaşırdım, hayatım"

"Pardon?..." dedi Zhenia, başını kaldırıp şaşkın şaşkın bakıcıya bakarak.

Birkaç saniye sonra her şey anlaşılmıştı. Catherine aniden kahramanca bir iyileşme sürecine girmiş, sanki kendini ve sıçratma mesafesindeki herkesi bulamaya kararlıymış gibi, babasının enerjisini ve azmini kullanarak neşe içinde yulaf lapasına saldırmaya başlamıştı.

"Ah!" diye bağırdı Zhenia. Yulaf lapasından büyük bir parça havada süzülerek doğrudan kahve fincanına girdiğinde. Masanın üzerine kahve ve kaymağı alınmış süt köpüğünden bir bulamaç püskürterek ayağa fırladı.

"Seni uyarmaya çalışmıştım!" dedi Bonnie gülerek. Zheina da gülmekten kırılıyordu.

Gürültü Nastiya'yı mutfağa çekmişti. "Bu kadar gevezelik yeter!" dedi yüzüne ciddi bir ifade takınmak için çabalayarak. "Gel, Zheina, bizim de işlerimiz var!"

"Duydun mu bunu?" dedi Zhenia, yemek yemeyi bırakmış, dikkatini yeni gelene çevirmiş olan Catherine'e bakarak. "Bu benim hain ablam. Sence de kötü ve zalim değil mi?"

Nastiya kollarını göğsünde kavuşturdu ama bir şey söylemedi. Zhenia ona baktı, daha fazla direnmenin faydasız olduğunu anladı ve uslu bir küçük kardeş olarak onun peşine takıldı.

Voronova kardeşlerin en öne çıkan özelliği çalışkan olmalarıydı. Libreville'e gidecekler için konaklama yeri ve ulaşımla birlikte, Interceptor'ı havaalanından denize taşıyacak bir kamyon ayarladılar. Interceptor'ın, ulaştığında engelsiz şekilde ülkeye giriş yapmasını ve onunla ilgili şeyleri sağlama almak üzere, Abu Zara Dışişleri Bakanlığı ile Gabon'daki yetkililer arasında bağlantı kurdular. Söz verilenden çok daha hızlı bir şekilde denize açılmasını sağlamları için, *Glenallen*'ı kiralayan gemi alıcısına dil döküp tatlı sözlerle onu ikna ettiler. Imbiss'in Zheina'ya verdiği akıllı telefona üst kademe bir iş kadınının asistanına uygun bir kimlik kazandırma işini hallettiler. Ama sonunda tüm görüşmelerin, e-postaların ve mesajların tamamlandığı, telefona gerekli olan her şeyin yüklendiği bir an geldi ve o zaman, hepsinden daha önemli olan şeyi beklemekten başka çareleri kalmadı: Mateus Da Cunha'dan gelecek telefonu.

Hector, Addis Ababa Havaalanı'na indiğinde nihayet Nella Vosloo'dan bir telefon aldı. "Nasıl gidiyor, Heck, seni yaşlı haydut?" diye sordu Nella.

"İyiyim, teşekkür ederim, Nella," diye karşılık verdi Cross. "Sesini duyduğuma ne kadar sevindiğimi anlatamam."

"Ah, beni pohpohlayarak kandırmaya çalışma, Heck. Söyle yeter, bizi ne kadar çabuk istiyorsun? Ne kadar uzağa gitmemizi istiyorsun? Ve ne kadar ödeyeceksin?"

Cross, Nella'nın lafı dolandırmadan doğrudan konuya girme konusundaki eşsiz becerisine güldü. "Sizi hemen şimdi istiyorum. Ve bir tekne uçurmanızı istiyorum..."

"Ben uçak uçuruyorum, Hector. Tekne için bir kaptana ihtiyacın olacak."

Cross yeniden denedi. "Pekâlâ, uçağınıza bir tekne sokup onu uçakla götürmenizi isteyeceğim, ayrıca Dave Imbiss, birkaç adam ve Abu Zara'dan Gabon Libreville'e gelecek olan tekne mühendisini de. Ve her zamanki gibi, size istediğinizden az ama hak ettiğinizi düşündüğümden daha fazla ödeyeceğim."

"Daima cimri biri oldun sen, Heck," dedi, her ikisi de Cross'un derhal ve tam meblağı ödediğini biliyor olsa da.

"Peki şu anda neredesiniz? Ve neden size ulaşamıyorum?"

"Ürdün. Suriyeli Hıristiyan bir aileyi ülkeden çıkarıyorduk, şu İslam Devleti saçmalıklarından bir adım öteye. Biraz zor oldu."

"Uçak tek parça halinde mi?"

Nella kahkahayı bastı. "Arkadaşlarına eşyalarından evvel kendilerinin nasıl olduğunu sorman gerektiğini biliyorsun, değil mi?"

"Seni dinlediğim kadarıyla iyi olduğunu anlıyorum," dedi Cross. "Bernie'nin de iyi olduğunu biliyorum, çünkü olmasaydı bu şekilde konuşmazdın. Sadece Hercules'in nasıl olduğunu bilmiyorum."

"Ah, sen onu merak etme. O silahlı milislerin nasıl olduğunu bilirsin, on adım öteden bir filin kıçını dahi vuramazlar. Rasgele ateş ediyorlar."

"Peki bu işi yapabilir misiniz?"

"Bize uyumak için bir gece ver, yarın hemen yola çıkarız."

"Peki ya para?"

"Bunun için endişelenme, Heck, iş bittiğinde faturasını sana göndeririz."

Voronova kardeşler için saatler acı verici şekilde yavaş ilerliyordu. Catherine Cayla'yla oynadılar, Bonnie'yle sohbet ettiler. Bunlar bittiğinde epey rekabetçi şekilde satranç oynadılar ve birbirlerini hile yapmakla suçladılar. Daha sonra birbirlerinden ayrıyken yaşadıklarını ayrıntılarıyla anlattılar ve artık birbirlerini buldukları için çok daha mutlu oldukları fikrinde birleştiler. Nastiya, Zheina'nın bu kadar kısa bir zaman içinde bu kadar fazla erkek arkadaşının olmasına şaşırıp kalmıştı, kız kardeşini abartmakla suçladı ve böylece daha fazla tartışıp daha ayrıntılı konuşmalar yaptılar. Birbirlerine anlatacak çok şeyleri vardı, erkekleri dahil etmeden ve dikkatleri dağılmadan geçirdikleri bu zaman zarfında, aslında birbirlerini umduklarından daha çok sevdiklerini fark ettiler. Ama çoğunlukla da beklediler, beklediler ve yine beklediler. Da Cunha'da Maria Denisova'nın numarası vardı. Tekne seyahatini kararlaştırmak üzere arayacağını söylemişti. Ama telefon bir türlü gelmiyordu.

"Telefon başında oturup bir erkeğin aramasını çaresizce beklemek için fazla yaşlıyım," diye söylendi Nastiya. Ama yine de bekledi.

Bir gün daha geçti. Vosloo'ların Hercules'i Abu Zara'ya vardı ve Interceptor'ı yükleme işi başladı. Dave Imbiss, Prens Abdul'un teknede en ufak bir sıyrık bile olsa, efendisinin gazabından açıkça korkan ve işin yapılmasını neredeyse imkânsız hale getiren mühendis Hassan'la uğraşmanın yarattığı gerilimle ilgili içini döküp rahatlamak için birkaç kez aradı. Imbiss, Interceptor'ın Libreville'e nakledilmesi ve daha sonra suya indiğinde mürettebatı oluşturması işlerinde kendisine yardım etmek üzere Darko McGrain'i görevlendirmişti. McGrain'in korkutucu öfkesinin bile onu daha işbirlikçi yapmaması, Hassan'ın teknesinin iyiliği konusundaki saplantılı endişesi hakkında çok şey anlatıyordu. Libreville'e gitmek için İstanbul ve Demokratik Kongo Cumhuriyeti Kinshasa yoluyla manzaralı rotayı kullanan Türk Havayolları uçağına binen Cross'un üç adamı da başka bir engelle karşılaştı. Anlaşılan Türk hava trafik kontrolörleri grev yapıyordu ve bu yüzden gidecekleri istikamete Abu Zara'da olduklarından daha uzak bir nokta olan İstanbul'da mahsur kalmışlardı. Ancak bunlar ufak sıkıntılar gibi görünüyordu ve endişelenmeye gerek yoktu.

Bu esnada Nastiya, Zhenia'ya dönüp, "Sen de bir erkeğin aramasını beklemekten nefret etmiyor musun?" diye sordu ve Da Cunha'ya mesaj atmaya karar verdi. "Ee, ne zaman buluşuyoruz? Maria."

Da Cunha bir saat içinde cevap verdi. "Neredesiniz?"

"Moskova."

"Ne kadar zaman içinde yola çıkabilirsiniz?"

Eh, önce Moskova'ya gitmemiz gerekecek, dedi Nastiya içinden, sonra da cevap yazdı. "Bir gün. Burada bitirmem gereken bir iş var."

"Tamam. Gana Accra'ya gidin. Bana uçuş detaylarını ver. Havaalanında, daha sonrası için gerekli biletlerle birlikte karşılanacaksınız."

"Tamam. Harika."

"Ebolaya yakalanmazsak tabii," dedi Nastiya yüzünü asarak. Dizüstü bilgisayarının başına oturup uçuşlara bakmaya başladı. Ertesi sabah Moskova'dan Accra'ya Amsterdam üzerinden bir Aeroflot uçuşu vardı. "Tanrı'ya şükür! KLM'in uçuşu," dedi Nastiya içini çekerek. Kendini bir vatansever olarak görüyordu ama iş, hava yolculuğuna gelindiğinde öyle değildi.

O gece Moskova'ya uçtular, Moskova Sheremetyevo Havalimanı'nda üç saat beklediler, ardından da altı buçuk saat gibi şaşılacak kadar kısa bir sürede Accra'daki Kotoka Uluslararası Havalimanı'na ulaştılar. Gelen yolcu kapısında, karma bir İngilizce konuşan Ganalı bir taksi şoförü, Nastiya'nın adının yaratıcı biçimde hatalı yazılmış olduğu bir kart tutuyordu. Adam onları Accra'nın merkezindeki Tulip Inn'e götürdü. Orada isimlerine ayrılmış oldukça konforlu bir süit oda buldular. Uzun yolculuktan bitkin bir halde kendilerini yatağa atıp ertesi gün geç saatlere kadar uyudular. Öğle yemeği için yemek salonuna indiklerinde resepsiyonda Mateus Da Cunha tarafından bırakılmış, yolculuklarının bir sonraki ayağının, ertesi gün saat dokuzda başlayacak şekilde ayarlandığını söyleyen bir mesaj vardı. Fakat aynı zamanda o öğleden sonra için otelin güzellik salonunda ve akşam yemeği için otel restoranında yerleri ayrılmıştı.

Yemeğin parası önceden ödenmişti ve bir şişe Pol Roger'ı da içeriyordu. Zhenia şampanyasını yudumlarken yorum yaptı. "Mateus Da Cunha bir sahtekâr olabilir ama sana ve Fransız şampanyasına gelince adam iyi bir zevke sahip."

"Kocama söyleme," diye karşılık verdi Nastiya.

Onlar akşam yemeklerini yerken resepsiyon görevlisi başka bir mesajla yanlarına geldi. "Yarın sabah sekizde bir araba sizi alacak."

"Neler olduğunu söylemek için Cross'a mesaj atmalı mıyız?" diye sordu Zhenia.

Nastiya sesli düşündü. "Acaba Da Cunha telefonlarımızı izleyebilir mi? Hayır. Tekneye binene kadar izleyemez. O bir CIA ajanı değil."

Cross'a mesaj attı: "Accra'dayız. Saat 08.00'de alınacağız. Varış noktası bilinmiyor."

Birkaç dakika sonra bir cevap geldi. "Libreville'deyim. *Glenallen* iyi ama Interceptor yok ve çocuklar hâlâ İstanbul'da. Dikkatli olun."

"Hector ne diyor?" diye sordu Zhenia, Nastiya mesajı okurken.

"Ah, fazla bir şey söylememiş. Libreville'deymiş. Dikkatli olmamızı söylüyor."

"Voronova kardeşler... ve dikkatli olmak mı?" dedi Zheina gülerek. "Bizi hiç tanımıyor galiba."

Akşam yemeğinden sonra üç kişilik bir caz grubu bar bölümünde yüksek bir tonda müzik çalıyordu. Nastiya olabildiğince yakın bir masa seçip yüksek müzik sesinden faydalanarak sessizce Zheina'ya göstermelik hikâyelerini ve Cabinda projesine yatırım yapmaya istekli olduğu söylenen hayali oligarkların ayrıntılarını aktardı.

"Ah, bunun üzerinden o kadar çok kez geçtik ki sıkıldım artık. Hikâyeyi biliyorum. Sen benim patronumsun. Ben senin kişisel asistanınım. Eğer biri bana zor bir soru soracak olursa aptal sekreteri oynayarak, 'Ben nereden bileyim?' diyeceğim. Şimdi biraz daha şampanya içebilir miyiz lütfen. Mateus'un bunu karşılayacak kadar parası var."

"Hayır," dedi Nastiya sertçe. "Yarın kendinde olmanı ve güzel görünmeni istiyorum. Başımıza gelebilecek sürprizlere hazırlıklı olmalıyız. Şimdi senin yatma ve sekiz saat uyuma vaktin geldi."

Cross yattığında gece yarısıydı ve bir saat sonra üç saat ilerideki Abu Zara'dan arayan Dave Imbiss'in telefonuyla uyandı. "Bir sorunumuz var, patron. Hercules burada ve şimdi yakıt ikmali yapılıyor. Bernie ve Nella biraz kestiriyorlar ama temelde her şey hazır. Sorun şu ki, hiçbir yere gidemiyoruz, çünkü ben bu gerizekâlı mühendise işimizin bir zamana duyarlı, iki lanet sürat teknesinin çizilmesinden ya da boyasının bozulmasından daha önemli olduğunu anlatamıyorum."

Cross, çocukların çığlık attığını, bir kadının bağırdığını ve sakinleşmelerini talep eden bir adamın sesini duyabiliyordu. "Peki hangi cehennemdesiniz?" diye sordu.

"Hassanlarla birlikte evdeyiz. Sanırım hepsini uyandırdığım için huysuzlanıyorlar. Ona birkaç kelime edip olayı anlamasını sağlayabilir misin? İşte, telefonu ona veriyorum..."

"Selamünaleyküm, Hassan," dedi Cross ve Arapça bir öfke seliyle karşılaştı, lisanı konuşabilmesine karşın onu takip etmekte zorlanıyordu. Ama işin özü açıktı: Hassan güzellik uykusunun bölünmüş olmasından memnun değildi ve şimdi işbirliği yapmamaya daha da kararlıydı.

Pimpirikli birinin her lisanda kulağa aynı gelmesi ne tuhaf, diye düşündü Cross kendi kendine. Ama daha önce böyle tiplerle çok karşılaşmıştı ve tartışmanın faydasız olduğunu çoktan öğrenmişti. O nedenle Fırtına Hassan'ın fırtınasının dinmesini bekledikten sonra konuştu. "Sana iki şey söyleyeceğim: ne olacağını ve bunun neden olacağını. Ve ben konuşurken benim seni dinlediğim gibi sen de beni dinleyeceksin, anlaşıldı mı?"

Cross, Hassan'ın küskün homurtularını bir tasdik olarak değerlendirdi.

"O halde şunu anlamalısın. Prens Hazretleri Emir Abdul, layık olmasam da beni paha biçilmez dostluğuyla şereflendirdi. Bana verdiği kıymetin göstergesi olarak, sonsuz cömertliğiyle muhteşem teknesini kullanmayı bahşetti bana. O yüzden, şöyle olacak: Ortağım Bay Imbiss ve adamlarına o tekneyi bana taşıyacak olan uçağa yüklemeleri için yardım edeceksin."

Hassan'dan kısa, sözlü bir sızlanma geldi, ancak ses tonu öfkeli bir kızgınlıktan zayıf, kederli bir iniltiye dönüşmüştü. Kendisine emanet edilen teknenin herhangi bir zarar görmesi durumunda kendisinin ve ailesinin çekebileceği sıkıntılardan çekindiği belliydi.

"Endişelerini anlıyorum, Hassan," dedi Cross biraz daha sakin bir sesle. "O yüzden şimdi sana söylediklerimi neden yapman gerektiğini ve bunun nasıl senin faydana olacağını anlatacağım. Emir Hazretleri'nin bir prens, bir erkek ve bir dost olarak şerefini, para ve eşya gibi önemsiz şeylerin üzerinde tuttuğunda benimle hemfikir olduğuna eminim."

Hassan gerçekten de bu önermenin doğruluğunu kabul etti.

"Bu tekne, sen ve benim için muhteşem bir makine olabilir ama Emir Hazretleri için önemsiz bir şey. Şimdi, bu tekneyi bana vermesinin nedeni, benim düşmanım olan kötü bir adamın ve dolayısıyla Emir Hazretleri'nin de düşmanı olan kötü bir adamın ölümüne yol açacak bir görevde olmam. Bu görevin bir parçası olarak iki çok cesur kadın, bu adam yenilgiye uğrayabilsin diye hayatlarını tehlikeye atmak üzere çağrıldılar. Bu kadınların canı benim için çok önemli ve Emir Hazretleri de buna önem veriyor."

"Elbette elbette," dedi Hassan, nerdeyse hevesli bir tavırla.

"Böylece bu göreve yardımcı olan ve başarısına katkıda bulunan herkes büyük bir şerefe nail olacak, benim ve Emir Hazretlerinin teşekkürümü alacak. Ödül ve nimetlerden faydalanacak. Ancak..." Cross sözlerinin bir süre havada asılı kalmasına izin verdi. "Görevi engelleyen biri olursa veya yardımcı olmak konusundaki isteksizliğinden dolayı görev başarısız olursa Emir Hazretleri'nin gazabına uğrayacağından emin olabilir, çünkü hem kendisinin hem de Emir'in şerefine leke sürmüş ve Emir'in dostuna hakaret etmiş olacaktır ve o zaman hayatını çok kısa, sefil ve rahatsız edici bir varoluş haline getirebilecek iki düşman kazanmış olacaktır. Öyle ki bir botun altında kalan bir akrep gibi ezilecek ve bir deve gübresi gibi yerlerde sürünecektir, ailesi ise sonsuza dek onun bu ayıbının utancıyla yaşamak zorunda kalacaktır."

Hattın öteki ucunda bir sessizlik oldu. Sonra Cross adamın dokunaklı ve samimi şekilde özür dilediğini duydu, ardından da acilen yardımcı olacağına dair ondan güvence aldı.

Imbiss geri geldi. "Tebrikler Heck," dedi. "Bu bebeği bir palete yerleştirip ambarına geri koymak biraz zaman alacak. Sonra da diğer teçhizatı toplamak gerek. O yüzden, bizim saatimizle yediden evvel havada olmak için söz veremem. Fakat Vosloolar gazı köklemeye söz verdiler. On saat ya da biraz daha uzun uçuş süresini ekle. Bu da varışımızın sizin saatinizle öğleden sonra iki ya da üç olması demek, bundan bir saat sonra da tekneyi suya indireceğimizi düşünebilirsin."

"Kahretsin, ucu ucuna olacak demektir," dedi Cross. Bir kapının çarptığını ve ardından da ayak seslerini işitti: Imbiss ve Hassan yola çıkmış olmalıydılar. "Kızlar bu sabah sekizde otellerinden alınacaklar. O andan itibaren düşmanın elinde olacaklarını varsaymak zorundayız."

Aniden Cross'un aklına bir şey gelmişti. O kadar bariz bir şeydi ki nasıl olup da daha evvel gözden kaçırdığını anlayamıyordu: "Havadayken onları takip edebilecek misin?"

"Sanırım mümkün. Anlaşılan, Bernie ve Nella son zamanlarda kendileri için aynısını kolaylıkla yapıyorlarmış. Bu arada uçağı tamamen elden geçirmişler. Görsen tanıyamazsın, Heck. Yani gerçekten de uçacakmış gibi görünüyor."

"Bu büyük bir değişim!

"Kesinlikle. Bekle bir saniye..." Bir araba kapısı açıldı, kısa bir sessizlik oldu, sonra arabanın motoru çalıştı ve Imbiss yeniden konuştu. "Ne diyordum? Ah, evet, Vosloolar iletişim sistemlerini yirmi birinci yüzyıla taşımışlar. Telefon ve internet için uydu bağlantıları var. İyi bir şey olmalı. Nastiya ve Zhenia şu anda Gana Accra'dalar, doğru mu?

"Evet, bu da *Faucon d'Or*, Gine Körfezi'nde demek oluyor. Ve bu onu bulmamızı kolaylaştırır. Da Cunha ve Congo kuzeye veya doğuya gidemez, çünkü Afrika'ya gidecekler. Aniden Atlantik'i geçmeye karar vermezlerse batıya da gitmezler. Ve güneye, Cabinda'ya da. O yüzden büyük ihtimalle gidecekleri rota belli."

"Bu da onları doğrudan Libreville'e götürür," dedi Imbiss.

"Aynen öyle. *Glenallen*'ın kaptanına burada durmamasını, kuzeye gitmesini, onunla Faucon arasındaki mesafeyi olabildiğince kapatmasını söyledim. Interceptor'la ona yetişebiliriz."

"Yine de Accra ve Libreville arasında yedi yüz mil okyanus olmalı. Büyük bir mesafe."

"Hiç hatırlatma. Ama *Faucon d'Or*'u bulacağız ve ona zamanında ulaşacağız."

"Elbette ulaşacağız!" diye karşılık verdi Imbiss.

Her ikisi de kendilerinden son derece emin konuşuyorlardı. Fakat Cross telefonu kapatıp yatağa uzandığında tüm o kendinden emin haline rağmen ihtimallerin aleyhlerine olduğunu biliyordu.

Ertesi gün kahvaltıdan sonra Voronovaların taksi şoförü onları yine aşağıda, otel lobisinde bekliyordu.

"Bizi bugün nereye götürüyorsun?" diye sordu ona Zhenia.

Şoför içtenlikle gülerek cevap verdi. "Evet! *Da! Jawohl!* Bugün. Ben götürüyorum bizi." Anlaşılan kelime dağarcığı bu kadardı ve bu, konuşmanın sonuydu.

"Sanırım oraya gittiğimizde anlayacağız," diyerek kız kardeşini avuttu Nastiya.

Taksi, şehrin inanılmaz kalabalık sokaklarının arasında yürüme hızıyla ilerliyordu. Şoförleri debriyaja basar basmaz korna çalmaya başlamıştı ve neredeyse bir saat sonra gidecekleri istikamete varana kadar da elini kornadan çekmedi.

Sonunda şehrin dışında ufak bir koya gelmişlerdi. Yerli balıkçı teknelerinin ağları kurutulmak üzere serilmişti, koyun etrafı hindistancevizi ağaçlarından bir koruyla çevriliydi. Taksi suyun kenarına doğru ilerledi ve yüzen bir iskelenin yanına park etti, iskelede üç deniz uçağı demirliydi, içlerinden biri amfibi Twin Otter'dı.

Taksi şoförü inip yerel lisanda bağırarak bir şeyler söyledi ve bir süre sonra Otter'ın ön camında bir kafa belirdi. Anlaşılan pilot kokpitte uyuyordu. Kapıyı açıp iskeleye indi. "Siz *Faucon d'Or* yolcuları mısınız?" diye seslendi Güney Afrikalı aksanıyla. Bundan emin olduğunda o ve taksi şoförü kızların çantalarını iskeleye indirip uçağa yüklediler. Pilot, şoföre ödeme yaptıktan sonra manevra yaparak koyun ağzından çıktı, rüzgâra ve suyun çalkantılarına doğru yol alırken Nastiya ve Zheina yerlerine oturdular.

Pilot havalanıp uçuşa geçtiği anda Nastiya koltuğunun arkasından ona doğru eğilerek sordu. "Tanrı'nın bile unuttuğu bu yerde ne yapıyorsun?"

Pilot sırıttı. "Petrol arama gemilerine hizmet veren bir şirkette çalışıyorum ben. Genellikle onlar için güzel kızlar ve başka şekerlemeler taşırız."

"Beni şekerleme olarak tasvir etmen, eminim kocamın çok hoşuna gidecek," dedi ona ciddi bir edayla.

"Kusura bakmayın," diyerek af diledi adam. "Evli olamayacak kadar mutlu görünüyorsunuz da."

Nastiya tepkisiz yüz ifadesini korudu ve Gine Körfezi'nin mavi sularının üzerindeki uçuşlarına hiç konuşmadan devam ettiler. Zhenia koltuğuna gömülmüş, derin bir uykuya dalmıştı. *Güzel, dinlenmesi gerekiyor*, diye düşündü Nastiya, hemen ardından kendini payladı. *Tanrım! Annesi gibi davranmaya başladın!*

Artık neredeyse öğle olmuştu ve pilot güneşe doğru uçuyordu, yani güneye, Libreville'e doğru gidiyorlardı. *Hector ve*

Paddy'ye doğru! Ama acaba ne kadar yol almışlardı? Nastiya son derece sıradan bir şey söylüyormuş gibi görünmeye çalışarak sordu. "Ne kadar hızla uçuyoruz?"

"Ah, normal bir seyir hızıyla. Saatte yaklaşık iki yüz yetmiş kilometre. Seyahatimiz ise toplamda yaklaşık sekiz yüz kilometre."

"Siz hemen Accra'ya mı döneceksiniz?"

"Yakıtım bitip de ölmek istemiyorsam hayır! Nijerya Harcourt Limanı'na doğru gideceğim. Beni orada bekleyen başka müşterilerim var."

Havada geçen bir saat, ikiye ve üçe kadar uzadı. Sonunda pilot ön camdan ileriyi işaret etti.

"İşte, *Faucon d'Or* şurada. Küçük, güzel bir kayık öyle değil mi?" Alçalmaya başladı ve iç kesimlerinde sık ormanların olduğu dar bir kumsaldan birkaç yüz metre açığa demirlemiş olan yatın üzerinde dik bir açıyla ilerledi. "Şu arkasında görünen de Nijerya."

Nastiya gözucuyla yata baktığında deniz aracının boyutlarına ve tertemiz görüntüsüne şaşırdı. Zhenia da uyanmış yata bakıyordu. "Bu şey, Roman Abramovich için bile yeterince iyi görünüyor," dedi.

"Hiç de değil!" dedi pilot gülerek. "Onunkilerin yanında bu bir sandal gibi kalır!"

Neredeyse hiç rüzgâr yoktu ve uçak düz, durgun suya neredeyse hiç sarsılmadan indi. Pilot tekneye doğru manevra yaparken teknenin merdivenlerinin dibinde duran motorlu bir bot ayrıldı ve onları karşılamaya geldi. Nastiya ve Zhenia dubaya inerek tekneye atladılar. Mürettebat kızların eşyalarını transfer eder etmez bot, yata doğru yol almaya başladı. Arkalarında kalan Twin Otter'ın pilotu havalandı ve Gana kıyılarına doğru uzaklaştı.

Bot, *Faucon d'Or*'a yaklaşırken arka güvertede uzun boylu ve zarif birisi belirerek onlara doğru baktı.

"Kim bu?" diye sordu Zheina ani bir ilgiyle.

"Mateus Da Cunha," dedi Nastiya.

"Onu istemediğine eminsen sana bir iyilik yapıp elinden alabilirim, sevgili kardeşim."

"Hector Cross'a âşık olduğunu sanıyordum."

"Öyle ama bizimki kapalı bir ilişki değil." Zhenia'nın yüzü ifadesizdi ama Nastiya'ya göz kırptığı anda ikisi de gülmeye başladılar.

"Artık babanın kim olduğuna dair en ufak bir şüphem yok," dedi Nastiya.

Nastiya statüsüne uygun şekilde kız kardeşinden önce iskele merdiveninden tırmanarak *Faucon d'Or*'un güvertesine çıktı. Batı Afrika açıklarındaki bir yattan ziyade, New York ya da Paris sokaklarındaymış gibi görünen, füme renkli bir takım elbise ve beyaz gömlek giymiş, lacivert bir kravat takmış bir güvenlik görevlisi, yata çıkmasına yardım etti. Onu baştan aşağı süzüp bedeninin her santimetrekaresini inceleyerek onu gözleriyle soyuyordu. Nastiya korumanın bu alakasının cinsellikle alakalı olmadığını biliyordu. Adam onun gizli bir silah taşıyıp taşımadığını anlamaya çalışıyordu. Nastiya'nın beyaz diz üstü elbisesinin, bir bıçak ya da silah bir yana, bir gram ete dahi yer bırakmayacak kadar dar olduğunu gördüğüne bariz şekilde memnun görünen görevli, onu hafif bir baş işaretiyle selamladı. Ardından Da Cunha onu karşılamak üzere öne doğru ilerleyerek Nastiya'nın kendisine uzattığı elini öptü.

"*Faucon d'Or*'a hoş geldiniz, Matmazel Denisova. Umarım, Moskova'dan buraya kadar olan yolculuğunuz fazla zahmetli geçmemiştir," dedi endişeli bir tavırla. "Sizinle şahsen Accra'da buluşmadığım için affınıza sığınıyorum, ama bunların kritik zamanlar olduğunu ve hedeflerimizi gerçekleştirene kadar sizi gözlerden uzak tutmam gerektiğini anlayacağınıza eminim."

"Biz Ruslar zorluklara alışığızdır. Sonuçta seyahatimizin buna değer olacağına ve bu küçük rahatsızlığın da çok yakında unutulacağına eminim."

"Böyle olacağını umalım," diyerek yorum yaptı Mateus ve ardından yatın merdivenlerini çıkan Zhenia'yı selamlamak üzere ona döndü. Çaktırmadan Da Cunha'yı gözleyen Nastiya, hâlâ gençliğinin baharında olan Zheina'nın güzelliği karşısında adamın gözbebeklerinin hafifçe büyüdüğünü ve yüz ifadesinin yumuşadığını fark etti. Kız kardeşini tehlikeli bir durumun içine sürüklemiş olabileceği düşüncesiyle paniğe kapıldı. Zheina kendisine zararlı olacak kadar güzeldi ve ev sahipleri acımasız katiller ve suçlulardı. İçini büyük bir endişe kaplamıştı. *Umarım Hector gecikmeden burada olur. Dün akşamki o mesaj gerçekten endişe vericiydi,* diye geçirdi aklından.

Nastiya olumsuz düşünceleri kafasından atmaya çalışarak rahat bir tavırla Mateus'a bakıp gülümsedi.

"Bu, asistanım Polina Salko. Kendisi Moskova Üniversitesi'nden dereceyle mezun oldu ve üç yıl benimle çalışmak üzere işe alındı. Kendisinin sağduyusuna ve ketumluğuna kefil olabilirim."

"Her ikiniz de hoş geldiniz," dedi Mateus, ince ve beyaz elin üzerinde gereğinden fazla oyalanarak. Sonra geri çekildi. "Her ikiniz için de süit odalar hazırlandı, beklentilerinizi karşılayacağını umuyorum. Görevliler size sütlerinizi gösterecek. Bagajlarınız da hemen arkanızdan gelecek. Kendinize gelmek için istediğiniz kadar kalın. Sonra hazır olduğunuzda sizi salona getirmesi için kabin görevlisi zilini çalın lütfen. O zaman sizi diğer önemli konuğumuz, Kral Hazretleri John Kikuu Tembo'yla tanıştırırım."

Nastiya, Congo'nun diğer adını duyduğunda içinde hafif bir heyecan hissetti. İçindeki avcı, kovalamacanın zirve noktasına geldiğini sezmişti. Av, ölüm sahasına gelmişti ve geriye kalan tek şey avcıların toplanmasıydı.

"Sizi rahatsız etmem gereken küçük bir mesele daha var. Majestelerinin şahsi güvenliğinin büyük bir önem taşıdığını tahmin edersiniz. O nedenle telefonlarınızdaki konum belirleyicileri etkisiz hale getirmenizi rica edeceğim."

"Elbette," dedi Nastiya. O ve Zhenia, Da Cunha'nın gözetiminde gerekli işlemi gerçekleştirdiler.

"Çok teşekkür ederim," dedi Da Cunha işlerini bitirdiklerinde. Ve Nastiya durumun tuhaflığını düşünmeden edemedi.

Aslında büyük ölçekli bir hırsız olan bir özgürlük savaşçısı ve aslında hüküm giymiş bir katil olan bir kralın güvenlik tedbirlerine riayet eden sahte kimlikli bir kadın.

Durumları bir komedi kadar gülünç ama aynı zamanda kanlı bir trajedi kadar ölümcüldü.

Kabin görevlisi iki kadını lobideki asansöre yönlendirdi ve birlikte alt kattaki yolcu güvertesine indiler. Onları bekleyen süit kamaralar, lüks ama yatın sınırlı alanına uygun şekilde küçüktü. İki süit oda, ön taraftan kıça doğru uzanan koridorun iki ayrı ucunda yer alıyordu ama Nastiya bunun pek de önemli olmadığını düşündü.

Ayrılmadan önce Zheina'ya dönüp, "Ben yarım saate hazır olurum, Polina. Sonra benim odama gel ve iPad'in de yanında olsun. Eminim, not almamız gerekecektir."

Nastiya kendi süitine girer girmez kapıyı kapayıp kilitledi, sonra saçlarını tararken bir yandan da kamaranın duvarlarını, tavanı ve zeminini kontrol ederek bir kapalı devre kamera sistemi olup olmadığına baktı. Sona aniden motorun sesini ve gövdedeki hafif titreşimi hissetti. Yola çıkıyorlardı. Kararlaştırılan otuz dakikanın sonunda kapı vuruldu.

"Teşekkür ederim, Polina," dedi Nastiya. "Sanırım, Majesteleriyle tanışma zamanı geldi."

İçeriye girdiklerinde Mateus oturduğu yerden kalktı ama yanındaki kişi oturmaya devam ederek iki kadını kapkara ve sabit bakışlarla süzdü. Nastiya eşikte durup adamın bakışlarına nötr bir ifadeyle karşılık verdi ama içten içe rahatsız olmuştu.

Bu adamın kim olduğunu biliyordu. Onun fotoğraflarını ve video kayıtlarını görmüştü. Hatta Hector ve Paddy tarafından yakalandıktan sonra, Kazundu hava sahasında uçağa taşındığı sırada canlı halini de görmüştü. Ama o zaman ona enjekte edilen yüksek dozda sakinleştirici yüzünden bilinci yerinde değildi ve gümüş sırtlı bir gorili bile hareketsiz hale getirecek bir kargo ağıyla bağlanmıştı.

Congo'yu şimdi olduğu gibi, tamamen bilinci yerinde, odaklanmış ve kocaman, tehditkâr bir figür olarak hiç görmemişti. Normal bir adamın iki katı boyutlardaydı. Siyah keten bir pantolon ve açık düğmelerinden göğsündeki kalın altın kolyenin göründüğü siyah ipek bir gömlek giymişti. Yaydığı huzursuz, tehditkâr ve şeytani hava o kadar yoğundu ki, Nastiya'nın gerilemeyip hareketsiz kalarak duruşunu koruması büyük bir irade gücü gerektirmişti.

"Majesteleri, sizi Matmazel Maria Denisova'yla tanıştırabilir miyim?" diyerek takdim etti Da Cunha onu. Nastiya nefesini tutarken Johnny Congo onu inceliyordu ama tanımış gibi görünmüyordu. Tek tepkisi, varlığını kabul ettiğini gösterir şekilde başını hafifçe öne eğmek oldu, ama Nastiya karşılığında büyük bir reverans hareketi yaptı. Tekrar ayağa kalktığında Zhenia'nın yanına gelmesi için kenara çekildi ve Johnny Congo'ya hitaben konuştu.

"Majesteleri, sizi asistanım Bayan Polina Salko'yla tanıştırayım." Zhenia'nın da onun kadar ürktüğü belliydi, fakat bunu ablası kadar iyi saklayamıyordu. Muhtemelen hayatının ilk reveransını yapmaya yeltendi. Başarılı olamamıştı ve Nastiya bunu, bir korku tepkisi olarak yorumladı. *Sorun değil. Zaten o bir sekreter. Bir kraliyet mensubu karşısında çekinmesi normal,* diye düşündü içinden.

Da Cunha onlara kralın karşısındaki kanepeye oturmalarını işaret etti ve kendi koltuğuna geri dönerken Congo, Da Cunha'nın hemen iş meselelerine girerek Nastiya'dan, Cabinda'yı Angola'dan alma serüvenini desteklemek için servetlerini riske atmaya hazır olan adamların ayrıntılarını vermesini istediğini ve ardından onu kurnazca sorguya çektiğini işitti. Da Cunha bunu yaparken kıvrak zekâsını ve konuya olan hâkimiyetini de kullanıyordu ama Nastiya, Hector ve Paddy'yle birlikte bunun için hazırlanmıştı ve ona ayak uydurmakta zorluk çekmiyor, ara sıra Polina'ya dönüp toplantıdan sonra takip etmek üzere bazı notlar aldırıyordu.

Congo elleri ceplerinde, bacakları hafifçe aralık şekilde oturuyordu. Çok az şey söyledi ve bunları söylerken Amerikan aksanıyla konuştu, konuşma biçimi ise Afrikalı bir kralın tarzına ait değildi. Yine de Nastiya, onun gözlemlerinin çok net ve sorularının konuya tam odaklı olduğunu fark etti. Yatırılan parayla, paranın verilme şartlarıyla ve kazanç geldiğinde hangi yöntemlerle bölüştürüleceğiyle bilhassa ilgileniyor gibiydi.

"Majestelerinin olağanüstü bir finansal anlayışı var," dedi Nastiya ve bu iltifat, yata bindiğinden beri yaptığı en samimi şeylerden biriydi. "Bunu nerede edindiğinizi sorabilir miyim?"

"Sokaklar, meydanlar ve hayat okulu," dedi düz bir tavırla. Nastiya'ya baktığında gözbebekleri bir akik taşı gibi alacalı, yırtıcı bir hayvanınkiler kadar acımasızdı ama gözlerinin beyazları kan çanağını andırıyordu ve dumanlıydı.

"Pekâlâ," dedi Mateus Da Cunha. "Öğle yemeği yiyelim mi? Arka güvertedeki tentenin altında yeriz. Orada serinletici bir rüzgâr oluyor ve şefimiz bize muhteşem bir büfe hazırladı." Sanki hepsi en saygın çevrelerden gelmiş, saygın işler yapan, düzgün insanlarmış gibi konuşuyordu. Fakat bu kibarlık numarası, ardında korkunç bir tehlikenin pusuda beklediği, karanlıkta yukarı aşağı gezinerek ve serbest kalmayı bekleyerek güç topladığı hassas bir kâğıt perde gibiydi.

Libreville Havaalanı, altın rengi bir kumsala birkaç adım mesafedeydi ama Interceptor yakıt almak zorundaydı. Bu da onu, otobandan Mole Limanı'na doğru birkaç kilometre ileriye götürmek demekti. Orada, endüstriyel bir tersaneyi, içinde bir marinanın, turistler için oteller ve kumsalların, yerliler için uygun fiyatlı onbinlerce evin olduğu dev bir komplekse dönüştürmek üzere büyük bir inşaat devam ediyordu.

"Vay canına, bu çok etkileyici," dedi Imbiss devasa inşaat alanlarının yanından hızla geçerlerken.

"Yeni Afrika'ya hoş geldiniz," diye karşılık verdi Cross. "Batıdakiler hâlâ boş kâselerini yalvarırcasına sallayan, karınları şiş, aç çocuklar hayal ediyorlar ama Afrikalılar artık öyle değil. Bazı insanların kendilerini daha iyi hissetmek için onlara vermek istediği sadakalara ihtiyaçları yok. İhtiyaçları olan şey bizimle iş yapmak."

"İş demişken..." dedi Paddy.

"Unutmadım," dedi Cross. "Bir saniye bile."

"Pekâlâ, takip cihazından aldığım bilgiler, *Faucon d'Or*'un Nijerya petrol sahalarını geçerek, saatte yirmi deniz mili hızla güneydoğuya gittiğini gösteriyor. Bir sonraki kara görümleri Ekvator Ginesi kıyısındaki Malabo Adası. Adanın güney ucunda volkanik mahiyette rezervler var: inanılmaz bir doğa, yağmur ormanları, siyah kumsallar. Ben Da Cunha olsaydım ve Nastiya gibi güzel bir yatırımcıyı etkilemek isteseydim gece için oraya demir atar ve sabah da kumsalda kahvaltı hazırlardım."

"Ben de Johnny Congo olsaydım her iki kadına birden asılmak için o kadar beklemezdim," dedi Cross. "Kahvaltıdan çok daha önce *Faucon*'a ulaşamazsak çok geç kalmış olacağız."

"Ben de bunun için dua ediyorum," dedi Paddy iç geçirerek.

"O halde," dedi Cross. "Oyunu şu şekilde oynayacağız. Tarif etmek fazla uzun sürmeyecek, gayet basit tutacağım. Önce *Glenallen*'a gideceğiz. Hızlı bir seyir istiyorum. Hâlâ sorunsuz yetişebiliriz ve gerçekten gerekli olana kadar tam gaz giderek motorları patlatma riskine girmeye gerek yok. Interceptor'ı römorköre vinçle yerleştireceğiz. Biz teçhizatı kontrol ederken Hassan bunu çabucak halleder. Bu aşamaya dek sorusu olan var mı?" Onları iskeleye götüren beyaz Mercedes minibüsün içinde etrafa bakındı. Birkaç kişi başını sağa solladı ama kimse konuşmaya ihtiyaç duymadı.

"Pekâlâ. *Faucon d'Or*'un en fazla beş deniz mili uzağından denize iniyoruz, sonra hedefe yaklaşırken Interceptor'ı *Glenallen*'ın korumalı tarafında tutacağız. Eğer biri radara bakacak olursa tek bir deniz aracı görmelerini istiyorum."

Imbiss konuştu. "Yine de kendilerine yaklaşan bir gemi olduğunu görecekler. Kim olduğumuzu ve ne halt yediğimizi sorarlarsa ne diyeceğiz?"

"Çok basit. Onlara *Glenallen*'ın adını verip petrol platformu destek aracı olduğunu söyleyeceğiz –kontrol ederlerse bu iki bilginin de doğru olduğunu görecekler– ve Nijerya petrol sahalarındaki platformlarda kullanmak üzere kiraladığımızı ekleyeceğiz."

Imbiss bu cevaptan memnun, başını salladı.

"Pekâlâ," diyerek devam etti Cross. "Interceptor'ı mümkün olduğunca *Glenallen*'ın arkasında gizleyeceğiz ve motor sesi hedeften uzağa uçup gitsin diye *Faucon*'un rüzgârı altında kalacağız. Bir mil geriden geldiğimizi duymasını istemiyorum.

"Sonra, hedefe sekiz yüz metre yaklaştığımızda gaza basar uçarak ilerleriz. Muhtemelen tamzamanlı çalışan bir radar operatörleri yoktur ama olsa bile gözlerine inanamayacak. Çünkü onlara bir gemi değil, bir torpido hızıyla yaklaşacağız. Böylece birilerine danışacaklar, onlar da gelip bakacak ve ne halt edeceklerine karar verene kadar iş işten geçmiş olacak.

"*Faucon*'un en alçak kısmı kıç tarafı, biz de burayı hedefleyeceğiz. Oyalanma istemiyorum, baylar. Üçümüz kıç vardavelalarından atlarken ikinci grup bizi koruyacak ve düşman ateşi olursa bastıracak, sonra onlar da vardavelalardan atlayıp girecekler. Paddy, sen ve ilk gruptan bir başkası benimle geliyorsunuz. Dave, ikinci gruba da senin liderlik etmeni istiyorum."

"Nihayet biraz aksiyon!" dedi Imbiss sevinçle.

"Dinleyin, Congo ile Da Cunha'yı gözaltına alacağız ve gerekirse yok edeceğiz. Ama her şeyden önemlisi Nastiya ve Zheina'nın güvenliğinden emin olmalıyız. Yatın tepesinden, dış güvertelerden ve karşılama takımlarından başlayacağız, sonra aşağıdaki kabinlere geçeceğiz. Bu zor bir şey değil. Karmaşık da değil. Ama herkesin görevini yerine getirirken odaklanmış, disiplinli ve amansız olmasını gerektiriyor."

Ve oraya vaktinde ulaşmamız gerekiyor, diye ekledi Cross içinden. *Her şeyden önce, oraya vaktinde yetişmemiz gerekiyor.*

Ama şimdi saat neredeyse dört olmuştu ve henüz suya bile inmemişlerdi.

Kadınlar öğle yemeklerini yemişlerdi ve onlar iş numarasıyla nazik sohbetleri bir arada yürütmeye çalışırken Faucon d'Or da petrol kuleleri ve platformlardan oluşan çelik bir ormanı geçerek güneydoğuya doğru ilerliyordu. "Bu tesislerden gelen gaz ve petrolün, sadece ihracat geliri olarak Nijerya ekonomisine yılda yüz milyar dolardan fazla katkıda bulunduğunu biliyor muydunuz?" dedi Da Cunha. "Bir gün gelecek Cabinda da bu kadar zengin olacak."

"Ve biz de öyle," diyerek kadehini havaya kaldırdı Nastiya.

"Siyah altına içelim!" diye bağırdı Da Cunha.

İmtiyazlı geçmişine uygun şekilde özenli ve çekici bir ev sahibiydi. Oysa Congo, somurtkan ve düşünceli görünüyordu. Kendi kabuğuna çekilmişti ve onun bu sessiz varlığı, gitgide yaklaşan ve yanında muazzam bir fırtınayı da beraberinde getiren dev bir fırtına bulutu gibi masanın üzerine çökmüştü. Voronovalar öğleden sonra üzerlerini değiştirerek mayolarını giydiler ve yatın dışarıdaki jakuzisine dalıp çıkarak güneşlendiler. Birbirleriyle ve Da Cunha'yla sohbet ediyorlardı, ancak Congo hâlâ tek kelime etmemişti. Nastiya gizliden gizliye takım elbiseli korumaları gözlüyordu, şimdiye dek üç kişi saymıştı ama bundan daha fazlasının güvertenin altında, gece vardiyasından önce dinleniyor olması mümkündü. Varlıklarıyla ilgili Cross'u uyarmayı da düşündü. *Hayır, bu çok riskli. Mesaj ellerine geçerse ölürüz.*

Çok geçmeden gündüz vakti geçip yerini akşama bıraktı, şimdi içki ve akşam yemeği için kıyafet değiştirme zamanıydı. Istakoz çorbası, ardından pirinç pilavı ve mucizevi biçimde taze sebzelerle servis edilen bir *supreme de volaille* (kahverengi gevrek derisinin içinde ağızda eriyen yumuşaklıkta tavuk eti) ve mükemmel bir *crème caramel* servis edilmişti. Yemek yalındı ama Michelin standartlarında pişirilerek bir sanat eseri haline getirilmişti. Denizde, bilhassa da tropik bölgelerde iyi şartlarla muhafaza etmesi çok zor olan şaraplar, iyi seçilmişti ve en az yemekler kadar lezzetliydiler. En düşük moralleri bile yükseltebilecek bir yemekti; en azından kız kardeşlere, bulutlu gökyüzünün sonsuz ihtişamını gözler önüne sermek için katlanan tentenin altındaki masalarında oturdukları süre boyunca ölümcül, büyük bir tehlikenin içinde olduklarını unutturacak kadar iyiydi.

Güneyde bir yerlerde, *Glenallen*'daki üç adam, şiddet eğilimli içgüdülerini bastırmak için ellerinden geleni yapıyorlardı. "Tanrı aşkına, patron, lanet olası radar sinyalini boş ver de Interceptor hızla koşsun," diye yakardı Paddy O'Quinn. "Benim karım o kahrolası yatta."

"Benim de kız arkadaşım."

"Evet, biliyorum. Üzgünüm... Haydi ama! Geldiğimizi görseler ne olacak ki. Bize zarar verecek bir şey taşıyor olmaları imkânsız."

"Bize zarar vermelerine gerek yok, öyle değil mi? Kadınlara zarar verirler. Bak, anlıyorum. Eğer fazla yavaş gidersek başlarına her şey gelebilir. Fazla erken gidersek başlarına her şey gelebilir. Bu işin zamanlamasını mükemmel şekilde ayarlamak zorundayız yoksa..."

Cross cümlesini bitirmedi. Buna gerek yoktu. Oradaki herkes Nastiya ve Zheina'yı düşünüyordu. Cümlenin nasıl devam edeceğini de gayet iyi biliyorlardı.

Akşam yemeği sona ermişti. Sohbet, içki ve Congo'nun sessizliği devam ederken Nastiya nihayet, iki gün ve iki gece süren seyahatlerinin ardından yorgun olduğu gerekçesiyle yatacağını söyledi.

"Elbette, çok iyi anlıyorum," dedi Da Cunha. "Daha huzurlu uyuyabilmeniz için biz de birazdan geceyi bitiririz, sabah da –*voilà*!– cennete uyanırsınız. Bu cennetin adı Malabo. Orayı çok seveceğinizi düşünüyorum."

"Öyle olacağına eminim," dedi Nastiya, Da Cunha'nın Fransız aksanıyla "Malabo" deyişi bu fikri gerçekten de karşı konulmaz kıldığı için. "Sanırım, sen de yatsan iyi olur, Pola," dedi Zhenia'ya. "Sabah yapacak işlerimiz olacağına eminim... Cenneti ziyaret ettikten sonra tabii."

İki kız kardeş birlikte Nastiya'nın kamarasına gittiler. Kapıyı arkalarından kapadıklarında Zhenia kardeşinin kollarına atıldı.

"Seni bulduğum için çok mutluyum," diye fısıldadı. "Sensiz çok yalnızmışım ben."

"Buna ben de memnunum," diyerek onunla hemfikir oldu Nastiya. "Ama saat gece yarısını çoktan geçti. İkimiz de biraz uyumalıyız. Ve senin iş yapma becerilerinden başka bir şeyle ilgilenmeyen patronun olmam gerekiyor. Kamarana dönme zamanı geldi."

"Ah, pekâlâ öyleyse." Zheina dudaklarını büzdü. "Ama seni özleyeceğim."

"Kapını kilitlemeyi unutma," diye ekledi Nastiya, kız kardeşinin arkasından seslenerek. *Beni duydu mu acaba? Arkasından gitsem mi?* diye merak etti. *Ah, böyle endişelenmeyi bırak! O yetişkin bir kadın. Kendi başının çaresine bakabilir.*

"Bana bu akşam yedirdiğin o iğrenç şey de neydi?" diye hırladı Johnny Congo.

"O yediklerin," diye karşılık verdi Mateus Da Cunha, geçen her saniyeyle birlikte Congo'yla ilişkisinden daha fazla pişmanlık duyuyordu. "Fransız mutfağındandı ve dünyanın en lezzetli mutfağıdır."

"Öyle mi? O Fransız yemekleri bana son derece tatsızmış gibi geldi. Ev yapımı kızarmış tavuğu veya mangalda yapılmış, etleri kemiklerinden dökülen, Teksas usulü, güzel bir kaburgayı tercih ederim. İşte benim lezzetli yemek anlayışım bu."

Kristal bir bardak içinde, kocaman elinden görünmeyen kaliteli Scotch viskiyle birlikte bir süre daha düşündü, içinde kabaran öfke neredeyse elle tutulacak kadar belirgindi. "Gohn, bana biraz müzik çal," diye homurdandı. "Adamım Jay-Z'yi dinle." Telefonunu kurcaladı, aradığını buldu ve yatın ses sistemine bağlandı. "Burada, bir kardeşimiz aptal, beyaz bir polise, 'Bana dokunamazsın, ahmak,' diyor."

Çok geçmeden bütün salon, '99 Problems'ın kulakları sağır eden sesiyle dolmuştu. Bu müzik, Mateus Da Cunha'ya kulaklarına yapılan bir saldırı gibi geliyordu. Congo gürleyerek tekrar eden heavy metal müziğin üzerine şarkı söyleyen rap şarkıcısını bir süre dinledikten sonra Da Cunha'ya doğru yürüdü. Sesini duyurmak için bağırmak zorunda kaldı. "Yapmam gereken bir iş var. Müziğe dokunursan suratını dağıtırım."

Da Cunha salonda kaldı. Congo'nun bu davranışı ihtiyacı olan son şeydi. Birkaç gün içinde, ayaklanma sürecini başlatacak, görünüşte kendiliğinden ortaya çıkan isyanların ilki Cabinda City'yi vuracaktı. Planlamalar yapması, konsantre olması ve her ihtimali düşünmesi gerekiyordu ama müzik nedeniyle kendi düşüncelerini bile duyamıyordu. Congo'nun az evvel çıktığı kapıya doğru, ondan ne kadar nefret ettiğini haykırdığında da onu kimse duymadı.

F*aucon d'Or*'un kaptanı, Malabo kıyılarına demir atma sürecini denetlemişti. Müşterilerinin fikir değiştirip gece vakti yola devam etmeye karar verme ihtimaline karşı adamlarından birini kaptan köşkünde bıraktı. Böyle bir yatı kiralayabilecek insanlar, taleplerinin makul mü ya da pratik mi olduğunu asla düşünmezlerdi. Sadece kendilerine hemen ve sorgusuz sualsiz itaat edilmesini beklerlerdi. O nedenle de bunu yapacak birinin hazırda beklemesi şarttı.

Kaptan bu meseleyi hallettikten sonra gece için istirahate çekildi. Ana salondan gelen gürültüye yüzünü buruşturdu ama gece yarısı partilerine alışkındı ve böyle zamanlar için en iyi ses engelleyici kulaklıklardan kendine bir stok yapmıştı. O kulaklıklardan birini taktığı anda tek duyabildiği ses kendi nefesi olacaktı.

Kaptan köşkündeki ikinci kaptan, radarı kontrol etmiş, yakınlarındaki tek geminin kuzeye, Harcourt Limanı'na doğru giden bir römorkör olduğunu görmüştü. Bunun üzerine tablet bilgisayarında Call of Duty oyununu açtı ve müşterinin müziğiyle oyunundaki silah seslerinin birbirine karışmasına aldırış etmeden oyun oynamaya koyuldu. Sonuç olarak, iki sesin birbiriyle iyi gittiğini düşünüp memnuniyetle başını salladı.

Üç güvenlik görevlisi, ekibin gece gözcülüğü sırası gelen ve bütün öğleden sonrayı uyuyarak geçirmiş olan dördüncü üyesiyle birlikte aşağıda, mürettebat odasındaydı. İçlerinden ikisi Sırp'tı, biri Fransız ve biri de Belçikalıydı ve hepsi Paris merkezli bir firma için çalışıyordu. Patronları, sayısız Afrika ihtilali görüp geçirmiş, eski bir paralı askerdi ve Da Cunha'nın çalışanlarından talep geldiğinde bir başka ihtilalin kokusunu almıştı. O yüzden, Afrika hapishanelerinde çürürlerse eksikliklerini hissedeceği iyi adamlarından hiçbirini göndermemişti. Onun yerine Da Cunha'ya, suç geçmişi olan ve kendilerinden başka kimseyi umursamayan dört sert ve iyi dövüşçü gelmişti.

Şu anda, bir şişe konyağı paylaşarak poker oynuyorlar ve yemek servisi yapan, dışarıdaki barda içki hazırlayan ve müşterilerin seyahatlerini genel anlamda olabildiğince hoş hale getirmeye çalışan iki Fransız garson kızı gelişigüzel hareketlerle tavlama girişimlerinde bulunuyorlardı. Teorik olarak birinin yukarıda gözcülük ediyor olması gerekiyordu. Fakat iki Sırp'tan biri olan takım lideri Babic, kaptan köşküne çıkmış, ikinci kaptanla konuşmuş ve yakınlarında tek bir gemi olduğunu ve onun da kuzeye, Nijerya'ya doğru yol aldığını öğrenmişti. O yüzden endişelenecek bir şey yoktu. Gece vardiyasını devralması gereken kişi Belçikalı Erasmus'tu. Babic, birazdan her şeyin yolunda gidip gitmediğini kontrol etmesi için onu yukarı gönderecekti. O zamana kadar hepsinin, ellerinde içkiler, kartlar ve yanlarında garson kızlarla olmalarından memnundu.

O sırada Babic bir şey duydu. "Bu ses de nedir?" dedi. Kâğıtları dağıtmakta olan Erasmus, yaptığı işi bıraktı. Kaşlarını çatarak sese konsantre olmaya çalıştı. "Büyük salondan gelen boktan müzik işte."

Babic başını iki yana salladı. "Hayır, dışarıdan geliyor. Gidip kontrol et."

"Kâğıtları dağıtmayı bitirebilir miyim?"

"Hayır."

Erasmus içini çekerek tabancasını aldı, pantolonunun arkasına soktu ve ceketini giymeye gerek görmeden, gömleği pantolonunun dışında, kontrol etmek üzere çıktı.

Formsuz kalmış, diye düşündü Babic, Erasmus'un dağılmış gömleğinden görünen çıkıntılı göbeği gözüne iliştiğinde. *Bu konuda bir şeyler yapmanın zamanı geldi.*

Cross ve adamları, Interceptor'da savaşa hazırlanıyorlardı. Cross ve Paddy, Frank Sharman'ı takımlarının üçüncü adamı olarak seçtiler. Buna, platformdaki olağanüstü performansından dolayı hak kazanmıştı. Imbiss ise Carl Schrager ve Tommy Jones'a liderlik ediyordu. O ve Schrager takımlarına ABD Takımı adını vermişlerdi ama Jones bu isimden nefret etmişti. Yat, Magna Grande'deki tesislerden çok daha tehlikesiz bir ortam olacaktı, ne de olsa tüm deniz aracını havaya uçuracak bir serseri kurşun riski yoktu. Bu nedenle Yakın Menzil Karabina konfigürasyonundaki Colt Kanada C8 saldırı tüfekleriyle silahlanmışlardı. Son yıllarda C8, Birleşik Krallık Özel Kuvvetleri için standart bir kişisel silah haline gelmişti ve bu da Cross gibi eski bir SAS görevlisinin ihtiyaç duyabilecekleri açısından yeterliydi. Adamların hepsi Özel Kuvvetler stilinde giyinmişti: siyah tulumlar, yüz maskeleri, gözlükler ve göğüslerinde siyah vücut zırhları. Kısa menzilli bir sistemle iletişim kuracaklardı.

Müdahale kuralları basitti: Silahsızlar, kadınlar ve uzaktan düşman gibi görünmeyen herkes yasak hedefti. Congo, Da Cunha ve kendi hesabına dövüşen herkese azami güç ve asgari tereddütle müdahale edilecekti.

Artık *Faucon d'Or*'a o kadar yakınlardı ki yat, Interceptor'ın kontrol odasının ön camını tamamen dolduruyordu. "Vay canına! Bir Noel ağacı gibi aydınlık," diye mırıldandı Sharman.

"Motoru durdur," dedi Cross. Interceptor'un motor gücü son yüz metreyi aşacak kadar ivmeye sahipti. Görünüşe göre, fark edilmeden epey yaklaşabilmişlerdi. Bu neredeyse bir mucizeydi ama Cross şansını daha fazla zorlamayacaktı. O andan itibaren avlarına sessizce yaklaşacaklardı.

Nastiya uykuya dalmakta zorlanmıştı. Bunu başardığında dahi uykusu kesintiliydi, kalbi küt küt atarak ve zihninde karanlık hayallerle uyanıp durmuş, kendisini düşman kalesinde savunmasız hissetmenin verdiği huzursuzluktan kurtulamamıştı. Hector ve Paddy'nin ne zaman gelebileceği hakkında bir fikri yoktu. Sadece birkaç saat de olabilirdi, günler de alabilirdi.

Nastiya rüyasında, bağıran adamlar ve feryat ederek ona seslenen bir kadının sesiyle birlikte kızgın, ısrarcı gürültüler duyuyordu. Aldırış etmemeye çalıştı ama sesler o kadar karşı konulmaz hele geldi ki tamamen uyanık ve tetikte olarak, yatağında aniden doğruldu. Diğer gürültüler gibi kadın sesinin de dinmesini bekledi. Ama öyle olmadı. Onun yerine, daha da ısrarcı hale geldi ve o zaman sesi tanıdı. "Zhenia!" diye haykırarak yataktan fırladı. Kapıya koşarak kilidi açmaya çalıştı, ancak parmakları uyku mahmurluğuyla uyuşmuş gibiydi. Nihayet kapıyı açmayı başararak kısa geceliğiyle koridora fırladı. Zhenia'nın çığlıkları şimdi daha da güçlü ve heyecanlı geliyordu: Bangır bangır çalan müziğe karışan yardım çığlıkları acı dolu ve yakaran feryatlarla bölünüyordu. Nastiya koridorda koşarak kardeşinin kaldığı kamaranın kapısına ulaştı. İçirten gelen darbe seslerinin ardından tanıdık bir erkek sesi duydu. "Beni ısırdın mı sen az önce, pis kaltak? Bunu yaptığın için dişlerini sökeceğim."

Congo! Nastiya kapı kulpunu kavrayarak tüm gücüyle sarstı ama bir şey olmadı. İçeriden kilitlenmişti. Arkasındaki duvara kadar geriledi. Ardından koşup sağ omzuyla kapıya bir darbe indirdi. Darbe şiddetliydi ama kalın meşe panel çelik gibi sağlamdı ve yerinden milim oynamamıştı.

Nastiya, yeniden geri giderek kendisini hazırladı. Bu arada içeriden gelen acılı çığlıklar kalbini delip geçecek kadar yükselmişti. Yumruklarını sıkıp karnına doğru kaldırdı, sırtını kamburlaştırdı ve en derinlerdeki enerjiyi açığa çıkaracak üç güç sözcüğünü haykırdı. Ardından da bir kez daha kapıya doğru saldırdı. Bu kez darbeyi pek hissetmedi ama kapı doğraması etrafına kıymıklar saçarak içeri doğru göçtü ve Nastiya kamaranın içine dalıp bakışlarını yatağa çevirdi.

Johnny Congo karman çorman olmuş yatak örtülerinin tepesinde dikiliyordu. O kadar uzun boyluydu ki kafası neredeyse tavana değiyordu. Omuzları yatak kadar geniş görünüyordu. Çırılçıplaktı, her bir santimi, kömürden yeni kesilmiş antrasit gibi parlaktı. Karnı kocaman ve şişkindi. Onun altından görünen bir bilek kadar kalın penisi, dışarı doğru uzanıyordu, pompalanan kan ve ihtirasın etkisiyle seğirip titriyordu.

Hâlâ bir eliyle Zheina'nın kolunu tutuyordu. Zheina güçsüzce mücadele ediyordu, yüzü şişmiş ve morarmıştı ve adamın tokat attığı yerlerden kan akıyordu. Gelenin Nastiya olduğunu gördüğünde böğürür gibi bir kahkaha attı ve Zheina'yı kaygısızca bir tarafa fırlattı. Zheina kamaranın duvarına çarptı ve zemine doğru kayarak oturdu. Congo sağ bacağını geriye çekerek onun karnına güçlü bir tekme savurdu. Acı dolu çığlığı kısa süren Zheina, nefesi kesilerek iki büklüm oldu.

Congo onunla daha fazla ilgilenmedi ama hızlı hareket ederek Nastiya'nın kapı eşiğine dek olan kaçış yolunu engelledi.

"Bak kim gelmiş," dedi pis pis sırıtarak. "Tüm gün fazla havalıydın. Bakalım tepene bindiğimde bana durmam için yalvarırken nasıl olacaksın."

O daha konuşmasını bitirmeden Nastiya, ayakları önde havalanarak ona doğru atıldı. Adamın attığı kahkahadan dolayı çenesi hâlâ havadaydı ve boğazı açıktaydı. Nastiya sert topuk kısmıyla onun çıkık âdemelmasını hedef aldı. İndirdiği darbe boynunun kırılmasına sebep olacaktı. Fakat Congo bir orman kedisinin çevikliğiyle çenesini eğdi ve onun topuklarını alnıyla karşıladı. Darbe yine de onu üç adım geriye, kabin duvarına doğru savurdu. Ancak duvarın desteğiyle ayakta kalmayı başardı.

Congo'nun refleksleri etkilenmemişti ve hâlâ o kadar tutarlıydı ki Nastiya yere iner inmez atılıp bir ayak bileğini her iki eliyle birden yakaladı. Onu aniden döndürdü ve Nastiya duvara çarptı. Bu darbe Nastiya'yı bayıltmasa da mücadele gücünü tüketmiş ve onu Congo'nun merhametine terk etmişti.

Güverteye çıkan Erasmus, rap müzik hacrinde bir şey duyamadı. Pruvaya yürüyüp karanlığa doğru baktı. O gece ay büyük değildi ve gökyüzünde hızla hareket eden bulutlar solgun ışığını perdeliyordu. Ne bir şey duyabildi ne de bir şey görebildi. Onu gereksiz yere yukarı gönderdiği için Babic'e söverek yatın, ertesi gün ziyaret edecekleri adaya bakan, iskele tarafı boyunca yürüdü.

Erasmus, *Faucon d'Or*'un kıç tarafına ulaştı. Vardavelalara yaslanarak şimdi bir sigara yakmanın ne güzel olacağını düşündü. Fakat personelin sigara içmesi yasaktı. O sırada gözucuyla bir şeyin hareket ettiğini fark etti. Tekrar baktı ve onu gördü: Alçak ve siyah bir şeydi, suyun üzerinde bir ok gibi sivri ve keskin bir şekilde kayıyor ve hızla ona doğru geliyordu.

"*Merde!*" diye mırıldandı Erasmus ve belindeki tabancaya uzandı.

Dave Imbiss yata çıkacak ikinci gruba liderlik ediyordu. Bu da birinci grubu koruması gerektiği anlamına geliyordu. Bu nedenle, Interceptor'ın pruvasında, ileri silah düzeneğinin normalde olması gerektiği yerde, C8'i vücuduna çaprazlama asılı olarak duruyordu.

Kıçtaki vardavelalara dayanmış duran adamı izlemiş ama bir muharip olup olmadığından emin olamayarak bir hamle yapmasını beklemişti. Sonra onun doğrudan Interceptor'a baktığını gördü, kalabalık bir odadaki sevgililer gibi göz göze geldiler ama bunun ilk görüşte aşk olmadığı muhakkaktı.

Imbiss adamın elini belinin arkasına uzattığını gördü, C8'i omzuna kaldırıp nişan aldı.

Adamın elinin bir şey tutarak tekrar ortaya çıktığını gördü.

O şeyin ne olduğundan emin olmak için bir saniye bekledi.

Sonra ateş etti.

Kurşun, Erasmus'un boğazına isabet ederek onu anında öldürdü. Artık *Faucon d'Or*'un kendisini denizden gelen adamlardan koruyacak kimsesi yoktu.

Zhenia hâlâ acıdan iki büklüm, yerde kıvrılmış yatıyordu, her iki eliyle birden Congo'nun tekme attığı karnını tutuyordu. Bacaklarının arasından kan sızıyordu, harcadığı çabayla birlikte yüzünü buruşturarak doğruldu ve kız kardeşini korumak için ona doğru sendeledi.

Congo neşeyle haykırdı. "Evet! Gel de seni pataklayayım, aptal kaltak." Nastiya'nın bedenini bir golf sopası gibi savurdu ve Zhenia bu darbeden kaçamadı. Bir kez daha duvara doğru savruldu. Dengesini korumaya ve düşmesini engellemeye çalışırken tırnakları ahşabı tırmaladı. Ağzının kenarından kan akıyordu ve çıplak göğsünden yere damlıyordu. Dizleri büküldü, duvardan kaydı ve acıyla hıçkırarak neredeyse baygın bir halde yere yığıldı.

"Henüz seninle işim bitmedi," dedi Congo ona. "Ama önce diğeriyle ilgileneceğim. Fakat ihtiyacın olanın her santimini alacaksın."

Bir kez daha savurduğu Nastiya, bu kez duvara çarptığında kendini korumak için sağ kolunu başının etrafına dolamıştı ve kolu tüm darbeyi üzerine aldı. Dirseğindeki kemik net bir çatırtıyla parçalandı ve Nastiya acıyla haykırdı.

Johnny Congo onu yatağa itti ve soluk soluğa tepesinde dikildi. "Aç kapıyı, tatlım," diye homurdandı. "Baban geldi."

Nastiya acısına rağmen doğrulmaya çalıştı ama Congo sol eliyle onu yatağa doğru geri itti ve bir dizini zorla bacaklarının arasına sıkıştırdı. "Kahretsin!" diye mırıldandı kasıklarına bakarak. "Lanet organım yumuşadı işte." Onu sağ elinin içine aldı ve birkaç hızlı hareketle taş gibi sert haline geri döndürdü.

Şimdi niyetlendiği şeyi yapmaya hazırdı.

Interceptor'dan gelen adamlar kıçtaki vardavelalara akın ettiler, Erasmus'un cesedinin üzerinden atlayarak *Faucon d'Or*'un arka tarafına yayıldılar.

Dışarıdaki güvertelerde başka kimse yoktu. Cross, O'Quinn ve Sharman, siyah birer hayalet gibi jakuziyi geçerek Da Cunha, Congo ve Voronova kardeşlerin öğle yemeğini yedikleri güverteye ve oradan da ana salona girdiler.

Da Cunha'yı kendi kendine konuşarak bir aşağı bir yukarı yürürken buldular, kalbine bir silah namlusu doğrultan Cross'u karşısında görene kadar geldiklerinden tamamen habersizdi. Ellerini hareketsiz hale getirmek için bir kablo bağıyla arkasında bağlamaları ve başkalarına haber vermesini önlemek için de ağzını bantla kapatmaları sadece saniyeler aldı.

Cross, birkaç saniye Imbiss ve adamlarının gelmesini bekledi. "Jones, sen bu zavallı pisliğe göz kulak ol. Dave, Schrager, kaptan köşküne gidin ve yatı kumandasını devralın. Paddy, Sharman, hep birlikte aşağı iniyoruz."

Sharman kıç tarafa, mürettebat odalarına doğru gitti. Tıklattığı ilk iki kapı açıldığında ranzalarda uyuyan adamlar gördü. Yanlarındaki duvarlarda yer alan askılarda beyaz mürettebat kıyafetleri asılıydı. Sharman adamlardan biri uyanıp doğrularak mahmur gözlerle davetsiz misafire baktığında bir parmağını dudaklarına götürerek susmasını işaret etti.

Ardından mürettebat mutfağının kapısına geldi. İçeriden kadın ve erkek sesleri geliyordu. Adamların konuşmalarından kadınları çok iyi tanımadıkları anlaşılıyordu. Demek ki aynı ekipten değildiler.

Sharman kapıyı tekmeleyerek açtı. Üç adam bir masada oturuyordu. İki kadın, –adamlara fazla yaklaşmak istemedikleri belli– ellerinde fincanlarla onlardan birkaç metre uzakta duruyordu.

Bu, Sharman'ın işini çok daha kolaylaştırıyordu. Adamlarda birinin uzandığı Sig Sauer tabancanın masanın üzerinde duruyor olması da.

Sharman, içlerinden biri ona nişan almaya fırsat bulamadan üçünü de vurdu. Adım attı, baktı, adamlardan birinin kıpırdadığını fark etti ve ona tekrar ateş etti. Silah sesleri, dar alanda yankılandı. Artık hiçbiri kıpırdamıyordu.

"Kusura bakmayan, hanımlar," dedi Sharman. "Yoluma devam etsem iyi olacak."

Cross ve O'Quinn yolcu kamaralarına doğru ilerliyorlardı, Cross önden gidiyordu. Kapısı yarı aralık bir kamaraya geldi, kapı pervazının yanına geçti ve O'Quinn'e bir sonraki odaya devam etmesini işaret etti.

Cross içinden üçe kadar saydı, sonra C8'i omzuna dayayıp kapıyı tekmeleyerek açtı, odaya silahın vizöründen bakıyordu. Sola baktı, sağa baktı ve hiçbir şey görmedi. Oda boştu.

Congo'nun dikkati bacaklarının arasındaki kadına öylesine yoğunlaşmıştı ki siyahlara bürünmüş bir siluetin bir hayalet gibi sessizce, Nastiya'nın kırarak açtığı kapıda belirdiğini görmedi. İnce uzun namlulu tabancayı maskeli yüzüne doğru kaldırdığını da görmedi... ama onu hissetti.

Ve tepki verdi.

Congo, O'Quinn'in görüş alanındaydı. O'Quinn'in tek yapması gereken ateş etmekti. Ama sonra, nişan aldığı yerin altında, yatakta yatan Nastiya'yı fark etti. O'Quinn, esprili karakterinin ardında gerçek profesyonel bir askerdi. Disiplinli ve sakindi, savaşmaya, çok yakından ve şahsi durumlarda adam öldürmeye alışkındı. Ama bu fazla şahsiydi. Karısını görmek dikkatini dağıtmış, tereddüt etmesine neden olmuştu. Sadece bir saniye için. Ama bu bile yeterliydi.

Congo, dev cüssesine rağmen daha önce canını elli kere kurtarmış bir hayvanın içgüdüsü, normal insan mantığının ötesinde bir öngörü ve savaşta, ölümcül bir tehlike anında geliştirilmiş bir sezgiyle canlanan bir kedi hızıyla yataktan aşağı yuvarlandı.

Emekler pozisyonda yatağın yanına indi ve başlangıç noktasından fırlayan bir Olimpiyat koşucusu gibi kamaranın zeminine vura vura koşarak doğrudan O'Quinn'in üzerine doğru atıldı.

Siyah maskenin ardındakinin kim olduğu konusunda Congo'nun en ufak bir fikri yoktu ve bu umurunda da değildi. O'Quinn'e bir çığ gibi çarparak ayaklarını yerden kesti. Dizlerinin üzerinde, yere düşen bedeninin üstüne ata biner gibi çullanıp her iki şakağına birden indirdiği balyoz gücündeki dört darbeyle yüzsüz kafayı haşat etti.

O'Quinn'in C8'i onunla Congo arasında sıkışmıştı. Kafasına atılan yumruklar onu sersemletmiş ve sarsmıştı. Silahı tutan eli gevşedi ve Congo onu koparırcasına çekip aldı.

Nastiya acı ve kafa karışıklığı içindeydi, olanları anlamlandıramıyordu. Zhenia ise hâlâ duvarın önünde kıvrılmış yatıyordu.

Congo, C8 elinde ayağa kalktı. Silahı O'Quinn'e doğrulttu ve yakın mesafeden üç el ateş etti: Kafasına ateş etmiş ve kafasını paramparça etmişti. Congo ardından odanın kapısına koştu ve eşikten geçti...

...Tam o sırada Cross, Nastiya'nın odasından çıkıyordu. Congo'nun çıplak bedeninin diğer kamaradan çıktığını gördü, elindeki C8'i fark etti, onu Paddy O'Quinn'den aldığını anladı ve Congo, C8'i kaldırıp hızla ve ikinci kez üç el ateş ederken kendini odaya geri attı.

Congo ikinci davetsiz misafirin kamara kapısının ardında gözden kaybolduğunu gördü. Onu vurup vurmadığını anlamak için durmadı. Üç uzun adımda güverte yoluna ulaştı ve basamakları dörder dörder tırmanarak yukarı çıktı. Yukarıya vardığında cam kapılardan salonun içine göz attı. Da Cunha yerdeydi, ölmüştü ya da etkisiz hale getirilmişti, Congo hangisi olduğuna emim olamadı. Salonda bir başka maskeli adam –Congo artık bunun bir çeşit Delta Force saldırısı olduğunu düşünüyordu– daha vardı. Adam, Congo'yu gördü. Bu kez ilk kez o ateş etti ve kurşunların denk geldiği camlar paramparça oldu.

Congo dışarı, güverteye koştu, bir sesin, "Congo'yu gördüm!' diye bağırdığını, bir silahın patladığını işitti ve güvertenin yan tarafına koşarken kendisininkini yere attı, vardavelaların üzerinden atladı ve Atlantik'in siyah sularına daldı.

Cross diğer kameranın kapısına koştu ve O'Quinn'in öldüğünü gördü. Bunu zihnine şimdilik sadece ekipten birinin ölümü olarak kaydetti. Yas ve keder sonra gelecekti.

İki kadın kötü durumdaydı. Ama yaşıyorlardı ve artık tehlikede değillerdi. Congo onlara tekrar saldıracak kadar uzun yaşamazsa tabii.

Cross güverteye çıktığında Congo'nun çoktan suda olduğunu biliyordu. Mikrofonuna doğru konuştu. "Alt güvertede bir ölü var. Paddy öldü. Birisi gidip kızlarla ilgilensin. Ben Interceptor'ı alıp Congo'nun peşine düşeceğim."

Cross tekneye ulaştığında Darko McGrain, Libreville'den ayrıldıklarından beri olduğu gibi dümendeydi. "Kenara çekil," diye emretti Cross ona. "İdareyi ben devralıyorum."

Cross'un yüzüne bir kez bakması, McGrain'in meseleyi tartışmanın faydasız olduğunu anlamasına yetti. "Senindir, patron," dedi.

Su, Congo'nun başını birkaç saniye süreyle kapladı. Sonra aniden su yüzeyine fırladı ve uzaktaki kıyıya doğru yüzmeye başladı.

Ay bulutların ardından çıkmıştı ve şimdi gökyüzünde, Malabo'nun ormanla kaplı tepelerinin koyu renkli siluetini ortaya koyacak kadar ışık vardı. O tarafa doğru gidiyordu. Büyük gövdesi ona kaldırma gücü sağlıyordu ve o doğuştan bir sporcu, yorulmak bilmeyen bir yüzücüydü. Her iki kolu ve bacağıyla güçlü vuruşlar yaparak ve başını alçakta tutarak suda ilerledi ve kıyı şeridinin algılanabilir şekilde yakınlaştığını görene kadar da kulaç atmayı bırakmadı.

Congo geldiği yola bakmak için bir anlığına sırtüstü döndü. *Faucon d'Or* hâlâ ışıl ışıldı ama o kadar uzakta kalmıştı ki şimdi sadece üst güvertesini seçebiliyordu. Takip edilmediğini görmek rahatlatıcıydı. Suyun içinde tekrar dönerek başını suya batırdı, hızında ve gayretinde bir azalma olmadan yüzmeye devam etti. Birkaç dakika sonra soluklanmak, temkinli davranarak etrafı dinlemek için yeniden durdu. Havasız kaldığını ve kulaklarında bir çınlama olduğunu hissetti. Göğsü sıkışıyordu. Yaş ve iyi yaşam tüm bunları kötü etkilemişti. Çaresizce birkaç dakika daha dinlenmek istiyordu.

O sırada olağandışı bir şey duydu. Yüksek devirde çalışan bir motor sesiydi bu, kalkış gücündeki bir uçak motorununkini andırıyordu neredeyse. Suda döndü, geldiği tarafa baktı ve bir projektör ışığının aniden ortaya çıkıp dalgaların tepesini gündüz gibi aydınlattığını, iki dalga arasındaki çukurları karanlıkta bırakarak denizin yüzeyini süpürdüğünü gördü.

Işık huzmesinin, alçaktan ve karanlık denizin yüzeyinde kendisine doğru sıçrayarak gelen tuhaf bir deniz aracından yayıldığını fark etti. Ürperdi, ani ve derin bir dehşete kapıldı.

Döndü, dans eden ışığın içinde barındığını bildiği ölüme tüm gücü ve kararlılığıyla karşı koydu.

Şimdi suyu döven bacakları her çırpışıyla parlak köpükler sıçratıyor ve ışık huzmesi köpüklerin üzerinde yoğunlaşıyordu. Congo omzunun üzerinden arkaya göz attı; ışık, fiziksel bir darbe gibi ona çarptı ve gözlerini kamaştırarak onu kör etti. Congo başını çevirip kıyıya yüzmeye devam etti. Arkasında, kendisini takip eden aracın motorunun, Kara Ölüm Meleği'nin av çığlığına benzer bir tona doğru yükseldiğini duydu.

Cross dümeni yarım tur sancak tarafına çevirerek teknenin pruvasını çalkalanan suyla aynı hizaya getirdikten sonra gaz kolunu hafifçe hareket ettirdi.

"Bu Congo, buna hiç şüphem yok. Onu yok edeceğim."

"Göster ona gününü, patron," dedi McGrain.

"Emin ol öyle yapacağım," diyerek güvence verdi Cross ve dümeni kademeli olarak kırarak iskele tarafına çevirdi ve teknenin başını Congo'nun kafasına hizaladı.

Congo, çarpmadan bir saniye önce teknenin pruvasının altına dalıverdi. Kocaman bacaklarını havaya doğru savurdu ve onların ağırlığı başını hızla yüzeyden derine itti. Interceptor onun sadece saniyeler önce gözden kaybolduğu noktanın üzerinde homurdandı.

"Lanet olsun, onu ıskaladım," diye mırıldandı Cross. Ama o bunları söylerken hepsi birden ayaklarını altındaki gövdede keskin bir darbe hissettiler.

McGrain neşeyle bağırdı. "Hayır, ıskalamadın, onu ebeledin."

Cross geriye doğru gaza bastı ve Congo'nun gözden kaybolduğu, köpüklü su parçasının etrafında bir daire çizdi. Projektörün ışığı, kanın yüzeye doğru yükseldiği yerdeki parlak kırmızı lekeleri aydınlattı. Aniden Congo'nun başı suyun üzerinde belirdi.

Pervane, Congo'nun sol ayağını bir kıyma makinesi gibi doğramıştı. Congo'nun suratı acıyla yamulmuştu ama bu sadece Interceptor'a nefretle bakışını artırmıştı. Istırabı ve isyanı sözsüz bir feryatta bir araya geldi, sonra yeniden sessizliğe gömülerek matadoru öldürücü son darbeyi indirmeden önceki yaralı bir boğa gibi bekledi.

Cross bir daire çizerek geri gitti ve Congo'nun olduğu noktanın ötesine baktı. "Bu da nedir?" diye sordu ama cevaba gerek yoktu, çünkü projektör, Congo'nun yüzeyde inip kalkan kafasına doğru, suyu yararak ilerleyen üçgen şeklindeki koyu şekli aydınlatıyordu.

Cross kaşlarını çattı. "Köpekbalıkları! O obur pisliklerin onu benden önce öldürmelerine izin vermeyeceğim."

Interceptor'ın gaz kolunu itti ve tekne bir kez daha öne doğru fırladı. Congo bir kaçma teşebbüsünde bulunmak bir yana, artık başını suyun üzerinde tutmakta dahi zorlanıyordu. Tekne doğrudan üzerine gidip ona çarptı ve onu derinliklere doğru sürükledi. Cross daire çizerek geri geldi ve motoru durdurdu. Tekne kan lekeleriyle dolu köpüklerde sürüklenirlerken Johnny'nin cesedi sırtüstü pozisyonda suyun yüzeyinde belirdi, boş göz çukurları şafağın söktüğü gökyüzüne bakıyordu.

Interceptor'ın sivri pruvası kafasını tam ortadan çenesine kadar yarmıştı. Gözleri, darbenin etkisiyle parçalanmış kafatasından fırlamış, yuvalarından dışarı sarkıyordu.

"Onu sudan çıkarmamı ister misin, patron?" diye sordu McGrain.

"Hayır, benim işim burada bitti. Artık köpekbalıkları onu alabilir."

İlk gri köpekbalığının taze insan kanının izini sürerek çıkagelmesi sadece saniyeler sürmüştü. Balık, yüzen cesedin altına doğru yöneldi ve onun yanında yüzeye çıkarak üçgen şeklinde ve sıra halindeki dişlerini Johnny'nin kalçasına geçirip etinden ağız dolusu bir ısırık aldı.

Su, çok geçmeden uzun, kaygan bedenler ve siyah, sivri yüzgeç ve kuyruklarla fokurduyordu. Congo'nun bedenini en ufak parçasına kadar yiyip bitirdikten sonra yavaş yavaş gözden kayboldular.

Cross kendini zafer kazanmış gibi hissetmiyordu. Tüm bunları Hazel için yapmıştı. Ama şimdi Congo'nun ölümünün karısının varlığının son kırıntılarını da yüreğinden silip attığını fark ediyordu, çünkü intikam alma arzusu Cross'u, en azından ruhen, canlı tutmuştu.

"Gitti," diye mırıldandı Cross kendi kendine.

"Aynen öyle," dedi McGrain. "Ve geri de gelmeyecek."

Paddy'nin cesedini, *Glenallen*'daki gömme buzdolaplarından birine koyarak Libreville'e götürdüler: Böylesi, tropik sıcakta çürümesinden iyiydi.

Cross, karaya ulaştıklarında, ertesi sabah erken saatte Nastiya ve Zhenia'ya bakması için özel bir jetle Cape Town'dan bir doktor getirtti. Günün geri kalanını kız kardeşlerin başucunda geçirdi. Zaman geçtikçe Cross'un Paddy'nin ölümü için duyduğu üzüntü, suçluluk duygusuyla birlikte derinleşmişti. *Faucon d'Or*'daki saldırıyı o planlamış ve liderlik etmişti. Adamlarından birinin ölümünden o mesuldü ve hırpalanmış, sevdiğini yitirmiş olan Nastiya'nın bunun onun suçu olmadığını söylemesi, Cross'a sadece kendini daha da suçlu hissettiriyordu.

Paddy onun silah arkadaşıydı ve çok sevdiği bir dostuydu. Ve böylelikle Cross, denizde geçen uzun gecede Imbiss ve Cross

Bow takımının diğer üyeleriyle masaya oturdu. Boş şişeler birbiri ardına önlerindeki masanın üzerindeki yığına eklenirken duygulu anlar yaşandı. Paddy'nin en şok edici ve çılgın kahramanlık hikâyelerini anlatmak için yarışırken atılan kahkahalardan, ölümünün gerçekliği hatırlandığında dökülen buruk gözyaşlarına doğru şaşırtıcı bir hızda yön değiştirip durdular. Cross ağlayan son kişi oldu. Ama lanet olası patlamanın ve onu takip eden gözyaşlarının ardından avutulamaz bir haldeydi.

Libreville'e vardıklarında iki kadın, hastanede muayene edildiler. Doktor, ikisinde de kalıcı bir hasar olmayacağına dair Cross'a güvence verdi: Zaman içinde ve biraz istirahatle birlikte tam ve nispeten hızla iyileşeceklerdi.

Cross'un hâlâ yapılacak bazı işleri vardı. *Faucon d'Or* ona, kanıtlardan oluşan gizli bir hazine sağlamıştı: telefonlar, dizüstü bilgisayarlar, basılı malzemelerden bir yığın. Bunları Gabon yetkililerine vermişti ve onlar da hemen Da Cunha'nın Angola'ya teslim edilmesi için hazırlık yapmışlardı.

Cross, Da Cunha'dan rıhtımda ayrıldı. Bağımsız Cabinda'nın başkan adayı için üzücü bir manzaraydı: yıkanmamış, tıraş olmamış, hâlâ onu yakaladıkları zamanki giysiler içinde. Bileklerindeki kablo bağlar çıkarılmıştı ama yerini kelepçeler almıştı.

"Hoşça kal, sevgili Mateus," diyerek veda etti Cross ona. "Korkarım, Angola hapishaneleri alışık olduğun bir konaklama sağlamayacak sana. Oradaki çoğu tutuklu, hayatlarının geri kalanında o cehennemde çürümek yerine ölmeyi yeğlediklerini söylüyorlar. O yüzden..." Cross anın tadını çıkarmak için duraksadı. "Sana çok uzun bir ömür diliyorum."

Da Cunha'nın yüz ifadesi öfkeyle çaresizliğin tuhaf bir karışımıydı ama o daha cevap verme fırsatı bulamadan adamlardan biri elindeki copu böbreklerine indirince Da Cunha acıdan soluksuz kalarak dizlerinin üzerine çöktü.

Cross bir an için neredeyse ona acıdığını hissetti.

Kadınların seyahat etmesine izin verilmesine daha üç gün vardı. "Ben Nastiya'yla birlikte Londra'ya dönüyorum," dedi Zhenia, doktor kararını açıkladığında. "Paddy'nin cenazesini organize etmek için yardıma ihtiyacı var."

"Ben de sizinle geleyim," dedi Cross. "Ben de yardım edebilirim."

"Hayır, gerek yok. Sen Abu Zara'ya dön. Catherine Cayla'yı gör. Ölüm yerine biraz da yaşamla ilgilenmek sana iyi gelir. Ayrıca onun da babasıyla olmaya ihtiyacı var."

"Haklısın. Bunu düşünmem gerekirdi. Ama cenazeden epey önce Londra'da oluruz, ikimiz de."

"Sizi bekleyeceğim..."

Cross gümrük kontrolünden çıkıp Abu Zara Uluslararası Havalimanı'nın gelen yolcu terminaline girdi. Aniden tiz ve heyecanlı bir çığlık işitti, Catherine Cayla onu görmüştü ve Bonnie'nin elinden kurtulup babasını karşılamak üzere ona doğru koştu. Cross gülerek Catherine'i kucaklayıp havaya fırlattı ve onu tekrar yakalayarak öptü. Onu yere bıraktığında bu çok sevdiği ve kendisini seven muhteşem küçük kıza hayranlıkla baktı. Londra'da kendisini bekleyen kadını düşündü. Önceki haftayı ölümle sarmalanmış olarak geçirmişti ama şimdi hayatın devam etmesi gerektiğini, o kadının ve bu küçük kızın onun için hayatı, ümidi ve neşeyi temsil ettiğini biliyordu. Birlikte bir aile olma, bir ev kurma, çok uzun zamandır etrafını çevreleyen fırtınadan korunacak bir sığınak bulma şansları vardı.

Arabada, Seascape Mansions'a dönerken telefonu sinyal verdi. Bir mesaj gelmişti. Üç parça halinde gönderilmişti. İlkinde, "Kendimi çok daha iyi hissediyorum. Ama..." yazıyordu. İkincisi Zhenia'nın kendini çektiği bir fotoğraftı, muzip, büyüleyici şekilde seksi bir ifadeyle ona gülümsüyordu. Üçüncüdeyse şöyle yazıyordu: "Sevgilime ihtiyacım var... yanımda, üstümde ve içimde... Hemen şimdi!"

Hector Cross'un yüzüne geniş bir tebessüm yayıldı.

"Baba mutlu!" dedi Catherine Cayla.

Cross kızına baktı ve sonra, sanki daha evvel hiç fark etmediği bir şey duymuş gibi hafif bir şaşkınlıkla ona karşılık verdi. "Evet, çok doğru. Baba çok mutlu."

YAZAR HAKKINDA

1933 yılında Zambiya'da doğan Wilbur Smith, bugüne dek otuz beşten fazla kitap kaleme almıştır. Kitapları birçok dile çevrilmiş, milyonlar satmıştır. Bilhassa Courtney serisiyle dünya çapında ün edinen Smith, karısı Mokhiniso ile Londra'da yaşamaktadır.